Languedoc-Roussillon

Ce guide a été établi par **Christine Legrand**, avec la collaboration d'**Alban de Latour**.
Illustrations : **Emmanuel Guillon**, architecte.
Edition : **Françoise Dupont**.
Conception graphique et réalisation : **Dominique Grosmangin**, Décalage, avec la collaboration d'**Ariane Tersac**.

Crédit Photographique :
Toutes les photographies de ce guide ont été réalisées par **Jacques Debru**, à l'exception de celles des pages suivantes :
Chazelles-sur-Lyon, musée du Chapeau : 170 ; 171. **Giraudon** : p. 94 ; 95 ; 96 ; 226 (h) ; 333. **Giraudon, ADAGP 2000** :
p. 127. **Giraudon, Succession Matisse 2000** : p. 126. **Lauros-Giraudon** : p. 116 ; 117 ; 189 ; 226 (c). **Lauros-Giraudon,
ADAGP 2000** : p. 132. **Montpellier, musée Fabre** : 337.

Régie exclusive de publicité : Hachette Tourisme ; contact : Valérie Habert, ☎ 01 43 92 32 52.
Le contenu des annonces publicitaires insérées dans ce guide n'engage en rien la responsabilité de l'Éditeur.

Languedoc-Roussillon

GUIDES BLEUS

sommaire

SOMMAIRE

mode d'emploi

Découvrir

Chaque section de la partie **Découvrir** est représentée par une couleur différente.

Les onglets ▨ et ▨ se rattachent ainsi aux sections **Cadres de vie** et **Histoire**.

Visiter

La carte régionale des pages de garde se découpe en différentes petites régions reprises dans la partie **Visiter**.

À chaque petite région est attachée une couleur définie pour tout l'ouvrage. Les onglets des pages concernées par ces régions reprennent ces mêmes couleurs. Ainsi, les onglets ● et ● se rattachent aux petites régions « Razès et Kercorb » et « Le massif des Corbières » définies sur la carte générale de la page de garde.

Dans la partie **Visiter**, les pages **Comprendre** ● racontent l'histoire d'un site ou d'un monument important, présentent un terroir, un savoir-faire ou un espace naturel :

Découvrir

Les paysages

L'étang de Salses **p. 136**
On y pratique la pêche depuis toujours.

Leucate **p. 123**
Le vieux village, mais aussi Leucate-Plage et Port-Leucate.

L'étang de Thau p. 268
18 km de long, 5 km de large : une véritable mer intérieure.

Prades **p. 150**
Une petite ville entourée de vergers, au pied du Canigou.

Saint-Chinian **p. 236**
L'altitude, des terroirs secs et rocailleux et les cépages traditionnels donnent des crus de qualité.

Le Canigou **p. 140**
Un des plus beaux panoramas du massif pyrénéen.

La Montagne noire **p. 210**
Le balcon méridional du Massif central, frontière entre les départements de l'Aude et du Tarn.

Ille-sur-Têt **p. 118**
Au cœur d'un verger de pêchers.

Les gorges du Gardon **p. 379**
Véritable trait de scie, les gorges sont un joyau dans ce jardin sauvage qu'est la garrigue de Nîmes.

Le cirque de Navacelles **p. 310**
Un site grandiose, à découvrir du causse de Blandas ou de celui du Larzac.

Le cirque de Mourèze **p. 299**
Des milliers de roches découpées par l'érosion.

La grotte de Clamouse **p. 295**
Une des plus belles grottes connues, dans une nature encore intacte.

◀ *Pêchers en fleurs à Eus.*

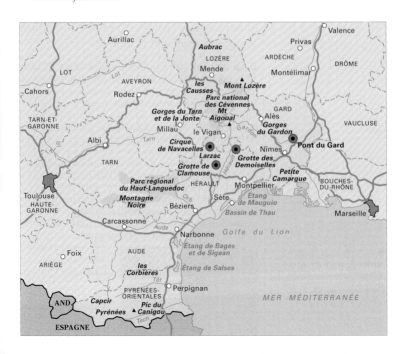

CARTE P. 11

Un large amphithéâtre
de la mer aux montagnes

▲ *Long d'une quinzaine de kilomètres pour une surface de 7 000 ha, l'étang de Salses-le-Château et Leucate marque la frontière entre le Languedoc et le Roussillon.*

Le Languedoc-Roussillon offre une succession de contrastes et une étonnante variété de paysages, qui s'organisent en un large arc de cercle autour de la Méditerranée. Le littoral, plat le plus souvent et bordé par une plaine, s'élève progressivement vers l'arrière-pays pour constituer la garrigue au relief plus accidenté, puis, plus loin, cède la place aux massifs montagneux. On observe ainsi une succession de paliers qui composent un amphithéâtre bordant la partie occidentale du golfe du Lion. Ils esquissent un portrait en quatre facettes : plages et lagunes, vignobles, garrigue et profils montagneux.

■ Le littoral : un équilibre entre terre et mer

À l'exception de la côte du Roussillon, au pied des Pyrénées orientales, le littoral de la Méditerranée occidentale est bas, bordé de longues plages de sable, de cordons dunaires et de lagunes. Tantôt étangs salés, tantôt marais, parfois échange subtil entre eau douce et eau salée, comme en Petite Camargue, cette dentelle, qui apparaît bien sur les cartes, est le résultat du lent dépôt des alluvions venus des fleuves et des rivières côtières, et de l'action opposée des courants marins qui apportent du sable et des galets. Les cordons ainsi constitués le long du rivage isolent peu à peu des étendues d'eau saumâtre et créent les étangs littoraux. Le degré de salinité varie selon les endroits, en fonction des infiltrations d'eau de mer ou de l'alimentation par les cours d'eau et les pluies. L'appellation « étang » est d'ailleurs souvent erronée quand elle s'applique à des lagunes, presque isolées de la mer, mais reliées à elle par des

▶ *La « route de l'huître » permet la visite des sites de production ostréicole installés sur les bords de l'étang de Thau.*

passes étroites, nommées « graus ». Étangs ou lagunes sont peu profonds. En raison de l'amplitude très faible des marées, le profil du littoral ne varie guère. L'ensemble compose un paysage, certes peu spectaculaire, mais d'une grande douceur : roselières frissonnantes en Camargue, berges desséchées et craquelées par le soleil aux étangs du Roussillon, immenses plages très plates et rivages aménagés en marinas de luxe. En dehors des sites exploités par le tourisme, ce type de paysage abrite la flore spécifique des marais et une faune abondante. Les pêcheurs sont les premiers à fréquenter ces eaux très poissonneuses et à implanter le long du rivage de nombreux ports. Certains étangs permettent la culture des huîtres (ostréiculture) et des moules (mytiliculture), comme l'étang de Thau. Les eaux saumâtres deviennent un vivier naturel pour les anguilles, daurades, loups et autres poissons qui attirent à leur tour les oiseaux migrateurs en quête de nourriture, bécasses, canards, spatules ou grands oiseaux sédentaires comme les flamants roses ou les grands hérons cendrés. Les insectes ne sont pas en reste, avec les moustiques, les demoiselles ou les libellules. Partie intégrante du bestiaire du Languedoc et surtout de la Camargue, le cheval et le taureau, élevés dans les manades, s'intègrent à ce paysage lacustre et contribuent à l'image traditionnelle de la région. L'ensemble de ce milieu est cependant très fragile, menacé constamment par l'intrusion intempestive du tourisme, par la pollution, les inondations, et les tempêtes, qui, tous, affectent la stabilité des digues, la bonne préservation des espèces animales et végétales ou l'équilibre dans le degré de salinité de l'eau.

◄◄ *Vergers vers Saint-Michel-de-Cuxa. La production fruitière représente une alternative judicieuse à la production viticole.*

▼ *Le vignoble de Saint-Chinian. On compte plus de 50 000 ha de vignes disséminés sur les coteaux du Languedoc.*

■ En plaine : les polycultures du terroir

Le sol des plaines littorales est principalement constitué à partir de ces mêmes alluvions, déposés par les différents fleuves : le Tech, le Têt, l'Agly, l'Aude, l'Orb, l'Hérault, le Vidourle, le Gardon, le Rhône… Chacun de ces cours d'eau a créé un bassin limoneux que l'homme s'est très tôt attaché à exploiter, déterminant un type composite de paysages : vignobles, oliveraies, et vergers. Chaque terroir cultive sa spécialité. La vigne, la plus rentable économiquement, occupe largement les vallées de l'Aude, de l'Hérault, du Lez, de l'Orb ou du Vidourle, d'où elle a exclu les anciennes cultures traditionnelles du blé, de l'olive et des arbres fruitiers. Elle définit l'image la plus connue du Sud-Ouest méditerranéen : stries régulières et graphiques des rangées de ceps sur une terre soigneusement entretenue. Les oliveraies, moins exploitées à cause de la concurrence des huiles étrangères meilleur marché, se cantonnent désormais à la plaine de Perpignan et aux zones arides du Gard. Les arbres fruitiers, pêchers, abricotiers, cerisiers, pommiers offrent depuis quelques années une alternative à l'omniprésence du vignoble. La partie occidentale de la région, autour de Perpignan et certaines zones de la partie orientale, comme autour de Beaucaire ou dans les petites vallées fertiles, se sont réorientées avec succès dans cette direction. Le décor multiplie ici les longues rangées d'arbres et les grands espaces entrecoupés de canaux d'irrigation. Il prend tout son charme au printemps lors de la floraison. Les vastes étendues roses et blanches habillent alors la monotonie de la plaine.

▼ *L'Hérault à Causse-de-la-Selle, dans la garrigue. Ce paysage naturel est la conséquence du déboisement de la forêt par l'homme.*

■ La garrigue : un paysage typique

Entre la plaine limoneuse qui borde le littoral et les contreforts des montagnes, la garrigue, autre symbole du paysage languedocien, occupe la région intermédiaire de terrasses, de collines sèches et de plateaux calcaires, à l'arrière de Nîmes et Montpellier et sur les Corbières.

Implantée dans une terre avare et caillouteuse, la garrigue est une formation végétale typique de la Méditerranée. Il ne faut pas la confondre avec deux autres formations qui lui ressemblent : la lande (terme réservé au climat océanique ou continental) et le maquis (qui concerne les terrains siliceux). La garrigue est le vestige dégradé de la forêt qui couvrait jadis la région et que l'homme a fait progressivement disparaître pour implanter l'élevage et les cultures. Sa végétation est basse et se compose d'un tapis irrégulier d'arbustes et d'herbacées. Elle compte peu d'arbres, pour la plupart de petite taille. La nature odorante de cette végétation est l'un des charmes principaux de ce type de paysage. Là où la dégradation de la garrigue est importante, par exemple à cause des incendies successifs, seule la pierre demeure, en une sorte de désert minéral. La nature calcaire du sol, tendre, a permis à l'eau de sculpter d'étonnantes dépressions dans la roche, constituant une étrange succession de trous, de petits canyons et de gros blocs rocheux aux silhouettes ruiniformes. Les pluies torrentielles entraînent la terre dans les dépressions et les ravins et la garrigue ménage alors des oasis fertiles et verdoyantes. Mais le climat méditerranéen, très sec en été, transforme la garrigue en un lieu aride, où les plantes se dessèchent et se raréfient.

■ **Une ceinture de montagnes et de plateaux**
L'amphithéâtre naturel du Languedoc et du Roussillon est fermé par une succession de massifs montagneux. Premiers sommets du Massif central à l'est, Montagne noire et Corbières au centre et Pyrénées à l'ouest. En réalité, le terme de montagne ne s'applique réellement qu'aux Pyrénées orientales, aux Cévennes et au relief Lozère. Les plus hauts sommets sont ceux des Pyrénées, avec le Canigou (2 784 m) et le Carlit (2 921 m) et appartiennent sans aucun doute à la haute montagne. Le mont Aigoual (1 565 m) et le mont Lozère (1 699 m), plus usés, ressemblent bien aux formations anciennes du Massif central. Entre ces deux ensembles culminants, les Corbières et la Montagne noire peinent à atteindre les 1 000 m. La ceinture d'altitude est complétée par des plateaux, verdoyants dans l'Aubrac ou la Margeride, sec et pierreux dans les Causses. La diversité géologique de ces types de relief est accentuée par de grandes différences de climat, selon l'exposition des versants et l'altitude. Les Pyrénées orientales bénéficient d'un climat sec et ensoleillé, alors que les Cévennes sont plus humides, ainsi qu'en témoignent la végétation dense et la relative fraîcheur. La transition est très nette dans ce massif, entre les versants nord et sud qui, eux, sont influencés par le climat méditerranéen. Quant aux plateaux élevés des Causses et de l'Aubrac, ils offrent un spectacle très contrasté : étendues austères et tourmentées de canyons et de chaos rocheux pour le premier ou larges pâturages balayés par les vents dans le second. Là, l'hiver est rigoureux, marqué par les bourrasques glaciales et les tempêtes de neige.

▲ *La Montagne noire, qui culmine au pic de Nore à 1 210 m, concentre nombre d'activités et de loisirs à découvrir.*

◄ *Les orgues d'Ille-sur-Têt avec en fond le pic du Canigou. Cette montagne mythique des Catalans demeure au cœur des rites millénaires de la Saint-Jean.*

▲ *Le roseau, que l'on appelle en Camargue la sagne, prolifère au bord des eaux des étangs.*

La végétation
variée, dans un environnement rude

L argement influencée par la proximité de la Méditerranée, la végétation se décline pourtant très différemment selon l'éloignement du littoral, l'altitude et l'exposition. Sa richesse a attiré les botanistes depuis des temps très reculés. Montpellier se vante ainsi d'avoir créé le premier jardin des Plantes d'Europe, tandis que sa chaire de botanique a vu passer les plus célèbres savants depuis la Renaissance ; ainsi, le nombre de plantes médicinales dont elle disposait et leur étude ont contribué au renom de son université de médecine. Il suffit de se promener en pleine nature pour constater la diversité de sa végétation.

■ Arbres et plantes du littoral

On retrouve le long du rivage les plantes traditionnelles des zones marécageuses et des eaux saumâtres. La salicorne, une plante grasse qui pousse dans les milieux salés, la sansouire qui compose un pré salé, la saladelle ou lavande de mer, le jonc et le roseau (que l'on appelle en Camargue la *sagne*) sont typiques de tous les marais. Les dunes sont fixées grâce aux oyats et ponctuées de panicaut maritime et de camomille des sables. Dans les zones sèches, le littoral est ponctué d'arbres spécifiques, comme les tamaris, les oliviers, les pins parasols, mais aussi les palmiers, figuiers de Barbarie et autres arbres exotiques implantés artificiellement mais qui se sont épanouis sous le climat local. Le cyprès bleu que l'on voit ici et là, près des vignobles, résulte aussi d'une importation réussie.

▶ *Le chêne kermès est un arbre typique du paysage de garrigue languedocienne ; on en tirait autrefois la cochenille, un colorant rouge.*

■ La garrigue : persistante et odorante

La garrigue doit son nom à un mot occitan, *garric*, qui en désigne l'arbre le plus répandu, le chêne kermès. De petite taille, très résistant à la sécheresse, il possède des feuilles épaisses et luisantes, équipées d'épines qui le protègent de l'appétit des moutons. Son adaptation aux conditions difficiles, il la doit aussi à ses racines extra-

ordinaires qui lui permettent de se régénérer même après les incendies. Pour les altitudes un peu plus élevées, le buis, autre petit arbre au feuillage persistant, remplace le kermès. Le pin d'Alep, présent, ici et là, rappelle la forêt qui couvrait jadis la région. De taille plus réduite, les arbustes sont nombreux : ciste cotonneux, genévrier, cade, genêt scorpion très épineux, qui forment un tapis au feuillage d'un vert éteint, écrasé par la lumière méridionale. Mais le caractère le plus séduisant de la garrigue est son parfum intense, si évocateur des contrées méridionales. Touffes de romarin, thym, sarriette ou lavande attirent les abeilles et font de la garrigue le pays d'un miel délicieux. Entre les pierres, envahissant très vite les étendues laissées par les incendies, le brachypode rameux est une herbe très résistante, que la pire sécheresse altère à peine et qui meuble le sol d'une pelouse grisonnante.

◄ *Les cistes cotonneux forment des arbustes aux fleurs vives qui colorent la garrigue.*

■ La végétation de montagne : diversité et richesse

Dès que l'on prend d'assaut les versants des montagnes, la végétation se diversifie considérablement. Le hêtre et le sapin, bien adaptés à l'altitude, se plaisent dans les climats humides des pentes des Cévennes ou des vallées pyrénéennes orientées au nord. Dans les Pyrénées, les versants les plus ensoleillés sont dominés par les pins sylvestres et aux altitudes moyennes, par les chênes-lièges, que l'on cultive pour en faire des bouchons, principalement dans le Vallespir, les Aspres et les Albères. Autrefois véritable richesse économique, cet arbre souffre de sa durée d'exploitation : il faut attendre de quarante à cinquante ans avant de récolter le premier liège, puis espacer les récoltes d'une dizaine d'années. Le châtaignier, pour sa part, est l'arbre « symbole » des Cévennes, aussi appelé « arbre à pain ». On le trouve à des altitudes moyennes, entre 600 et 900 m, sur les terrains non calcaires. Exploité par l'homme durant des siècles, il régresse malheureusement et est remplacé par les plantations de pins, sapins ou épicéas. En altitude, quand la forêt laisse la place aux alpages, ou sur les plateaux élevés, on trouve la grande gentiane jaune, l'arnica, l'alchémille, la potentille, la campanule ou l'achillée des Pyrénées. Bien des espèces de fleurs des montagnes s'épanouissent dans les Cévennes à des altitudes relativement modestes en raison des rigueurs climatiques et des contrastes de température.

▲ *Les plantes aromatiques de la garrigue, comme le thym (ici) ou le romarin, supportent le manque d'eau et les températures élevées grâce à un feuillage en aiguille limitant l'évaporation.*

▲ *La racine de la gentiane jaune des montagnes est utilisée pour préparer liqueurs et médicaments.*

CARTE P. 11

Grottes et gorges
des édifices géologiques

Cirque de Navacelles, gorges du Tarn, grotte des Demoiselles ou de Clamouse : à citer les sites les plus célèbres du Languedoc-Roussillon, on retrouve encore et encore les grottes, gorges, cirques et canyons qui dessinent son relief tourmenté. C'est la nature calcaire du sous-sol qui est la cause de ces structures étranges. Ce que l'on voit à la surface est le pendant d'une véritable dentelle souterraine. Sous l'action millénaire de l'eau, le paysage se reconstruit sans cesse. Là où coulaient les rivières, l'usure progressive a creusé, contourné, modifié la forme du sol et du sous-sol. Le père de la spéléologie, Édouard-Alfred Martel, a largement contribué à faire connaître les richesses souterraines de la région à laquelle il a consacré une grande partie de sa carrière.

▼ *Profondes de 100 m à 150 m, les gorges du Gardon s'étendent sur une trentaine de kilomètres entre Dions et le pont du Gard.*

▲▶ *Depuis les falaises voisines on observe le cirque de Navacelles, site grandiose, unique en Europe, d'une profondeur de 300 m.*

■ Gorges et cirques : un labeur naturel

En surface, c'est d'abord le cours des rivières qui a modifié le paysage. La roche calcaire ne permet pas le ruissellement. Perméable, elle laisse l'eau s'infiltrer et creuser peu à peu la moindre faille. Les rivières découpent ainsi progressivement leur lit, de plus en plus profond (600 m pour les gorges du Tarn), jusqu'à ne ménager qu'une fente étroite et vertigineuse et former des gorges spectaculaires. Selon les composantes de la roche, les falaises ainsi constituées offrent des profils plus ou moins tourmentés, teintés des différents minéraux, gris pâle, beige doré, rose… Parmi les gorges créées de cette manière, citons, outre celles du Tarn et de la Vis, les gorges de la Jonte, de la Dourbie, de l'Agly, du Gardon… Là où la rivière rencontre une résistance, à cause d'une zone de roche plus dure, elle se détourne et dessine des méandres qui s'accentuent peu à peu devenant parfois de larges cirques, comme à Navacelles, vestige d'un bras mort de la Vis. Ailleurs, c'est l'eau de pluie et le vent qui sont responsables de l'érosion. L'aspect des roches est plus tourmenté, ressemblant à un chaos de ruines, tours, formes grotesques, semblables à des animaux oubliés. À cet égard le cirque de Mourèze compose un labyrinthe fantasmagorique, peuplé de monstres pétrifiés qui se dressent entre les pins.

▲ *Taillé au flanc de la montagne de Liausson, le cirque de Mourèze étonne par ses sculptures naturelles aux formes étranges.*

■ Une dentelle souterraine

L'eau ne se contente pas de rester en surface Chaque fissure du terrain est une porte ouverte qui lui permet de s'insinuer dans le sous-sol. L'eau de pluie légèrement acide dissout alors lentement le carbonate de chaux contenu dans la roche calcaire. Les fissures s'agrandissent, deviennent plus profondes. La roche se creuse peu à peu, donnant naissance à des dépressions, les dolines, puis à des puits ou avens. À mesure que l'érosion se poursuit, ces avens s'agrandissent et en rejoignent d'autres, fusionnent pour former un réseau de galeries souterraines qui s'élargissent en grottes aux dimensions souvent étonnantes. À la rencontre d'une couche imperméable, l'écoulement de l'eau ralentit encore et forme de petits lacs. Au fur et à mesure, l'eau se charge de plus en plus en carbonate de chaux. En suintant doucement, elle finit par le déposer en chemin, construisant peu à peu d'étranges concrétions : draperies lorsqu'elle ruisselle le long des parois, stalactites lorsqu'elle tombe goutte à goutte du plafond des grottes, stalagmites, édifiées lentement, quand elle tombe au sol. Pour que d'importantes concrétions soient réalisées, il faut des millénaires (leur croissance dans la région ne dépasse guère un centimètre tous les cent ans). Parfois, stalactites et stalagmites se rencontrent et forment des colonnes qui se compliquent en silhouettes fantastiques, comme, dans la grotte des Demoiselles (Hérault), celle que l'on surnomme la Vierge à l'Enfant, ou encore les surprenantes méduses. Ailleurs, c'est un autre type de concrétion : l'excentrique est due à la cristallisation d'aragonite sur les stalactites et forme de fines ramifications translucides qui partent dans tous les sens et ressemblent à des buissons de fleurs ou à des flocons de neige. La grotte de Clamouse (dans l'Hérault) en possède de plus beaux spécimens. Parmi la multitude de grottes et de gouffres, 16 sont aménagés et ouverts au public, dans les Causses, les garrigues, aux flancs de la Montagne noire et dans les Pyrénées méditerranéennes.

▲ *Au cœur de la vallée de l'Hérault, la grotte de Clamouse est un véritable musée minéral, découvert en 1945 et désormais accessible au public.*

Les cadres de vie

Le Mas-Soubeyran
p. 405

Dans la vallée des Camisards, un ensemble caractéristique de l'habitat groupé des basses Cévennes.

Maury **p. 134**

Dans le pays de Fenouillèdes, un terroir excellent qui produit des vins doux naturels.

Palavas-les-Flots **p. 253**

Tout près des plages surpeuplées, la solitude un peu magique des étangs.

Saint-Pons-de-Thomières **p. 244**

Le siège du Parc naturel régional du haut Languedoc, paradis du tourisme vert.

Saint-Jean-du-Gard **p. 407**

La « capitale » du pays camisard est le type même des villes des vallées cévenoles.

Saint-Laurent-de-Cerdans **p. 131**

On y fabrique toujours les traditionnelles espadrilles.

Le Vieux Mas **p. 394**

À 6 km au sud de Beaucaire. Pour retrouver l'animation du début du siècle.

Prat-d'Alaric **p. 247**

Dans le Parc naturel régional du haut Languedoc. Une ancienne exploitation agricole avec son four attenant et son *pailher*.

Le Vigan **p. 402**

Au pied de l'Aigoual, un musée cévenol : la salle commune d'un mas et des intérieurs d'ateliers.

◀ *Ruelle à Sigean.*

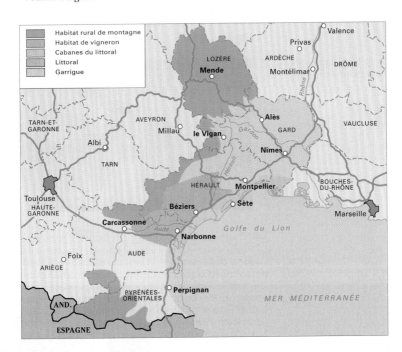

Habitat rural de montagne
Habitat de vigneron
Cabanes du littoral
Littoral
Garrigue

CARTE P. 21

L'habitat rural
s'adapter au climat et à l'environnement

Il n'existe pas un modèle unique de maison du Languedoc ou du Roussillon. La diversité géographique entraîne des variations de style et de matériaux de construction. Plutôt que de parler d'unité architecturale on évoque des ressemblances en fonction des trois grands milieux, montagne, garrigue et plaine. La nature des roches environnantes, la présence ou nom de bois, l'altitude, la pente et le climat déterminent des profils totalement différents. L'activité dominante est un autre facteur déterminant, car la maison ou la ferme doivent inclure les bâtiments utilitaires. Une seule règle est quasi générale : l'utilisation de la pierre comme élément de base de toutes les constructions.

▶ *Ferme typique du pays caussenard à Hielzas.*

■ Dans les montagnes : un habitat robuste

Dans tous les paysages montagneux, la maison est conçue de façon très similaire pour s'adapter à la pente et aux rigueurs climatiques. Elle s'adosse le plus souvent au versant nord, est construite sur plusieurs niveaux pour tirer parti de l'espace et limite ses ouvertures au maximum pour se protéger du vent, du froid et de la neige. Traditionnellement, elle adopte avec l'altitude une toiture de pierre, dalles de schiste ou lauzes, d'ardoises ou de calcaire. Elle peut se composer de deux ailes perpendiculaires qui délimitent une cour et possède plusieurs niveaux : le rez-de-chaussée sert d'étable et de grange, le premier étage héberge la famille. Les habitations se réunissent en hameaux d'une dizaine de maisons. Les villages plus importants restent modestes. On les reconnaît à la présence d'une église et d'une mairie.

Dans les Pyrénées, on note l'absence de perron devant la maison (l'escalier est à l'intérieur) et l'utilisation du bois, abondant, pour l'encadrement des ouvertures ou, en Cerdagne ou en Capcir, pour de profonds balcons qui servent à protéger, à circuler ou à entreposer au sec. La maison de la Montagne noire lui ressemble beaucoup et partage la même orientation au sud et le même souci de protection contre les vents dominants. Elle se dote pourtant d'un escalier extérieur, abrité par un auvent et même des murs latéraux. On retrouve ce perron extérieur dans les Cévennes, où il prend de l'importance se transformant souvent en terrasse occupant toute la longueur du bâtiment. Les fermes cévenoles installent souvent une magnanerie (pour

▲ *Le Mas-Soubeyran.*

l'élevage des vers à soie) au second étage et s'adjoignent de multiples bâtiments annexes pour sécher les châtaignes (la clède), entreposer les récoltes ou même séparer la magnanerie de l'habitation. Une sorte de cour en étages est ainsi ménagée, parcourue de petits escaliers, épousant le relief de l'exploitation environnante. Une autre caractéristique est le cimetière familial, dont les pierres tombales sont de simples lauzes fichées en terre. La maison présente nombre d'originalités, comme le mélange de schiste pour les murs et de grès pour les angles et l'encadrement des ouvertures, donnant une couleur bigarrée. Le toit, exécuté en plaques de schiste, s'organise parfois en festons et s'orne de cheminées massives et décoratives, couronnées d'une lauze épaisse. Dans les monts de l'Espinouse, on construit des « pailhers », exécutés en granit et couverts avec le genêt, abondant dans la région. Les murs exposés aux intempéries, au nord et à l'ouest, sont doublés d'ardoises. Sur les pentes du mont Lozère, c'est encore le granit qui domine, en gros moellons, avec des linteaux massifs, des ouvertures minuscules et un agencement en ligne ou en équerre. Le toit est le plus souvent en lauze de schiste, parfois en chaume de seigle.

■ Sur les Causses : promiscuité et isolation

Sur les Causses, la maison répond à deux soucis majeurs : l'élevage ovin qui est l'activité principale place la bergerie au cœur de la bâtisse, et le vent omniprésent, dont il faut se protéger lors des hivers très rudes, conditionne sa silhouette compacte. Ouverte vers le sud, elle se fond remarquablement dans le paysage avec ses murs et son toit faits de la pierre grise tirée du sol. L'absence d'arbres fait du bois un matériau rare. Le premier étage est donc soutenu par des voûtes de pierre qui remplacent une charpente de bois. Pour cette raison, il n'y a pas de circulation intérieure entre le rez-de-chaussée, qui abrite la bergerie, et l'étage, où réside la famille. L'escalier se trouve à l'extérieur, se terminant en une terrasse couverte. Le corps de bâtiment principal et les annexes sont trapus, ramassés autour d'une cour. La gestion de l'eau est un autre problème crucial dans les Causses et dans les garrigues. On y récupère soigneusement l'eau de pluie par un réseau de petites gouttières de bois l'emmenant dans une grande citerne, près de la cuisine. L'habitat est ici isolé ou dispersé en hameaux très éclatés.

■ Burons, capitelles et mazets : des abris dans les champs

La nature des activités traditionnelles explique la multitude de petites constructions qui ponctuent les collines. L'élevage oblige les bergers à passer du temps dans les pâturages et à y trouver abri. Dans les vignes, ce sont les outils qu'il faut remiser près du site d'exploitation.

▲ Les mazets sont nombreux dans les vignobles (ici Maury), où ils servent d'abri et de remise.

Sur le plateau de l'Aubrac, l'abri typique est appelé buron. Les vachers y séjournent du printemps à l'automne, pour garder les bêtes et y préparer le fromage. Fait de granit ou de basalte, il est presque enterré dans la pente, à proximité des points d'eau. Le buron est très sommaire, ne possède qu'une ouverture et une pièce unique, avec une petite cave pour affiner les fromages. Les capitelles sont un autre type d'abri, pour les bergers, la nuit et par mauvais temps. La capitelle est circulaire, constituée par l'empilement soigneux des pierres trouvées aux environs, sans utiliser de mortier. Elle forme une voûte, un peu à la manière des igloos ou des huttes de pierre des Celtes. Une porte sommaire est ouverte du côté opposé aux vents dominants et surmontée d'un linteau, à partir duquel des lauzes sont placées en écailles de poisson pour constituer la voûte, que l'on termine au sommet par une dalle plus large. Le tout donne une silhouette arrondie très caractéristique. Depuis que les bergers n'y séjournent plus, elles servent de remise.

Le mazet est l'abri spécifique du vignoble. Rectangulaire, en pierre trouvée sur place, il est couvert d'un toit de tuiles, à une ou à deux pentes. Ne comportant qu'une pièce, il sert d'abri contre les orages, de remise à outils, d'endroit où déjeuner à l'ombre de l'arbre qui l'abrite presque toujours.

■ La maison du vigneron

Maison de la plaine ou des collines basses, elle diffère radicalement des autres. Toujours couverte de tuiles, ses murs sont fréquemment enduits, ocre ou rosés. Le rez-de-chaussée comporte deux ouvertures, la porte et un large portail pour laisser entrer les charrettes, et servait autrefois de magasin ou pour stocker le vin ou les légumes. À l'étage, les fenêtres sont petites pour ne pas laisser entrer la chaleur. Les maisons se réunissent en gros villages. Mais l'organisation en caves coopératives a peu à peu libéré les vignerons des activités au sein même de la maison et le cellier au niveau de la rue est devenu « pièce à vivre ». Aux beaux jours, il est même courant de déborder devant la porte pour prendre l'air du soir et bavarder avec les voisins. Il faut bien sûr faire la différence entre l'habitat du petit vigneron et les grands domaines au cœur du vignoble, où la maison de maître est la règle, avec son environnement d'annexes qui délimitent une grande cour fermée, logements des ouvriers, celliers, remises…

▲ *Capitelle près d'Uzès. Ces cabanes sont bâties à partir de plaques de schiste et de calcaire empilées.*

■ Les cabanes du littoral

L'essor touristique n'a hélas pas préservé grand chose des cabanes de pêcheurs qui bordaient jadis les étangs. Seule la Petite Camargue a conservé son habitat traditionnel de longues maisons basses, couvertes des roseaux du marais, entourées de tout un réseau de palissades et d'enclos. Il existe, à côté de ces rares maisons anciennes, une profusion de cabanons et petits bungalows sommaires, poussés ici et là, parfois sans permis de construire, qui font office de maison d'été et de week-end. Assemblage hétéroclite de matériaux récupérés, bois patinés peints et repeints, terrasses démesurées, à l'ombre des tonnelles improvisées ou des bâches. Parfois, comme à Gruissan, l'esprit du cabanon prend un caractère particulier, composant une véritable ville de bois sur la plage, longues rangées géométriques perchées sur pilotis et ménageant au sol une aire ombragée pour se rafraîchir en été.

◄ *Cabanes de pêcheurs à Palavas-les-Flots.*

CARTE P. 21

Mobilier, costumes et objets du quotidien

L'organisation de la vie quotidienne dans les campagnes dépend de la vocation des fermes et du climat sous lequel elles sont implantées. Certaines règles, à la base de toute vie rurale, sont les mêmes partout. Le mobilier reste simple et fonctionnel, le costume confortable et pratique. Les bâtiments sont répartis entre la famille, les bêtes et les zones de stockage de la façon la plus rationnelle pour ne pas souffrir du froid en hiver, de la chaleur en été. Dans les montagnes et sur les Causses, surtout, les hivers longs et rigoureux imposaient un rythme et des habitudes particuliers. Le régime alimentaire, par exemple, varie considérablement entre le vignoble littoral et la solitude des plateaux du Larzac.

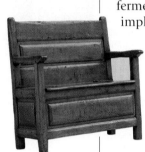

▲ *Coffre lozérien.*

■ L'importance du foyer

Comme dans toutes les maisons rurales de France, la cheminée occupe une place primordiale. Le feu y est entretenu en permanence dans les régions les plus fraîches. S'il sert bien sûr à la cuisine, il est surtout le pôle central de la maison. Les membres âgés de la famille restent là durant la journée et le soir, les autres membres de la maisonnée et les voisins viennent y tenir la veillée. À côté de la cheminée, on place un grand banc à accoudoirs et marchepied, réservé au chef de famille, aux aïeux et aux invités. Une chaise dont l'assise forme un coffre sert à entreposer le sel (en l'absence de ce type de siège, on place le sel dans la base du banc ou dans un tronc évidé). Une autre pièce de mobilier originale est le « buc », sorte de cylindre creux équipé d'un dosseret, dans lequel on place debout les enfants en bas âge. Le centre de la pièce est occupé par la table rectangulaire encadrée de bancs. Les chaises paillées sont plus rares, surtout dans les familles pauvres. Enfin, la maie permet de pétrir le pain et complète le mobilier de cette partie de la maison qui constitue la pièce à vivre. L'évier, en général sous la fenêtre ou à proximité, est taillé dans un bloc de pierre. Des étagères courent le long du mur pour héberger les pots, bouteilles et autres récipients. Les marmites et les poêles à très long manche sont suspendues au mur, près de l'âtre. Dans beaucoup de maisons rurales, il n'y a qu'une seule pièce, dont un coin est réservé pour la nuit, avec des lits très simples, beaucoup plus petits que ceux que nous connaissons, équipés de simples paillasses que l'on bat de temps à autre. En se mariant, la femme amène en dot une armoire et son linge. Le « coin chambre » accueille aussi les dévotions, avec le crucifix et un bénitier. Pour dormir, on s'entasse tant bien que mal et la promiscuité est la règle car la priorité est de se tenir au chaud quand la tempête fait rage dehors. L'étable n'est souvent séparée de l'habitation que par une cloison, ce qui contribue à conserver la chaleur. Dans les maisons plus élaborées, on parque les bêtes au rez-de-chaussée et la chambre, séparée de la cuisine, est meublée avec la même parcimonie. Les plus riches doublent la paillasse d'un matelas de laine ou de plume, selon la saison. Bien que très sobre, le lit s'équipe de quenouilles, colonnes soutenant des rideaux et un

◄ *Le dernier dimanche d'octobre, Saint-Pons-de-Thomières organise la fête de la châtaigne.*

ciel de lit. Plus tard, on adopte parfois le lit dit « à l'ange » : les rideaux, accrochés à une pièce fixée au mur, peuvent se draper à la tête et au pied du lit dans la journée et se fermer la nuit. Bien sûr, dans les familles aisées, chez les grands propriétaires et dans les demeures bourgeoises des villages, le mobilier se diversifie considérablement et sert alors à marquer la position sociale. On fait venir ses meubles de la ville ou de plus loin, pour épater les relations…

■ Le pain quotidien

Contrairement à beaucoup d'idées reçues, le pain était autrefois loin d'être la base de l'alimentation paysanne dans le Languedoc et le Roussillon. Les cultures locales, comme le maïs, dans l'Ouest ou la châtaigne, dans l'Est, fournissent largement la table familiale. Le maïs apparaît au XVIIe s. Pour le consommer, on le fait bouillir en accompagnement ou en plat principal avec des œufs et du lait. On peut aussi en faire une pâte épaisse, sucrée avec du miel ou frite. La châtaigne, quant à elle, est la denrée « symbole » des Cévennes, fruit de « l'arbre à pain ». Elle représente l'une des activité principales de cette région montagneuse où elle accède au rang de culture dans de véritables vergers. Une poêle spéciale, percée de trous, permet de faire griller les châtaignes fraîches dans la cheminée. Mais la plus grande partie de la récolte est mise à sécher dans la clède, les châtaignes sont ensuite épluchées (on les appelle alors des bajanes) et préparées en soupe, ou en purée, avec du lait ou même du vin… On en nourrit aussi les volailles et les cochons. Quant au bois du châtaignier, il participe à l'aménagement de la maison et de ses environs : on en fait des charpentes, des meubles, des paniers et ses troncs évidés se transforment en ruches… Le pain, très rustique, se confectionne avec du froment, du seigle ou de l'avoine et reste un symbole presque sacré, à part dans l'alimentation. Avant de le couper, on l'entaille d'une croix et il s'accompagne de superstitions et de croyances diverses : on ne doit pas le poser à l'envers, ni le laisser tomber par terre, encore moins en jeter les restes, sous peine d'attirer le malheur. Une autre particularité du régime alimentaire est l'importance de l'ail qui est consommé en grande quantité comme légume, une habitude définitivement tombée en désuétude, sans doute à cause de l'inconfort olfactif ! Le quotidien ne s'améliore notablement que pour les grandes célébrations paysannes qui ponctuent l'année. Moissons, vendanges et tuée du cochon sont l'occasion de grands festins et de rituels de fête qui réunissent pendant des jours tout un voisinage.

■ Des habits pour le travail

Le costume traditionnel n'a pas la splendeur et l'exubérance que l'on voit dans d'autres provinces. La vie est rude, les conditions climatiques difficiles, surtout en altitude, et l'habit remplit surtout son rôle utilitaire. Le costume masculin est d'une austère simplicité. Pantalon au genou, bas de laine ou de coton, gilets ou vestes courts marron ou gris foncé, comme le chapeau à larges bords. La seule note de couleur est la large ceinture très vive. Certains corps de métier arborent des couleurs particulières, comme les blouses bleues des maquignons. Sur le littoral, en été, les hommes s'habillent de toile blanche, conservant un gilet court contrasté et la ceinture rouge. Le bonnet est rouge également, souvent un béret. Le costume des femmes, un peu plus coquet, reste modeste et discret. La coiffe, petite et sobre, enserre bien la tête, et les cheveux sont séparés au milieu et tirés en chignon sur la nuque. Dans la plaine, pour se protéger du soleil ou de la pluie, elles portent une capeline à larges bords souples, rabattus par un large ruban attaché sous le menton. Les

▶ *Le tissage artisanal catalan apparaît dans la région au XIXe s. Ces toiles aux maillages résistants et aux motifs à rayures ont des usages multiples : linge, transat, espadrilles…*

jupes, froncées à l'arrière et sur les côtés, s'accompagnent d'un corsage ajusté recouvert d'un fichu de cotonnade imprimée, posé sur les épaules et croisé sur le buste. La différence de classe sociale est marquée par le port d'un tablier pour les femmes du peuple et par les broderies et petits plissés ornant la coiffe de la femme aisée. Mais il faut souligner que d'une manière générale, les habits élaborés sont réservés aux rares fêtes et que le reste du temps, le travail des champs impose un simple foulard et des tissus rudes et solides.

■ Musées et écomusées

C'est souvent par les objets soigneusement collectionnés que l'on découvre les modes de vie et savoir-faire oubliés. Le quotidien en Roussillon, les métiers propres aux traditions catalanes sont évoqués au musée d'Arts et Traditions populaires de Perpignan, au Castillet. On y découvre une foule d'objets originaux, liés aux activités locales, du mobilier et même des instruments de musique du folklore catalan.

L'espadrille, qui est la chaussure emblématique de cette région, a elle aussi son musée, à Saint-Laurent-de-Cerdans, où l'on apprend tout sur son histoire et sa fabrication ainsi que sur le tissage des toiles catalanes. À Agde, le Musée agathois présente les danses folkloriques, les costumes locaux, les habits de noces et reproduit l'atelier d'une monteuse de coiffes en dentelle et

▲ *Le musée des Vallées cévenoles, à Saint-Jean-du-Gard.*

différentes pièces de la maison. C'est encore la vie quotidienne au siècle dernier qui est racontée au musée du Fougau, dans le vieux Montpellier, au moyen d'une reconstitution d'un intérieur populaire et de costumes anciens. À Nîmes, comment passer à côté de l'histoire de ces cotonnades appelées indiennes qui ont largement contribué au costume des femmes et à la décoration des maisons ? Le musée du Vieux-Nîmes présente des châles anciens, un atelier de couture d'autrefois ainsi que les pièces d'une maison de ville et de nombreux meubles traditionnels. Pour expliquer les vieux métiers des bords de la Camargue, au début du XXᵉ s., le Vieux Mas, près de Beaucaire, utilise des outils d'époque. Dans l'Hérault, la Maison de Prat d'Alaric reproduit une ferme typique de l'Espinouse. Enfin, le patrimoine populaire des Cévennes est mis en valeur de façon particulièrement vivante dans les trois écomusées du Parc national et au musée cévenol du Vigan qui évoque les métiers et modes de vie locaux, autour de la châtaigne, de la soie et des objets du quotidien.

La société

Carnon-Plage
      p. 253
À 5 km à l'est de Palavas-les-Flots.

Palavas-les-Flots
      p. 253
À 10 km de Montpellier, une station « moderne » déjà ancienne.

La Grande-Motte
      p. 278

Une architecture qui a fait date.

Clermont-l'Hérault
      p. 296
La ville fait transition entre plaine et montagne, au centre d'une région regroupant de très nombreux sites de loisirs.

Montpeyroux   p. 303
Un centre viticole dont l'histoire remonte aux environs de l'an Mil.

Frontignan   p. 266
Connue pour son muscat dont on vantait déjà les mérites au XVIIIᵉ s.

Rivesaltes   p. 134
Au centre d'un terroir viticole renommé, produisant des vins de grande qualité, en AOC. Son muscat est célèbre dans le monde entier.

Lunel   p. 350
Un vignoble qui produit les AOC coteaux du languedoc et le réputé muscat de Lunel.

Les Corbières   p. 173
Des massifs qui s'adonnent depuis toujours à la viticulture.

Découvrir • La société

◀ *Carcassonne.*

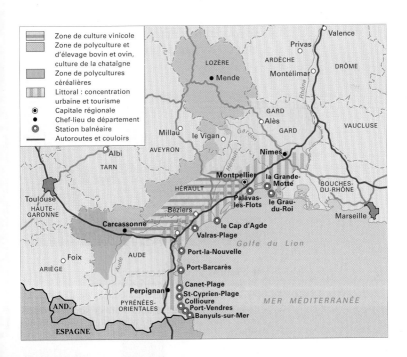

CARTE P. 31

Un déséquilibre social
entre économie et démographie

L'avènement de la modernité a, ici encore plus qu'ailleurs, bouleversé les fragiles équilibres de la société locale. Les forts contrastes géographiques entraînent des différences fondamentales dans l'organisation de la société. L'évolution démographique, depuis le milieu du XXᵉ s., n'a fait qu'accentuer la distinction entre la plaine et la montagne, entre la ville et la campagne. Le déclin des activités traditionnelles de l'intérieur des terres exagère l'exode vers les villes et le littoral, condamnant une grande partie de la région à se désertifier. Richesse et population se concentrent dans un étroit couloir, apportant un cortège de problèmes d'urbanisme et de société.

▲ *Outre la Lozère, département le moins habité de France, on compte 14 habitants par km² dans la région de l'Aubrac, pour une moyenne nationale de 96.*

▶ *La confection artisanale de chapeaux en ateliers, spécialité de la vallée de Esperaza au XIXᵉ s., a dû céder la place à une industrie dévoreuse d'hommes et de capitaux.*

■ Plaines et montagnes : des espaces complémentaires

Depuis les temps reculés, la survie de l'homme dépend de sa capacité à tirer sa nourriture de son environnement, grâce à l'élevage et l'agriculture. La plaine, qui offre de plus larges surfaces et des conditions de circulation plus faciles, a donc naturellement concentré les activités. Dès l'époque romaine, avec la création de la voie Domitienne, le schéma du développement est tracé : un couloir d'est en ouest qui relie la vallée du Rhône aux Pyrénées. C'est le long de cet axe que s'établiront les premières colonies et c'est naturellement vers cette nouvelle voie commerciale que se tourneront toutes les attentions, d'autant que le vignoble, en prenant de l'importance, en fait aussi la région la plus riche. Au fil des siècles, d'autres axes s'ouvrent, comme le canal du Midi et de nombreuses routes, permettant aux vallées plus reculées et aux zones montagneuses d'avoir un débouché sur le littoral. Car bien que reculées et moins peuplées, elles ne sont pas pour autant désertes. On y pratique, à côté d'une polyculture variée et de l'élevage ovin ou bovin, des activités spécifiques, comme l'élevage des vers à soie ou la culture de la châtaigne qui feront la richesse des vallées cévenoles. Ailleurs, les trois piliers de l'agriculture sont le blé, la vigne et l'olive. L'industrie, quant à elle, démarre très tôt dans les vallées catalanes des Pyrénées, avec les forges (dès le XIIe s.), et l'on retrouve la trace d'exploitation des mines autour d'Alès depuis la période gallo-romaine. À partir du XIXe s., la sidérurgie et le tissage industriel sont des ressources fondamentales pour ces zones reculées. Tout cela contribue au maintien d'une population relativement importante en dehors du couloir littoral. À la fin du XIXe s., la montagne reste peuplée ; ses villes sont encore des centres économiques florissants.

■ XVIIIe siècle :
la nouvelle donne économique

Deux facteurs vont altérer radicalement ce fragile équilibre. Le premier est la suprématie progressive de la vigne qui exclut peu à peu toute autre culture dans une bonne partie de la plaine et des premières collines. Beaucoup de paysans abandonnent les autres productions traditionnelles de l'olive et du blé pour affecter les terres au vignoble, ce qui les rendra tragiquement vulnérables à toute crise de ce secteur. À partir du XVIIIe s., les meilleures conditions de circulation favorisent l'essor du commerce du vin. Les techniques ont changé, la culture et la vinification sont améliorées, faisant du vin de la région un produit d'exportation très prisé. Le port de Sète se développe et le grand négoce produit une bourgeoisie très riche qui multiplie les contacts internationaux. Les foires attirent des acheteurs venus de contrées de plus en plus lointaines. Les villes connaissent une croissance rapide et l'attrait de cette nouvelle opulence draine vers la plaine de plus en plus de monde. Dans un premier temps, la bonne santé des industries lourdes de l'arrière-pays renforce aussi, à moindre rythme, sa population.

▲ *Depuis l'essor industriel du XIXe s., des régions de montagne comme la Margeride, les Causses ou les Cévennes se sont progressivement vidées de leurs habitants Elles sont aujourd'hui quasiment inhabitées. Ici la vallée Borgne, vue de la corniche des Cévennes.*

▶ *Carnon-Plage, coincée entre l'étang de l'Or et la Méditerranée, se découvre une vocation de station balnéaire dans les années 1930. Depuis, après divers plans d'aménagement et de modernisation, la cité accueille des milliers de touristes chaque année.*

Mais, à compter du milieu du XIXe s., un second bouleversement va renverser la balance : le déclin brutal des trois activités phares des Cévennes. L'industrie de la soie, d'abord, souffre d'une maladie des vers à soie, de la concurrence de l'Asie et de la crise économique qui ravage la France à la fin du siècle. Les châtaigneraies, ensuite, sont ravagées par l'encre, une maladie de l'arbre, et achevées par la crise. Enfin, au cours de la première moitié du XXe s., la sidérurgie catalane et cévenole n'est plus assez rentable et ne peut faire face à la concurrence des autres bassins de production. Les usines ferment peu à peu et c'est l'exode massif vers les villes de la plaine ou vers la région parisienne.

Parallèlement à ces grands pôles d'activités, de nombreuses vallées du Roussillon vivent de spécialités limitées mais florissantes. Le cas des Pyrénées est en effet particulier, en raison de la configuration même des vallées qui rayonnent à partir des sommets sans communiquer entre elles. Il en résulte des centres économiques très individualisés et indépendants. Telle vallée se spécialise dans le tissage, telle autre dans la chapellerie, comme à Espéraza et autour de Quillan. Comme les autres artisanats traditionnels, ceux-ci souffrent de la crise générale et les entreprises ferment les unes après les autres, entraînant toute la vallée dans le marasme et poussant les habitants à partir.

■ Économie et démographie

Ce qui initialement était le reflet harmonieux des vocations naturelles du pays est devenu un déséquilibre criant, avec l'immense majorité de la population concentrée autour des quelques villes du littoral, alors que de vastes étendues à l'intérieur des terres se sont vidées littéralement. Pour certains endroits, on tient même des records de dépeuplement. La Lozère, par exemple, a perdu la moitié de sa population en moins d'un siècle et se vante de densités de population s'effondrant à 2 habitants par km² par endroits, et à moins de 10 habitants par km² dans les deux tiers du département. À l'inverse, le département de l'Hérault dépasse

◀ *Clermont-l'Hérault, dans l'arrière-pays, connaît un essor tangible : outre les richesses occasionnées par l'exploitation de la vigne, la ville a investi dans des infrastructures importantes destinées à favoriser le tourisme local.*

largement les moyennes nationales et doit adapter son urbanisation à des flux énormes. À l'opposé de la région, du côté des Pyrénées, la Cerdagne et le littoral surpeuplé encadrent une zone médiane elle aussi vidée de ses habitants.

En dehors de la désertification classique des campagnes au profit des villes, deux autres facteurs sont à souligner. L'aménagement du littoral pour le tourisme a créé de véritables villes, alors qu'au début du siècle, on ne trouvait que quelques cabanons. L'urbanisation s'étire le long de la mer de façon presque continue par endroits. En second lieu, la forte immigration, qui a toujours été l'une des originalités de la région, s'est accentuée avec la fin de l'aventure coloniale et le rapatriement des Français d'outre-mer, qui ont choisi cet endroit pour son climat et sa culture méditerranéenne. Un siècle plus tôt c'est l'inverse qui s'était produit, la région fournissant à l'Algérie bon nombre de ses jeunes colons. Mais cette vocation de terre d'accueil ne s'est pas limitée aux rapatriés ou aux immigrés d'Afrique du Nord. Traditionnellement, au fil du temps, en raison de la demande de main d'œuvre agricole ou pour le bâtiment, on a encouragé l'arrivée des étrangers, Italiens défavorisés, Espagnols exilés par le franquisme, travailleurs saisonniers nomades, qui finalement se sédentarisent. Cette immigration étrangère, qui contrebalançait le départ des locaux vers Marseille, Lyon ou Paris, s'est pratiquement interrompue dans la dernière décade du XXᵉ s. Elle est alors remplacée par un nouvel apport de jeunes très qualifiés, attirés par le développement d'une nouvelle économie technologique et des services, avec la création d'entreprises de pointe. L'écart continue donc à se creuser entre l'arrière-pays, qui ne reçoit guère que le flux peu important d'une nouvelle population en mal de racines et de terroir, et les quelques grandes villes, Montpellier, Nîmes, Perpignan, qui s'étendent constamment. Malheureusement, les nouveaux débouchés économiques et le tourisme florissant ne suffisent pas à enrayer le chômage très élevé dans l'ensemble de la région.

▲ *Cueillette des olives à Saint-Jean-de-la-Blaquière.*

CARTE P. 31

La vigne
une assise culturelle dominante

S'il est un symbole du Languedoc-Roussillon, c'est la vigne. Elle façonne le paysage, lui donnant l'unité qu'elle ne tient pas de sa géographie. Elle a marqué ses traditions et son histoire. Elle a apporté richesse et tragédie. Appréciés depuis l'Antiquité, ses vins ont connu le désamour et le dédain, mais se font désormais une place dans les meilleures caves. Du banyuls souple et doux à la pétillante blanquette de limoux, en passant par un saint-chinian charpenté, les variétés sont innombrables, à l'image des terroirs.

▶ *Classé AOC, le vignoble des Corbières distille un rouge à la robe superbe, au bouquet fruité et épicé.*

■ **Une tradition antique**
On attribue aux Grecs l'introduction de la vigne et du commerce du vin. Avec l'implantation romaine et ses grands travaux d'urbanisation, le négoce se poursuit et s'amplifie, faisant même de l'ombre aux vins romains. Durant les siècles suivants, le vin reste une production locale, qui doit son succès aux nombreux monastères implantés dans la région, mais n'est pas privilégié par rapport à la culture de l'olive, du blé ou à la production de sel. Elle reste cantonnée aux coteaux car on préfère garder la plaine pour la culture vivrière. Avec l'augmentation progressive de la consommation dans les villes et grâce au canal du Midi, par lequel on transporte la production, la demande se renforce. Mais les négociants

bordelais, plus malins, réussissent à garder le privilège d'exportation du vin jusqu'en 1776. Durant le XVIIIe s., de nouvelles techniques modifient la donne. On importe d'abord de nouveaux plants venus d'Espagne. Les rangées de ceps sont plus espacées pour laisser passer les mules : le travail est facilité. On opte pour des vendanges plus tardives, quand le raisin est plus sucré et donne une meilleure teneur en alcool. On s'essaye aux mélanges, coupant le vin local avec des vins espagnols. Le consommateur apprécie et l'on commence à multiplier les surfaces plantées de vignes. La Révolution arrive à point pour lever les restrictions et l'activité s'envole littéralement, à tel point que la surproduction est réelle et que l'on entend ici et là des récits de vin jeté au ruisseau. L'avènement des chemins de fer, au milieu du XIXe s., permet de trouver de nouveaux marchés et de résorber l'excès de production. On vend désormais dans toute la France, aux Pays-Bas, sur les rives de la Baltique ou à Gênes. Mais les choses ne s'arrêtent pas là. Appâtés par les gains, pratiquement tous les propriétaires terriens basculent vers la viticulture. On abandonne l'olive et le blé, et les vignes partent à l'assaut de la moindre parcelle. On draine les marécages, on plante tous les coteaux. L'épopée semble immanquablement vouée au succès. Les riches propriétaires et les négociants construisent demeures splendides, folies architecturales en tout genre. Les villes s'enorgueillissent des plus beaux édifices. Toute cette bourgeoisie florissante fait la fête et assaut d'opulence. Le réveil sera très rude.

■ La grande crise viticole du XIXe s.

Les premiers indices d'une crise naissante sont ressentis dès le milieu du XIXe s. Le spectre de la surproduction et de la chute des prix hante les propriétaires. Une trop bonne récolte et il devient impossible d'écouler la production. Quand un hectolitre valait 12 francs en 1845, il ne rapporte plus que 6,50 francs en 1849. L'apparition d'une maladie des vignes, l'oïdium, semble presque une bénédiction, car elle résorbe l'excédent. Les prix remontent à 50 francs en 1856. Cette première crise se termine finalement plutôt bien. Il n'en est pas de même de la seconde.

En 1869, on signale dans le Gard une nouvelle maladie, dévastatrice, qui se répand de cep en cep, jusqu'à provoquer leur pourriture. C'est le phylloxera qui s'étend d'est en ouest à toute la région et détruit, en cinq ans, le tiers du vignoble. Deux remèdes sont trouvés : greffer

◀ *Le muscat de Frontignan est obtenu à partir d'une seule variété de raisin, le muscat blanc à petits grains. La cave coopérative en produit près de 2 millions de bouteilles à l'année.*

▲ *Les raisins muscats à petits grains permettent l'élaboration de vins fins et fruités, comme les muscats de Rivesaltes ou de Lunel. Ils se consomment jeunes, en apéritif ou au dessert.*

▲ *Situé en bordure du causse du Larzac, le vignoble de Montpeyroux, de couleur pourpre, fruité et charpenté, est cultivé depuis l'an Mil.*

▶ *Vigneron dans sa cave en Languedoc. Coteaux et garrigues du Languedoc produisent annuellement 315 000 hl de vin rouge et rosé et 32 000 hl de vin blanc.*

les plants locaux sur des plants américains ou submerger les vignes. Les terres des plaines inondables et des dépressions et celles de l'ouest de la région, touchées plus tard, après avoir engrangé d'énormes profits, s'en tirent mieux que les autres. Les plus atteints, les petits vignerons des collines, n'ont d'autre choix que de s'engager dans les grands domaines ou d'émigrer en Algérie pour y tenter à nouveau l'aventure de la vigne. Les riches propriétaires, qui ont les moyens de se protéger contre la maladie ou d'acheter des terres propices, se lancent dans l'exploitation intensive et s'enrichissent encore. La surproduction menace de nouveau et les prix recommencent à chuter. En 1904, le prix de l'hectolitre est retombé à 7 francs. À cela s'ajoutent les pratiques douteuses mises au point lors de la pénurie. Des fraudeurs peu scrupuleux sucrent le vin, le mouillent, utilisent des raisins secs. La réputation de la production se ternit aussi vite que les prix s'effondrent. Les vins algériens, qui bénéficient d'un meilleur climat et de coûts avantageux, sont devenus des concurrents redoutables. La misère s'installe dans le vignoble, où seuls les plus riches arrivent à survivre. La frustration des petits vignerons impuissants et des ouvriers agricoles est à son comble. Des comités de défense et des embryons de syndicats se constituent et organisent des meetings dans tous les villages. On somme le gouvernement de Clemenceau de trouver une issue à la crise. En vain. Sous la pression des lobbies des sucriers du nord de la France, la classe politique hésite à interdire le sucrage. Le 9 juin 1907, Montpellier est envahie par 700 000 manifestants excédés. Clemenceau fait occuper les villes par l'armée. À Narbonne, débordée, l'armée ouvre le feu sur les manifestants : les fusillades laissent 9 morts et des dizaines de blessés. Les soldats eux-mêmes sont choqués et un régiment se mutine le 20 juin. La loi interdisant le sucrage finit par passer et le calme se rétablit. Les cours qui remontent achèvent d'apaiser les esprits.

Au cours du siècle, les viticulteurs s'organisent en coopératives pour lutter contre la mévente, des lois organisent le marché et l'on essaye d'encourager la reconversion, d'autant qu'entre les deux guerres mondiales et après les années 1950, le problème de la concurrence algérienne continue de grever les résultats. Régulièrement, des manifestations d'une extrême dureté ont lieu, avec barrages routiers et ferroviaires, opérations commandos… Le problème d'une production de masse mais de qualité médiocre se pose toujours, imposant aux vins du Languedoc une nouvelle mutation.

■ Qualité et terroir

Après un siècle de crises répétées, la vigne n'est plus considérée comme la panacée contre la misère agricole. L'irrigation permet de diversifier les cultures et de limiter le vignoble aux meilleures terres. Le Languedoc-Roussillon fournit quand même près de 40 % de la production nationale (13 % des vins AOC). On recherche progressivement meilleure qualité et caractère. Le problème ne se pose pas vraiment pour les producteurs de vins doux naturels (Banyuls, Maury, Grand-Roussillon…), ou de muscat (Rivesaltes, Frontignan, Lunel, Saint-Jean-de-Minervois…). Bien que la

▲ *Un vin doux naturel (VDN) doit vieillir en fûts exposés au soleil l'été et abrités au chaud l'hiver, pendant au moins 2 ans.*

mode des alcools forts et des goûts plus amers leur ait fait perdre des marchés et leur ait imposé certains changements, leur personnalité est établie et reconnue depuis des siècles. En revanche, le reste du vignoble doit subir une profonde mutation. On arrache des milliers d'hectares de vignes, on remplace les variétés trop productives, on sélectionne les plants, on affirme les individualités des terroirs pour redorer leur blason. Côtes du rhône face au grand fleuve, coteaux du languedoc sur les pentes de la garrigue, corbières, costières de nîmes, faugères au nord de Béziers, fitou, minervois, côtes du roussillon, côtes du roussillon-villages, collioure se réclament d'une appellation d'origine contrôlée (AOC) qui les place dans la plus prestigieuse classe de vins. Beaucoup d'autres terroirs se sont qualifiés en parallèle pour la mention VDQS (vin délimité de qualité supérieure), qui, bien que de qualité inférieure à la précédente, doit répondre à des exigences similaires. L'image internationale des vins du Languedoc-Roussillon s'améliore constamment et les prix qui restent très raisonnables ont permis de conquérir de nouveaux marchés. La mutation est réussie. La découverte des vins fait désormais partie de l'itinéraire touristique obligé de la région.

CARTE P. 31

Le tourisme
un débouché essentiel

Bien qu'en tête des régions touristiques de France, le Languedoc-Roussillon souffre, là aussi, de ses déséquilibres. La fréquentation du littoral est la plus forte, laissant de côté toute la partie intérieure qui recèle pourtant les plus beaux trésors naturels et architecturaux de la région. L'histoire du tourisme n'est pas ici aussi ancienne qu'ailleurs, faute de grande station « phare » qu'auraient fréquentée les belles du second Empire. Les peintres ne s'y sont pas trompés. Ce sont eux qui ont investi les petits ports de la côte, comme Collioure, attirés par une lumière incomparable et par de chaudes couleurs.

▼ *Pionnière dans l'exploitation touristique de son littoral (1850), Palavas-les-Flots accueille aujourd'hui près de 50 000 estivants par an. On emprunte un « téléphérique » pour franchir le canal à son embouchure.*

▼▼ *C'est l'architecte Jean Balladur qui, en 1965, lance les travaux de construction des « pyramides » de la Grande-Motte. Ces formes fantasques permettent des retraits de terrasses à chaque niveau.*

■ Le littoral aménagé

À l'exception d'un fragment de côte rocheuse, au pied des Pyrénées, l'ensemble du littoral est une succession de plages et de lagunes, longtemps ignorées par la population locale. Contrairement à la plupart des peuples des bords de mer, les Languedociens n'ont jamais vraiment tiré parti de ce territoire fluctuant et inamical, infesté de moustiques et fréquemment ensablé. Même la pêche était loin d'avoir un statut prépondérant. Le tourisme était initialement réservé à Collioure et ses environs, pour une population gravitant autour des artistes nombreux qui la fréquentaient et, ailleurs, à de rares villages, comme le Grau-du-Roi, pour les riches Nîmois, station balnéaire en titre depuis 1924. Pour la plus grande partie, le reste était un désert. L'arrivée des congés payés, en 1936, change tout. Palavas, un village de pêcheurs, se transforme en petite station dont la réputation sympathique commence à contribuer à la notoriété de la côte. Gruissan est un autre exemple d'aménagement spécifique auprès d'un ancien village. Une tradition de maisons sur pilotis existait déjà au XIXᵉ s. Dans les années 1950, on décide d'étendre ce style à des rangées de chalets bien ordonnés. Mais le plus spectaculaire est la création de toutes parts de vastes complexes de vacances, avec marinas, pyramides d'appartements, campings pompeusement baptisés hôtels de plein air, le tout prévu pour accueillir chaque été des millions de touristes. À partir de 1963, une mission d'aménagement est créée. On «démoustique», on plante des arbres, on fixe les dunes, on compose avec les échancrures des lagunes pour bâtir de toutes pièces des ports et des villages. Par endroits, comme à La Grande-Motte, l'architecture est écrasante, ailleurs, comme au cap d'Agde, on emprunte au style méditerranéen, on joue avec les ocres et les roses. Une très large clientèle y trouve son bonheur, allant des propriétaires ou locataires de villas et appartements aux bénéficiaires des équipements d'associations, comme les VVF, et aux campings. Le littoral concentre à lui seul 90 % du nombre total des visiteurs de la région.

■ L'essor du tourisme vert

Les montagnes doivent leur succès à un tout autre type de tourisme. Au départ, ce sont les sources thermales qui attirent une clientèle régulière et fidèle. Il est coutumier d'aller au moins une fois dans l'année « prendre les eaux », comme l'on dit alors. Avec la mode des sports et des activités de plein air, de nouveaux amateurs prennent d'assaut l'arrière-pays, férus de spéléologie, de ski alpin, de ski de fond, d'escalade et, plus récemment de randonnée. Les sites naturels exceptionnels sont nombreux, gorges spectaculaires ou grottes souterraines. La vogue de la vie saine et naturelle et une volonté croissante de trouver un autre rythme de découverte contribuent au développement d'un tourisme rural de qualité. Le Parc régional du haut Languedoc et le Parc national des Cévennes font partie de ces atouts. Mais le nombre de visiteurs reste modeste, sans commune mesure avec les chiffres atteints par les stations balnéaires de la côte.

■ Renaissance du patrimoine

Si certains sites archéologiques célèbres comme le pont du Gard, les arènes de Nîmes, Carcassonne, les grandes abbayes ou les citadelles cathares ont toujours attiré les foules, on note depuis une dizaine d'années un regain massif d'intérêt pour le patrimoine architectural. Mieux mis en valeur, comme la Maison Carrée de Nîmes isolée au cœur d'une place piétonnière, ou inclus dans des circuits de découverte qui guident le néophyte (le circuit cathare par exemple), ce patrimoine, si riche dans la région, est désormais un facteur d'attraction majeur. La mode n'est plus aux vacances inactives sous le soleil. On assiste à un véritable engouement pour l'archéologie, la spéléologie, le catharisme, les routes des pèlerins...

▲▲ *La plage du Grand Travers, à la Grande-Motte, s'étend sur 6 km ; elle est systématiquement prise d'assaut en été. Large et belle, la plage du Boucanet se trouve désormais envahie par les lotissements. Quant à la plage la plus proche du port, elle est réputée dangereuse.*

▲ *Le Carré d'art à Nîmes : ce centre inauguré en 1993, dédié à la culture et à l'art contemporain, rend hommage à l'art méditerranéen.*

L'identité

Découvrir • L'identité

◀ *Les* fecos *du carnaval de Limoux.*

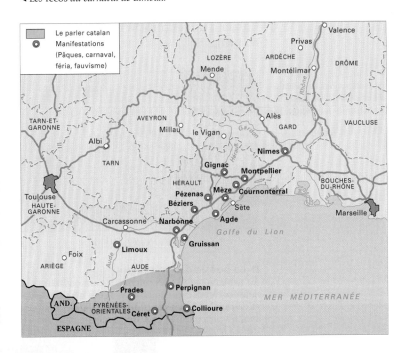

La culture occitane
(re)découverte au XIXe s.

L'appellation Languedoc date du XIIIe s. et désignait alors la zone géographique où l'on parlait la langue d'oc par opposition à la langue d'oïl. Ces deux langues romanes dérivaient d'un mélange hérité des Gaulois et du latin populaire. Oc et oïl étaient les mots pour dire oui, dans chacun de ces parlers. La langue d'oc était utilisée au sud d'une ligne allant du Massif central à la Catalogne. Elle englobait le Limousin, la Gascogne, l'Auvergne…, bien plus que la région qui en a pris le nom. Par la suite, plusieurs dialectes en sont issus. Aujourd'hui on l'appelle occitan. Son rayonnement a été intense durant plusieurs siècles, y compris à l'étranger. Après être tombée dans l'oubli, elle est, depuis le XIXe s., l'objet d'un renouveau culturel de grande ampleur.

▶ *Le drapeau occitan, ou du Rousillon, se compose d'une croix de Toulouse jaune sur un fond rouge.*

■ La poésie des troubadours

Au XIIe et au XIIIe s., les seigneurs tiennent leur cour dans les capitales provinciales et s'entourent de poètes et de jongleurs. Les cours de Poitiers et de Toulouse sont les plus prestigieuses, fréquentées par de fins lettrés. La langue d'oc y est indissociable des troubadours.

En occitan, le « trobar » vient du verbe « trobador » qui signifie trouver. Ces poètes créateurs inventent en effet de nouvelles formes de texte, ils jouent avec les mots, les doubles sens et les sons, créent des rimes complexes, mettent leurs vers en musique et les chantent en l'honneur du seigneur ou de leur dame. Les jongleurs, dont la fonction est aussi de jouer de la musique, les accompagnent. On connaît mal l'origine de ce foisonnement lyrique. Peut-être est-il une tradition héritée des chansons populaires chez les Gallo-Romains de la Narbonnaise, peut-être encore vient-il des chants amoureux andalous inspirés de la culture arabe, peut-être en est-il un mélange… Toujours est-il qu'il est d'un raffinement exceptionnel. La langue occitane est beaucoup plus riche que le français, comptant quatre fois plus de mots. C'est à Poitiers que naît le mouvement troubadour, au tout début du XIIe s. Guilhem de Poitiers (Guillaume IX) est l'un des plus puissants seigneurs de l'époque, duc d'Aquitaine et d'Anjou, et accessoirement un grand amateur de femmes. Exubérant et cultivé, il lance la mode des chansons d'amour, dédiées à ses amantes. C'est une révolution culturelle qui s'étend peu à peu à toute l'Occitanie. Les cours de Poitiers et Toulouse en sont les foyers les plus rayonnants, sous la protection, au XIIe s., d'Aliénor d'Aquitaine, la petite fille de Guilhem. Le Languedoc s'ouvre rapidement à ce nouveau genre littéraire, autour d'Ermengarde, vicomtesse de Narbonne, dans les grandes maisons de Carcassonne, Narbonne, Béziers ou Montpellier, mais aussi dans des demeures plus modestes. Les plus célèbres troubadours, comme Bernard de Ventadour, y sont reçus. Au XIIe s., on peut même parler d'une création régionale indépendante de Toulouse et Poitiers. Raymond de Miraval ou Guiraut Riquier sont les poètes les plus connus. De cette période d'intense vie littéraire, il reste quelque 2 600 textes, dont quatre grands recueils de poèmes ont conservé leur musique. Ces textes prennent des formes diverses : la *canso*, chanson à la gloire d'une dame, le *sirventès*, satire politique, la *tenson*, genre de débat, le *partimen* où deux poètes défendent des thèses opposées… Certaines constructions littéraires sont si complexes qu'elles mènent à l'hermétisme et on perd de vue l'intensité des sentiments qu'elles dépeignent.

▲ *C'est par le biais du théâtre, de la chanson et des fêtes que la culture et le folklore occitans sont maintenus et diffusés auprès du grand public. Des émissions de radio et de télévision assurent le relais d'une langue riche de près de 160 000 mots (contre 30 000 pour le français) comprise par 10 millions d'Occitans.*

■ De l'amour à la politique

Outre la qualité purement formelle de l'œuvre des troubadours, son intérêt réside surtout dans la matière des poèmes. Ils tournent presque exclusivement autour de l'amour voué à une femme. Auparavant, la création lyrique était surtout réservée au sacré. La Vierge étant la seule femme que l'on chante. Avec les troubadours et l'arrivée de la poésie profane, l'image de l'amour et de la femme est profondément modifiée, pour la première fois dans le monde chrétien. Loin d'être la pécheresse originelle, elle devient l'objet de la passion absolue, de l'amour indéfectible. Le chevalier est prêt à surmonter tous les défis pour obtenir une faveur de sa dame. On évoque sans complexe le corps de l'aimée et la liaison adultère ajoute du piquant, le tout teinté d'un érotisme raffiné tout à fait nouveau, avec une évocation claire du plaisir. Pour la première fois, la femme est placée sur un piédestal, en position de décider de ses choix (toutes proportions gardées, car il ne s'agit que d'un jeu amoureux et elle reste dans les faits l'épouse de son seigneur). Elle est désormais au centre de la cour et prend goût, elle aussi, aux jeux littéraires (on dénombre une trentaine de femmes troubadours). Rien n'est plus désirable que l'amour parfait, le *fine amor*. D'autres se complaisent dans l'amour idéalisé, à distance : c'est l'*amor de lonh* chanté par Jaufré Rudel.

C'est au XIIIᵉ s. qu'apparaît le terme de « languedoc », une formule employée par les fonctionnaires du roi pour désigner l'ensemble des terres où l'on disait « oc » pour « oui ».

Mais toute cette société raffinée est mise à mal par la croisade menée par Rome contre les cathares. Pour exterminer les « hérétiques », les armées du légat du pape assiègent les villes : Carcassonne, Béziers, Minerve et de nombreuses forteresses sont martyrisées et incendiées. En rétablissant la censure de l'Église et en éparpillant les intellectuels, la croisade sonne le glas des troubadours. Certains continuent d'écrire des poésies, mais elles sont teintées de douleur et d'amertume. Toujours en musique, les troubadours fustigent le clergé et l'Inquisition. Beaucoup d'entre eux choisissent l'exil, en Catalogne, en Espagne ou en Italie où ils auront une grande influence artistique sur le reste des poètes européens, dont Dante et Pétrarque. En France, des tentatives sont faites au XIVᵉ s. pour réactiver la flamme de la poésie courtoise, avec la fondation à Toulouse du consistoire du Gai-Savoir. On prétend fixer par des ordonnances formelles, contrôlées par la censure, tout le savoir-faire évanoui des troubadours. Mais la magie exubérante des cours occitanes n'est plus. Pire encore, à partir de 1539, tous les actes administratifs doivent être rédigés en français de la capitale. La langue d'oc semble condamnée. Pourtant, après la Révolution, en 1790, il faudra traduire la Constitution aux gens du Midi : 90 % d'entre eux parlent encore les dialectes occitans.

■ Le renouveau

Malgré quelques poésies et pièces de théâtre, dont celles de Jean-Baptiste Fabre, aux XVIIᵉ et XVIIIᵉ s., la création littéraire occitane ne redevient à la mode qu'au XIXᵉ s. On se prend d'une passion romantique pour la poésie médiévale et les troubadours. C'est en Provence que les choses bougent le plus. Mistral et six autres jeunes poètes fondent, en 1854, une école littéraire qu'ils nomment le Félibrige. Ils publient régulièrement des textes en langue d'oc. Peu à peu, ils établissent des liens avec les autres provinces occitanes qui aboutiront finalement à la partition du mouvement en plusieurs écoles mais qui contribueront à ramener à la vie la culture occitane. À Montpellier, écrivains et universitaires créent la Société pour l'étude des langues romanes, en 1869. Ils publient la *Revue des langues romanes* qui encourage la création littéraire nouvelle et remet à l'honneur des textes oubliés. En 1919, c'est la création de l'Escola Occitania qui rompt avec les provençaux, en 1931 la Société d'études occitanes, en 1945 l'Institut d'études

▼ *La tour Magdala à Rennes-le-Château : au sommet flotte le drapeau occitan.*

occitanes. Leur rôle est, entre autres, de fixer les règles linguistiques de l'occitan. Pour toucher le public, des pièces de théâtre sont montées, à Narbonne ou à Béziers. Progressivement, on reprend possession des anciennes traditions. Les fêtes oubliées sont remises à l'honneur, on chante à nouveau en occitan, des émissions de radio et de télévision assurent le relais de la langue auprès du grand public. Dans les années 1960, l'occitanisme se politise, véhiculant les idées régionalistes et revendiquant le droit à l'autogestion, voire à une France fédéraliste. Robert Lafont, professeur d'université mais aussi poète et dramaturge, publie de nombreux essais sur le sujet.

La chanson se popularise avec des artistes comme Marti, Patric, Mans de Breish ou Marie Rouanet, plus connue désormais pour ses talents littéraires. Grâce à l'enseignement de l'occitan dans les collèges et les lycées (c'est de très loin la plus étudiée des langues régionales), un nouveau public encourage les éditeurs à publier régulièrement de nouveaux auteurs en langue d'oc.

La culture catalane
le maintien d'une identité millénaire

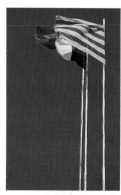

▲ *« Sang et or », les couleurs de la Catalogne.*

La Catalogne est une grande région à cheval sur la frontière avec l'Espagne, tout comme le Pays basque à l'autre extrémité des Pyrénées. Le rattachement à la France du Roussillon, de la Cerdagne et du Conflent a un temps étouffé leur appartenance à une civilisation à part entière. Bien sûr, écartelée entre deux pays, la région a subi de nombreux brassages de population, au fil des invasions successives. Pourtant, la culture catalane est originale et très différenciée de celle du Languedoc. Sa remise en valeur et la vigueur de ses coutumes, de ses danses, de ses fêtes lui permettent désormais de faire un pont harmonieux entre les deux pays. Même si les revendications des régionalistes sonnent parfois un peu trop fort au goût du centralisme parisien.

■ Une langue à part

Le catalan est, comme l'occitan, une langue romane. Les deux sont très proches l'un de l'autre. La frontière du parler catalan se situe à Salses et englobe la Cerdagne, le Vallespir et le Capcir, allant jusqu'en Andorre (où il est la langue nationale). De l'autre côté de la frontière espagnole, la Catalogne demeure une région autonome qui s'étend jusqu'au sud de Barcelone, où le catalan est langue officielle. Son âge d'or pour la partie française remonte au XIIIe s., comme pour l'occitan, avec un déclin similaire dans la littérature à partir du XVIe s. Parmi les écrivains célèbres de langue catalane, citons Pere Ribera de Perpenya, Bernat de So, Ramon de Perellos ou Francesco Eiximenis. La langue a longtemps souffert d'un rude centralisme politique. À l'époque de la domination espagnole, lorsque la Catalogne et l'Aragon s'unissent à la Castille, elle doit s'effacer devant le castillan, que le roi d'Espagne impose à la place des langues régionales. Lors du rattachement du Roussillon à la France, après le traité des Pyrénées en 1659, c'est au centralisme parisien qu'elle doit son interdiction pure et simple. On continue pourtant de parler le catalan dans les campagnes et parmi les populations non éduquées, les plus nombreuses. Sa renaissance culturelle date du XIXᵉ s., comme pour l'occitan, et participe de la même prise de conscience. Ce qui n'était au début, dans la vogue du romantisme, que la fantaisie de quelques artistes et intellectuels pour le folklore devient rapidement un véritable mouvement littéraire, avec une mise à plat de l'écriture et de la grammaire. Victor Balaguer, homme politique et écrivain catalan, est l'un des grands promoteurs de cette renaissance. En 1869, il se rapproche de Mistral et du Félibrige. Par la suite, le mouvement éclate en quatre courants, dont l'un spécifique au catalan. Au XXᵉ s., le poète Joseph-Sebastia Pons publie une *Histoire de la littérature catalane* et influence durablement la création régionale. En 1951, la loi Deixonne autorise l'enseignement des langues régionales. Étudié dans les collèges et les lycées, le catalan l'est aussi dans certaines écoles maternelles et primaires.

■ Des déchirements sans fin

Enjeu des luttes qui font rage de part et d'autre de la frontière, terrain des combats à chaque conflit, creuset où les populations et les cultures se mélangent, la Catalogne française a eu bien du mal à trouver ses marques tout au long de l'Histoire. Occupé depuis les temps préhistoriques (l'homme de Tautavel, au cœur de la région, vivait il y a 650 000 ans), le Roussillon pratiquait déjà le commerce avec les Phéniciens et les Etrusques plus de cinq siècles avant l'ère chrétienne. Lors des conflits entre

◄ *L'église Notre-Dame-des-Anges, dans la vieille ville de Collioure, se distingue par des retables des XVIIᵉ et XVIIIᵉ s. qui ornent ses chapelles et son maître-autel.*

Rome et Carthage, la région est traversée par Hannibal et ses troupes, puis colonisée par les Romains. Envahie ensuite par les Francs, puis les Vandales, elle fait partie au Vᵉ s. du territoire des Wisigoths. Lorsque ces derniers sont à leur tour défaits par les Arabes, le Roussillon est sur le chemin et doit encore subir l'occupation étran-

▶ *L'itinéraire des « Chemins du fauvisme » est ponctué de reproductions de 20 tableaux situées à l'endroit même où les artistes les ont créés.*

gère. Les rois carolingiens réussissent à le récupérer et favorisent l'installation des moines qui fondent un réseau d'abbayes florissantes. Mais à partir du IXᵉ s., le Roussillon est réuni aux comtés catalans de Barcelone, de Gerone et d'Urgell. Par le jeu des alliances, il est joint ensuite à l'Aragon. Lorsque l'Aragon est uni à la Castille, la Catalogne rejoint le giron espagnol et est l'enjeu des rivalités avec la France qui se soldent par sa partition entre les deux pays. Le seul fil directeur durant cette histoire troublée est l'identité catalane. Faute de trouver une base politique unifiée, elle survit à travers un patrimoine original et une création artistique importante.

■ Richesses du patrimoine

La période la plus riche sur le plan architectural commence avec la fondation des abbayes romanes. Un âge d'or de la création s'amorce alors, principalement centré sur l'art sacré. Il durera du Xᵉ au XVIIᵉ s. Monastères et église romanes mêlent les influences du Nord et du Sud, empreintes laissées par les occupations arabes et carolingiennes et inspiration lombarde : portes massives et ouvragées, clochers carrés caractéristiques, ferronneries compliquées… On voit apparaître d'innombrables statues de la Vierge à l'Enfant (la Vierge est très vénérée en Catalogne et fait l'objet d'un culte ancien lié à celui de la terre et de l'eau), puis, après l'influence du gothique venu du nord, l'arrivée des retables peints et enfin une profusion de retables baroques sculptés d'une incroyable richesse qui sont la marque du patrimoine catalan. L'importance du baroque catalan illustre la volonté profonde de préserver une identité : profondément influencé par l'art espagnol, le retable prend ici une valeur de symbole. Même les paroisses les plus pauvres passent des commandes extravagantes à des artistes éminents et font preuve d'un raffinement surprenant pour des sanctuaires parfois minuscules. Au XVIIᵉ s., le retable se couvre d'or et la profusion de peintures et de sculptures dépasse l'imagination. À cet égard, le retable de Notre-Dame-des-Anges, à Collioure, est l'un des plus beaux exemples de baroque catalan. C'est d'ailleurs à un sculpteur catalan que l'on doit l'introduction en France du retable sculpté. Il est intéressant de noter que ce foisonnement a été le plus grand au moment où la politique menaçait l'identité régionale avec la rivalité franco-espagnole qui allait s'achever avec le rattachement à la France.

▲ *À Prades, le musée Pablo-Casals rend hommage à ce grand violoncelliste espagnol du XXᵉ s. On y découvre une reconstitution d'une cuisine catalane à l'ancienne ainsi qu'une exposition permanente sur l'archéologie.*

Au XIXe s., les artistes profanes, peintres et sculpteurs, arrivent en nombre dans le Roussillon, attirés par les paysages et la lumière. Parmi eux, quelques Catalans vont assurer un renouveau d'une rare qualité. Céret, par exemple, devient, avec l'installation du sculpteur catalan Manolo, le centre d'une nouvelle famille de peintres, les cubistes. Le rayonnement de la petite ville devient tel que les plus grands noms de l'art moderne s'y bousculent, comme Picasso ou Matisse. Collioure, sur la côte, devient l'une des « Mecque » du fauvisme, tandis que le festival de Prades, sous l'égide du violoncelliste Pablo Casals, s'impose comme le rendez-vous des plus grands interprètes internationaux.

■ Coutumes et artisanats

Nombre de fêtes catalanes sont religieuses, principalement des processions à la Vierge ou pour les fêtes de Pâques. Mais le symbole de la culture catalane est la sardane, une danse populaire très ancienne qui avait pratiquement disparu de France mais que les réfugiés catalans du régime franquiste ont remis à l'honneur à partir de 1936. Certains ont voulu voir dans ces rondes l'héritage des danses peintes sur les céramiques crétoises, sans que l'on puisse confirmer ces origines. On en retrouve la trace au XVIe s., mais leur récent renouveau est dû surtout à la montée de l'identité catalane. La danse réunit en plusieurs rondes des dizaines de danseurs. La *cobla* (l'orchestre catalan) compte onze instruments : la *tenora* (hautbois, emblème de la sardane), le *flabiol* (flûte à bec), le *tambori* (tambourin), le *fiscorn* (tubas), la *vera* (contrebasse à corde), la trompette… La posture du danseur est primordiale, empreinte d'une grande dignité. Le corps est très droit, les mouvements extrêmement mesurés, les déplacements précis, toujours sur la pointe des pieds. Des pas courts de huit mesures alternent avec des pas longs de seize mesures, suivant une vingtaine de variantes. Dans les festivals, les danseurs portent le costume traditionnel, jupon blanc, jupe sombre, châle coloré et coiffe pour les femmes, ceinture et béret rouge pour les hommes (dans de nombreuses fêtes de village, on danse spontanément sans s'en préoccuper). Les espadrilles, avec le zigzag de leurs lacets le long des mollets, complètent la tenue. Parmi les artisanats symboliques de la culture catalane, l'espadrille et les tissages catalans restent les plus connus. Cette chaussure de toile du pays, à la semelle composée d'une longue tresse de chanvre, se décline sur tous les tons en fonction de l'imagination de certains fabricants qui rivalisent d'originalité. Sa souplesse en fait la chaussure idéale pour danser la sardane. Les toiles catalanes, qui servaient jadis aux espadrilles, sont désormais affectées à la décoration et au linge de maison.

▲ *Expression populaire et joyeuse de l'identité catalane, la sardane se danse en rondes sur les places publiques. Son festival a lieu le dernier dimanche d'août à Céret.*

Fêtes et jeux
témoins de traditions ancestrales

Les fêtes traditionnelles ponctuaient l'année, alternance de moments religieux intenses, comme lors de la Pâques ou lors des processions, et de joyeusetés quasi païennes lors des manifestations du Carnaval. La part des jeux demeure tout aussi importante. Ils restent circonscrits à des célébrations religieuses qu'ils ont longtemps accompagnées. Si c'est surtout leur attrait touristique qui les fait survivre, certains, comme les corridas sont partie intégrante de l'héritage régional.

▶ *Le poulain de Pézenas, un imposant cheval de bois recouvert d'un tissu bleu fleurdelisé, ouvre le carnaval de la ville.*

■ Le carnaval, les carnavals

La période du carnaval commence dès le mois de janvier et s'achève le Mardi gras ou le mercredi des Cendres. Autrefois, les jeunes se réunissaient pour le préparer en grand secret. Ils fabriquaient torches et masques qui serviraient au défilé et, dans certaines communes, de gigantesques créatures de papier mâché, animaux fantastiques. Cette fête d'origine païenne correspond au retour de la lumière après les jours les plus courts et coïncide avec la période d'inactivité des paysans. Elle donne lieu à de grandes réjouissances. Le carnaval de Limoux est le plus célèbre. Il se déroule sur plusieurs dimanches, avec trois sorties à chaque fois. Il est lancé par la « partie des meuniers », un groupe costumé (large blouse et bonnet de meunier) évoquant ce corps de métier qui payait traditionnellement ses redevances le jour du Mardi gras et défilait en lançant des friandises, de la farine et des pièces de monnaie. Aujourd'hui, ce sont des pluies de confettis et rubans de papier que l'on jette sur la foule. La cadence est donnée par une fanfare qui scande toujours la même phrase et rythme le passage des *fecas*, habillés de façon identique en Pierrot et portant la *carabena*, un roseau orné de rubans. Leur pas est très lent, exagéré à la mode du mime, et ils agitent leur bâton en mouvements gracieux. En contraste total, viennent ensuite les *godils*, dont le déguisement est libre et coloré et qui rompent le classicisme des *fécas* par leurs contorsions grotesques. Les spectateurs doivent subir la « chine » : les masques interpellent les badauds qu'ils connaissent, en travestissant leur voix, et dévoilent quelque détail de leur vie privée en les taquinant. D'autres font semblant de pourchasser les filles. Le défilé s'achève sur la place, à la nuit tombée, et l'on allume les *entorchas* (flambeaux). On procède ensuite au jugement en occitan du roi Carnaval, représenté par un énorme mannequin, et on le brûle en grande cérémonie. *Fécas* et *godils* jettent alors leur masque en se lamentant bruyamment et en dansant la farandole. La nuit s'achève dans des flots de blanquette.

Le carnaval de Pézenas offre une autre originalité : on y sort le poulain, un énorme animal de bois sous la carcasse duquel se cachent huit hommes qui défilent selon des règles très précises, au son de la musique traditionnelle, tambourin, fifre et hautbois. Équipé d'une tête télescopique, le poulain demande l'aumône pour les pauvres. L'origine de cette coutume remonte au temps du roi Louis VIII, en 1226. Lors de sa visite en ville, la jument favorite du roi tomba malade et fut confiée aux gens de la ville qui la soignèrent. À son retour, le monarque eut la surprise de trouver la jument guérie, accompagnée du poulain qu'elle venait de mettre bas. En remerciement, il offrit à la ville un poulain de bois que l'on pourrait exhiber dans toutes les fêtes en symbole de la royale amitié. À Cournonterral, près de Montpellier, le mercredi des Cendres est le jour de la fête des Pailhasses, symbole de la lutte du bien contre le mal, du civilisé contre le sauvage. Ce jour-là, les Pailhasses, vêtus de sacs bourrés de paille et coiffés de plumes, s'opposent aux Blancs, jeunes hommes et filles en costume immaculé. Les Pailhasses poursuivent les Blancs en aspergeant partout de la lie de vin. Ceux qui sont capturés sont plongés dans des baquets à l'odeur agressive et l'on termine la journée dans le désordre le plus total. Dans l'Hérault, les festivités du carnaval englobent la balade des totems,

▲ *Une vingtaine d'animaux composent le bestiaire légendaire de l'Hérault, du chameau à l'escargot, en passant par le bœuf et la chenille. Loupian exhibe son loup le deuxième dimanche du mois d'août.*

▼ *À Perpignan, la procession de la Sanch stigmatise la foi populaire catalane : elle renouvelle chaque année, lors de la Semaine sainte, un rituel vieux de cinq siècles.*

un peu à la manière du poulain de Pézenas : de gigantesques carcasses animées par des hommes s'agitent derrière les filles, foncent dans la foule et se livrent à toutes sortes de pitreries. À la nuit tombée, on feint de chercher la créature, disparue jusqu'à l'année suivante, ailleurs, on mime la corrida et la bête est mise à mort. À Béziers, elle prend la forme d'un chameau, d'un âne à Gignac, d'un bœuf à Mèze, d'un loup à Loupian… Ces sorties des totems ont lieu à plusieurs reprises le reste de l'année, chaque fois qu'il y a une fête. Toutes ces traditions sont un héritage de rites anciens, liés aux animaux sacrés dont la puissance divine éloigne les mauvais esprits. Les simulacres de poursuite des filles rappellent les fêtes de la fécondité, tandis que l'exécution du Carnaval évoque le sacrifice rituel. Faute de pouvoir les éradiquer, l'Église du Moyen Âge a toléré ces réminiscences païennes et les a intégrées dans le calendrier des fêtes religieuses.

■ Pâques et les fêtes religieuses

Une nouvelle période de fête démarre avec le dimanche des Rameaux. Autrefois, les branches étaient garnies d'offrandes diverses et placées un peu partout dans la maison et près des animaux, pour protéger des malédictions. Le Jeudi saint, les enfants faisaient sonner clochettes, crécelles et sifflets avant la messe. Ce jour-là, ils préparaient, en dehors des adultes, une omelette faite avec les œufs qu'ils avaient recueillis les jours précédents. Mais ces traditions se sont éteintes peu à peu. Les plus spectaculaires manifestations pascales perdurent en Catalogne. À Perpignan, la procession de la Sanch se tient le Vendredi saint. La tradition remonte au début du XVe s., lorsque Vincent Ferrier, un moine dominicain missionnaire fonde la confrérie des Pénitents de la Passion, devenue depuis celle des Pénitents de la Sanch (le sang du Christ). L'idée était d'offrir aux criminels condamnés le dernier pardon. Grâce au port de la cagoule, ils pouvaient rester anonymes et se mêler à la procession avec les autres pénitents. Depuis les années 1950, cette tradition est remise à l'honneur. Les membres de la confrérie (environ 400) partent des hauteurs de Saint-Jacques, parfois pieds nus, et font l'aller et retour jusqu'à la cathédrale, le long des étroites ruelles. Au rythme du tambour et de la cloche, ils chantent des *goigs* (cantiques catalans) et portent les *misteris*, objets sacrés peints ou sculptés représentant les scènes de la Passion. Les longues robes et les hautes cagoules pointues qui ne révèlent que les yeux sont rouges ou noires. Les femmes avancent le visage nu mais coiffées d'une mantille. À Céret, le Vendredi saint est le théâtre d'une double procession qui part de deux points différents de la ville, au son des *goigs*,

▲ *C'est en 1863 qu'apparaît la première corrida à Nîmes ; depuis, les mises à mort ne cessent d'attirer en nombre les aficionados. La corrida débute par le paseo, le défilé préliminaire.*

pour se rejoindre devant l'église, symbolisant la rencontre du Christ ressuscité et de la Vierge. On accroche des cerises, fruits de la région et emblème du printemps, aux oreilles des statues. À partir du lundi suivant, des dizaines de pèlerinages se déroulent dans les ermitages catalans, célébrant par des chants et des sardanes la résurrection du Christ. La Saint-Jean, le 24 juin, est la fête qui suit, très célébrée dans le Midi. Un bûcher est monté par tous les habitants des villages, puis allumé par les dignitaires de la commune et accompagné d'une bénédiction par le curé. Le feu est supposé protéger des esprits malins. Quelques jours plus tard (le 29 juin), c'est la Saint-Pierre-et-Paul, fête des pêcheurs (Pierre est leur patron) en Languedoc, à Mèze, Agde et surtout Gruissan, où le buste du saint est sorti en procession avec sa barque. Les pêcheurs portent chacun une petite barque et un cierge allumé. Après la messe, le cortège se rend sur le port, on embarque le saint et l'on se rend au large pour jeter des fleurs à la mémoire des disparus en mer.

▲ *La feria de Nîmes, qui rassemble plus d'un million de personnes, est un moment de fête intense à savourer de jour comme de nuit.*

■ Corridas, ferias et joutes nautiques

Les jeux collectifs ont une grande importance dans la culture languedocienne et catalane. Le taureau est vénéré sur les rives méditerranéennes où il est le symbole de la fertilité et de la force virile, et il est le centre de beaucoup de fêtes inspirées des traditions espagnoles. La corrida est la confrontation du *torero* et des *peones* avec le taureau, excité préalablement par les picadors. Après avoir planté les banderilles, le *torero* prend sa cape rouge et torée suivant une succession de passes qui mènent à l'estocade ou mise à mort. Les oreilles et la queue de l'animal sont décernées comme trophées. Moins sanguinaires mais tout aussi dangereuses, les courses camarguaises consistent à récupérer une cocarde attachée entre les cornes du taureau. La feria de Nîmes, chaque année à la Pentecôte, conjugue pendant cinq jours les corridas, les lâchers de taureaux dans les rues et les danses traditionnelles. La feria de Béziers, moins touristique, a gardé des traditions encore plus authentiques. Sur le littoral, les joutes nautiques animent les ports, comme Agde, Sète, Palavas… Chaque équipe comporte les rameurs, le barreur, les musiciens et le jouteur. Leur longue barque est équipée à l'arrière d'une poutre supportant une plate-forme. Le jouteur y prend position, armé d'une lance. Les équipes se lancent à l'assaut l'une de l'autre, le but étant de faire tomber à l'eau le jouteur adverse. Les costumes blancs, les barques et les pavois colorés et la liesse populaire font de ces joutes un événement très pittoresque.

▲ *Les joutes nautiques de Sète naquirent en 1666, lors de la création du port. De nos jours, des équipes de quartiers ou de villages voisins s'affrontent toujours sur deux barques rouge et bleu, aux couleurs de la ville.*

L'histoire

Tautavel   **p. 134**
Un paisible village connu du monde entier grâce au gisement préhistorique découvert dans une des nombreuses grottes des environs.

Peyrepertuse   **p. 185**
Le plus remarquable ensemble d'architecture militaire du Moyen Âge en Languedoc.

Villerouge-Termenès   **p. 183**
Un village médiéval dominé par un château massif.

Quéribus   **p. 184**
C'est « la citadelle du vertige posée sur son piton rocheux comme un dé sur le doigt ».

Saint-Guilhem-le-Désert   **p. 290**
Au début du IXe s., une petite communauté monastique s'installe dans le val de Gellone…

Montpellier   **p. 314**
Vivante, moderne, la capitale de région conserve un riche patrimoine architectural.

Les Cévennes   **p. 400**
« Les Cévennes ? Ce sont des montagnes magiques où l'homme a modelé le paysage et ne fait qu'un avec lui », disait Émile Leynaud.

Beaucaire   **p. 394**
Ville frontière du bas Languedoc, elle semble toujours défier Tarascon, sa voisine provençale.

Villeneuvette   **p. 298**
Le siège d'une très célèbre manufacture de draps au XVIe s.

Le canal du Midi   **p. 214**
Une sorte de voie royale pour un tourisme différent en Languedoc.

◀ *L'oppidum d'Ensérune.*

Découvrir • L'histoire

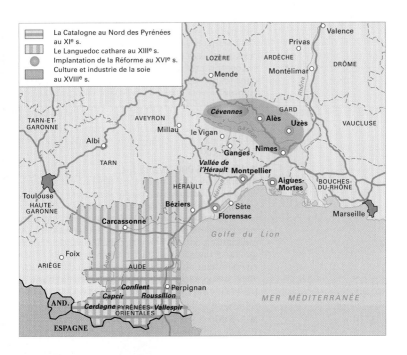

- La Catalogne au Nord des Pyrénées au XIe s.
- Le Languedoc cathare au XIIIe s.
- Implantation de la Réforme au XVIe s.
- Culture et industrie de la soie au XVIIIe s.

Chronologie
– 1 000 000 - 77

▲ *L'homme de Tautavel,
l'un des plus vieux
Européens découverts,
présente la plupart
des caractéristiques de
l'homo erectus.*

■ – 1 000 000 avant J.-C.

Premières traces d'une occupation humaine. À cette époque de glaciation, le climat est très froid, l'homme s'abrite sous des huttes de branchages et doit affronter d'énormes bêtes sauvages comme le lion des cavernes ou l'ours.

■ – 700 000 avant J.-C.

À partir de cette période, l'homme s'installe dans toutes les zones basses du Languedoc et les vallées des Pyrénées orientales. On retrouve des vestiges d'outils grossièrement taillés et des traces d'aménagements de grottes.

■ – 450 000 avant J.-C.

C'est à cette époque que vivait l'homme de Tautavel, un *homo erectus*, dont les restes ont été découverts dans la Caune de l'Aragó. Il était petit, à peine plus de 1,50 m, et avait le front fuyant. On sait que c'était un chasseur, qu'il utilisait des outils taillés, mais qu'il ne maîtrisait pas encore le feu.

■ Vers – 55 000 avant J.-C.

Près de Ganges, la grotte de l'Hortus atteste la présence de l'homme néandertalien, qui est un *homo sapiens*, au cerveau plus développé que celui de l'*homo erectus*. Encore très primitif, c'est un chasseur nomade qui vit dans les grottes, où il laisse des gravures sommaires, comme dans la grotte de la Balauzières, près d'Uzès. Durant la période d'existence de cette espèce, il y a eu de grands changements de climat : un réchauffement d'abord qui a permis l'habitat à découvert, suivi d'une nouvelle glaciation. L'homme de Neandertal s'est éteint vers – 35 000.

■ Vers – 35 000 avant J.-C.

Apparition de l'homme de Cro-Magnon, autre branche évoluée de l'*homo erectus*, venant sans doute de l'est du bassin méditerranéen et très semblable à l'homme actuel (front droit, cerveau développé). Il chasse les grands mammifères et fabrique des outils plus élaborés, utilisant l'os, outre le bois et le silex. Il laisse des rochers gravés. On retrouve sa trace tout au long de la fin du paléolithique, où s'amorce une mutation dans ses activités : une ébauche d'agriculture complète la chasse, la pêche et la cueillette. Ailleurs en France, c'est de la fin du paléolithique que datent les fresques de Lascaux.

■ – 5 000 à – 2 000 avant J.-C.

Période néolithique. L'homme se sédentarise. Il remplace la cueillette par l'agriculture (céréales, pois, lentilles…), et commence à élever du bétail, chèvres et moutons. La pierre n'est plus seulement taillée, mais polie et il fabrique des poteries, des bijoux. Il se livre au commerce et l'on retrouve la trace d'un cabotage côtier. On assiste à l'apparition de villages organisés, avec des remparts et des enclos sacrés. L'une des mutations les plus significatives du néolithique concerne le culte des morts, avec les dolmens, tombes monumentales, pierres gravées… À la fin de cette époque commence l'âge du cuivre.

■ – 1 800 à – 900 avant J.-C.

Âge de bronze. Les outils découverts sont nombreux et les techniques bien maîtrisées. L'agriculture a fait d'énormes progrès, ainsi que le commerce. À la fin de cette période, on commence à incinérer les morts et à utiliser des urnes funéraires enterrées.

■ – 800 à – 200 avant J.-C.

Avec l'âge du fer, la métallurgie progresse encore. La société s'organise. En 600 av. J.-C., *Massalia* (Marseille) est fondée par les Phocéens (Grecs d'Asie Mineure). Quarante ans plus tard, c'est Agde qui est établie. De grands mouvements de population ont lieu : c'est le début de l'influence grecque sur le Languedoc, qui se traduit par l'introduction de la vigne et de l'olivier. L'autre extrémité de la région est sous l'influence des Ibères qui apportent leur écriture. Dans les deux parties, l'urbanisation progresse. La troisième influence majeure est celle des Celtes venus de Suisse et d'Allemagne, par la vallée du Rhône.

■ 214 avant J.-C.

Hannibal passe les Pyrénées.

■ 122 avant J.-C.

La région est conquise par les Romains qui commencent à construire la via Domitia.

■ 118 avant J.-C.

Fondation de Narbonne par les Romains.

■ 59 à 52 avant J.-C.

Jules César accomplit la conquête de la Gaule.

■ 27 avant J.-C.

La colonie, strictement organisée selon le modèle romain, devient la Narbonnaise, elle englobe la Provence, le Languedoc et le Roussillon. C'est le début de la *pax romana*, la paix romaine.

■ 77 après J.-C.

On relève la mention du fromage du mont Lozère dans les écrits de Pline l'Ancien.

L'homme de Tautavel

Il avait une vingtaine d'années quand il est mort, il souffrait d'un défaut dentaire, il ne connaissait pas le feu, mais commençait à se servir de galets polis et affûtés en guise d'outils et d'armes de poing : c'est l'homme de Tautavel, 450 000 ans, l'un des plus vieux Européens découverts par les paléontologues. Il avait encore le front fuyant et le sourcil proéminent, les yeux enfoncés dans de profondes orbites. Il marchait debout et chassait avec une redoutable efficacité. La preuve : les ossements accumulés sur 11 m de hauteur dans la grotte où l'homme de Tautavel et ses descendants ont vécu pendant 250 000 ans. Les scientifiques y ont trouvé des ossements humains mêlés à des restes de lions, de chevaux, de rennes et même de rhinocéros qui cohabitaient alors dans les plaines du Roussillon.

L'hérésie cathare
une secte déviante

Au XIIe s., une religion dissidente se développe dans le Midi de la France : la secte cathare, littéralement, la secte des purs. Forts de la sympathie de seigneurs comme le comte de Toulouse, le comte de Foix ou le vicomte de Béziers, les prédicateurs cathares rassemblent de nombreux adeptes, autour de Toulouse et d'Albi, ainsi que dans le Languedoc de l'ouest. Bien qu'anéantie depuis sept siècles, cette spiritualité fascine encore. Une abondante littérature et des vestiges émouvants des citadelles martyres en font l'un des attraits historiques majeurs de la région.

▶ *Le château fortifié de Peyrepertuse (XIe s.) a longtemps servi de refuge aux hérétiques pourchassés par le sanglant Simon de Montfort.*

■ Un terrain particulier

Comment expliquer que la doctrine cathare ait pris une telle ampleur dans le Languedoc ? Un terrain favorable avait été préparé durant les siècles précédents. La région avait déjà subi des influences diverses, manichéens venus d'Espagne et d'Afrique ou doctrines des Wisigoths. Puis, au XIIe s., le dynamisme intellectuel ambiant de l'époque des troubadours s'accompagne d'une grande ouverture d'esprit. Le castrum, village fortifié autour de son château, qui est à la base de la société occitane, favorise les échanges et la propagation des idées. La secte cathare remportera ses premiers succès dans les villes, grâce à la bourgeoisie très importante dans le Languedoc et aux classes populaires séduites par la simplicité et la proximité des prédicateurs. En parallèle, tous sont lassés des mœurs relâchées du clergé qui mène grand train aux dépens des fidèles. Enfin, dernier facteur : les seigneurs n'ont jamais découragé une doctrine qui les menaçait beaucoup moins que le tout-puissant clergé, avide de terres, de biens et de pouvoir.

■ La doctrine

Probablement issu de la secte bogomile de Bulgarie, le catharisme est fortement influencé par la vision dualiste des chrétiens d'Orient : la doctrine manichéenne fondée sur l'opposition radicale du bien et du mal. Les principes cathares révèlent deux créateurs et deux mondes. Dieu est parfait, il a fait les âmes bonnes et il règne sur le spirituel. Satan lui est opposé : il capture les âmes pour les

▲ *Le village médiéval de Villerouge-Termenès est dominé par un imposant château, témoin de l'architecture militaire des XIIᵉ et XIIIᵉ s. Y fut brûlé en 1321 Bélibaste, dernier diacre cathare.*

enfermer dans les corps mauvais qu'il a créés. Il gouverne sur le monde charnel. Le prédicateur cathare se fixe pour but de sauver les âmes prisonnières de la chair corrompue. Il ne croit pas à l'enfer : la punition de l'impureté est que l'âme soit oubliée de Dieu et condamnée à se réincarner. Pour atteindre à la perfection et devenir pur, il faut donc s'extraire des contingences de la chair, renoncer au mariage, faire vœu de pauvreté, de travail et d'humilité. Les cathares disent être les véritables successeurs des apôtres et donnent le baptême de l'Esprit par imposition des mains (c'est le *consolamentum*) au lieu du baptême d'eau pratiqué par l'Église. Ils croient que le monde méchant s'éteindra lorsque la dernière âme aura été sauvée. Lorsqu'un fidèle a reçu le baptême de l'Esprit, il entre dans la catégorie des Parfaits qui ont le droit de prêcher et de baptiser à leur tour. Les femmes sont les égales des hommes et ont accès aux mêmes fonctions religieuses. Les prédications ont lieu, non dans des églises, mais dans les maisons cathares, lieux ouverts et accueillants où vivent les communautés de Parfaits et de Parfaites. Les simples fidèles sont appelés croyants. Lorsqu'ils sont sur le point de mourir, les Parfaits leur donnent le *consolamentum* pour qu'ils puissent accéder au monde spirituel.

■ Des principes à l'hérésie

Il était inévitable que l'église catholique prenne ombrage de l'essor de la nouvelle religion. Les lieux sacrés étaient désertés. Le succès des croyances cathares est tel que dans certaines villes, comme Carcassonne ou Béziers, le clergé se met à redouter ces prédicateurs zélés qui séduisent la population et emportent son soutien. Les bourgeois, les artisans et les marchands contribuent à propager la doctrine. Les « hérétiques » ne s'inclinent

▶ *Le château de Quéribus domine la plaine du Roussillon du haut de ses 728 m. Cette citadelle fut, jusqu'en 1255, le dernier îlot de la résistance cathare.*

pas devant le pouvoir, ni l'argent, ils ne reconnaissent pas le droit à la propriété, ils nient les sacrements, ils n'acceptent pas le Christ comme l'incarnation de Dieu et ils font honte, par leur modestie et leur connaissance de l'Évangile, à des moines dévoyés et ignorants. Craignant que l'ascendant moral de la secte ne le prive de ses privilèges, le clergé n'aura de cesse que les impies soient châtiés. L'Église combat cette hérésie par la prédication puis par une répression sanglante. Saint Bernard, Pierre de Castelnau, puis saint Dominique essayent, sur le plan politique ou par des missions, de désamorcer le mouvement cathare. Faute d'avoir accepté de soutenir le pape, le comte de Toulouse est excommunié en 1207. La situation s'envenime et, en 1208, Pierre de Castelnau est assassiné par un hérétique proche du comte. En 1209, le pape lance la croisade des Albigeois, qui a vite fait de dégénérer en tuerie générale. La population de Béziers est massacrée (20 000 personnes tuées sans distinction : « Dieu reconnaîtra les siens » aurait dit l'envoyé du pape...), Carcassonne est vaincue, Minerve, Lastours se rendent. À chaque fois, les cathares sont brûlés vifs. Le plus féroce des croisés, Simon de Montfort, se fait un plaisir de traquer les hérétiques qui se réfugient dans les citadelles du Minervois et des Corbières. Malgré l'impopularité croissante de Simon de Montfort et de ses sbires, qui ont l'ambition de s'approprier les richesses des seigneurs cathares, le mouvement ne réussit plus à sortir de la clandestinité. Pendant plusieurs décennies, les Parfaits poursuivent leur prédication en secret. Mais les dernières citadelles tombent : Montségur en 1244 (210 cathares s'immolent par le feu), Quéribus en 1255. Depuis 1252, le pape avait autorisé les inquisiteurs à user de la torture. À partir de 1301, Bernard Délicieux, un moine franciscain, s'élève contre l'Inquisition : il est accusé d'hérésie et torturé à mort. Après 1350, on ne compte plus aucun procès en hérésie, la secte cathare est extirpée.

Chronologie
IIIe-XIe siècle

■ IIIe siècle

Débuts du christianisme. Arrivée des missionnaires : saint Paul-Serge à Narbonne, saint Sernin à Toulouse, saint Trophime en Arles. Le déclin de Rome s'amorce dans le reste de la Gaule. Les Francs déferlent sur les Pyrénées.

■ Ve siècle

Invasions des Vandales, puis des Wisigoths qui fondent la Septimanie. Ils choisissent Toulouse comme capitale.

■ VIIIe siècle

Les Arabes venus d'Afrique du Nord *via* l'Espagne envahissent la région. Narbonne est prise en 719, Carcassonne en 725. Vaincus à Poitiers en 732, ils refluent massivement devant les troupes franques de Charles Martel qui laissent toute la province dévastée. La Septimanie rejoint le royaume franc. Saint Benoît fonde l'abbaye d'Aniane. Son influence rayonne dans la région entraînant la fondation de plusieurs monastères.

■ IXe siècle

Les Francs sécurisent une zone tampon, la Marche d'Espagne qui s'étend jusqu'à Barcelone. En 865 cette zone est partagée entre deux. Narbonne et ses environs sont séparés du reste (dont le Roussillon) qui est attribué aux comtes de Barcelone. C'est le début de la Catalogne. Saint Guilhem fonde l'abbaye de Gellone. Les raids normands débutent. Ils ravagent Nîmes en 860. La ville sera attaquée à nouveau, par les Hongrois, en 924.

■ X^e et XIe siècles

L'influence de l'Église s'affirme et joue un rôle primordial dans l'organisation des villages. Les routes des pèlerins apportent animation et commerce. Les croisades commencent, stimulant les échanges avec l'Italie, la Grèce et le Proche-Orient. Montpellier, fondée en 985, connaît une ascension fulgurante. Les familles de Toulouse, d'Auvergne et de Barcelone se partagent le pouvoir sur les différentes parties de la région.

◀ *L'abbaye de Gellone (XIe s.) mélange art roman et style lombard propre à la région.*

L'épopée de la Réforme
diffusion, répression, reconnaissance

À la fin du XVe s., le mécontentement des croyants est profond. Ils reprochent à l'église catholique sa folie des grandeurs, son goût du pouvoir, sa vénalité et le favoritisme qu'elle pratique systématiquement. En Allemagne, à partir de 1517, Luther publie ses thèses en faveur d'une réforme profonde de la doctrine chrétienne. Niant l'autorité du pape, il prône l'étude de la Bible, la rigueur morale, la responsabilité individuelle. On traduit la Bible du latin dans les langues usuelles. En Suisse, Calvin pose les bases d'une doctrine encore plus rigoureuse, qui s'infiltre en France le long de la vallée du Rhône.

■ La Réforme débouche dans le Languedoc

Les marchands et les artisans qui rejoignent les ports méditerranéens colportent les idées de la Réforme en passant dans les Cévennes et le bas Languedoc. Malgré la forte implantation du catholicisme, la Réforme arrive dans une région en proie à un profond malaise social, dû à la croissance démographique, à la baisse des salaires, à la hausse des prix et aux famines qui se succèdent (la pire étant celle de 1529, suivie de la peste). Les seuls à ne pas souffrir sont les membres du clergé, ce qui excède les gens. L'Église ne répond plus aux besoins spirituels d'une population désemparée. En parallèle, la diffusion du français et les progrès de l'imprimerie favorisent la propagation des idées nouvelles. C'est de Lyon que partent les colporteurs qui vendent des bibles, les étudiants qui se rendent à l'université de Montpellier et les commerçants qui vont dans les Cévennes pour le négoce des tissages. La répartition géographique des idées de la Réforme est très claire : les villes (Alès, Uzès, Nîmes, Aigues-Mortes, Pézenas…), les vallées de l'Hérault et des Cévennes. La diffusion correspond aux zones économiques les plus florissantes, où l'on tisse la laine et la soie, où l'on extrait du charbon, où l'on travaille le cuir et le bois.

Liberté, résistance

L'implantation du protestantisme a profondément influencé les mentalités. La répartition géographique, d'abord, scinde la région en deux. Prédominance protestante à l'est et dans les Cévennes, catholique à l'ouest, dans l'ancien pays cathare, en Catalogne et en Cerdagne. Cette démarcation très nette le restera pour plusieurs siècles. Ainsi, à la Révolution, les protestants verront les événement comme une revanche, tout comme, par la suite, ils rallieront en masse la République. Lors des élections, ils votent républicain, plus à gauche que les catholiques. Une exception nuance cette analyse : dans l'ouest du Languedoc, certains anciens bastions catholiques basculeront dans l'anticléricalisme ou le radicalisme. Durant la Seconde Guerre mondiale, l'importance des maquis cévenols tiendra à la longue habitude héritée du passé : liberté avant tout et résistance à l'oppression. Nombre de juifs, d'exilés espagnols ou de communistes antifascistes trouveront refuge au sein de la société protestante.

■ L'épisode tragique des guerres de Religion

À Toulouse, qui demeure un foyer de répression depuis l'Inquisition contre les cathares, 18 personnes sont brûlées pour hérésie entre 1540 et 1549. Pourtant, les réformés, longtemps condamnés à la clandestinité, commencent à afficher leurs croyances et à exprimer leur haine des catholiques. À Nîmes, les réformés brûlent les hosties, les images pieuses et les livres du culte, à Montpellier ils détruisent des églises. Les catholiques ne sont pas en reste : en représailles, ils noient des protestants dans les rivières. En 1567, c'est le massacre des catholiques à Nîmes, en 1586, c'est celui des protestants à Marvejols. L'Édit de Nantes de 1598 concède aux protestants des places de sûreté et une certaine liberté de culte qui apaise les choses, mais les deux confessions se contentent de coexister sans jamais s'accepter. En 1621, la guerre reprend. Cette fois, les réformés sont conduits par Henri de Rohan, gendre de Sully. Ses meilleures troupes sont levées dans les Cévennes. Il finit pourtant par perdre Montpellier, en 1622 et se retire dans ses fiefs des montagnes. En 1629, il se résout à signer la paix d'Alès qui retire aux protestants leurs places de sûreté. Pire, en 1685, Louis XIV révoque l'Édit de Nantes : le protestantisme renoue avec la clandestinité.

En 1569, le monastère et l'église de Saint-Guilhem-le-Désert, fondés au IXe s. par Guilhem, duc d'Aquitaine, sont détruits par des troupes protestantes. Le tombeau de saint Guilhem est mis en pièces.

■ La révolte des Camisards

Dans les Cévennes, les fidèles résistent et se réunissent dans des lieux isolés : ce sont les assemblées du Désert, conduites par des laïcs. Partout, les réformés sont en butte aux discriminations, peu à peu dépouillés de tous leurs droits civiques. Ceux qui persistent perdent leur travail et sont souvent obligés d'émigrer vers la Suisse, l'Angleterre, la Hollande… Surtout dans les Cévennes, les paysans, qui restent parce qu'ils sont liés à la terre, se radicalisent. Ils se révoltent et refusent tout compromis. Le discours des prédicateurs devient violent. En 1702, excédés par la répression, de jeunes réformés fanatiques proches des idées de Calvin assassinent un prêtre catholique chargé de la surveillance des chemins cévenols. C'est le début de la révolte des Camisards, une guérilla populaire qui s'étend sur deux ans pendant lesquels une armée de paysans et d'artisans tient tête aux troupes du roi Louis XIV. En 1703, ils appellent même les Anglais à l'aide. Les troupes catholiques incendient alors les villages. En vain, car la résistance est partout. Un armistice, dont aucun parti ne sort vainqueur, est signé en 1704. Les persécutions contre les protestants se poursuivent, avec un peu moins d'intensité. À partir de 1715, un jeune réformé, Antoine Court, tente de rassembler ses coreligionnaires et fonde l'Église du Désert. Mais il faudra attendre 1787 pour qu'un édit de Tolérance, donne aux protestants le droit à un état civil sans passer par l'Église apostolique.

▲ *Le pont des Camisards*

Chronologie
XIIe-XVIIe siècle

▲ *Dès 1221, Montpellier reçoit une école de médecine et une école de droit. L'université ouvre en 1289. Portrait de Rabelais.*

■ XIIe siècle

Naissance de l'art troubadour. Par le jeu des mariages, la Catalogne s'allie à l'Aragon. De nouveaux ordres religieux se développent, bénédictins, cisterciens, dominicains, augustiniens, ordres mendiants. L'École de médecine de Montpellier est fondée. Lunel possède son Académie hébraïque. La région est un florissant carrefour d'influences arabes, juives, italiennes, espagnoles. Apparition des premières communautés cathares.

■ 1209

Le pape lance la croisade contre les cathares, dite croisade des Albigeois. Béziers est ravagée par Simon de Montfort.

■ 1226

Une seconde croisade est lancée contre les cathares.

■ 1229

Le roi des Francs, Saint Louis, annexe le Languedoc par le traité de Meaux.

■ 1244

Chute de Montségur, forteresse albigeoise.

■ 1255

Chute de Quéribus, dernier refuge des cathares.

■ 1258

Par le traité de Corbeil, le roi de France renonce à toute prétention sur le Roussillon, la Cerdagne et le Conflent, au profit de Jacques Ier d'Aragon.

■ 1276-1344

Jacques Ier d'Aragon fonde le royaume de Majorque, qui englobe la Cerdagne, le Roussillon et Montpellier. Perpignan en est la capitale.

■ 1348

Première épidémie de peste noire. Entre le tiers et la moitié de la population est décimée. Ce fléau se manifestera de façon récurrente jusqu'à la fin du XVe s. Les survivants accusent les juifs et se livrent à de terribles exactions : les pogroms

■ 1473

Bien que le Roussillon et la Cerdagne soient catalans, Louis XI les occupe par la force et prend Perpignan.

■ 1479

Ferdinand d'Aragon qui règne aussi sur la Catalogne succède à son père. Époux d'Isabelle de Castille, il réunit de fait les deux royaumes. Le castillan prend le pas sur le catalan. Durant plus d'un siècle et demi, l'identité catalane sera étouffée.

■ 1528-1532

Les luthériens sont de plus en plus nombreux. Leur prédication se répand le long de la vallée du Rhône jusque dans le Languedoc. Les réformés sont concentrés dans les villes (Uzès, Alès, Nîmes, Aigues-Mortes, Pézenas) et dans les Cévennes. Au début la nouvelle religion est clandestine.

■ 1539

Ordonnance de Villers-Cotterêts, promulguée par François Ier. Ce texte impose la rédaction de tous les actes administratifs en français. Les langues régionales reculent dans l'écrit, mais perdurent au quotidien.

■ 1560

La religion réformée s'affiche et tient son premier synode régional. La haine contre les catholiques conduit les protestants aux pires violences. Les catholiques se livrent à des représailles sanglantes.

■ 1572

Deux mois après le massacre de la Saint-Barthélemy, les catholiques de plusieurs villes du Midi exécutent des protestants. Ils bénéficient du soutien actif des rois catholiques espagnols.

■ 1589

Henri IV devient roi de France. Il est protestant, mais abjure en 1593.

■ 1598

La proclamation de l'Édit de Nantes garantit aux protestants la liberté de culte et une centaine de places de sûreté, dont Montpellier. Les protestants emménagent en grand nombre dans cette ville.

■ 1610

Mort d'Henri IV. Marie de Médicis, régente de son fils Louis XIII, subit les influences italienne et espagnole. Sa politique anti-protestante aboutit à une nouvelle guerre de religion.

■ 1619-1629

Le duc de Rohan prend la tête des protestants, s'appuyant sur la milice cévenole, et s'oppose armes à la main à Louis XIII. Il finit par se rendre, à Alès. Le protestantisme recule.

■ 1685

Révocation de l'Édit de Nantes par Louis XIV. Beaucoup de protestants émigrent, ceux qui restent entrent dans la clandestinité et pratiquent le culte dans des lieux isolés : ce sont les assemblées du Désert, conduites par des laïcs.

▲ *Les Romains s'attachent au développement de Ugernum (qui prendra le nom de Beaucaire au Moyen Âge), une agglomération prospère située au carrefour du Rhône et de la voie Domitienne. La foire de Beaucaire est créée en 1464.*

L'âge d'or
mutations sociales et essor économique

▲ *Après la Révolution, la manufacture de Villeneuvette se spécialise dans la production de draps et de coupons pour les uniformes militaires.*

▼ *Ouvert en 1681, le canal du Midi connaît son essor au siècle suivant : matières premières, marchandises agricoles et personnes transitent ainsi par ce cours d'eau qui fait gagner un temps précieux.*

Faisant suite aux troubles politiques, sociaux et religieux de la première moitié du XVIIIᵉ s., de profonds changements amorcent une phase de développement intense dans les domaines économiques, sociaux et culturels. Les travaux de Colbert et le potentiel économique préexistant favorisent ce dynamisme.

■ Un changement radical

La première grande mutation est due au renversement de la courbe démographique. Au début du XVIIIᵉ s., la population rurale est encore en déclin : épidémies, guerre, misère font grimper la mortalité. Curieusement, durant la seconde moitié du siècle, on note un changement très net : la population recommence à croître. Par ailleurs, le secteur agricole progresse. Les interdictions de planter la vigne, qui avaient été lancées en 1730 à cause de la surproduction, arrivent à échéance en 1750. À partir de cette date, les progrès de la viticulture entraînent des défrichements massifs et le remplacement graduel de l'agriculture vivrière par la vigne. On assiste à l'apparition de grands domaines viticoles, dans lesquels investissent les bourgeois et l'aristocratie urbaine. Seules demeurent, à côté de cette monoculture, quelques terres vouées à l'olivier, au maïs ou au mûrier (ce dernier a supplanté le châtaignier après les terribles gelées de 1709). Dans le domaine industriel, de nouveaux marchés s'ouvrent, notamment vers le nord de la France et les pays nordiques. Sur le plan culturel, enfin, on assiste à un renouveau littéraire, artistique et scientifique, malgré la lourdeur des antagonismes religieux.

■ Un essor proto-industriel régional

À côté de la vigne, richesse traditionnelle du Languedoc, l'industrie textile s'impose comme l'un des principaux vecteurs de croissance. Avec la culture du mûrier, l'arbre d'or, les Cévennes deviennent un grand centre de production de vers à soie. La région d'Alès fournit à elle seule 15 % de la production française. Cette activité reste éclatée, principalement dispersée dans les maisons des montagnes et piedmonts. Il faut d'abord récolter les cocons, en tirer le fil de soie (la bave du ver à soie produit un fil qui peut mesurer jusqu'à 1 500 m de long et constitue le cocon), mouliner ou croiser plusieurs de ces fils pour en faire un fil exploitable à grande échelle. La plus grande partie du fil de soie cévenol est achetée par des négociants et moulinée dans des fabriques à Uzès, Anduze, Saint-Jean-du-Gard ou Nîmes. Ganges puis Le Vigan se spécialisent dans la maille de soie, lingerie et bonneterie à base de tricot. Les bas de soie remplacent peu à peu les bas de laine et s'exportent (90 % de la production part à l'étranger, vers l'Espagne, le Portugal et même jusqu'aux Indes). Nîmes se consacre au tissage et multiplie ses variétés de soieries (jusqu'à 120 en 1777). Le travail du coton n'est pas en reste. Les fabricants sous-traitent le filage dans les campagnes. La fabrique de mouchoirs de Montpellier est florissante. À Villeneuvette, près de Clermont-l'Hérault, on fabrique des draps fins de laine de couleur vive, à destination des marchés méditerranéens. Lodève se vante d'avoir le monopole des fournitures des troupes royales de Louis XIV, tandis que les draps de la Montagne noire se vendent jusqu'au Caire. À chaque extrémité de la région, en Catalogne et dans les Cévennes, l'industrie métallurgique fait ses premiers pas. Dans le bassin d'Alès, on commence à extraire le charbon à grande échelle. Jusqu'en 1771, l'exploitation reste familiale et modeste. Mais de grands investisseurs s'intéressent à cette richesse et le roi finit par en accorder le monopole à un certain Tubœuf. Il en résulte de grands progrès techniques (qui placeront la sidérurgie régionale au 2e rang national derrière Le Creusot) mais un climat de lutte sociale.

■ Une région prospère et dynamique

La meilleure preuve de ce dynamisme économique est l'essor du commerce. La foire de Beaucaire attire quelque 50 000 personnes venues d'Europe et du Proche-Orient pour la Sainte-Madeleine. D'autres foires et marchés deviennent réputés, à Pézenas, Alès ou Montagnac. Le canal du Midi multiplie ses recettes par 2,5 et le port de Sète envoie ses navires jusque dans les ports russes de la Baltique. Une grande bourgeoisie de négociants internationaux voit le jour, souvent d'origine protestante, qui utilise ses contacts européens pour faire avancer les affaires. Un nouveau phénomène s'esquisse en outre : l'émigration des campagnes vers les villes. Autre résultat de cet essor, les progrès de l'instruction et l'arrivée sur la scène régionale d'intellectuels et d'artistes. Les Académies se développent, l'université de Montpellier attire médecins et savants. Profitant de la vocation pharmaceutique de la ville, le Lozérien Chaptal y favorisera la première usine chimique. La région renoue avec les érudits : Fabre d'Eglantine, Rivarol, André Chénier, l'abbé Favre… Enfin, le renouveau vient de l'architecture et de l'urbanisme, à une échelle comparable à ce qui s'était passé à l'époque de la conquête romaine : châteaux, jardins, édifices publics, voies de communication…

▲ *En 1795, la Faculté de médecine de Montpellier est installée dans un ancien monastère bénédictin. La façade sud présente une collection hétéroclite de constructions des XIIIe-XIXe s.*

Chronologie
XVIIIe-XXe siècle

■ **1702-1704**

Échauffés par des prédications de plus en plus violentes, les protestants se lancent dans une guérilla contre les troupes du roi : c'est la révolte des Camisards.

■ **1715**

Des Protestants des Cévennes fondent l'église du Désert, qui reste clandestine. Les persécutions des catholiques s'intensifient.

■ **1787**

L'Édit de Tolérance reconnaît l'existence des Protestants.

■ **1789**

Les protestants soutiennent massivement la Révolution. Les catholiques y sont hostiles. Les haines religieuses renaissent sur fond de mutations politiques profondes.

■ **1790**

La France est divisée en départements.

■ **1793**

Une partie des riches protestants soutient le fédéralisme des girondins. Leur insurrection est écrasée.

■ **1804-1815**

Sous le premier Empire, la région ne s'apaise pas. De nombreux catholiques refusent la conscription. Par ailleurs, le thermalisme fait son apparition dans les Pyrénées. Les nouvelles stations prennent leur essor.

■ **1815**

À la chute de Napoléon, les catholiques se vengent à nouveau des protestants : ils font régner la Terreur blanche autour de Nîmes.

■ **1848**

À l'issue d'une révolte parisienne, la IIe République est fondée. Elle est massivement soutenue par les protestants.

■ **1850**

Début de la crise viticole, en raison de la surproduction et de l'oïdium.

■ **1852**

Début du second Empire. Envol du thermalisme et du tourisme de montagne.

■ **1869**

Première apparition du phylloxera, insecte parasite de la vigne.

▲ *Dans la période faste du second Empire, la ville thermale de Lamalou-les-Bains fait édifier un magnifique théâtre à l'italienne de 700 places, justifié par une fréquentation croissante d'amateurs d'art lyrique.*

■ **1902**
Débuts du syndicalisme chez les ouvriers viticoles.

■ **1907**
Grandes manifestations des vignerons, suivies d'une violente répression : plusieurs morts.

■ **1936**
Le Midi se marque nettement à gauche. Des communistes sont même élus dans le bassin minier d'Alès. Ils joueront un rôle important dans la future résistance aux Allemands La guerre civile espagnole entraîne une forte émigration d'opposants au franquisme.

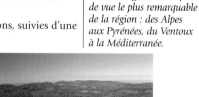

▼ *À 1 565 m d'altitude, le mont Aigoual est le point de vue le plus remarquable de la région : des Alpes aux Pyrénées, du Ventoux à la Méditerranée.*

■ **1940-1945**
Les réseaux de résistance sont nombreux, dans les Pyrénées et dans les Cévennes. Ceux du Gard, de l'Hérault et du massif du Canigou sont particulièrement actifs. Sous le gouvernement de Vichy, juifs et tsiganes sont internés au camp de Rivesaltes. Des milliers sont déportés en Allemagne.

■ **1944**
Le 15 août, les Alliés débarquent en Provence. Les troupes alliées remontent la vallée du Rhône et laissent la libération de la région aux maquis. Ce fait affermit le profil politique de la région, fortement ancrée à gauche.

■ **1950-1954**
Effondrement de la métallurgie. Après la fermeture des hauts-fourneaux en 1930, c'est l'arrêt du laminage en 1950 et celui de la fonderie en 1954.

■ **1951**
La loi Deixonne autorise l'enseignement dans les collèges et lycées des langues régionales : catalan et occitan.

■ **1962**
Après les accords d'Évian, les rapatriés d'Algérie arrivent en masse dans la région.

■ **1963**
Le Plan d'aménagement du littoral est lancé.

■ **1969**
Au référendum sur la régionalisation, le non l'emporte par plus de 53 %.

■ **1970**
Création du Parc national des Cévennes.

■ **1982**
Vote des lois sur la régionalisation et la décentralisation. Le Conseil régional est élu pour 6 ans au suffrage universel direct depuis 1985.

La puissance catalane
l'autonomie politique au Moyen Âge

C'est à la fin du IXᵉ s. que se dessinent les contours de la future Catalogne. Après avoir été en butte aux invasions arabes puis franques, cette région (qui réunit le Roussillon, le Vallespir, le Conflent, la Cerdagne et le Capcir à un vaste territoire espagnol descendant au-delà de Barcelone) accède à une réelle identité politique, linguistique et culturelle. C'est au XIᵉ s. que sont jetées les bases politiques de l'État catalan.

■ Alphonse Iᵉʳ, fédérateur de la grande Catalogne

Dès la fin du VIIIᵉ s., la région au nord des Pyrénées attire les moines qui fondent des monastères en grand nombre. Sainte-Marie-d'Arles en 780, puis Saint-Génis-des-Fontaines et Saint-André en 800. Le siècle qui suit voit une éclosion de ces communautés religieuses. Elles sont un pôle de stabilité dans une région en proie aux luttes féodales, entre les différents seigneurs qui prétendent à la suprématie. Plus au sud, l'Espagne est aux mains des Arabes et le maintien dans la galaxie du royaume franc semble une garantie de sécurité. C'est cette

▲ *Le prieuré de Serrabone, construit au XIIᵉ s. dans un site désert pour y abriter une communauté de chanoines, est remarquable pour sa tribune de marbre rose où s'enlacent motifs floraux et monstres fantastiques.*

influence carolingienne qui présidera à l'essor des abbayes. Les comtes participent aux croisades, font d'importantes donations aux monastères. Les fondations se poursuivent tout au long de cette période, à Cuxa, Saint-Martin-du-Canigou, Serrabone, Corneilla-de-Conflent, Espira-de-l'Agly… Après trois siècles de péripéties, les comtés du Roussillon et d'Urgell-Cerdagne sont enfin réunis à celui de Barcelone, en 1172, sous l'autorité d'Alphonse Iᵉʳ. Également roi d'Aragon par sa mère, Alphonse Iᵉʳ noue de nombreuses alliances au nord des Pyrénées pour contrecarrer les ambitions territoriales du comte de Toulouse. Son fils, Pierre II, bien que très catholique et actif dans la croisade contre les cathares, finit par être choqué des exactions commises par les croisés. Il vient alors au secours du comte de Toulouse et attaque Simon de Montfort, mais se fait tuer à la bataille de Muret en 1213, laissant un orphelin de 5 ans, Jacques, entre les mains de son ennemi. Le pape prend l'enfant sous sa protection et le fait élever par les Templiers. Il régnera de 1213 à 1276 sous le nom de Jacques Ier le Conquérant. C'est sous son règne que la Catalogne vivra ses plus grandes heures.

■ Jacques Ier et le royaume de Majorque

Le jeune roi commence par renforcer ses frontières au nord, en construisant des forteresses et en accordant des privilèges aux villes pour les fidéliser et les rendre prospères En 1258, il signe un traité avec Saint Louis, qui renonce à toute prétention sur le Roussillon, la Cerdagne, le Conflent et Montpellier. Cette frontière sécurisée, Jacques Ier se tourne vers les Baléares et Valence. Bien que farouche partisan de l'Inquisition, il soutient les nombreuses communautés juives de Catalogne. Barcelone, Perpignan, Palma, Valence s'enrichissent. La bourgeoisie devient rapidement la classe dominante. Dès 1262, le roi publie son testament : le royaume sera partagé entre ses deux fils. L'aîné possédera la partie espagnole de la Catalogne, Valence et l'Aragon. Le second héritera des Baléares, du Roussillon, de la Cerdagne, du Conflent et de Montpellier et régnera sous le nom de Jacques Ier de Majorque, à partir de 1276. Perpignan est choisie comme capitale de la partie continentale du royaume. Une période faste commence, avec la construction du palais royal à Perpignan, l'aménagement de Port-Vendres et un essor économique et culturel très net pour la nouvelle capitale. Mais son territoire est morcelé et reste une proie désirable pour ses puissants voisins. Le roi de France veut récupérer Montpellier, celui d'Aragon veut le reste. Après des années de complots et de conflits, sur plusieurs générations, le royaume de Majorque est finalement repris par l'Aragon en 1344. En 1349, Montpellier est vendue à la France.

■ La Catalogne rayonnante

L'une des particularité de la société médiévale en Catalogne demeure le jeu d'alliances entre la bourgeoisie et les comtes-rois qui permet de contrecarrer les ambitions des féodaux. L'importance de la classe bourgeoise explique le développement des villes et la prospérité du commerce catalan. Des assemblées regroupent des représentants du clergé, de la noblesse et des villes, et exercent un contrôle sur la gestion et le droit. La plupart des places fortes bénéficient de chartes de franchise et sont administrées par des consuls élus. L'économie agraire de la Catalogne est florissante : vignes, oliviers, safran, élevage se développent sensiblement ; il en va de même pour la proto-industrie, dynamisée par la production de draps de Perpignan et l'exploitation du minerai de fer dans les forges du Vallespir.

▲ *La grande cour d'honneur du palais des rois de Majorque à Perpignan (XIIIe et XIVe s.) témoigne des fastes de la cour.*

Le patrimoine

◀ *L'abbaye de Fontfroide.*

▲ *La construction des mégalithes est attribuée à la civilisation chasséenne (néolithique moyen, – 4000 av. J.-C.) qui en faisait des objets de croyance ancestrale et de culte des morts.*

Les sites préhistoriques

P armi les plus anciennes traces d'occupation humaine en France, les vestiges réunis en Languedoc-Roussillon offrent une mine de renseignements sur le mode de vie au temps de la préhistoire. Aménagement des grottes, sépultures, mégalithes, ossements, poteries, bijoux montrent la lente évolution d'une société qui se tourne très tôt vers le commerce.

■ Homo erectus dans les grottes

Ce que l'on nomme la préhistoire s'étend sur plus d'un million d'années. La période la plus ancienne est le paléolithique, marqué par de grandes variations climatiques dues à l'apparition des glaciers. On a retrouvé la trace d'une occupation humaine à cette époque (– 1 000 000 d'années) dans les Costières du Gard. Ces lointains ancêtres vivaient de la cueillette de fruits et graines et de la capture de petits animaux. Le climat est alors très froid et ils doivent se protéger contre les animaux sauvages, ours, panthère ou lion des cavernes. Vers – 700 000, ils semblent se concentrer dans les zones basses et les vallées et vivent dans des grottes. À Lunel-Viel, la grotte du Mas des Caves est un exemple d'habitat aménagé. Le plus ancien témoin de la vie humaine est l'homme de Tautavel, vieux de 400 000 ans, découvert dans une grotte calcaire percée dans une falaise, la Caune de l'Arago, non loin de Perpignan. C'est un *homo erectus*, assez petit (1,60 m), avec un front et un menton fuyants et un cerveau peu développé. Il ne maîtrise pas encore le feu et n'enterre pas ses morts. Nomade, il chasse en bande, à l'aide de pieux et d'outils de pierre taillée pour dépecer ses proies et vit en petites communautés d'une vingtaine de personnes. Les outils s'améliorent, grâce à de nouvelles techniques maîtrisant la forme des éclats de silex. À partir de – 55 000, durant le paléolithique moyen, l'homme progresse plus vite. Celui qui occupe la grotte de l'Hortus, près de Ganges, est de type *homo sapiens*, c'est l'homme de Neandertal. Bien que primitif, il montre un intérêt pour les activités religieuses, il enterre ses morts et laisse des gravures sommaires dans les grottes qu'il occupe,

▲ *La pierre plantée aux environs de Lussan, dans le Gard, atteint 5,60 m. On ignore encore s'il s'agit d'un monument décoratif ou d'un édifice religieux lié à la fécondité.*

comme dans celle de la Balauzières, près d'Uzès. Son espèce s'éteint vers – 35 000, alors qu'une autre branche de descendants de l'*homo erectus* fait son apparition : l'homme de Cro-Magnon. Son allure ressemble beaucoup plus à la nôtre, front droit et cerveau développé, stature plus grande. Il semble être venu de l'est du bassin méditerranéen. La période suivante, de – 10 000 à – 5 000, le mésolithique, marque une mutation importante. Les petites communautés commencent à se sédentariser, les modes alimentaires se diversifient. Les hommes préfèrent la proximité du littoral et délaissent les grottes pour des huttes assemblées en villages. On domestique certains animaux, comme le chien, le mouton ou le porc. L'agriculture fait son apparition.

▲ *Au milieu du champ des Bondons, sur le versant sud du mont Lozère, se dressent plus de 150 menhirs de granit.*

■ Le néolithique : vers un certain art de vivre

Le néolithique, qui s'étend de – 5 000 à – 2 000, ressemble à une véritable révolution. L'arrivée d'une agriculture organisée change le mode de vie et l'alimentation. On défriche, on ensemence, on élève de grands troupeaux, on construit des cabanes pour stocker et l'on fabrique des poteries décorées pour entreposer le fruit des récoltes. Le commerce est important avec les autres régions de la Méditerranée et les éleveurs de bétail pratiquent la transhumance. C'est aussi l'apparition du mégalithisme (mégalithe, en grec, littéralement grande pierre). Les dolmens sont les plus nombreux (plus de 400 rien qu'en Lozère) et les plus impressionnants, comme celui des Fades à Pépieux ou celui de Saint-Eugène, à Laure. Constitués d'une énorme dalle reposant sur des piliers, ils servent de sépulture. Certains contiennent des centaines de corps. Les menhirs sont des pierres dressées, alignées ou en cercle, dont la signification reste énigmatique.

■ Naissance de la métallurgie et organisation sociale

Vers la fin du néolithique, l'homme découvre l'usage du métal, le cuivre d'abord, puis les alliages de cuivre et d'étain, donnant le bronze. Datant de l'âge de bronze, on a retrouvé des moules de fondeurs et de nombreux objets prouvant le talent des artisans (haches, épées, outils agricoles, bijoux…) et les influences multiples que subit la région, car on s'inspire du travail des autres populations. Avec l'âge du fer, l'influence étrusque et grecque se confirme, accompagnée de l'apport des Celtes venus par la vallée du Rhône. La société s'organise en villages, souvent sur les hauteurs, et en villes. Marseille est fondée en – 600, puis Agde. Les échanges se multiplient encore et la vie devient plus raffinée. L'écriture fait son apparition, amenée par les Ibères, venus d'Espagne, à partir du IVe s. avant notre ère. C'est le début de l'Histoire.

▲ *Le dolmen de Ferrussac, constitué d'un couloir d'accès et d'une chambre, est l'un des sites préhistoriques les plus caractéristiques du Larzac méridional.*

Au temps des Romains
des traces profondes et durables

▶ *Une copie de la statue de César Auguste. Cet illustre empereur romain, qui affectionnait particulièrement la ville, dota Nîmes d'une ceinture de remparts d'environ 7 km en 16-15 avant J.-C.*

L'arrivée des Romains préfigure une colonisation systématique et une modification profonde des fondements et de l'organisation de la société. Pendant cinq siècles, la région demeure une province romaine. Maisons, édifices publics, villes, routes, aqueducs sont désormais bâtis sur le même modèle.

■ Conquête romaine et développement régional

Si les armées romaines arrivent en masse dans le Languedoc, c'est à la demande des Marseillais qui réclament leur aide pour se débarrasser des Celtes qu'ils jugent envahissants. Le premier conquérant se nomme Domitius Ahenobarbus. Son objectif affiché est de sécuriser la route qui relie l'Italie à l'Espagne. Après les travaux de rénovation, la route prend d'ailleurs son nom, via Domitia, tracée en 118 avant J.-C. Elle fait partie d'un plan plus vaste de mise en valeur de la façade littorale. On fonde des villes, comme Forum Domitii, près d'Agde, ou Narbo Martius (Narbonne). Le site présente un intérêt évident : il est à la croisée de la via Domitia et de la route vers l'Aquitaine et l'Atlantique. Autour de la ville nouvelle de Narbonne, s'installent un grand nombre de colons romains, souvent des retraités des légions. Jules César achève la conquête de la Gaule (– 50). Béziers est fondée, la jeune colonie devient la Narbonnaise (en 27 av. J.-C.) et Nîmes prend une allure toute romaine, avec ses magnifiques édifices publics. Le réseau routier s'améliore : la voie Régordane, par exemple, relie la voie domitienne à l'Allier vers le nord, ouvrant au reste de la Gaule au commerce. De part et d'autre de ces nouvelles routes, des villages ou des villes sont créés. L'industrie se développe parallèlement. On exploite des mines d'argent dans les Cévennes, de fer dans les Pyrénées et l'on fabrique des céramiques pour l'exportation. À côté des infrastructures comme les routes, les ponts et les aqueducs, on construit temples et arènes (Nîmes), édifices de la culture et des plaisirs.

▲ *L'oppidum (site fortifié) de Ambrussum, aux environs de Lunel, est transformé en relais pour voyageurs sur la via Domitia au IIe s. avant J.-C.*

On ne néglige pas non plus l'art de vivre : les thermes font partie de l'hygiène de vie des Romains, comme le montrent les vestiges d'Amélie-les-Bains. La province qui englobe le Languedoc, la Provence et le Roussillon devient l'un des joyaux de l'Empire romain. Les marchands font fortune en développant le négoce dans les ports et les villes. Dans les campagnes, les grands domaines se multiplient, les *villae*, et les colons y érigent de somptueuses demeures (les fouilles ont révélé de superbes mosaïques, des marbres et le meilleur confort). La richesse de la région repose déjà sur la triade de la vigne, de l'olivier et du blé.

■ Dynamisme économique et essor culturel

Si les colons venus d'Italie s'approprient les meilleures terres, ils en concèdent certaines à ceux des habitants qui coopèrent avec Rome. De cette façon, leur intégration dans le tissu local est facilitée. Une nouvelle société prend forme peu à peu, stimulée par le dynamisme économique et culturel des Romains. Le commerce actif contribue à l'essor de la région, mais c'est l'extrême organisation de la vie qui laisse les marques les plus durables. Narbonne, la capitale, bénéficie d'un statut unique en Gaule : son gouverneur est un proconsul directement nommé par le Sénat romain. Chaque année, une assemblée se réunit au temple de Narbonne – centre administratif et politique – pour y rendre un culte symbolique à l'empereur mais surtout pour y aborder les questions politiques et juger de la gestion du proconsulat. L'influence romaine s'étend à l'organisation de la cité, à son administration et au droit qui régit la vie quotidienne. La géographie de la région repose sur la répartition stratégique des villes et des routes. Quant à Béziers, la ville concentre déjà l'activité viticole. Ces deux villes sont les plus peuplées et composent le poumon de la région. À l'est, Arles, qui commande la voie vers la vallée du Rhône, est l'autre grand port de commerce. Nîmes est une ville cosmopolite, fief des médecins et des juristes. Vers l'ouest et l'Espagne, les villes de Ruscino (Castel-Roussillon), Illiberis (Elne) et Portus Veneris (Port-Vendres) sont autant de relais commerciaux importants sur la voie domitienne. Le profil qui se dessine est déjà celui qui demeure aujourd'hui : un bas pays prospère et peuplé, où la vie intellectuelle est dense, et un arrière-pays montagneux, délaissé, où subsiste l'empreinte des peuplades d'origine. À partir du IIIe s., l'Empire connaît de graves difficultés : rébellions, invasions, hérésies se greffent sur un territoire devenu trop complexe à administrer.

▲ *Dans le centre de Nîmes, la Maison Carrée est l'un des temples les mieux conservé du monde romain. Édifiée en l'an 5 après J.-C, elle a servi, au fil des époques, de salle de réunion, d'écurie ou encore de salle d'archives.*

Ponts et aqueducs
vestiges d'une civilisation moderne

Région de passage obligé le long du littoral méditerranéen, le Languedoc est sillonné de rivières. La nécessité de construire des ouvrages d'art, routes, ponts et aqueducs, s'est imposée très tôt. C'est avec les Romains que les grands travaux d'infrastructure ont réellement commencé.

▲ *Considéré comme l'un des plus beaux ponts du XVIIIᵉ s., le pont de Gignac franchit l'Hérault sur 173,46 m grâce à 3 arches puissantes.*

▲ *Construit au XIᵉ s. sur l'Hérault pour relier les abbayes d'Aniane et de Gellone, le pont du Diable marque l'introduction dans cette partie du Languedoc des techniques de l'art roman.*

■ Des travaux cyclopéens

De Beaucaire (Rhône) au Perthus (Pyrénées), sur environ 250 km, la via Domitia est le plus impressionnant des grands ouvrages romains (sa longueur totale, en la suivant au-delà du Rhône est de 500 km). Grands spécialistes des routes (ils construisent 90 000 km de voies principales à travers l'Empire), les Romains ont innové dans ce domaine. Avant eux, les voies de communication n'étaient que des chemins. La centralisation administrative et l'étendue de leurs possessions les obligent à développer le réseau routier, qu'ils financent d'ailleurs avec les contributions des peuplades conquises. En suivant le tracé rectiligne de la voie domitienne, en observant ses ponts, son mode de construction et le système de relais qui permettent aux nouvelles et aux marchandises d'être convoyées très rapidement, on ne peut que rester admiratif. La conception est efficace : une couche de grosses pierres placées sur le chant, recouverte de sable et de gravillons, le tout maintenu par des dalles verticales et bien damées, et un profil bombé pour un drainage aisé vers les fossés, comme on le voit nettement à Pinet, au nord de l'étang de Thau. Dans les pentes, de gros pavés rendent la chaussée moins glissante. La route est jalonnée de bornes milliaires indiquant les distances et le parcours est ponctué de relais, tous les 25 ou 30 km, utilisés comme étapes par les armées en déplacement ou les voyageurs. D'autres relais, plus rapprochés, sont réservés aux coureurs de la poste pour acheminer les nouvelles très rapidement (le courrier couvre, à l'époque, 75 km par jour). L'un des meilleurs endroits pour découvrir ce dispositif est le tronçon bien balisé, entre Beaucaire et Redessan, où l'on peut aussi voir des bornes milliaires intactes.

■ Les traces du progrès technique

Pour traverser les rivières, le voyageur de l'Antiquité a le choix entre le gué, le passage en barque ou le pont. Par leur maîtrise des techniques de voûte, les Romains ont multiplié les ponts. Des ouvrages d'origine, beaucoup ont disparu ou ont été remplacés ultérieurement. Le pont de Sommières, en très bon état, date du début du Ier s. Initialement long de plus de 180 m, il présente une architecture sophistiquée et conserve six de ses treize arches. Ambrussum possède également un pont romain, mais il n'en reste qu'une seule arche. Celui de Béziers, le pont Vieux, réparé au Moyen Âge, est encore en usage. Au cours du Moyen Âge, entre le XIIe et le XIVe s., apparaît toute une série de ponts très particuliers, les ponts du Diable, reconnaissables à leur arche unique et à leur profil en dos d'âne. Celui de Villemagne, au-dessus de l'Orb, est impressionnant. La légende attribuait souvent leur construction à Satan lui-même, comme celui de Saint-Jean-de-Fos. Le Diable l'aurait bâti en échange de la première âme qui le traverserait. Saint Guilhem, malin, y fit passer un chien. De dépit, le pauvre Diable se jeta du haut du pont, creusant un abîme dans les rochers ! La réalité est plus prosaïque : les abbayes voisines de Gellone et d'Aniane mirent leurs fonds en commun pour financer le projet. Un peu plus tard, c'est l'Esprit Saint qui serait à l'origine du pont Saint-Esprit, superbe au-dessus du Rhône… Au XVIIIe s., l'École des Ponts et Chaussées est fondée à Paris ; la région bénéficie alors de ces nouveaux talents, au pont de Gignac, par exemple.

▲ *Construit au premier siècle de notre ère, le pont du Gard reflète une maîtrise parfaite de la topographie par les Romains. Long de 275 m, il est le plus haut de tous les ponts-aqueducs romains (48,77 m.)*

■ Le sens de l'eau

L'une des images symboles de la région est le pont du Gard, portion célèbre d'un aqueduc joignant Uzès à Nîmes. Édifié vers l'an 50, il ne devint un pont routier qu'au Moyen Âge. Il appartient à un vaste système approvisionnant en eau la ville de Nîmes. Sur 50 km, à travers canaux, tunnels et ponts, il apporte une eau pure qui alimente les fontaines, jardins et thermes de la cité. Les Romains consommaient l'eau en grande quantité, dix fois plus que nous. Ceci explique qu'ils aient porté une telle attention à son acheminement, dans un pays sec et chaud. Beaucoup de villes possédaient un aqueduc (on en trouve des vestiges à Ansignan). Castries s'enorgueillit d'un autre aqueduc, celui qui irrigue les jardins du château, conçus à l'image de ceux de Versailles. Enfin, la région compte le plus ancien pont-canal du monde, celui de Répudre, à Paraza, construit par Paul Riquet en 1675 dans le cadre de la création du canal du Midi. Le pont-canal de Béziers, plus imposant, date, quant à lui du XIXe s.

L'art roman
au carrefour des courants artistiques

Parmi les plus remarquables trésors architecturaux du Languedoc-Roussillon, les églises romanes témoignent d'une intense activité spirituelle et artistique. Fruit des influences multiples subies par la région au fil des invasions et des échanges commerciaux, l'architecture romane y est unique, d'une richesse rarement égalée ailleurs en France. Les variations observées d'est en ouest rendent compte d'un patrimoine d'une grande variété.

▶ *La façade de l'abbatiale Saint-Gilles, en arc de triomphe, fait référence à l'Antiquité. Elle est ornée de magnifiques bas-reliefs qui datent du milieu du XIIᵉ s.*

■ VIIIᵉ et IXᵉ s. : l'essor du clergé régulier

La profusion d'édifices construits sous l'occupation romaine montre à quel point les habitants sont devenus sensibles à une architecture de qualité. Après le déclin de l'Empire et les dominations wisigothe et arabe, les carolingiens prennent le pouvoir et renforcent l'implantation de l'Église en lui concédant de nombreuses terres. Sous la protection des rois francs, des missionnaires arrivent dans la région et fondent les premières communautés monastiques. Le plus célèbre de ces moines est un comte wisigoth de Maguelonne, né en 751, qui prend le nom religieux de Benoît. Il crée le monastère d'Aniane et encourage de pareilles fondations à travers toute la région. L'objectif est de réimplanter le catholicisme dans une société très ébranlée par les incursions hérétiques des Aryens puis des musulmans. Benoît d'Aniane est aussi à la source d'une profonde réforme de l'Église et du retour à la règle bénédictine instaurée au VIᵉ s. par saint Benoît de Nursie. Il s'agit de ne plus mélanger le sacré et le profane et d'en finir avec les dérives qui ont éloigné le clergé de la spiritualité. De nombreux moines sont séduits par cette réforme et fondent à leur tour des monastères, comme Saint-Génis-des-Fontaines et Saint-André-de-Vallespir en 800 ou celui de Gellone en 804, créé par un ami d'enfance de Benoît, le comte de Toulouse, Guilhem, ou encore Saint-Thibéry et Villemagne. Pourtant, depuis l'affaiblissement du pouvoir central des rois carolingiens, la société régionale décline nettement. L'organisation administrative s'effrite, l'essor culturel s'endort. La province se partage en une multitude de cercles de pouvoir, sous la férule de petits seigneurs qui revendiquent la possession de leur territoire et s'entre-déchirent.

■ La religion : un rôle fondamental

Dans ce contexte mouvant, où les bases de la société changent radicalement, la religion joue un rôle stabilisateur. Avec l'éclatement de la société carolingienne, l'insécurité se généralise. Les brigands hantent les chemins, le souvenir des invasions successives est encore dans les mémoires. Les routes, si bien entretenues du temps de l'occupation romaine, sont oubliées dans les querelles et deviennent autant de lieux dangereux. Malgré les progrès constants de l'agriculture (arrivée de la charrue, de la herse, de l'attelage d'épaule, du moulin à vent…), du commerce et de la finance, le monde médiéval connaît une mutation pénible. Les épidémies et les famines sont encore redoutées et ajoutent à l'incertitude… Bien que les documents soient très rares, les enluminures des manuscrits et les quelques chroniques attestent de la puissance des images apocalyptiques : diables et dragons, bêtes immondes, plaies s'abattant sur les hommes, combat ultime de l'archange contre Satan. Lorsque l'architecture des églises et des monastères s'épanouit en sculptures et en fresques, le thème de la damnation et de la punition est omniprésent. Tout devient matière à superstition. L'évangélisation encore incomplète s'appuie sur la peur du Malin. Dans le rôle de l'Infidèle qu'il faut combattre à tout prix, on place le musulman, l'hérétique ou même les restes de paganisme ancestral, ouvrant la porte des croisades et de l'Inquisition. Devant la dégradation du climat général et la violence

▲ *La partie la plus ancienne de l'abbaye de Lagrasse remonte au XIᵉ s., époque où la puissance spirituelle et temporelle des moines bénédictins était établie.*

croissante, les évêques tentent de restaurer un peu d'ordre : ils se mettent d'accord sur les termes de la Paix de Dieu et décrètent l'obligation de trêve de la guerre, de la neuvième heure du samedi à la première heure du lundi. Des zones de sécurité s'organisent peu à peu, garanties par le seigneur dans les cités, par l'Église autour des monastères. Durant toute cette période, on construit un peu partout de nombreux sanctuaires. Au cours des Xe et XIe siècles, les fondations se multiplient, Saint-Martin-du-Canigou en 1005, Serrabone en 1081…

▲ *La cathédrale Saint-Étienne d'Agde (XIIe s.) est l'une des plus belles églises fortifiées de la région. Ses remparts de basalte témoignent d'un climat politique et social délétère.*

En dépit de la désorganisation de la société civile, le XIe s. est celui des défrichements, aussi bien de la part des paysans eux-mêmes, poussés par l'essor démographique, que des moines. Même les régions les plus isolées sont débroussaillées et les marais côtiers sont asséchés. L'épaisse forêt qui couvre la majeure partie des terres recule devant les villages. Au début, les moines vivent dans de modestes bâtiments, maisons rudimentaires et simples oratoires pour le culte. Avec les progrès de l'évangélisation, ils prennent de plus en plus d'importance dans la communauté et acquièrent de vastes étendues de terres. La coutume est fréquente de léguer des terres ou une partie de sa récolte à l'Église, espérant ainsi accélérer le salut de son âme. Les pèlerinages, comme celui de Saint-Jacques-de-Compostelle, drainent des milliers de voyageurs qui font étape dans les cités et les abbayes et laissent des dons. Cet enrichissement progressif des monastères permettra l'incroyable floraison de l'art roman.

■ Un carrefour d'influences

On ne peut manquer de remarquer en parcourant le Languedoc et le Roussillon qu'il existe de grandes différences de style pour une même période. Il faut dire que la partie occidentale du bassin méditerranéen a subi des influences très différentes. À l'est, dans le Languedoc, l'Italie apporte l'art byzantin. À l'ouest, en Catalogne, ce sont les Arabes, les Wisigoths et les Carolingiens qui laissent leur empreinte. Ce mélange a produit une architecture totalement originale, très en avance sur bien d'autres régions et fait du midi de la France, plus particulièrement de la Catalogne, l'un des grands foyers artistiques de l'époque romane. Pour expliquer le profil si distinctif de l'art roman catalan, il faut remonter à la fondation des premiers sanctuaires, aux IXe et Xe s. À ce moment-là, l'empreinte arabe puis wisigothique laisse encore sa marque (comme, par exemple, les arcs outre-passés à l'intérieur de Saint-Michel-de-Cuxa). Mais ce qui devient presque le signe distinctif des églises cata-lanes est le style lombard. À partir du Xe s., un grand nombre d'artisans arrivent en Roussillon, venus de la région de Côme, en Italie, une région imprégnée d'art

◀ *Bâtie comme une forteresse, la cathédrale de Maguelone impressionne par ses hautes façades doublées de contreforts, ses mâchicoulis et autres meurtrières et archères.*

byzantin. Curieusement, cette influence ne se fait pas tout de suite sentir en Languedoc, pourtant plus proche. On en conclut que les maçons lombards sont arrivés par bateau, dans les ports de la côte catalane. À cette époque, les comtes de Barcelone sont très puissants et font venir des artistes qui fondent des ateliers itinérants. Les artisans locaux s'inspirent à leur tour de ces tech-niques et les emmènent dans leurs régions respectives à travers toute la Catalogne. Leur style est très facile à reconnaître, avec ses rangées de fines arcatures et ses motifs en dents d'engrenage arrangés en ce que l'on nomme les bandes lombardes. Le clocher de Saint-Mar-tin-du-Canigou en est un bel exemple. Le bas Langue-doc subit lui aussi cette influence, mais plus tardive-ment. On le retrouve à Saint-Guilhem, Lagrasse, Qua-rante ou Saint-Martin-de-Londres. Mais il bénéficie d'un autre apport, venu de Provence et qui reprend certains héritages de l'Antiquité, notamment dans les motifs de décoration comme la feuille d'acanthe et des agence-ments qui rappellent les arcs de triomphe (Saint-Gilles). Le long du littoral, où l'on redoute toujours les inva-sions sarrasines, les églises sont fortifiées, avec de hauts murs aveugles, comme à Agde ou Maguelonne, sur des modèles ramenés du Moyen-Orient par les croisés. Sur les chemins du pèlerinage de Saint-Jacques, les édifices sont plus somptueux et plus vastes, pour accueillir les voyageurs (Saint-Gilles, Saint-Guilhem…). Dans le Gévaudan et les Cévennes, on distingue plutôt l'influence de l'art roman auvergnat (Saint-Martin-de-La-Canourgue)

■ Une période d'innovation architecturale

Bien que les églises disséminées dans les montagnes soient très rustiques, à partir du Xe s., on recherche de nouvelles techniques de construction pour éviter la destruction par les incendies si fréquents. Les premiers bâtisseurs chrétiens se contentaient d'ériger des églises simples, couvertes d'une charpente de bois. La grande innovation de l'art roman est la maîtrise des voûtes de pierre. Ailleurs en France, on commence timidement par voûter la crypte, puis l'abside et les bas-côtés, avant de s'attaquer à la nef. En revanche, en Catalogne, les édifices sont souvent entièrement voûtés dès le Xe s. (Saint-Martin-du-Canigou, par exemple). Pour assurer la solidité de l'ensemble et pour soutenir le poids énorme de ces voûtes, les sanctuaires prennent une allure compacte et ramassée, les piliers revêtent une importance capitale. On en a une bonne idée à Saint-Martin-du-Canigou : les piliers massifs sont encore mal conçus pour une voûte de cette importance et soulignent les tâtonnements des architectes. Autre innovation : le clocher fait son appa-

▲ *La tribune du prieuré de Serrabone (XIIe s.) constitue l'un des chefs-d'œuvre de l'art des sculpteurs romans en Roussillon. La façade de la tribune est recouverte de plaques de marbre rose et tranche avec la construction schisteuse de l'église.*

rition, massif, souvent carré. La crypte est un autre élément majeur de la période romane, conçue au départ pour accueillir le culte des reliques et pour que les pèlerins puissent circuler autour du reliquaire ou du tombeau sacré. C'est à cette époque aussi que l'on adopte une disposition de l'église mieux définie et qui deviendra la règle : la partie liturgique (chœur et crypte) est concentrée à l'est de l'édifice.

■ Peintures et sculptures : l'explosion artistique

La richesse la plus évidente de l'art roman est le foisonnement décoratif qui envahit peu à peu les sanctuaires. Sculptures et peintures deviennent une partie intégrante de l'architecture, d'autant qu'elles ont une double fonction : mettre en valeur les lignes de l'architecture par des motifs géométriques ou stylisés et illustrer l'enseignement spirituel. En simplifiant les scènes, parfois jusqu'au naïf, en exagérant le message, on instruit les fidèles qui se font ainsi une représentation accessible des notions abstraites qu'on leur inculque. La vie des saints, les histoires bibliques, la représentation de l'enfer ou du paradis, mais aussi les scènes de la vie quotidienne composent d'étonnants livres d'images en relief. Les plus anciennes sculptures sont simples et primitives, comme le linteau de Saint-Génis-des-Fontaines sans doute inspiré d'objets d'art des Wisigoths. Mais très vite, les artistes produisent un art à part entière, même s'ils reprennent des thèmes utilisés dans les enluminures des manuscrits. Comme ils voyagent beaucoup d'une province à l'autre, ils véhiculent les idées nouvelles et les adaptent aux chantiers dont ils ont la commande. La sculpture se fond ainsi totalement dans l'architecture. Différents supports sont utilisés : les chapiteaux des piliers, la tribune (Serrabone), le tympan (Cabestany), le portail ou même toute la façade comme à Saint-Gilles où l'on reconnaît clairement l'empreinte de la sculpture romaine. Dans le Roussillon, une grande importance est attachée au culte de la Vierge qui fait l'objet de statues splendides. La peinture est, quant à elle, plus limitée à la Catalogne, surtout du côté espagnol. Le plus bel exemple en Roussillon est celui de Saint-Martin-de-Fenollar ou de l'Écluse, près de Céret. La peinture, de couleur vive, est moins chère et plus facile à exécuter que la sculpture, on la réserve donc aux églises modestes. Il faut souligner que la peinture est largement utilisée à l'époque romane et que certains sanctuaires sont très colorés, y compris sur les statues qui sont polychromes.

▲ *Autre abbaye-forteresse, Saint-Martin-du-Canigou brille par ses chapiteaux appartenant aux deux styles roman et gothique.*

■ La position déterminante des moines

Avec l'incroyable multiplication des églises et des monastères (un chroniqueur de l'époque parle d'un « blanc manteau d'églises »), les moines très nombreux jouent un rôle de premier plan dans la société médiévale. À côté des ordres bénédictin, augustinien, cistercien, s'installent des ordres militaires nés des croisades, les templiers ou les hospitaliers de Saint-Jean-de-Jérusalem. Ils se concentrent dans les régions où une protection efficace est nécessaire, contre les brigands dans les Cévennes et contre les envahisseurs arabes sur le littoral. Très riches (ils ont fait fortune en Terre sainte où ils servaient de banquiers aux pèlerins), ces moines font des villes où ils implantent de véritables centres financiers ; l'on y échange métaux précieux et monnaies. Saint-Gilles est ainsi un port florissant d'embarquement vers Jérusalem et un grand centre économique.

Fortifications et châteaux
un Moyen Âge en guerre

L'abondance de citadelles, de villes ou villages fortifiés et de châteaux forts est la conséquence directe de l'instabilité prolongée de la région. Les grandes forteresses de Carcassonne, Aigues-Mortes ou Salses gardent des zones de passage et donnent une idée de la façon dont on vivait les guerres incessantes du Moyen Âge.

▶ *Carcassonne, cité médiévale connue dans le monde entier et vieille de 2 000 ans, est ceinturée de deux enceintes concentriques de 26 tours chacune. Ce sont en tout 3 km de remparts qui encerclent la ville.*

■ Une nécessité face aux agressions permanentes

Le Languedoc et le Roussillon sont le théâtre de terribles conflits dès le déclin de l'Empire romain, dans une succession d'épisodes violents. Au Ve s., les Vandales puis les Wisigoths envahissent la région. Ces derniers fondent la Septimanie qui correspond à peu près à l'ancienne Narbonnaise. Plus au sud, ils créent le royaume de Tolède. Mais au VIIIe s., ce sont les Arabes qui déferlent sur l'Europe méridionale. Venus d'Afrique du Nord, ils commencent par coloniser l'Espagne qu'ils utilisent comme base pour mener la guerre au-delà des Pyrénées. Ils s'emparent de Narbonne en 719, de Carcassonne en 725. Vaincus finalement à Poitiers, en 732, ils refluent au sud des Pyrénées, devant les armées franques. Les montagnes sont le cadre de terribles affrontements, dont le plus célèbre est celui de Roncevaux, chanté par Roland, le neveu de Charlemagne. Une zone tampon est créée, la Marche d'Espagne, qui correspond à peu près à la Catalogne, sensée protéger le royaume franc des incursions arabes, qui attaquent aussi par voie maritime le long de la côte languedocienne. Bientôt, c'est au tour des Normands d'envahir le Languedoc et de prendre Nîmes, en 860. La même ville subit l'assaut des Hongrois en 924. De surcroît, la région sombre dans les luttes féodales et les populations doivent supporter les querelles entre familles. Puis, à peine la région semble-t-elle stabilisée que la terrible croisade contre les cathares déchire le pays. Elle s'achève après une succession de sièges meurtriers, mais la guerre de Cent Ans, qui oppose la France à l'Angleterre, de 1337 à 1453, divise à son tour la région. Les grandes familles se partagent entre les deux camps et les Anglais, alliés aux Gascons, arrivent jusqu'à Narbonne. Même après la fin de la guerre, on ne retrouve pas la paix, car les militaires démobilisés se réunissent en bandes de « routiers », qui rançonnent et pillent le pays. Devant cette escalade permanente de la violence, on ne s'étonne plus de la profusion de villes fortifiées, de châteaux perchés et de tours

de guet. Les passages stratégiques des invasions, les axes commerciaux, les zones frontières, les points d'observation, tout est à défendre. Châteaux et villages se perchent sur les hauteurs. Les villes s'entourent d'imposantes murailles, comme Carcassonne, Aigues-Mortes, Villeneuve-lès-Avignon, Perpignan, Marvejols… Plus tard, ce seront les citadelles fortifiées de Salses ou de Collioure, construites par les Espagnols, puis celles du

▲ *Une fois le port achevé, une taxe d'un denier par livre de marchandise transitant par Aigues-Mortes est prélevée auprès des commerçants et armateurs. Elle servira à financer l'enceinte de la ville dont les travaux sont terminés vers 1300.*

système défensif de Vauban, sous Louis XIV, Villefranche-de-Conflent, le Perthus, Montlouis, Collioure encore…

■ Les atouts des villes fortifiées

Le Moyen Âge est l'une des périodes charnières de l'histoire de la société française. L'organisation urbaine qui se met alors en place restera inchangée durant des siècles. C'est en même temps une époque pleine de contradictions. Malgré les incertitudes dues aux invasions, aux rivalités féodales et à la violence de l'Inquisition, le monde rural, avec ses nouvelles techniques, est en pleine croissance. Le défrichage progressif et la mise en culture des terres engendrent une richesse accrue qui demande naturellement des débouchés. Les seigneurs et les monastères sont de gros propriétaires terriens et ont à leur disposition de grandes quantités de marchandises à écouler, ce qui fait, en retour, le bonheur des marchands. De toute évidence, de nouveaux marchés commerciaux s'ouvrent, jusqu'aux pays du Levant et d'Orient. C'est également à cette époque que la société rurale s'organise en villages, lesquels concentrent les artisans et les commerçants. On appelle bourgeois les habitants de ces nouvelles communautés (le mot bourg désigne à l'origine une forteresse, puis, rapidement, le village). Comme le contexte politique reste violent et que des bandes de brigands rançonnent les campagnes, il est très vite indispensable de les protéger et de les fortifier. Organisés, selon les cas, autour de l'église ou du château seigneurial, les villages et les villes s'entourent de remparts. Là où la géographie le permet, ils se perchent sur les hauteurs. L'avantage n'est pas seulement défensif : on occupe ainsi des terres moins propices à la culture. Grâce à l'essor économique, une nouvelle classe sociale s'organise : la bourgeoisie. Elle se compose de marchands et d'artisans qui profitent de l'amélioration des techniques pour tenter de conquérir une nouvelle clientèle. Les foires locales servent à rencontrer ces clients qui viennent parfois de très loin lorsque la réputation des produits est à la hauteur (tissus, vins, pastel, céramiques…). En s'enrichissant, les bourgeois deviennent plus exigeants, affichant l'intention de participer aux décisions qui touchent leur cité. Les seigneurs ont tout aussi intérêt à ce que le village soit bien organisé et à l'abri des raids hostiles : les redevances qu'ils perçoivent sont beaucoup plus faciles à collecter et la production est mieux contrôlée. La défense des villes représente donc bien plus que la simple paix des habitants : elle est surtout la garantie que les marchands, les pèlerins et les banquiers continueront de faire tourner l'économie.

▼ *Au nombre de quatre, les châteaux de Lastours (Cabaret, Tour Régine, Fleur d'Espine et Quertinheux) se succèdent sur une crête rocheuse entre les vallons encaissés de l'Orbiel et du Grézilhon.*

Le roi de France l'a très bien compris : la protection royale est spécifiquement étendue aux commerçants étrangers qui arrivent dans les cités. Carcassonne est le plus bel exemple de la région, avec sa double ligne de fortifications. Son emplacement stratégique sur la route qui joint l'Aquitaine à la Méditerranée en a fait une place forte depuis le temps des Romains. Au fil des guerres et des sièges, elle devient une forteresse militaire de premier plan. Aigues-Mortes est un cas très différent, créée de toutes parts par le roi Saint Louis pour protéger le port d'embarquement vers les croisades. Le fort de Salses marque une autre évolution permettant de répondre aux nouvelles techniques de guerre (mine explosive et canon à boulet mécanique). L'ensemble est à demi enterré et les tours s'épaississent pour devenir de véritables bastions.

Lors de l'époque moderne et grâce à Vauban (sous le règne de Louis XIV), l'architecture militaire s'améliore encore et prend le profil caractéristique des forts à bastions en étoile. Il adapte particulièrement bien leur architecture au relief montagneux, comme à Villefranche-de-Conflent. Avec Montlouis, le Perthus, Collioure, Prats-de-Mollo et les autres forteresses remaniées par ses soins, il garantit la défense de la frontière espagnole.

■ Des constructions ingénieuses et robustes

Dans les Corbières et la Montagne noire, de nombreuses citadelles s'implantent sur les hauteurs où elles constituent un refuge imprenable, tel Lastours ou Peyrepertuse. Les sièges interminables qui caractérisent la croisade contre les cathares rendent certaines d'entre elles tristement célèbres, comme Quéribus, la dernière à tomber devant l'Inquisition. Pour venir à bout de ceux qui s'y retranchent, il faut les affamer ou les assoiffer lors de campagnes qui durent des mois. Ces citadelles sont construites différemment des châteaux forts classiques. Comme elles sont perchées sur des falaises abruptes, elles n'ont besoin ni de douves ni de pont-levis. L'accès à l'intérieur se fait par une simple porte en hauteur que l'on atteint par une échelle tirée ensuite. Bien que placées dans des endroits très difficiles d'accès, elles présentent une architecture aboutie. Aguilar, qui, à 296 m n'est pas très élevée, bénéficie ainsi d'un puissant donjon, d'une double enceinte qui atteint par endroits 2,80 m d'épaisseur et de six tours circulaires. Quéribus s'enorgueillit de trois enceintes concentriques en haut d'un vertigineux piton rocheux. Quant à Peyrepertuse, c'est sûrement la plus spectaculaire et la plus vaste de ces constructions militaires, comportant deux donjons, une église, des logements… Le mur d'enceinte est érigé au ras de l'à-pic, comme pour prolonger les défenses naturelles qu'offre la falaise. Utilisant la pierre locale, ces châteaux se fondent remarquablement avec leurs éperons rocheux. Le donjon est un autre type de construction militaire en faveur aux XIIe et XIIIe s. Imposants, comme celui d'Arques, ils sont assez rudimentaires. On y pénètre en général par le premier étage, par le même système d'échelle que dans les châteaux perchés. Essentiellement défensifs, ils ne comportent qu'un logis rudimentaire et sont mal éclairés par d'étroites fenêtres. Par la suite, ils s'entourent d'enceintes et l'on accorde plus de place à la surface d'habitation.

La Catalogne est riche d'un troisième type de fortification : les tours de guet qui servent de relais entre les différents postes défensifs. Elles sont érigées aux emplacements qui bénéficient d'une vue dégagée et qui permettent de surveiller une éventuelle invasion ennemie. De tour en tour, on se fait des signaux à l'aide de feux, pour avertir de l'imminence du danger. La tour Madeloc, près de Banyuls, ou celle de Château-Roussillon en sont de beaux exemples.

L'art gothique

▲ *Le Castillet, cet ouvrage militaire en brique, bâti à partir de 1368, était destiné à défendre la porte principale de Perpignan, la porte de France.*

L'extraordinaire floraison de l'art roman en Languedoc-Roussillon s'est prolongée plus tardivement que dans d'autres parties du pays. Lorsque l'art gothique fait son apparition, il ne représente qu'une évolution timide de l'architecture romane dont il conserve certaines caractéristiques.

■ XIIᵉ s. : un style architectural croisé entre roman et gothique

Parce qu'ils maîtrisaient parfaitement les techniques de construction, les architectes de l'époque romane recherchaient constamment des améliorations. Cela a permis une évolution progressive des styles et l'adoption naturelle de solutions nouvelles. Par exemple, le passage de l'arc en plein cintre, typique de l'époque romane, à l'arc brisé qui marquera le style gothique se fait insensiblement, en raison du besoin de concevoir des édifices plus vastes. Ainsi, à Agde, Maguelone ou Carcassonne, on adopte une voûte en berceau brisé au XIIᵉ s., alors que l'art roman est encore à son apogée. La volonté d'élévation, recherchée par les communautés cisterciennes pour des raisons d'acoustique et de clarté, oblige à trouver des techniques nouvelles : on se tourne alors vers la voûte à croisée d'ogives. Cependant, l'art roman atteint une telle splendeur que l'on se contente de greffer les techniques d'ogives sur des piliers d'allure romane et de conserver des volumes intérieurs caractéristiques du style roman. Cela explique que le gothique très pur soit relativement rare, en général importé sous l'influence du pouvoir central, et que le gothique strictement local garde un aspect original, encore teinté de la grande simplicité des plans et des volumes. La voûte sur croisée d'ogives ne se généralise que dans la seconde partie du XIIIᵉ s.

▶ *Édifiée à partir de 1272, la basilique Saint-Just-et-Saint-Pasteur de Narbonne est la seule cathédrale gothique du Midi pouvant soutenir la comparaison avec celles du Nord.*

■ Les limites de la francisation

Un des facteurs importants de l'éclosion du gothique est le contexte politique. Le Languedoc rejoint le giron français en 1229, le souverain décidant de faire d'Aigues-Mortes un modèle royal. L'influence française se fait sentir par le biais des artistes venus du nord qui exécutent des commandes à la cour des grandes familles nobles ou dans les villes qui prennent un essor considérable. C'est là que le nouvel art gothique est le mieux représenté et le plus fidèle au modèle français. Parallèlement, les papes s'installent à Avignon à partir de 1305 et en font un foyer artistique et culturel rayonnant, imprégné des modes italiennes. L'influence avignonnaise joue un rôle d'importance dans la conception de nombre d'églises du Midi, au détriment du style français. Un autre fait significatif est l'incertitude politique. La nécessité de se défendre a laissé une tradition de sanctuaires fortifiés, aux murs aveugles et massifs, soutenus par d'épais contreforts. Cette tradition survit à l'arrivée du style gothique et est souvent préférée aux arc-boutants aériens prisés dans le Nord. De même, si l'on recherche tout de même un bâtiment plus vaste pour accueillir un grand nombre de fidèles, on ne va presque jamais jusqu'aux volumes impressionnants et aux trois niveaux superposés, caractéristiques du gothique, avec arcades effilées, triforium et fenêtres hautes. Cette modestie de l'architecture présente des conséquences évidentes : les sculptures sont rares, limitées aux chapiteaux ou aux cloîtres. En revanche, grâce à l'importance des murs, la peinture murale conserve le rôle qu'elle avait à la période romane, d'autant qu'à cet héritage s'ajoute l'influence italienne. L'architecture civile n'est pas en reste, avec, par exemple, la Loge de Mer ou le Castillet à Perpignan, le palais Neuf à Narbonne ou les palais de Villeneuve-lès-Avignon.

▲ *La cathédrale Saint-Nazaire de Carcassonne dévoile une nef romane qui contraste avec un transept gothique. Ses vitraux (XIIIᵉ-XIVᵉ s.) et rosaces illuminent l'ensemble.*

■ Contrastes

Parmi les témoins du gothique d'inspiration française, la cathédrale Saint-Just-et-Saint-Pasteur à Narbonne ou celle de Saint-Nazaire à Carcassonne sont les plus spectaculaires. C'est dans ces deux sanctuaires que l'art du vitrail est le mieux représenté. Les églises de Valmagne et de Vignogoul, de Fontcaude (sculptures du cloître) sont d'autres exemples de gothique français. La cathédrale Saint-Pierre de Montpellier, d'influence avignonnaise, est due aux architectes de la cour papale, de même que la chartreuse du Val-de-Bénédiction ou la collégiale Notre-Dame à Villeneuve-lès-Avignon. Pour ce qui est des sculptures, citons le retable de la Vierge, à Corneilla-de-Conflent. Les belles ferronneries catalanes sont une autre traduction de l'art gothique, tandis que les peintures murales de Notre-Dame-de-Centeilles, à Siran, ou le retable de la Trinité, exécuté en 1489 par un peintre roussillonnais, témoignent d'une originalité et d'une richesse méridionales.

Réalisme, fauvisme et cubisme
des courants artistiques majeurs

Lumière incomparable et couleurs violentes et chaudes n'ont pas manqué d'attirer les plus grands peintres français et étrangers sur le littoral méditerranéen. Autour de Montpellier, au XIX⁰ s., Courbet et Bazille cherchent à capturer un peu de cet éblouissement. Au siècle suivant, la côte Vermeille concentre un grand nombre d'entre eux, faisant de Collioure l'un des berceaux du fauvisme. Céret, enfin, devient l'un des grands rendez-vous des cubistes.

▶ *Jean-Frédéric Bazille, Les Remparts d'Aigues-Mortes, 1867. Montpellier, musée Fabre.*

■ **Le goût de la lumière**

Le XIX⁰ s. est en peinture celui des révolutions. Au milieu du siècle, quelques jeunes peintres se retrouvent en Normandie autour d'Eugène Boudin. Tous souhaitent rompre avec l'art officiel. Parmi eux, Gustave Courbet et Jean-Frédéric Bazille sont deux artistes qui peindront le Midi par la suite.

Gustave Courbet appartient au mouvement réaliste. Il vient à Montpellier à deux reprises, sur invitation de l'un des plus grands collectionneurs de l'époque, Alfred Bruyas, qui aime son « art libre ». Leur rencontre sur la route de Sète fait d'ailleurs l'objet d'une des plus célèbres toiles de l'artiste, *La Rencontre* aussi appelée *Bonjour, Monsieur Courbet !*, aujourd'hui au musée Fabre de Montpellier. Le

◀ Jean-Frédéric Bazille, La Vue du village (Castelnau), *1868. Montpellier, musée Fabre.*

mécène acquiert bien d'autres œuvres du peintre, dont *Les Baigneuses*, qui font à l'époque un effroyable scandale (Napoléon III, offusqué, leur administra la cravache lors de leur première exposition !). La découverte de la région est déterminante pour Courbet : la luminosité extrême et nuancée, les contours si durs, les couleurs saturées modifient son approche du paysage. Le *Pont d'Ambrussum* ou les *Bords de mer à Palavas* en sont des témoignages.

Plus influencé par les impressionnistes Renoir, Monet ou Sisley, Bazille réussit encore mieux que Courbet à rendre la lumière et ses subtilités. À Paris, où la petite colonie d'artistes passe ses hivers, Manet enthousiasme la nouvelle génération. Son célèbre *Déjeuner sur l'herbe*, traduit à la perfection cette nouvelle approche de l'art en plein air et marque le jeune Bazille. Paysagiste avant tout, Bazille est un enfant du pays, né à Montpellier. Il revient chaque été dans la maison familiale, près de Castelnau, et peint avec une grande fraîcheur la lumière si particulière du Languedoc, depuis sa terrasse surplombant le village. Quelques-unes de ses plus belles toiles sont exposées au musée Fabre, comme *La Vue du village*, *Les Remparts d'Aigues-Mortes*, murailles de la cité toutes en jeux d'ombres, écrasées par l'immensité lumineuse du ciel, ou encore la *Négresse aux pivoines*. Dans *La Vue du village*, il maîtrise parfaitement les contrastes entre ombre et lumière et la transparence subtile du visage à l'air libre, comme l'avait fait Manet avant lui.

■ L'expérience des fauves

Ce qui se passe à Collioure et dans ses environs est d'une tout autre nature. La révolution impressionniste est déjà dépassée. En Bretagne, Gauguin, Sérusier, Bernard et d'autres expérimentent un nouvel usage de la couleur et influencent tout une génération de jeunes artistes. Les uns après les autres, les peintres découvrent dans le Midi des paysages inexplorés. Dans le cercle des impressionnistes, Henri Cross s'installe au bord de la Méditerranée. Il convainc son ami Paul Signac de venir y planter son chevalet. Tous deux s'essayent au pointillisme, à Saint-Tropez. Le Midi devient rapidement le rendez-vous des artistes, attirés par ses couleurs violentes et ses contrastes. Les travaux de Van Gogh et de

▶ *Gustave Courbet,*
Le Bord de la mer à
Pavalas, *1854.*
Montpellier, musée Fabre.

Cézanne, qui ont déjà peint la région, impressionnent les jeunes peintres en quête de renouveau. Signac découvre Collioure à la fin du XIXᵉ s. Il en parle à ses amis. Parmi eux, Henri Matisse est à la recherche d'une nouvelle inspiration. Son maître, Gustave Moreau, qui l'a convaincu de la nécessité de suivre son imagination, est mort. Matisse se lie aussi d'amitié avec André Derain. Ils font la connaissance de Vlaminck dont les couleurs violentes les fascinent. Matisse s'oriente dans un premier temps vers le style pointilliste de ses amis tropéziens, mais finit rapidement par s'en détacher. Tenté par les descriptions de Signac, il décide de passer l'été 1905 à Collioure. Dès son arrivée, en mai, il écrit à ses amis de venir le rejoindre. Derain le suit au mois de juin et partage son éblouissement. Leur correspondance avec Vlaminck témoigne de cet enthousiasme. Ils évoquent « la lumière dorée », s'émerveillent de la luminosité, des contrastes et surtout des couleurs qu'ils voient partout, sur la peau des visages, dans les chevelures, aux coques des barques, jusque dans les ombres subtiles. Matisse a 36 ans, Derain n'en a que 25, ils remettent tout ce qu'ils ont fait jusqu'alors en question, cédant parfois à un profond découragement. Les lettres qu'ils écrivent à leurs amis sont angoissées, « qu'est-ce que je veux ? » ou encore « on ne comprend plus rien à ce qu'on fait… » Cet été-là, un véritable mouvement artistique se dessine. Il va bouleverser le monde de la peinture. De nouvelles rencontres vont confirmer cette évolution. Non loin de Collioure, à Elne, un peintre du pays, Étienne Terrus, a déjà une longue habitude du paysage. Son travail hardi de la couleur va dans le même sens que celui de Matisse et Derain. Il rencontre les deux amis et les présente au sculpteur Maillol, qui vit à Banyuls. Ils vont aussi à Corneilla-de-Conflent, faire la connaissance de Daniel de Monfreid, grand ami de Gauguin, qui leur montre le travail du peintre en Océanie. Marquet et Camoin, deux condisciples de Matisse à Paris, les rejoignent. Durant l'été, Matisse peint le port, des paysages, des intérieurs… Derain réalise quelques-unes de ses plus belles toiles. Au Salon d'Automne de 1905, il présente six tableaux de Collioure. Ils sont exposés dans la même salle que ceux de Matisse. À leurs côtés, Marquet et Camoin, mais aussi Vlaminck, Manguin, Van Dongen forment un ensemble à la couleur agressive. En visitant le Salon, le critique Louis Vauxcelles appelle la salle en question « la cage aux fauves ». Les visiteurs sont choqués : la couleur n'a plus rien à voir avec la réalité, les arbres sont jaunes, les visages verts, la terre rouge… L'année suivante, Matisse retourne à Collioure, comme il le fera régulièrement par la suite. Dufy, Marquet, Picasso, Braque viendront eux aussi dans les environs. Mais le mouvement fauve s'éteint après 1907. Chacun des artistes suit une voie différente. En 1920, Manguin ira même jusqu'à détruire le fruit de ses années fauves.

■ Graphisme et rigueur des formes : le cubisme

Les peintres qui se sont rencontrés dans les Pyrénées orientales durant les étés qui ont suivi 1905 ont pour la plupart évolué vers un travail sur les formes. À partir de 1906, on devine cette orientation chez Derain. Évoquant les essais de Braque, la critique mentionne déjà en 1908 sa construction en petits cubes. Après 1910, un groupe d'artistes se forme autour du sculpteur Manolo, à Céret. Picasso et Braque y poursuivent leur recherche sur le cubisme, entourés des peintres Juan Gris, Auguste Herbin, Max Jacob, Kiesling… Un critique d'art surnomme la ville « la Mecque du cubisme », même si elle n'a fait que jouer un rôle partiel dans ce qui était un tournant amorcé ailleurs. Mais c'est que Picasso expérimente la technique des collages. Et qu'il produit des œuvres superbes. Au fil des années, d'autres peintres viendront à Céret, attirés par cette réputation, Soutine, Masson, Chagall, Dufy, Marquet, Miró… Toutes les étapes de la peinture contemporaine y sont représentées.

▲ *Le complexe atomique de Marcoule concentre sur 170 ha un centre de retraitement des combustibles irradiés, des laboratoires de recherche et développement du CEA ainsi que le surgénérateur Phénix.*

Patrimoine industriel
histoire et culture

À côté des anciennes industries traditionnelles, comme les mines, le textile et la chapellerie, qui ont laissé une profonde empreinte dans la culture et dans les mentalités, d'autres activités florissantes sont encore mal connues et permettent une découverte inédite de la région. De l'artisanat rural à l'industrie la plus moderne, c'est une façon passionnante de lier le passé à l'avenir.

■ Souvenirs de mines

Indissociable de l'histoire des Cévennes, la mémoire des mines de charbon et de fer reste entretenue autour du bassin houiller d'Alès. Pratiquée depuis l'Antiquité, l'activité minière explose au XIXe s. où une centaine de puits sont exploités. La visite d'Alès permet de découvrir les derniers vestiges de ce passé industriel. Toutes les techniques d'exploitation et les conditions de travail dans les mines y sont évoquées à la mine témoin, dans un passionnant voyage souterrain. Bien qu'une grande partie des équipements miniers d'époque ait été démantelée, les faubourgs de la ville conservent des vestiges de l'exploitation, comme à la mine Royale,

▲ *Le bassin minier d'Alès, découvert par les Romains, devient, dans la France industrielle du XIXe s., un haut lieu de l'exploitation de minerais. De 1815 à 1890, la production de charbon est multipliée par 100.*

ainsi que des anciennes filatures et verreries, à Rochebelle. Aux environs de Lodève, c'est le gisement d'uranium qui a donné naissance à une unité de la Cogéma fournissant le tiers de la production nationale. Dans les Pyrénées, il ne reste plus grand-chose des prestigieuses forges catalanes, mais les randonneurs du massif du Canigou verront les traces de l'exploitation du minerai de fer aux environs de Valmanya et à la mine de Batère. La tradition des fondeurs de cloches se perpétue à Hérépian ou à la fonderie du Libron, à Magalas. Il est encore possible de visiter un atelier, de voir le fourneau et d'assister à la préparation du noyau et des moules et la coulée d'une cloche.

■ Le prestige du tissage

Les tissages du Languedoc ont fait la richesse de ses marchands durant des siècles. Grâce à la laine du Larzac, la ville de Lodève s'est très tôt spécialisée dans la fabrication de drap, obtenant même, au XVIIIe s., le monopole des fournitures pour l'armée française. La Manufacture de

Villeneuvette, près de Clermont-l'Hérault, produisait quant à elle un drap très fin et coloré, réservé à l'exportation vers les pays du bassin méditerranéen. L'ensemble des bâtiments de la Manufacture témoigne de cette époque, avec ses anciens ateliers, ses logements, ses entrepôts et annexes. On imagine parfaitement la vie de cette communauté gérée comme une véritable ville, avec son propre service de pompiers, de médecins, d'instituteurs… Mais la concurrence anglaise a sonné le glas de cette branche économique à partir du XIXe s. La production et le tissage de la soie font également partie du patrimoine des Cévennes et du bas Languedoc. Outre la culture des vers à soie dans les nombreuses magnaneries de la région, le tissage occupait des centaines d'ouvrières à Uzès, au Vigan, à Anduze, à Nîmes… Elle aussi en restructuration, cette spécialité est présentée par l'écomusée de la Cévenne, au travers d'une magnanerie à La Roque ou de l'écomusée de la soie à Saint-Hippolyte-du-Fort. Les tissages catalans sont une autre tradition survivante de la grande époque du textile. À Arles-sur-Tech ou à Saint-Laurent-de-Cerdans, dans les Pyrénées orientales, on peut encore visiter les filatures des célèbres cotonnades à bandes de motifs géométriques qui composent nappes, coussins ou espadrilles.

▲ *Le centre de la production des toiles catalanes est le Vallespir : on y confectionne les étoffes suivant des techniques anciennes et originales.*

▲ *L'huilerie de Clermont-l'Hérault est un établissement unique en son genre qui conserve des méthodes et un outillage traditionnels, remplacés aujourd'hui par des machines.*

■ De l'eau, du sel, de l'huile

La production d'huile d'olive est un débouché naturel pour les oliveraies du Languedoc-Roussillon. Du moulin artisanal à la fabrication industrielle, cette production-symbole du Midi et de sa cuisine se dévoile dans bien des villages, à Saint-Jean-du-Gard, Vézenobres, Villeneuve-lès-Avignon, Nîmes, Clermont-l'Hérault… Le sel, autre produit vital de l'économie régionale, est l'objet d'une production industrielle impressionnante. Les Salins du Midi, près d'Aigues-Mortes, valent une visite, ne serait-ce que pour la vision surréaliste des montagnes de sel d'une blancheur aveuglante qui tranchent sur le bleu dur du ciel et sur les reflets rouges de l'eau. La région est aussi le berceau de l'une des eaux gazeuses les plus célèbres au monde. La source Perrier, à Vergèze, garantit un spectacle passionnant, qui débute par la fabrication de la fameuse bouteille verte en forme de poire et s'achève avec la dégustation des petites bulles.

▲ *Issue d'un mouvement coopératif de producteurs indépendants de sel, la Compagnie des salins du Midi est fondée en 1856. Aujourd'hui, associée au groupe américain Morton, la société demeure le leader mondial du sel.*

Visiter

Perpignan et le Roussillon

A u cœur de la plaine roussillonnaise, Perpignan est le carrefour d'un kaléidoscope de paysages. Au sud, les Pyrénées s'étendent de la côte Vermeille aux contreforts des Albères, plantés de vignes ensoleillées. À l'ouest, le Fenouillèdes, où d'abruptes falaises grises surplombent les pentes couvertes de vignoble. À l'est, la Méditerranée des ports de pêche, des étangs et des longues plages. Au milieu, une plaine-jardin, irriguée par l'Agly, la Têt et le Tech.

◀ *Barques catalanes à Collioure.*

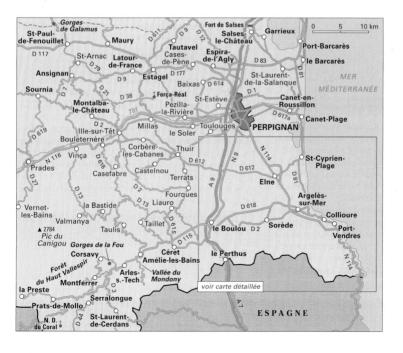

Perpignan
une histoire tourmentée

PLAN C1 ET B2
Office du tourisme :
place Armand-Lanoux,
dans le palais des Congrès.
☎ 04 68 66 30 30.
Fax 04 68 66 30 26.
Annexe : place de la Loge.

R ien dans la plaine monotone qui l'entoure n'annonce la richesse de la capitale du Roussillon. Pourtant, la ville se vante de l'un des passés les plus prestigieux qui soient, puisqu'elle fut, un temps, capitale d'un royaume. Bourdonnante d'activité, résolument catalane, profitant de l'insolente réussite de Barcelone, sa sœur espagnole, Perpignan joue la carte de l'identité culturelle.

Visa pour l'image

Cette manifestation est depuis plus de dix ans un festival majeur de photojournalisme. Chaque année, durant la première quinzaine de septembre, les passionnés rencontrent les plus grands noms du reportage photo. Images du monde, d'ailleurs ou d'à côté, expositions prestigieuses dans les vieux murs de la cité. Images souvent bouleversantes de la guerre et de la misère, parfois cocasses et tendres, toujours profondément humaines.

Des conquêtes romaines...

On attribue le nom de la ville à celui d'une villa Perpinianum baptisée d'après un fameux militaire romain. À l'époque, elle est supplantée par Ruscino (Castel-Roussillon) et par Illiberris (Elne). La première fut occupée dès le VIIe s. avant J.-C. et accède au rang de cité au Ier s. La seconde accueillera l'évêché au VIe s. La région est occupée successivement par les Wisigoths puis les Arabes, jusqu'à ce que Pépin le Bref les refoule et qu'une famille de comtes carolingiens en prenne possession. Aux environs de l'an 1000, Perpignan (Perpinyà en catalan) prend de l'importance lorsque le comte de Roussillon y construit son château, près de l'église Saint-Jean-le-Vieux, consacrée en 1025.

... aux luttes seigneuriales

À la fin du XIIe s., les comtes de Roussillon n'ont pas d'héritier et la ville échoit au comte de Barcelone et roi d'Aragon. C'est un tournant important pour la ville. Dès 1197, elle bénéficie d'une charte de libertés communales, qui ressemble presque à une administration moderne. Pour contrer le pouvoir des seigneurs féodaux, le souverain place la ville sous la direction de cinq consuls choisis parmi les trois couches de la population. Deux proviennent de la haute bourgeoisie (grands négociants, armateurs…), deux sont issus de la classe moyenne (commerçants et professions libérales) et le dernier vient de la classe populaire.

Essor interne et instabilité extérieure

La première conséquence de cette innovation catalane est un formidable essor économique. La ville grandit si vite que l'on construit bientôt l'église Saint-Jacques, dans ce qui est alors le quartier des tisserands et des jardiniers. Pendant ce temps-là, la croisade contre les cathares dévaste le Languedoc. À l'issue de cette longue lutte, toute la région est redistribuée entre le roi de France et la monarchie catalano-aragonaise. Le Roussillon, le Conflent et la Cerdagne rejoignent le giron espagnol, par le traité de Corbeil en 1258, conclu entre Saint Louis et Jacques Ier le Conquérant.

Le royaume de Majorque

Pour résoudre le problème de sa succession, Jacques le Conquérant partage son royaume entre ses deux fils. Le second, nommé Jacques lui aussi, reçoit les Baléares, le Roussillon, la Cerdagne, le Conflent et la ville de Montpellier. L'aîné, Pierre, reçoit l'Aragon, Barcelone et Valence. Sous le nom de Jacques Ier de Majorque, le roi du tout nouveau royaume choisit Perpignan comme capitale continentale. Une période prospère commence pour la ville. Les flottes royales, basées dans les Baléares et sur la côte du Roussillon, exportent les draps de Perpignan dans toute la Méditerranée. Le roi, imprégné autant de culture catalane que française, œuvre pour la paix et encourage la création artistique. Il achève le palais royal et agrandit l'enceinte de la cité. Durant cette période, la ville prend l'aspect qu'elle conservera jusqu'au XIXe s. Son fils, Sanche, suit la même voie. Mais le roi d'Aragon, Pierre IV, a des prétentions sur le nouveau royaume. Il lui reprend les Baléares, complote pour l'éloigner de son allié le roi de France et finit par occuper Perpignan et le Roussillon, les rattachant finalement à l'Aragon en 1344. En 1350, il crée l'université de Perpignan. Son fils fonde le consulat de Mer (tribunal de commerce maritime).

Au centre des rivalités politiques

Durant les trois siècles qui suivent, la région est déchirée par les rivalités franco-espagnoles. Les Catalans, qui se révoltent contre le roi d'Espagne en 1640, offrent la couronne comtale de Barcelone au roi de France. La lutte entre les deux pays s'achève avec le traité des Pyrénées, en 1659. Le Roussillon et la Cerdagne sont alors définitivement cédés à la France. Perpignan est la capitale de la nouvelle province de Roussillon, que l'administration royale va s'empresser de franciser. À la Révolution, lors de la constitution des départements, on adjoint à la province une partie du Fenouillèdes pour composer les Pyrénées-Orientales.`

Les grenats de Perpignan

Le grenat est extrait des flancs des Pyrénées, près du Canigou ou du Fenouillèdes, à Estagel. Cette pierre est devenue la parure fétiche des femmes catalanes. Au XVIIe s. déjà, on l'utilisait pour faire des bijoux. Le modèle le plus répandu est la croix badine, composée de six pierres taillées selon une méthode spécifique à Perpignan : quatre ovales, une ronde et une en poire qui sert de pendeloque. Le premier modèle connu provient de l'abbaye de Saint-Michel-de-Cuxa. De nombreux bijoutiers de Perpignan perpétuent ce savoir-faire mis au point au XVIIIe s.

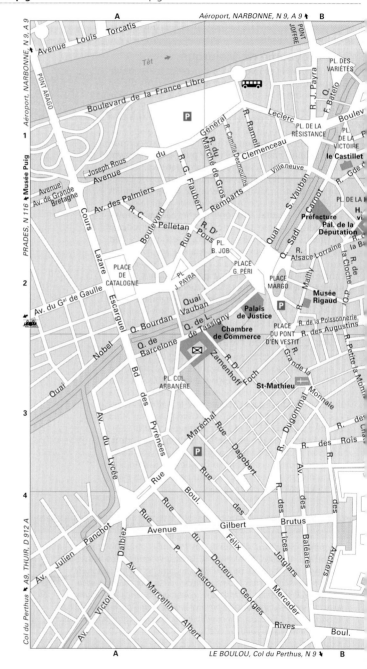

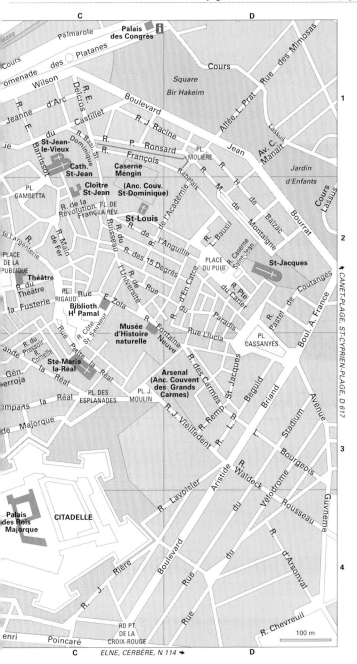

▷ Le centre historique

I l s'étend du Castillet au Campo Santo en passant par la loge de Mer et comprend tout un lacis de ruelles, ancien quartier des drapiers et des marchands.

■ Le Castillet

PLAN B1

▲ *Le Castillet : ce bâtiment militaire était destiné à défendre la porte principale de la ville.*

Facilement reconnaissable, ce haut bâtiment de brique qui ressemble à un château fort est l'ancienne porte principale de Perpignan. C'est donc un point de départ intéressant avant la visite de la ville. Le Castillet, constitué de deux tours jumelles massives, fut construit à partir de 1368, après que Pierre IV d'Aragon eut démantelé le royaume de Majorque. Les constructions en brique étaient courantes à cette époque. La porte Notre-Dame, aussi appelée Petit Castillet, fut ajoutée par Louis XI plus d'un siècle plus tard. Avec ses mâchicoulis allongés, son joli clocheton à coupole et sa couleur rose, le Castillet signe une architecture militaire originale, propre à la région. À partir du règne de Louis XIV, il servit de prison. La terrasse offre une jolie vue de la ville et de ses environs, avec au loin la silhouette du Canigou.

■ La Casa Pairal

Ouvert tous les jours à l'exception du mardi, du 15 juin au 15 septembre de 9 h 30 à 19 h ; le reste de l'année de 9 h à 18 h. ☎ 04 68 35 42 05.

Le Castillet abrite aujourd'hui la Casa Pairal (maison ancestrale, en catalan), musée d'Arts et de Traditions populaires du Roussillon. L'architecture intérieure est très belle, portes et poutres massives. Les collections présentent une multitude d'objets anciens ayant trait à la vie quotidienne et aux métiers traditionnels de la région. On y découvre, par exemple, des meubles présentés dans des intérieurs reconstitués, des objets sacrés ayant servi aux processions, comme les crucifix aux outrages, des instruments de musique catalans.

Une découverte macabre

En 1946, alors qu'ils restaurent la porte Notre-Dame, des ouvriers découvrent un cadavre d'enfant. Les restes, qui tombent en poussière, sont datés du XVIIIe s. Les amateurs de tragédie historique y voient la dépouille de Louis XVII que les Bourbons d'Espagne auraient fait évader de la prison du Temple. Une spéculation de plus dans un des mystères non élucidés de l'histoire de France…

■ La loge de Mer

PLAN B2

Datée du début du XVᵉ s., elle abritait l'équivalent d'un tribunal de commerce (à l'époque, le commerce était principalement maritime). Au début, on ne construisit que la partie orientale. La seconde moitié, qui joint la loge de Mer à l'hôtel de ville adjacent, date du XVIᵉ s., de même que les décorations

de style flamboyant des arcades et des fenêtres.

■ L'hôtel de ville

Juste à côté de la Loge de Mer. PLAN B2

Il fut bâti sur ordre du roi Sanche de Majorque, mais sa construction s'étala sur plusieurs siècles. Sa façade en cailloux roulés, ses belles arcades et ses imposantes grilles de fer forgé (1702) en font un édifice typique de l'architecture roussillonnaise. Les trois bras de bronze qui sortent de la façade figurent les trois catégories de citoyens qui élisaient les consuls. En traversant le vestibule, notez les corbeaux de marbre qui supportent les poutres. Le patio dégage beaucoup de charme, avec ses colonnes galbées, et abrite une statue de Maillol, la Méditerranée. La salle des mariages possède un beau plafond à caissons de style hispano-mauresque.

■ Le palais de la Députation

Adjacent à l'hôtel de ville.

Construit en 1447, il est très nettement inspiré de l'architecture barcelonaise de l'époque, il dénote aussi une influence italienne. Notez les énormes claveaux du portail (ils mesurent près de 2 m) et, par contraste, les délicates fenêtres à colonnettes du premier étage.

◄ *L'enseigne de fer forgé (XVIᵉ s.) en forme de bateau qui orne la façade de la loge de Mer est un bel exemple de la richesse de l'art ferronnier catalan.*

▼ *La place de la Loge, au cœur de la vieille ville, est le théâtre de sardanes endiablées. Au centre, une statue du sculpteur Maillol : la Vénus au collier.*

Dali à la gare

Rien moins que « le centre de l'univers », voilà ce que l'excentrique Dali pensait de la gare de Perpignan. À lire son Journal d'un génie, on apprend que « l'arrivée à la gare de Perpignan est l'occasion d'une véritable éjaculation mentale » et qu'il ressent dans ces lieux « une espèce d'extase cosmogonique... » C'est là, écrit-il, que lui viennent les idées les plus géniales. L'artiste transposera les fruits de cette extase sur la toile et baptisera l'œuvre Le Nombril du monde !

▷ La cathédrale Saint-Jean

Place Gambetta. PLAN C1
Ouverte de 7 h 30 à 12 h et de 15 h à 19 h.

Un exemple de gothique méridional

Sa construction fut entamée par le roi Sanche en 1324, mais interrompue par la fin du royaume de Majorque. Les travaux reprirent au début du XVᵉ s. sous la direction d'un architecte majorquin, mais les plans furent modifiés : là où on prévoyait initialement trois nefs de marbre, il préféra une nef unique construite en galets roulés et en brique. La cathédrale fut consacrée en 1509.

▲ *La quatrième chapelle abrite un retable baroque de l'Immaculée Conception en bois sculpté, peint et doré, du début du XVIIIᵉ s.*

■ Le campanile de fer forgé du XVIIIᵉ s.

À droite de la façade, cette architecture caractéristique de la région coiffe la tour carrée. La cloche date de 1418. En pénétrant à l'intérieur, on est saisi par la taille imposante de la nef. Haute de 26 m, très sobre, elle est soutenue par des contreforts intérieurs qui délimitent des chapelles latérales. Le chevet est la seule partie remontant à l'époque initiale. Sa richesse provient surtout du mobilier.

■ La cuve baptismale

Située dans la première chapelle à gauche en entrant, celle des fonts baptismaux, elle présente une composition en marbre blanc exceptionnelle. Sculptée au VIIᵉ ou VIIIᵉ s. dans un fragment de colonne romaine, elle est un rare exemple d'art préroman. On y voit le visage du Christ (notez la facture barbare) au-dessus d'un livre ouvert. La phrase en latin ne fut gravée qu'au XIIᵉ s. et signifie : « l'onde de la fontaine sacrée étouffe les sifflements du serpent coupable ».

■ Les nombreux retables

Ils ornent les chapelles latérales et constituent un ensemble inestimable (les retables sont l'une des plus belles expressions artistiques du Roussillon). La deuxième chapelle à gauche contient le retable baroque de saint Gaudérique (XVIIᵉ s.), qui protège les récoltes et envoie la pluie, et vient de Saint-Martin-du-Canigou.
- Le **retable du maître-autel**, en marbre blanc de style Renaissance (1619-1620), représente des scènes de la vie de Jésus, de Jean-Baptiste et des prophètes. De chaque côté de la Vierge sont placées les statues des saintes Julie et Eulalie. Dans l'absidiole nord, le retable de saint Pierre date de la seconde moitié du XVIᵉ s.
- L'absidiole sud (au fond à droite) mérite un arrêt pour le **retable de Notre-Dame-de-la-Mangrana**, l'un des plus remarquables du Roussillon, peint en 1500 par deux artistes différents. Notez la précision digne des miniaturistes et la différence de style entre les deux côtés.

■ Le buffet d'orgue

Il est situé au-dessus de la sixième chapelle, notez son style gothique peint (1504). Sous l'orgue, un passage mène à la chapelle romane **Notre-Dame-dels-Correchs**, contenant des reliquaires anciens et un gisant de Sanche de Majorque.

■ Les volets peints

De part et d'autre de la porte sud (côté droit), vous verrez ces déflecteurs qui fermaient l'orgue, représentant le baptême du Christ et le festin d'Hérode. Ce sont les plus grandes peintures anciennes sur toile du pays.

■ Le Dévôt Christ

Prenez la porte sud pour sortir de la cathédrale et entrez dans cette chapelle bâtie au XVIᵉ s. Elle contient un extraordinaire crucifix, appelé le Dévôt Christ, en bois sculpté, datant de 1307. Vraisemblablement d'origine rhénane, il comporte dans le buste une cavité abritant les reliques de saint Maurice.

■ Le Campo Santo

Place Gambetta. PLAN C2

> **Ouvert de 10 h à 12 h et de 14 h à 17 h. Fermé le mardi, pendant les *Estivales* (en juillet) et le *Visa pour l'image* (fin août, début septembre).**

Il s'agit d'un étonnant cloître-cimetière médiéval, unique en France, construit au début du XIVᵉ s. et entouré de galeries (quatre à l'origine). Des niches en ogive accueillant les tombeaux sont ménagées dans les murs de cailloux roulés et de brique. L'une d'entre elles, sur le mur sud, contient un bas-relief de marbre représentant la Vierge et deux anges : c'est le plus ancien tombeau, celui d'un sculpteur, daté de 1317.

◀ *Le cloître-cimetière du Campo Santo a été restauré ; il est ouvert au public.*

■ Saint-Jean-le-Vieux

PLAN C1

Cette église primitive jouxte la cathédrale. Édifiée en galets de rivière et en grès rouge, elle comporte, dans le passage qui la sépare de la cathédrale, un **portail roman** très original, daté de 1220. Les deux arcs sont séparés par une sculpture du Christ et le portail est encadré de quatre statues d'apôtres dont saint Jacques ; on reconnaît l'influence espagnole du pèlerinage de Compostelle.

▷ Le quartier de la Réal et le palais des rois de Majorque

■ La bibliothèque municipale

En rejoignant le palais et la citadelle, au sud du centre-ville.
PLAN C2

Ce bâtiment renferme une rare collection de volumes anciens, dont une bulle papale sur papyrus du XIe s., un évangéliaire enluminé du XIIe, des missels médiévaux superbes… Bien que ces trésors ne soient pas visibles par le public, on peut tous les consulter sur microfilms et une salle spéciale leur est consacrée, avec reproductions et documents. Juste en face de la bibliothèque, se trouve la maison de la famille Bardou.

■ L'église Sainte-Marie-la-Réal

PLAN C3

Cet édifice abritait la paroisse des rois de Majorque, durant leur éphémère royaume. D'architecture gothique du XIVe s., elle possède un mobilier assez intéressant, notamment une cuve baptismale sculptée (XIVe s.) et une belle mise au tombeau en bois doré et peint (XVe s.).

■ La citadelle

En approchant du quartier du palais des rois de Majorque.
PLAN C3-4

On est surpris par les hautes murailles de la forteresse qui domine la cité. Une vue du ciel permettrait d'observer la structure en étoile de sa double enceinte, avec le palais au centre. L'enceinte ne fut construite que lorsque Louis XI, le roi de France, rattacha pour la première fois le Roussillon à la France, à la fin du XVe s. Elle fut complétée par Charles Quint au milieu du XVIe s. L'enceinte extérieure est l'œuvre de Philippe II, fils de Charles Quint, réalisée dans les années 1560. Après le rattachement définitif de la région au royaume de France, Vauban, sous le règne de Louis XIV, entreprit de refaire presque entièrement l'enceinte intérieure, ne gardant que deux des bastions de Charles Quint. Dans le contexte troublé qui opposait la France à l'Espagne, la citadelle devenait partie intégrante du système militaire défensif qui doublait la frontière. Dès la publication du testament de Jacques le Conquérant, en 1262, qui annonçait la création du royaume de

Le papier Job

C'est à Perpignan que fut lancé le papier à cigarettes en carnet de la marque Job. La première usine, créée en 1858, se trouvait à l'emplacement du n° 18 de la rue Émile-Zola. L'idée avait été lancée par un certain Jean Bardou, dont la fortune finit par être l'une des plus grosses de la région. Le nom de la marque vient des initiales J.B, le point central remplacé par un O pour donner Job.

Majorque, son héritier commença à administrer le futur État et à planifier ses aménagements. Il entama la construction du palais royal vers 1274, avant la mort de son père et son intronisation officielle. Les travaux s'étalèrent sur de nombreuses années. En 1285, le château ne comportait pas encore d'étage. Après 1300, on termina les chapelles et les appartements royaux. Le roi Jacques Ier mourut avant la fin des travaux, qui furent achevés par Sanche puis par son neveu Jacques II.

◀▼ *L'ancien château royal, appelé aujourd'hui le palais des rois de Majorque, demeure le plus ancien palais royal existant en France.*

■ Le palais des rois de Majorque

Entrée rue des Archers. PLAN C4

Ouvert tous les jours de 10 h à 18 h en été ; de 9 h à 17 h en hiver. ☎ 04 68 34 48 29.

Ce vaste rectangle agencé autour d'un patio central compte huit tours imposantes, aux quatre coins, et au milieu de chaque côté.

- Pour pénétrer dans le palais, on traverse les douves, à l'ouest, puis on passe sous la **tour de l'Hommage**, pour arriver dans la cour, la plus belle partie du palais, avec ses deux escaliers monumentaux et ses élégantes arcades. La tour de l'Hommage et l'aile d'entrée sont la partie la plus massive. Elles abritaient la salle du trône où le roi donnait des audiences. La terrasse au sommet offre un splendide panorama de la ville et des Pyrénées. La tour de l'Hommage est la seule partie du palais construite en marbre et en grès. Tout le reste utilise l'appareil traditionnel de cailloux de rivière disposés en épis et de brique.

- L'aile droite comportait les cuisines et un moulin à farine au rez-de-chaussée, et, au premier étage, la **salle de Majorque**, pour les fêtes et les banquets (notez la cheminée à trois foyers). Un petit escalier permettait de monter les plats de la cuisine. L'aile du fond, à l'est, est la plus impressionnante : deux galeries superposées et, au centre, un donjon constitué de deux chapelles l'une au-dessus de l'autre.

- Au rez-de-chaussée, la **chapelle Sainte-Marie-Madeleine** communiquait avec les appartements de la reine. Elle possède des fenêtres aveugles peintes pour remplacer les vitraux.

- Au-dessus, la **chapelle Sainte-Croix** est plus grandiose, plus haute et plus décorée. On y pénètre par un portail en marbre. On retrouve les mêmes fausses fenêtres peintes avec en plus un décor en couleur sur les murs et les voûtes ainsi que de belles clés de voûte sculptées.

- Seule **la galerie de la reine** a conservé ses arcades d'origine. Un système de galeries et de balcons de bois permettait aux souverains de passer discrètement d'un logis à l'autre.

▷ Autour de la place de la Loge et de la cathédrale

PLAN B1-2/C1-2

E mpruntez les ruelles étroites qui étaient jadis le quartier des « parayres », les ouvriers du drap.

▲ *La rue des Marchands présente des maisons médiévales à auvents et poutres sculptées datant des XIIIe et XIVe s.*

▲ *La place Arago, avec ses arbres et ses cafés, est l'un des endroits agréables et animés de la ville.*

▲ *L'excentrique Salvador Dali compara la gare de Perpignan à une « cathédrale d'intuition », favorable à son inspiration…*

■ Rue des Fabriques-Nabot

Au n° 2, la **maison Julia** est un magnifique exemple d'architecture urbaine de 1400 : façade en galets de rivière et en brique, patio intérieur à deux galeries gothiques superposées.

■ Rue de la Main-de-Fer

Au n° 8 se trouve la **maison Xanxo**, du nom de l'un des administrateurs du chantier de la cathédrale qui a fait travailler les ouvriers à la construction de sa propre maison, en 1507. L'édifice est un bel exemple de gothique catalan, avec son énorme portail en plein cintre. L'élément le plus remarquable en est le bandeau sculpté en travers de la façade qui compose une guirlande de personnages et d'animaux fantastiques.

■ Place des Orfèvres

Dans la rue de l'Argenterie.

Le **palais des Corts** (cours médiévales de justice) possède dans son patio une jolie galerie gothique exécutée au début du XVe s. par un architecte normand.

■ Le musée Hyacinthe-Rigaud

16, rue de l'Ange. PLAN B2

Ouvert de 10 h à 19 h. Fermé le mardi.

Baptisé du nom du célèbre peintre perpignanais. Installé dans un bel hôtel particulier du XVIIIe s., il possède surtout des collections de peinture et d'art hispanique. À côté des toiles du portraitiste Rigaud, d'Ingres, Breughel de Velours, Géricault, ne manquez pas les beaux retables catalans dont le retable de la Trinité (XVe s.) provenant de la chapelle de la loge de Mer. Intéressante collection de peintres contemporains (Dufy, Picasso, Tapiès, Alechinsky…).

■ Le musée numismatique Joseph-Puig

Un peu à l'extérieur du centre-ville, vers la gare. 42, avenue de la Grande-Bretagne. HORS PLAN A2

Ouvert de 9 h à 12 h et de 14 h à 18 h. Fermé le dimanche, le lundi et les jours fériés.

Il contient l'une des plus belles collections de monnaies de France, depuis l'Antiquité jusqu'à nos jours, en passant par le Moyen Âge. Pièces grecques, égyptiennes, gauloises, romaines, catalanes, de l'époque du Royaume de Majorque… La culture catalane y est très bien représentée.

▷ Le quartier Saint-Jacques

Chaleureux et pittoresque

La colline sur laquelle s'est établie l'église Saint-Jacques, au XIIIe s., était appelée colline des lépreux. À l'époque, elle se situait en dehors de l'enceinte fortifiée. C'est, depuis le XVe s., le point de départ de l'une des plus étonnantes processions pascales du pays, celle de la Sanch, qui emmène les pénitents vers la cathédrale. Aujourd'hui, l'ambiance y est chaleureuse et dépaysante : linge aux fenêtres, conversations devant les portes, gamins jouant dans la rue, petites épiceries…

■ L'église Saint-Jacques

PLAN D2

Sous le porche d'entrée, remarquez d'abord la **croix aux outrages** ou croix des Impropres, ornée de tous les instruments de la Passion, clous, fouet, tenailles, coq… On la porte en procession lors de la Sanch. À l'intérieur, le mobilier surprend par sa richesse. De nombreux retables dorés et peints, traditionnels de la région. Notez, à gauche, celui de la première chapelle : il est l'œuvre du grand-oncle de Hyacinthe Rigaud, en 1623.
- La troisième chapelle abrite le très beau **retable de Notre-Dame-du-Rosaire** (1643).
- Dans le croisillon sud, le **retable de Notre-Dame-de-l'Espérance** (XVe s.) se reconnaît à sa Vierge enceinte et à ses dais ajourés.
- Au fond à droite, la **chapelle de la Sanch** est le siège de la fameuse confrérie médiévale. De nos jours, cette dernière se contente d'organiser la procession.

▲ *La procession mystique de la Sanch, le Vendredi saint, a retrouvé tout son éclat depuis les années 1950.*

■ Le jardin de la Miranda

L'église Saint-Jacques domine à l'arrière un imposant bastion fortifié en maçonnerie traditionnelle. On y a aménagé le jardin de la Miranda, original et agréable (entrée à côté du chevet de l'église), d'où l'on a une belle vue sur les jardins Saint-Jacques, jusqu'aux berges de la Têt. Au Moyen Âge, tout le quartier était couvert d'*hortas*, mi-vergers, mi-potagers. Les jardiniers, dont Saint-Jacques était la paroisse, étaient appelés des *hortolans*.

Curieuse cagoule

La procession de la Sanch, qui a lieu chaque année le Vendredi saint, offrait aux condamnés à mort la possibilité de demander pardon avant leur exécution. Ils étaient autorisés à défiler entre Saint-Jacques et la cathédrale avec les membres de la confrérie des Pénitents, au son du Miserere. Pour éviter que la foule ne s'acharne contre eux sur leur passage, on les revêtait de longues robes et de hautes cagoules en pointe et on les entourait de simples pénitents habillés de la même façon. Leur anonymat conservé, ils pouvaient espérer le pardon avant d'être menés à la potence. Dans les environs, Collioure et Arles-sur-Tech sont le théâtre de semblables processions nocturnes.

16, rue de l'Ange. PLAN B2
Ouvert de 10 h à 19 h.
Fermé le mardi.

▶ Autoportrait au turban, *1700*.

Hyacinthe Rigaud
le peintre des Grands

Perpignan, juillet 1659 : un enfant vient de naître dans la famille Rigau. On le nomme Hyacintho. Son père, Mathias, est tailleur, mais la famille compte aussi de nombreux artistes. Déjà son grand-père, puis un grand-oncle se sont fait un nom dans la peinture sacrée, sur les retables notamment comme ceux de Palau-del-Vidre ou Montalba, près d'Amélie-les-Bains. Sans doute l'hérédité est-elle forte, car Hyacintho et son frère cadet seront peintres eux aussi.

■ Une enfance catalane

L'année 1659 est la dernière d'une interminable lutte entre la France et l'Espagne. La Catalogne, dont Perpignan fait alors partie, est le théâtre d'affrontements quasi permanents. Au mois de novembre, le traité des Pyrénées partage la Catalogne en deux. Le Roussillon devient français et à ce titre se voit imposer la langue et la culture françaises. C'est dans ce contexte troublé que grandit le jeune peintre. Qui aurait pu croire qu'il deviendrait l'un des plus célèbres portraitistes de la cour du roi de France ? Sa famille est naturellement imprégnée de l'art baroque catalan, foisonnant, qui sera, après la partition de la province, un symbole de son identité. Fort de son héritage familial, c'est tout naturellement que Hyacintho part étudier le dessin dans l'atelier du peintre Pezet, à Montpellier. Il a alors quatorze ans. Il acquiert peu à peu la technique auprès de maîtres comme Verdier et surtout Ranc le Vieux. À dix-huit ans, il part pour Lyon où il affine encore sa peinture.

■ La carrière parisienne

On ne sait pas quand et pourquoi il francise son nom en Rigaud. Élève de la prestigieuse Académie royale, il remporte dès 1682 le premier prix de peinture avec *Caïn bâtissant la ville d'Henock*. L'Académie est alors sous la direction du peintre Lebrun. Les principes de la peinture qu'il enseigne reposent sur la correction de la nature pour répondre à un certain canon de la beauté, inspiré de l'art grec et romain. Le jeune élève obtient le prix de Rome en 1685. Lebrun conseille très vite à Rigaud de s'orienter vers le portrait. L'élève réalise d'ailleurs celui du maître à cette même époque. Sa renommée grandit rapidement. Il peint Philippe V, roi d'Espagne, puis, en 1688, le frère du roi de France et, en 1694, Louis XIV en armure. Tous les grands de la cour se disputent dès lors le privilège de poser pour lui, nobles, savants hommes d'église, militaires… Il est bientôt obligé de créer un atelier pour faire face à la demande. Il confie à ses collaborateurs une partie du travail, à l'un les fleurs, à un autre les détails des scènes. Mais il exécute lui-même le plus déterminant : les visages et les mains. On le surnomme à juste titre le peintre des grands. En 1700, il est élu à l'Académie de peinture. L'année suivante est celle du très célèbre portrait en pied, *Louis XIV en costume du Sacre*. À partir de 1710, il enseigne à l'Académie. Sa réputation dépasse les frontières et il est apprécié dans toutes les cours européennes. On l'appelle même le Van Dyck français. Louis XV, dont il réalise bien sûr le portrait, l'anoblit. Quand il meurt en 1743, il a 84 ans, un âge étonnant pour l'époque, et il a vu passer dans son atelier tous les grands personnages de son temps.

■ Une galerie impressionnante

Au nombre des personnalités peintes par Hyacinthe Rigaud, figurent toutes les célébrités de l'époque, cinq rois, mais aussi des notables et des intellectuels : La Fontaine, Boileau, Racine, Bossuet, Saint-Simon, Vauban… L'ensemble de son œuvre constitue une remarquable illustration de la société de cour sous Louis XIV et Louis XV. Il peint surtout des hommes. Quelques portraits de femmes demeurent néanmoins, dont celui d'Elisabeth-Charlotte de Bavière ou celui, plus émouvant, de sa mère, Marie Serra, peint à Perpignan en 1695 et conservé actuellement au Louvre. Parmi ceux qui sont exposés au musée de Perpignan, son *Autoportrait au turban* est particulièrement intéressant. Une autre de ses œuvres, le *Portrait du cardinal de Bouillon ouvrant la porte de l'année sainte 1700*, conservée également au musée Hyacinthe-Rigaud, lui valut les compliments de Voltaire qui le jugea « égal aux plus beaux chefs-d'œuvre de Rubens ». De fait, on ne peut qu'admirer la vérité saisissante des expressions, le rendu des drapés et la minutie raffinée des détails.

▲ Le cardinal de Bouillon ouvrant la « Porte sainte », *1708*.

Comprendre • Hyacinthe Rigaud

▷ Les environs de Perpignan

CARTE P. 103

Au printemps lorsque les arbres sont en fleurs et le Canigou encore enneigé, le paysage ressemble à une estampe japonaise. Les villages sont, quant à eux, typiquement catalans : murs ocre, fers forgés et chapelles trapues.

■ Cabestany

À 4 km au sud-est de Perpignan.

L'église romane de Cabestany vaut le détour pour le très beau **tympan sculpté** conservé à l'intérieur. Fragment d'un portail aujourd'hui disparu, il est l'œuvre d'un sculpteur anonyme du XIIe s., connu sous le nom du **Maître de Cabestany**. On retrouve la trace de cet artiste itinérant au nord de la Catalogne, en Navarre, dans le Languedoc et jusqu'en Toscane. Dans la région, on lui doit des sculptures au Boulou, à Saint-Papoul, à Lagrasse. Son style est très original, reconnaissable aux mains et pieds très allongés et aux grands yeux un peu exorbités. Le tympan exposé à Cabestany est dédié à la Vierge. Sur la gauche, le Christ sort Marie du tombeau dans une posture pleine de tendresse. Au centre, il est entouré de sa mère implorante et de saint Thomas tenant la ceinture de la Vierge. À droite, Marie est emmenée au ciel par cinq anges. À cette époque, ce type de sculpture marque un renouveau, nettement influencé par l'art italien et les sarcophages romains.

■ Ille-sur-Têt

En quittant Perpignan vers l'ouest, on longe la vallée de la Têt et ses vergers.

Le village mérite une étape pour son exceptionnelle richesse naturelle et architecturale. Dominé par la lourde silhouette de son église baroque, le village est un important marché de fruits et légumes (mardis et vendredis).

- La ville médiévale est délimitée par une partie de l'ancienne **enceinte fortifiée** et parcourue d'étroites ruelles. Ici et là, sur les façades, subsistent des vestiges de cette époque, personnage déféquant à l'angle des rues du Carme et du Malpas, vieille enseigne sculptée de maison close rue des Enamourats…

- **L'église Saint-Etienne** possède une belle façade baroque.

- **L'Hospici d'Illa** est un ancien hospice fondé au XIIIe s. Les bâtiments actuels datent des XVIIe et XVIIIe s. À l'intérieur, on a conservé les alcôves qui accueillaient les malades.

Situé dans l'ancien hospice Saint-Jacques.

La bunyette

Le village de Millas, le long de la Têt, est la patrie de la bunyette, gourmandise roussillonnaise confectionnée traditionnellement du dimanche des Rameaux jusqu'à Pâques. Sorte de crêpe à la mode catalane, on la cuisait autrefois en famille. On achetait la pâte chez le boulanger. Tout l'art consistait à étirer la boulette de pâte sur les genoux recouverts d'un linge et à en faire une fine galette que l'on plongeait ensuite dans la friture, avant de la saupoudrer de sucre. On en trouve désormais dans les boulangeries, tout au long de l'année.

Ouvert du 15 juin au 30 septembre tous les jours, de 10 h à 12 h et de 14 h à 19 h; du 1er octobre au 14 juin, le lundi et du mercredi au vendredi de 10 h à 12 h et de 15 h à 18 h, le samedi matin, le dimanche et les jours fériés de 15 h à 18 h, fermé le mardi. ☎ 04 68 84 83 96.

- L'hospice héberge aujourd'hui un **centre d'art sacré** original. Une exposition permanente présente l'art du retable, si riche en Roussillon, et explique toutes les étapes de sa fabrication. Des fragments de fresque murale romane (XIIe s.) proviennent de la petite église de Casesnoves, dans les environs. En outre, des expositions temporaires d'une durée de 6 mois s'attachent à des thèmes précis de l'art sacré, comme l'enluminure, la vie quotidienne au Moyen Âge, la peinture murale, l'art baroque…

▲ *Le paysage des Orgues d'Ille-sur-Têt nous dévoile une formation géologique surprenante, unique dans les Pyrénées.*

■ Les environs d'Ille-sur-Têt

Sur la route de Perpignan, le **musée départemental du Sapeur-Pompier** raconte l'histoire de ce métier depuis le XVIIIe s.

116, avenue Pasteur.

Ouvert tous les jours du 15 juin au 15 septembre, de 10 h à 12 h et de 14 h à 19 h; le reste de l'année, tous les jours sauf le mardi de 10 h à 12 h et de 14 h à 18 h. ☎ 04 68 84 03 54.

- À **Saint-Michel-de-Llotes** (2 km au sud), le **musée de l'Agriculture catalane** présente les techniques et les traditions rurales, au moyen d'une foule d'anciens outils.

■ Les Orgues d'Ille-sur-Têt

Accès au site tous les jours de 9 h 30 à 21 h 30 en juillet et en août; de 9 h 30 à 19 h 30 du 15 au 30 juin et en septembre; le reste de l'année, de 10 h à 11 h 45 et de 14 h à 17 h.

Un phénomène naturel spectaculaire : sur quelques kilomètres, une succession de cheminées de fées composent un paysage unique dans les Pyrénées. Lorsque la chaîne montagneuse s'est formée, la plaine du Têt s'est affaissée et comblée d'alluvions. L'érosion a ensuite sculpté ces étonnantes murailles et laissé pics et terrasses aux étranges silhouettes. Pour un point de vue général, avec le Canigou en arrière-plan, empruntez la route de Montalba. En outre, un site est aménagé pour la visite, au cœur d'un cirque entouré de formations ravinées.

- En regagnant le village, avant de traverser la rivière, une petite route mène au village abandonné de **Casesnoves**. Les marcheurs pourront stationner leur véhicule à l'ombre près de la rivière et faire une ravissante balade au pied des cheminées de fées, jusqu'aux ruines romantiques d'un minuscule village du XVIe s., envahi par les oliviers. On devine encore les murs des maisons, la tour du château du XIIIe s. et, surtout, une ravissante **chapelle romane**. Notez le chevet à arcatures lombardes et le petit clocher à peigne.

> ### *Le cœur mangé du troubadour*
>
> *Au temps des troubadours, les poètes courtisaient leur mie en chantant des vers. Guilhem de Cabestany écrivait ainsi à la belle Saurimonde de Peralada. Mais la dame était mariée et son mari jaloux. Trouvant son épouse trop sensible au charme du troubadour, le terrible Raimond en prit ombrage et fit égorger le jeune poète. Il fit ensuite cuisiner le cœur de sa victime et le servit à Saurimonde, prétendant que c'était celui d'une biche. Après le repas, le mari sadique apprit la vérité à sa femme, qui, très digne, le complimenta sur ce mets délectable, puis se jeta par la fenêtre. Précisons que les personnages ont existé mais que leur histoire est une légende…*

Elne

CARTE P. 103

H ordes ibères, troupes d'Hannibal, occupation romaine, la ville a longtemps vécu au rythme des invasions. À partir du Moyen Âge, alors que Perpignan prend de l'importance, Elne décline et l'évêché est finalement transféré dans la capitale roussillonnaise en 1602. C'est aujourd'hui une ville agricole, entourée de vignobles, de vergers et de cultures maraîchères.

Elne organise des sardanes le mercredi en été.

■ La cathédrale

Sainte-Eulalie-et-Sainte-Julie est une cathédrale fortifiée romane. Consacrée en 1069, elle domine le village.

Ouvert tous les jours de juin à septembre, de 9 h 30 à 19 h ; en avril et mai jusqu'à 18 h ; d'octobre à mars, de 9 h 30 à 12 h et de 14 h à 17 h.

▲ *La cathédrale-forteresse d'Elne est un remarquable édifice roman du XIe s.*

- Sa **façade principale**, à l'ouest, est surmontée de deux tours. Celle de gauche, en brique, est la plus récente. La tour de droite (XIe s.), plus imposante, est construite dans le style lombard, à quatre étages et à rangées d'arcatures.
- **Le portail de marbre** porte encore la marque de l'incendie allumé lorsque les troupes de Philippe le Hardi prirent la ville au XIIIe s.
- En contournant l'édifice on remarque le **chevet roman** entouré par les fondations de ce qui devait être un grand chœur gothique, jamais achevé.
- À l'intérieur, la nef, qui était recouverte d'une charpente à l'origine, est voûtée en berceau. Les chapiteaux des piliers donnent une idée des premières **sculptures romanes.**
- Les deux premières travées sont occupées par une **tribune** d'où les chanoines suivaient la messe nocturne.
- **Les chapelles** qui bordent le côté droit ont été ajoutées au cours des XIVe et XVe s. Dans la première se trouve **le tombeau** de Ramon de Costa, un évêque mort en 1310.
- La troisième chapelle abrite le très beau **retable** de saint Michel (XIVe s.), à cinq panneaux, peint par un artiste de Perpignan dans le style italien. De l'autre côté de la cathédrale, demeure un fragment de **peinture murale** du XIVe s., représentant le Christ en majesté et une vasque romaine servant de bénitier.
- Dans le chœur, **la table d'autel** est celle d'origine, consacrée en 1069. **Le baldaquin** baroque fut réalisé en 1724 sur le modèle de celui du Val-de-Grâce à Paris (c'était à l'époque une nouveauté dans la région).

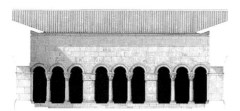

◀ ▼ *La construction du cloître, entamée au XIIᵉ s., ne fut achevée qu'au début du XIVᵉ s. Il s'en dégage pourtant une unité certaine, grâce à l'utilisation d'un marbre identique et des mêmes arcatures.*

■ Le cloître

Mêmes horaires que la cathédrale. ☎ **04 68 22 70 90.**

L'église communique avec le cloître par une petite porte.
- **Les chapiteaux** sont sculptés dans la tradition des églises roussillonnaises de Cuxa, Serrabone et surtout Corneilla : on retrouve les mêmes animaux stylisés et les mêmes motifs floraux. De gros piliers carrés, portant de véritables scènes en relief, alternent avec de délicates colonnettes jumelées. Les sculptures sont d'une extrême finesse. Celle de la Création, avec Adam et Eve, est sans doute la plus belle.
- Notez également **les tableautins** (XIVᵉ s.), qui ponctuent la retombée des ogives de la voûte. Les chefs-d'œuvre de la galerie sud, du XIIᵉ s., témoignent de la qualité de la sculpture en Roussillon. La galerie ouest (XIIIᵉ s.) reprend les mêmes thèmes et célèbre l'apparition du gothique.
- **La galerie nord** en revanche est bien mieux maîtrisée : si l'on copie encore, l'interprétation est plus libre et les chapiteaux à crochets très élégants. La galerie est, enfin, est la plus récente (début du XIVᵉ s.) et témoigne résolument de l'art gothique, même si elle conserve le modèle architectural. La sculpture s'est affinée, les corps sont plus élancés, mais l'on retrouve les scènes de l'Évangile, sur les chapiteaux et les tableautins. La galerie recèle aussi des sarcophages des VIᵉ et VIIᵉ s.
- Accédez ensuite au **Musée archéologique** qui présente les découvertes faites lors de fouilles dans la région (poteries et céramiques de la période des Ibères).

3, rue Balaguer.

Mêmes horaires que la cathédrale et le cloître, mais ouverture à 10 h au lieu de 9 h 30. ☎ **04 68 22 88 88.**

Une salle donnant sur le cloître conserve une armoire dite «eucharistique», en bois peint du XIVᵉ s., destinée à protéger le saint sacrement. On ne compte aujourd'hui que trois armoires de ce type au monde.

■ Le village et les remparts

En sortant du cloître, admirez, sur la place, les deux **sculptures de Maillol** : le monument aux morts et le buste du peintre Étienne Terrus, originaire du village et précurseur du fauvisme. Un petit **musée** lui est d'ailleurs consacré, ainsi qu'à quelques-uns de ses amis artistes de la région.
Une promenade fléchée permet de rejoindre **la porte Balaguer**, la plus belle des remparts de la ville haute (les mieux conservés). La rue de la Liberté mène à une table d'orientation et une vue splendide.

Les stations balnéaires
des ouvrages accomplis

CARTE P. 103
Office du tourisme : place de l'Europe, à Argelès-Plage.
☎ 04 68 81 15 85.
Quai Arthur-Rimbaud, à Saint-Cyprien. ☎ 04 68 21 01 33.

Le littoral roussillonnais a longtemps été desservi par un environnement hostile. Mais depuis le plan d'aménagement de 1963, les campagnes de travaux ont modifié le paysage pour créer de toutes pièces des stations balnéaires, comme Port-Leucate ou Port-Barcarès.

■ Argelès
Le village d'Argelès-sur-Mer a su garder son caractère traditionnel.
- Sa belle église gothique **Notre-Dame-del-Prat** avec ses retables en est un exemple vivant.
- Le **musée de la Casa des Albères** présente les activités artisanales traditionnelles, comme la fabrication des fouets, des bouchons de liège ou des espadrilles, produits typiques des environs.

4, place des Gastellans.

Ouvert du lundi au vendredi de 9 h à 12 h et de 15 h à 18 h, le samedi de 9 h à 12 h. Fermeture fin décembre. ☎ 04 68 81 42 74.

- À l'intérieur des terres, vers Sorède, une petite route permet de remonter les belles **gorges de Lavall**.
- Une randonnée pédestre mène à la **tour de la Massane** (XIIᵉ s.), qui offre un superbe point de vue.
- **Argelès-Plage**, à 2 km du village d'origine, marque le début de la côte sablonneuse. Bien boisée lors de sa création, la station est devenue une capitale du camping, accueillant jusqu'à 100 000 personnes l'été.

■ Saint-Cyprien
Le vieux village, à l'intérieur des terres, demeure encore cerné par les vignobles.
S'y trouve un intéressant musée de peinture, la **fondation Desnoyer**, un peintre qui venait ici en villégiature et qui a légué sa collection rassemblant des œuvres de Gauguin, Matisse, Cézanne, Braque, Picasso, Miró…
- Le **musée des Arts catalans** présente, quant à lui, une sélection de produits de l'artisanat régional.
- **Le littoral** bénéficie de la proximité des étangs, il est aménagé en lagunes accueillant les ports de plaisance. Une petite flotte de pêche assure une activité complémentaire au tourisme et ajoute une note pittoresque.

■ Canet-en-Roussillon
Dans le vieux village, l'**église Saint-Jacques** a conservé son clocher carré du XVIᵉ s., tandis que les ruines de l'ancien **château des vicomtes** témoignent de la richesse de

---

Réfrigération médiévale

L'utilisation du froid pour conserver les aliments ne remonte pas à l'invention du réfrigérateur. Dès le Moyen Âge, châteaux et villages possédaient leur puits à glace. En hiver, on le remplissait de neige tassée par l'ouverture du haut. On se servait en glace par celle du bas. Un des villageois était chargé par la communauté de le gérer et de vendre la glace, entre mai et septembre. Le même tarif s'appliquait pour tous. Si la neige manquait, on allait s'approvisionner dans les montagnes et l'on ramenait le chargement bien isolé dans des sacs portés par des mulets.

la communauté à l'époque médiévale. Le plus passionnant est sans doute le **puits à glace**, une sorte de cave à coupole, dont la maçonnerie de galets en épis et de brique date du XVIIᵉ s.

La station balnéaire possède quatre musées.

- Le **musée du Jouet** : plus de 3 500 pièces présentées dans un décor conçu par le peintre Vasarely.

Place de la Méditerranée.

Ouvert en juillet et août de 14 h à 20 h ; en décembre, avril, mai et juin, de 14 h à 18 h. ☎ 04 68 73 20 29.

- Le **musée de l'Auto** : une collection de véhicules anciens des marques les plus prestigieuses et des affiches publicitaires.

- Le **musée du Bateau**, couplé avec le précédent, s'intéresse au passé de la navigation, de l'ancienne Égypte aux porte-avions en passant par la barque catalane.

Parking des Balcons du Front de Mer. Entrée et caisse commune aux deux musées. ☎ 04 68 73 12 43.

- Enfin, plus tourné vers la nature, l'**Aquarium** dispose de quelque 300 espèces aquatiques venues de tous les océans. Les poissons d'eau douce sont à l'honneur, avec une section spécialement consacrée à ceux des rivières et étangs des environs.

▲ *L'église romane de Canet-en-Roussillon dont l'abside est surmontée d'une tour de défense se distingue par ses bandes lombardes et sa maçonnerie en épi.*

■ L'étang de Canet et de Saint-Nazaire

C'est une zone naturelle protégée. On y recense anguilles, loups, soles et crevettes qui s'y fraient un chemin par le grau. Le sentier de découverte est un bon site d'**observation des oiseaux** (canards sauvages, flamants roses, plus de 200 espèces), des insectes et de la flore (plus de 700 variétés). Pour garder la mémoire des **cabanes de pêcheurs** traditionnelles en roseau, on a reconstruit un petit hameau sur les bords de l'étang. Imperméables, basses et arrondies pour résister au vent, ces cabanes pouvaient durer 20 ans.

■ Port-Barcarès et Port-Leucate

En matière d'aménagement touristique, ces stations sont exemplaires. La géographie, un étang relié à la mer par des graus, a permis de tirer parti de l'eau pour réaliser des **cités lacustres**. D'un côté, les plages de sable interminables, de l'autre, un réseau complexe de marinas, de quais et de quartiers urbains. Les plantations de tamaris, pins et lauriers habillent ces nouveaux villages. Ces deux stations se sont tournées vers les sports nautiques, avec un nombre important d'anneaux et de clubs de voile.

- Le **Port-Saint-Ange**, à Port-Barcarès héberge encore quelques chalutiers et rappelle que le Barcarès était un refuge pour les marins contre les tempêtes.

- Sur la plage, la silhouette inattendue du **paquebot Lydia** est devenue l'un des symboles de la station. Échoué délibérément en 1967, il abrite un casino et une discothèque.

▲ *La station de Saint-Cyprien a su bien jouer de la carte touristique. Outre son permis de 27 ha pouvant accueillir 2 200 bateaux et son programme de 10 000 logements achevés, la cité balnéaire mise aujourd'hui sur une gamme très étendue d'activités sportives : un golf, un centre de sports de mer, un club de plongée, un centre équestre et le complexe du Grand Stade (cours de tennis et terrains de football).*

Collioure et la côte Vermeille
au pied des Pyrénées

CARTE P. 129
Office du tourisme :
place du 18-Juin.
☎ 04 68 82 15 47.

Collioure et les villages qui l'entourent marquent la rencontre des Pyrénées avec la Méditerranée. Le nom de cette côte vient de la couleur rouge que prend le paysage schisteux sous certaines lumières. Après les artistes au début du siècle, ce sont désormais les touristes qui découvrent Collioure. À quelques encablures, Port-Vendres connaît un essor commercial tangible, lié aux activité du vin et de la mer.

À Collioure se déroulent des processions religieuses colorées, notamment celle de la confrérie des Pénitents qui a lieu le soir du Vendredi saint.

La visite du château royal nous fait découvrir les salles principales, la prison, la chapelle, les remparts de cet édifice qui a subi de nombreuses transformations depuis le Moyen Âge. Dans l'ancien château, l'hostellerie des Templiers renferme un musée de peintures modernes, des toiles offertes par des artistes ayant séjourné à Collioure.

▲ *Les retables de l'église Notre-Dame-des-Anges, dédiés à Notre-Dame-de-l'Assomption, au Christ et au Saint Sacrement, sont attribués à Joseph Sunyer qui les aurait exécutés en 1699. Ceux de saint Vincent (1714), de saint Eloi (1716) et de sainte Lucie (1718) sont l'œuvre de Lois Baixas.*

■ Collioure

La petite ville pourrait presque se contenter de son charme coloré fait de petites plages, de façades pastel, de falaises escarpées et de ruelles tortueuses. Mais ne manquez pas la visite de ses édifices exceptionnels.

- **Le château royal** est l'une des ambitieuses constructions entreprises par le premier roi de Majorque pour asseoir son nouvel État. Construit dans les années 1300, il servait de résidence d'été aux souverains, qui y logèrent ensuite les Templiers. Lorsque le roi d'Aragon reprend la région, il intègre le château dans une vaste enceinte défensive. Au XVIIe s., Vauban lui donne l'allure de citadelle qu'il a conservée depuis.

Ouvert de 10 h à 17 h 15 en été, de 9 h à 16 h 15 hors saison.
☎ **04 68 82 06 43.**

- **L'église Notre-Dame-des-Anges** est le symbole de la ville, avec l'**ancien phare rond** coiffé d'une coupole qui lui sert de clocher. S'avançant au milieu de la baie, elle fut construite au XVIIe s. En plus de son charme extérieur, elle recèle des trésors inestimables. Le contraste est total entre la sobriété de la construction et la splendeur du mobilier. **Neuf retables** des XVIIe et XVIIIe s. témoignent de l'art baroque catalan. Le plus beau et le plus imposant est celui du maître-autel, dédié à Notre-Dame-de-l'Assomption, foisonnement de sculptures et de dorures. **Le trésor de l'église,** exposé dans la sacristie, rassemble des reliquaires, croix de procession, ustensiles sacrés, chasubles…

- **Le môle** derrière l'église mène à l'**îlot Saint**-Vincent et sa chapelle. Un chemin côtier permet de rejoindre la plage du Racou.

- **Le quartier du Mouré**, entre l'église et le château, est sillonné de ruelles étroites pavées de galets, à l'atmosphère toute espagnole. La rue Miradou monte au fort du même nom. Plusieurs fois par semaine en saison, les places du village s'animent en rondes de sardanes.

- **Le chemin du Fauvisme** est une jolie promenade culturelle balisée à travers le village.

Pour une visite guidée, contacter l'association Chemin du Fauvisme. ☎ 04 68 98 07 16.

◄ *Vingt reproductions de tableaux exécutés par Matisse et Derain ponctuent les sites qui ont inspiré les deux artistes sur le chemin du Fauvisme.*

■ Port-Vendres

Au sud de Collioure, la route côtière débouche sur les quais de Port-Vendres.

Du temps des Romains, la ville s'appelait Portus Veneris, en raison de son temple dédié à Vénus. Grande concurrente de Collioure, développée au XVIIe s. par l'inévitable Vauban, elle dégage un charme incontestable, imprégné d'influence espagnole, à l'image de son **église rose**.
- Son **port de pêche** très actif, les filets multicolores qui sèchent sur les rambardes et quelques navires en partance lui donnent une véritable authenticité.
- Entre Port-Vendres et Banyuls, la route passe ensuite le **cap Béar** et son sémaphore. Les sentiers de douaniers longent la côte.

■ Banyuls-sur-Mer

Charmant village en escalier, doté d'un port de plaisance, il est la patrie d'un vin doux naturel, le banyuls. Son terroir s'étend en fait sur trois autres communes (Collioure, Port-Vendres et Cerbère). Le procédé de vinification remonte aux Templiers. Le vignoble modèle ici un paysage à part : les collines abruptes s'étagent en multiples terrasses où des murettes de schiste retiennent la terre.
- Pour faire connaissance avec le banyuls, vous pouvez visiter **la Grande Cave** (à 2 km sur la D 86) ou **la cave du Mas Reig** pour ses belles voûtes du XIIIe s. Le berceau du breuvage est le joli village de **Puig-del-Mas**, au sud-ouest de la ville.
- Passé ce hameau, rendez-vous au **mas Maillol**, dernière retraite du sculpteur né à Banyuls en 1861. Il abrite un musée dédié à l'artiste : sculptures, dessins, peintures et céramiques.

Ouvert tous les jours de 9 h à 12 h et de 14 h à 17 h.

- Panoramas superbes sur les rochers découpés depuis le sentier de douanier qui longe la côte entre Banyuls et Cerbère. Par la route, les points de vue sont splendides, comme au **cap l'Abeille** ou au **cap Rederis** : terre violacée et schisteuse, vignobles dévalant les pentes et mer bleu vif.

◄ *Malheureusement défigurée par des installations militaires, la plage de Port-Vendres était à l'origine consacrée à la gloire de Louis XVI, comme en témoigne l'obélisque de marbre rose haut de 30 m couronné par un globe fleurdelisé.*

Des fauves à Collioure
le dynamitage des couleurs

L e mouvement fauve, né en 1905, ne durera que deux ans. Durant cette courte période, un groupe d'artistes novateurs va s'attacher à utiliser la couleur différemment. Tous poursuivront ensuite des carrières très différentes, mais le temps de deux étés, ils s'uniront dans un élan violent et provocateur. Matisse est considéré comme leur chef de file.

▶ *Henri Matisse,* Collioure, *1906. Saint-Pétersbourg, musée de l'Ermitage.*
▶▶ *Henri Matisse,* Intérieur à Collioure, *1905. Zurich, collection particulière.*

■ Été 1905

En 1905, Matisse, qui a étudié la peinture académique aux Beaux-Arts, dans l'atelier de Gustave Moreau, est à la recherche d'un renouveau personnel. Le pointillisme de Signac qu'il a essayé pendant un temps lui paraît trop mécanique. Collioure lui offre la solitude dont il a besoin pour trouver une voie différente. À ce moment-là, le village n'est qu'un petit port animé, où dansent des barques colorées et où vivent des pêcheurs. Il découvre Collioure, le coup de foudre est immédiat. Matisse s'installe à l'hôtel de la Gare et demande à son ami Derain de venir. Plus tard, Matisse loue une maison, près de l'église. La terrasse à balustrade se retrouvera dans ses tableaux, lorsqu'il commencera à peindre des fenêtres ouvertes sur la vue. Les deux artistes sont fascinés par les ombres et les lumières, les couleurs et les contrastes. Ils multiplient les paysages et les portraits. Derain parle de « l'épreuve du feu » et du « dynamitage des couleurs ». Chacun à sa façon travaille comme un forcené sur la couleur et les moyens de traduire l'éblouissement du paysage. De ce séjour à Collioure, Derain rapportera une trentaine de tableaux, des dessins, des aquarelles, Matisse en produira une quinzaine. Autour des deux amis, plusieurs autres peintres exposent des travaux dans la même veine, dont Marquet et Camoin. La critique accueille très mal cette débauche de couleurs violentes, cette réalité déformée, cette absence de perspective. Les quolibets ne manquent pas : « laideur hurlante », « sauvagerie », « insulte au bon goût »…

■ Le choc des couleurs

Dans leur volonté de rendre les contrastes et la violence des lumières, ils se débarrassent vite des contraintes du dessin et appliquent la couleur directement sur la toile : si les sujets restent figuratifs, ils sont considérablement simplifiés et les perspectives ne sont plus respectées. La profondeur du paysage et les volumes sont rendus par des juxtapositions de plages colorées. La touche de peinture évolue aussi. Chez Derain, comme on le constate dans ses *Bateaux dans le port de Collioure*, la touche, tantôt courbe, tantôt droite, reste divisée, mais elle a plus de force et de spontanéité que chez les pointillistes et elle s'élargit, devenant indisciplinée. Par la suite, il se rapprochera des larges aplats colorés et des compositions rythmées prisés par Gauguin. Matisse s'attache quant à lui à simplifier les formes, une tentative où l'on sent aussi l'influence du travail « synthétiste » de Gauguin. Il adopte des lignes courbes et des contours sinueux. Comme Derain, il n'hésite pas à laisser apparaître le support de toile, comme pour mieux mettre en valeur la touche. Les couleurs lui servent à organiser la construction du tableau.

■ Beauté ou laideur ?

En fait, il se libère de plus en plus de la réalité : c'est ce qui choque le public, car contrairement aux autres fauves, il est un peintre établi et respecté. Ne craignant plus les déformations, il utilise la couleur pure, telle quelle, méprisant ce qu'il voit : « quand je mets un vert, ça ne veut pas dire de l'herbe, quand je mets un bleu, ça ne veut pas dire du ciel » explique-t-il. La peinture devient un moyen d'exprimer sa vision intérieure et sa passion. La fidélité au sujet perd son importance. Matisse se rapproche alors des peintres primitifs et des arts africains. Il veut retrouver la spontanéité voyante et sommaire des dessins d'enfant. C'en est fini des harmonies douces et des demi-teintes utilisées par les écoles précédentes. Lorsqu'il réalisera des portraits ou des nus, il en résultera une peinture violente et sensuelle qui épouvantera la critique. Sa *Femme au chapeau* peinte au retour de Collioure ou sa *Gitane* exécutée l'année suivante, avec leur peau verte et leur chair rendues par lourdes touches épaisses, donnent une impression presque tactile et déconcertent les observateurs qui n'y voient que laideur et folie. Braque, qui passe par le Roussillon lui aussi, rejoint la tendance fauve en 1906. Sa touche énergique devient plus bigarrée et il adopte le même procédé de réserve qui met les plans en valeur.

▲ *André Derain*, Bateaux dans le port de Collioure, *1905. Berne, collection particulière.*

Comprendre • Des fauves à Collioure

Les Albères

La route des crêtes : quittez Banyuls par la route de montagne D 86 qui passe la cave des Templiers et le Mas Reig et serpente dans un paysage de garrigues.

L e massif des Albères s'étend entre le littoral et le massif du Canigou. Composé de terrasses dominant la Méditerranée, de garrigues et de vallées ensoleillées, c'est une terre parsemée de chapelles romanes et de villages pittoresques nichés au creux des vallées. À l'intérieur des terres, les gorges alternent avec les forêts de châtaigniers alors que, vers la mer, les pentes se couvrent de vignobles.

▲ *À Sorède, les micocouliers peuvent atteindre 25 m de haut.*

Les fouets de micocoulier

La spécialité du village de Sorède, au sud de Saint-André, fut pendant plus d'un siècle la fabrication de fouets dits de Perpignan et de cravaches en bois de micocoulier. Le micocoulier est un arbre de la famille de l'orme, aux fibres souples et résistantes. On débite les troncs en barres de 10 à 15 cm de diamètre, que l'on sèche à l'air pendant au moins un an. Les bois sont alors dégrossis et façonnés en une fine corde. Pour torsader le bois, on le passe à l'étuve ; il devient alors imputrescible. Ce savoir-faire est repris par un atelier d'artisans handicapés ; sa visite est passionnante.

■ Saint-André-de-Sorède

À 3 km à l'ouest d'Argelès-sur-Mer.

La porte est difficile à ouvrir : lever le loquet à fond vers la gauche.

Élevée du Xᵉ au XIIᵉ s., **l'église romane Saint-André** fut consacrée en 1821. Le long des murs et sur la façade, on distingue une nette différence avec la maçonnerie antérieure, moins régulière. Remarquez surtout le **linteau** au-dessus du portail, représentant le Christ entre les apôtres : exécuté vers 1020 ou 1030, il est un rare exemple des premières sculptures romanes, encore influencées par l'art de l'enluminure.
- À l'intérieur, la **table d'autel à lobes** est tout aussi rare, de même que le bénitier supporté par un chapiteau romain et l'**apôtre dansant** encastré dans le mur sud.

■ Saint-Génis-des-Fontaines

À 7 km à l'ouest d'Argelès, sur la D 618.

Ce village doit sa célébrité à **l'église romane Saint-Michel**, consacrée en 1153. L'élément le plus intéressant est le **linteau** de marbre qui surmonte le portail. Un peu antérieur à celui de Saint-André (1019-1020), il est la plus ancienne sculpture romane de France et relève du même style. Le thème est identique, mais la technique se rapproche ici de la gravure. À l'origine, Saint-Génis était une abbaye et possédait un **cloître** qui fut démantelé, vendu et dispersé. Aujourd'hui restauré à l'identique, il est composé de marbres de différentes couleurs.

Rue Georges-Clemenceau.

Du 1ᵉʳ octobre au 31 mai, ouvert tous les jours de 9 h 30 à 12 h et de 14 h à 17 h ; du 1ᵉʳ juin au 30 septembre, ouvert du lundi au vendredi de 10 h à 12 h et de 15 h à 19 h ; le wek-end à partir de 9 h. ☎ 04 68 89 84 33.

■ Saint-Martin-de-Fenollar

À 2 km du Boulou vers le Perthus.

Cette modeste chapelle du XIIᵉ s. mérite une visite pour

ses superbes **peintures murales romanes**. Le style vigoureux, la vivacité des couleurs rappellent l'enluminure, sur les thèmes de l'Annonciation, la Nativité, l'Adoration des mages, les vieillards de l'Apocalypse, le Christ en majesté… La voûte a remplacé la charpente d'origine au XIIe s., époque à laquelle les fresques ont été exécutées.

■ La Cluse-Haute

Après Saint-Martin-de-Fenollar, la route longe les pentes couvertes de chênes-lièges.

La petite église préromane (Xe ou XIe s.), près des ruines du château, contient des **fresques** du même style que celles de Saint-Martin-de-Fenollar, probablement du même artiste.

■ Le Perthus

Poste frontière sans grand intérêt, Le Perthus garde de l'histoire un bel ensemble de fortifications militaires, dont le **fort de Bellegarde**, reconstruit en 1679 par Vauban. Perché sur un promontoire, on y accède par un pont-levis. De la terrasse, vue sur le Canigou et le défilé des Cluses.

Ouvert du 1er juin au 30 septembre de 10 h 30 à 12 h 30 et de 14 h 30 à 18 h 30. ☎ 04 68 83 60 15.

◀ *Il y a deux Albères : l'un est la région des vallées ouvertes vers la mer, accessible depuis la côte ; l'autre est celle des vallées orientées vers la plaine et qu'on atteint à partir des localités de piémont.*

Les Cluses vient du latin *clausurae* qui désignait les forteresses bordant la frontière de l'Empire romain. Au fond du ravin, se faufilait la via Domitia gardée par une porte fortifiée qui la barrait et où étaient perçues les taxes aux péages.

Après 6 km sur la D 86, un chemin sur la gauche rejoint (30 mn à pied) la tour Madeloc. Datée du XIVe s., elle fait partie d'un système de signalisation au moyen de feux ou de fumée qui permettait de prévenir d'éventuels dangers. Du sommet, on voit tout le littoral ainsi que la chaîne des Albères.

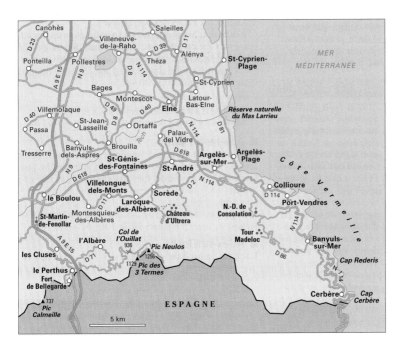

Céret et le Vallespir
traditions catalanes

CARTE P. 103
Office du tourisme :
1, avenue Clemenceau.
☎ 04 68 87 00 56.

Vallée du Tech, le Vallespir occupe le versant sud du massif du Canigou. Climat montagnard en altitude, doux et ensoleillé au bas des pentes, parcouru de torrents et de sentiers accidentés, c'est surtout un pays de vieilles traditions catalanes.

---

bonne adresse

Restaurant *La Terrasse au soleil*, route de Fontfrède. ☎ 04 68 87 01 94. Une cuisine ensoleillée par les produits de la région : supions poêlés, poivrons farcis, petits artichauts violets…

▲ *Le festival de sardane, cette authentique danse catalane, se tient à Céret le dernier dimanche du mois d'août.*

La fête de l'ours

Arles et Prats gardent la tradition d'une célébration qui remonterait à la préhistoire, la fête de l'ours. Courant dans les Pyrénées, l'animal était jadis redouté. La fête se tient fin février et serait une survivance de rites païens en l'honneur du retour de la lumière. On capturait un ours dans une battue et on l'exhibait dans le village avant de le raser, au milieu des danses et des chants. Aujourd'hui, le rôle de l'ours est tenu par un homme déguisé et la fête précède les journées du Carnaval.

■ Céret

Capitale du Vallespir, Céret est l'un des foyers de la culture catalane, elle dégage une atmosphère toute méridionale, avec ses places ombragées, ses sardanes et ses corridas. Adossée aux derniers contreforts des Pyrénées, elle commande une vallée fertile ; chêne-liège et cerises sont ses deux richesses.

- En arrivant de Perpignan, le **pont du Diable** surprend avec son arche unique de 45 m d'ouverture et son profil en dos d'âne. Le **Boulevard**, à l'ombre des platanes, longe les anciens **remparts** de la cité et passe les **portes de France et d'Espagne**. Par la porte de France, on pénètre dans la vieille ville, lacis de ruelles étroites et pittoresques.

- À côté de la place des Neuf-Jets, l'**église Saint-Pierre** recèle de beaux retables. Celui du maître-autel est du XIXᵉ siècle, les autres des XVIIᵉ et XVIIIᵉ s.

- Le **musée d'Art moderne** est installé dans un ancien couvent. Créé en 1950 par Pierre Brune, peintre installé à Céret, il rassemble une riche collection d'œuvres d'artistes ayant travaillé dans la région : Picasso, Braque, Juan Gris, Herbin (p. 132-133).

8, boulevard du Maréchal-Joffre.

Ouvert du 15 juin au 15 septembre de 10 h à 19 h ou 18 h hors saison. Fermé le mardi de novembre à avril. ☎ 04 68 87 27 76.

■ Amélie-les-Bains

Les **sources thermales** d'Amélie-les-Bains ont traversé les âges : préhistoire, époque romaine, Restauration puis Empire. Quinze sources thermales fournissent une eau sulfurée sodique conseillée pour les rhumatismes et les affections respiratoires.

- Les **gorges du Mondony**, au sud de la station, se visitent en suivant une passerelle le long du défilé.

■ Arles-sur-Tech

L'**abbaye Sainte-Marie**, consacrée en 1046, était renommée au Moyen Âge. Remaniée au XIIᵉ s., elle conserve de l'époque préromane son entrée à l'est, contrairement à la disposition adoptée par la suite. Le tympan du portail porte une croix grecque ornée d'un Christ en majesté, entouré dans les quatre branches par les quatre évangélistes. Il est surmonté d'une élégante fenêtre sculptée et d'arcatures lombardes. À l'intérieur de l'église, le retable baroque de droite (1646) est dédié aux patrons d'Arles, Abdon et Sennen, deux saints kurdes invoqués contre les grandes catastrophes. Les bustes reliquaires en argent datent de 1425 et 1440. Sur le mur, la *rodella* est un disque de cire offert en ex-voto et porté en procession.

Ouvert tous les jours de 9 h à 12 h et de 15 h à 18 h (19 h en été). ☏ 04 68 39 11 99.

■ Prats-de-Mollo

Jolie ville de montagne, fortifiée par Vauban, elle tirait sa richesse du tissage et de l'industrie des forges.
- Encore entourée de remparts gardés par des portes massives, la **vieille ville**, avec ses ruelles pavées de galets, est dominée par l'**église** (XVIIᵉ s.). De la période romane, il ne reste que le clocher crénelé et les ferrures de la porte. À l'intérieur, vous noterez les **retables baroques**, surtout celui du maître-autel qui est monumental (1683).
- Contournez l'église pour monter au **fort Lagarde**, bâti par Vauban. En contrebas, remarquez la belle architecture du **toit en étoile** de l'église et ses contreforts.

Ouvert d'avril à octobre, de 14 h à 18 h sauf le mardi ; de juin à septembre, visite commentée et visite-spectacle.

- Sur la route du col d'Arès, au sud, faites un détour par l'ermitage **Notre-Dame-du-Coral**. La légende veut qu'une statue, cachée lors des invasions arabes, ait été miraculeusement retrouvée par un berger. Notez un beau **Christ en majesté** du XIᵉ s., des **retables** et une reproduction de la statue. Par les côtés de l'autel, on accède à une petite **chambre de la Vierge** où l'on venait faire ses demandes ou apporter ses remerciements.

■ Les gorges de la Fou

À droite depuis la route de Prats-de-Mollo.

Cet étroit défilé offre une promenade spectaculaire entre des parois verticales de 150 m de haut, proches parfois d'1 m seulement (les plus étroites du monde). La visite se fait par une passerelle permettant de voir des chutes d'eau et une végétation luxuriante.

Ouvertes de début avril à fin octobre, de 9 h à 18 h ou 17 h hors saison. Fermées les jours d'orages violents. ☏ 04 68 39 16 21.

■ Saint-Laurent-de-Cerdans

Au sud de la route de Prats-de-Mollo.

C'est la patrie des tissages catalans et de l'espadrille. La plus courante est la *vigatane*, à semelle de corde et lacets montant sur le mollet. Le **musée de l'Espadrille** explique sa fabrication.

Ouvert de mai à septembre, de 10 h à 12 h et de 15 h à 18 h (jusqu'à 19 h en juillet et août). Fermé le mardi (sauf en juillet et août). Fermé le week-end également d'octobre à avril. ☏ 04 68 39 50 06.

▲ *Le liège, dense et moelleux, récolté sur les chênes du même nom, fait de Céret la capitale du bouchon. Autre particularité : les cerises de la région sont souvent tellement précoces que l'on en accroche aux oreilles du Christ lors de la procession de Pâques, en avril.*

▲ *Prats-de-Mollo illustre parfaitement une profonde culture catalane encore vivace : deux pèlerinages avec messe célébrée en catalan et sardanes y ont lieu dans l'année : le lundi de Pentecôte (en mai) et le 16 août.*

▲ *Le cloître de l'abbaye Sainte-Marie, finement exécuté entre 1262 et 1303, est le premier cloître gothique du Roussillon. Au cœur de son jardin, la grande croix en fer forgé forme une cage dans laquelle une boule de fer peut rouler.*

Le cubisme à Céret

▶ *Auguste Herbin,*
Paysage de Céret, *1913.*
Musée d'Art moderne de la
Ville de Paris.

Le sculpteur catalan Manolo fut le premier, avec deux de ses amis Georges Braque et Pablo Picasso, à découvrir Céret, en 1910. Peu après, Juan Gris les rejoint. Déjà, Maillol vit à Banyuls, Matisse vient régulièrement à Collioure et les collectionneurs d'art fréquentent les environs. Ce premier séjour allait attirer d'autres artistes dans la petite ville et en faire un foyer de recherche artistique, comme Collioure l'avait été cinq ans plus tôt pour les fauves. La vie n'est pas chère, le décor est pittoresque avec le Canigou en toile de fond, et les terrasses des cafés comme source d'inspiration. Céret devient vite le rendez-vous de toute une génération de peintres, la « Mecque du cubisme ». Par la suite, d'autres vagues d'artistes y séjournèrent (Chagall, Soutine, Masson, Tàpies, Miró…), la consacrant comme pôle de création artistique.

■ Naissance du cubisme

Le cubisme est une évolution qui s'annonce dans la représentation très tôt chez certains peintres. Cézanne, élabore déjà les formes d'une façon méthodique et disciplinée qui va vers une simplification. Cette recherche de la construction épurée mène peu à peu vers des formes géométriques. Dès 1907, les *Demoiselles d'Avignon*, de Picasso, marquent le départ de cette nouvelle orientation. Le cerne s'affirme et modèle la forme. Le tableau est construit comme une juxtaposition et une interpénétration de facettes planes. La couleur s'efface au profit du trait, puis les compositions deviennent presque monochromes. En 1908, le critique Vauxcelles écrit de Braque qu'« il réduit tout à des schémas géométriques, à des cubes ».

■ L'alchimie cubiste

Durant la période qui suit, Picasso et Braque abordent ce que l'on appelle le cubisme « analytique » (la vision est décomposée par la multiplication des points de vue en un réseau de figures géométriques) ou « hermétique » (extrême fragmentation du sujet). Chaque facette semble contenir une autonomie et une luminosité propre, comme si les objets étaient éclatés. La réalité ainsi perçue est déconstruite et les éléments sont dispersés sur l'ensemble de la toile. Les références au sujet sont peu nombreuses et laissent une grande part à l'interprétation. Les deux artistes se concentrent sur les figures et les natures mortes. Puis c'est l'apparition des chiffres et des fragments de mots au pochoir, des zones de faux bois en trompe l'œil et, à partir de 1912, l'irruption des papiers collés, billets de corrida, morceaux de journaux, partitions de musique…

■ La place de Céret

Pourquoi Céret ? Au début du siècle, c'est une ville catalane. Le sculpteur catalan Manolo s'y sent chez lui et s'y installe. Quand Picasso le rejoint, il est aussi touché par l'atmosphère méridionale, l'architecture méditerranéenne, haute et resserrée, les couleurs de pierre et de poussière, ocres et bruns qui vont marquer le cubisme de cette période. On retrouve d'ailleurs les verticales de l'architecture dans les travaux de Picasso et de Braque à Céret. Tous deux travaillent en étroite symbiose et puisent dans leur environnement. De nombreux objets ou figures de la vie catalane seront retranscrits dans les tableaux : coiffes des femmes, éventail, instruments de musique, bouteilles aux tables des cafés, fêtes locales et surtout des éléments architecturaux, comme les ponts et les pignons des maisons. D'autres peintres rejoignent le « couple » : Juan Gris, Auguste Herbin, Max Jacob…

▲ *Musée d'Art moderne de Céret, 8, boulevard du Maréchal-Joffre. ☎ 04 68 87 27 76. Ouvert de 10 h à 19 h du 15 juin au 15 septembre, jusqu'à 18 h hors saison. Fermé le mardi de novembre à avril.*

■ Artistes et artisans

Dans cette petite ville à la tradition typique tournée vers le textile, l'espadrille et le liège, subsistent un rythme de vie quasi rural et une forte tradition catalane de fêtes et de corridas ; le choc est assuré lorsque la petite bande d'artistes débarque dans le bourg. Les nouveaux venus vivent très différemment : ils travaillent la nuit, passent de longues heures à refaire le monde à la terrasse des cafés, dissertent à perte de vue sur des considérations artistiques parfaitement abstraites. Pourtant, ils s'intègrent bien à la communauté, grâce à la jovialité de Manolo et aux origines espagnoles de Picasso et de Juan Gris. Auguste Herbin séjourne à Céret en 1913, puis en 1919 et 1923. Il laisse de son passage des toiles géométriques et colorées, dont un *Paysage de Céret*, exposé au musée. La guerre interrompt ce foisonnement.

Le Fenouillèdes

CARTE P. 103

C ette dépression allongée entre les Pyrénées et les Corbières se compose essentiellement du bassin de l'Agly, un petit fleuve côtier long de 80 km. C'est une terre contrastée, de vignobles et de vallées verdoyantes, de plateaux désertiques et de forêts épaisses.

---

bonne adresse

Les Croquants à l'Ancienne, 51, avenue Jean-Moulin à Saint-Paul-de-Fenouillet. ☎ 04 68 59 10 91. Les pèlerins emportaient ces petits gâteaux secs dans leur besace. On en trouvait tout au long des chemins de Saint-Jacques. Ici, ils sont aromatisés aux amandes de Tautavel.

■ Tautavel

La notoriété de ce paisible village viticole vient de la découverte faite en 1971 dans la **caune de l'Arago**, une grotte des environs : un crâne humain vieux de 450 000 ans. C'était à l'époque le plus vieil Européen que l'on ait découvert (on en a, depuis, trouvé un plus ancien, en Espagne). La falaise où l'on a fait cette découverte (au nord du village vers Vingrau) est percée de nombreuses grottes qui ont livré une foule de renseignements sur ce lointain ancêtre. On sait, par exemple, qu'il était anthropophage et qu'il utilisait des galets en guise d'outils. - Toutes les données recueillies sont réunies au **musée de la Préhistoire**. On y décrit les techniques de fouilles, les méthodes d'analyses des résultats et l'on y explique très bien le déroulement de l'histoire de l'humanité. L'homme de Tautavel est reconstitué grandeur nature, on le rencontre dans ses activités quotidiennes.

Route Vingrau.

> **Ouvert tous les jours, de janvier à mars de 10 h à 12 h 30 et de 14 h à 18 h; d'avril à juin de 10 h à 19 h; en juillet et août, de 9 h à 21 h; en septembre de 10 h à 19 h; d'octobre à décembre de 10 h à 12 h 30 et de 14 h à 18 h. ☎ 04 68 29 07 76. Visite de la grotte de juin à fin août.**

■ Maury

Moins connu du grand public que ses voisins de Rivesaltes ou de Banyuls, le **vin de Maury** appartient à la catégorie des vins doux naturels. L'exploitation du vignoble y est un modèle d'intelligence et d'efficacité et la totalité de la récolte est vinifiée dans le village. - Dans le village, prenez la route du Grau de Maury, vers le nord, en direction de Peyrepertuse et de la route cathare. Elle aborde le Grau, haute falaise grise spectaculaire, et s'élève au-dessus du vignoble offrant une belle vue du terroir et, au sommet, des premières citadelles cathares sur le versant nord.

▲ *Les vins de Maury, dont l'appellation VDN (vins doux naturels) s'étend sur certaines parcelles des communes limitrophes, comptent parmi les vins les plus célèbres de cette catégorie.*

■ Saint-Paul-de-Fenouillet

À 8 km à l'ouest de Maury.

Cette petite ville est la capitale du Fenouillèdes. Sans caractère particulier, malgré le joli **clocher du Chapitre** en forme de lanternon, elle permet de faire étape et de goûter les gourmandises locales, vin doux ou **biscottin**, un croquant traditionnel aux amandes et aux pignons. C'est surtout le point de départ vers les gorges de Galamus, au nord.

■ Les gorges de Galamus

Attention, la route, très étroite, est encombrée en saison. Préférez venir tôt le matin et laissez votre voiture à l'entrée des gorges.

Cette excursion est l'une des plus impressionnantes du Roussillon. Ces gorges sont creusées dans la falaise calcaire par l'Agly. On aperçoit, accroché à flanc de falaise, juste à l'entrée de la gorge, **l'ermitage de Saint-Antoine**, occupé par des moines solitaires depuis le VIIIe s. On y accède par un escalier souterrain qui part avant le tunnel. La route serpente au creux de la falaise, suspendue au-dessus d'une gorge vertigineuse. Au fond, au milieu d'un chaos de roches grises et blanches, on distingue l'eau verte de la rivière.

▲ *L'ermitage de Saint-Antoine se niche dans le flanc des rochers à proximité des gorges de Galamus. À côté de cette grotte-chapelle se trouve la tombe d'un ermite qui y séjourna de 1854 à 1870.*

■ Le haut pays

Petit village d'artisans d'art, **Caudiès-de-Fenouillèdes** ouvre la porte d'un pays plus verdoyant et moins fréquenté. La pittoresque vallée menant à Fenouillet permet de découvrir **l'oratoire Sainte-Anne** (XVIe s.), au bord de la route, **l'ermitage Notre-Dame-de-Laval**, une jolie église gothique entourée d'oliviers. Juste à côté, les vestiges d'un beau portail roman datent du Xe s.
- Un sentier de randonnée, marqué sentier d'Emilie et balisé en jaune, démarre après l'ermitage et conduit à Fenouillet par **les gorges de Saint-Jaume**. Après Fenouillet, suivez la direction de Prades. Vous passerez quelques beaux villages.
- Faites un détour vers **Ansignan**, pour son remarquable pont aqueduc romain, unique dans les environs. Prévoyez aussi un arrêt dans la **forêt de Boucheville**, plantée de pins, de sapins et de hêtres, bien aménagée pour les randonnées pédestres et qui offre une alternative rafraîchissante les jours de grande chaleur.
- Entre Sournia et Montalba, la route parcourt un vaste plateau semé de gros blocs de granit et planté de quelques vignes, composant un paysage grandiose. **Bélesta**, au nord-est de Montalba, possède un **château-musée de la Préhistoire**. La caune de Bélesta a en effet livré en 1983 un important gisement archéologique (notamment une tombe collective, des poteries, bijoux, outils…). Le musée est installé dans un château médiéval fortifié par Saint Louis.

Château-musée de la Préhistoire : ouvert en juillet et août de 10 h à 12 h 30 et de 14 h à 19 h ; le reste de l'année de 10 h à 12 h et de 14 h à 18 h. Fermé le mardi et parfois le matin en hiver. ☎ 04 68 84 55 55.

▷ Salses-le-Château

Une ville frontière

Ancienne porte de la Catalogne, au nord de Perpignan, la forteresse de Salses est un chef-d'œuvre de l'architecture militaire verrouillant la frontière avec l'Espagne. Elle dresse sa lourde silhouette rose au cœur d'un pays de vignobles. Son nom dérive du latin *Fontes Salsulae*, d'après les deux sources salées jaillissant dans les environs.

CARTE P. 103

Ouvert tous les jours en juillet et août, de 9 h 30 à 19 h; en juin et septembre de 9 h 30 à 18 h 30; en avril, mai et octobre de 9 h 30 à 12 h 30 et de 14 h à 18 h; de novembre à mars de 10 h à 12 h et de 14 h à 17 h. Fermé les 1er janvier, 1er mai, 1er et 11 novembre, et 25 décembre. Durée de la visite : 45 mn; départ toutes les 30 mn. Visite-conférence de deux heures pendant les vacances scolaires, du jeudi au dimanche, l'été à 14 h 30 et 16 h 30, l'hiver à 15 h 30. ☎ 04 68 38 60 13.

▼ *Cette forteresse, construite par Ferdinand le Catholique au xve s., se situe sur une ligne de front intense entre la France et l'Espagne durant deux siècles.*

■ Une forteresse stratégique

1492 : les royaumes d'Aragon et de Castille sont réunis, la puissance espagnole est une réalité. En 1493, un traité rend la province aux rois d'Espagne et Salses devient un village frontière, en première ligne avant Perpignan, mais les Français le mettent à sac en 1496. Ferdinand d'Aragon décide alors de la construction d'une forteresse massive, censée décourager toute tentative. L'année suivante, les travaux colossaux débutent. En 1503, la citadelle encore inachevée est défendue par 1350 Espagnols contre une attaque d'une armée de 20 000 Français. Après la visite de Charles Quint, en 1538, une nouvelle campagne de travaux complète la structure, si bien qu'il faudra trois sièges successifs à la France pour reprendre la place forte au xviie s.

■ Le déplacement de la frontière

Après le rattachement du Roussillon à la France, en 1659, la frontière est déplacée vers le sud et Salses perd de son importance : la citadelle ne présente plus d'intérêt stratégique. Elle sert de prison, de poudrière, de logement occasionnel. Avec le temps, plusieurs projets de destruction sont évoqués, heureusement abandonnés à chaque fois, à cause de l'ampleur du chantier nécessaire.

■ Une structure à toute épreuve

La visite est particulièrement intéressante car elle montre l'évolution des forteresses défensives à une période-charnière entre les citadelles médiévales et les forteresses modernes destinées à résister aux assauts de la nouvelle artillerie.
- Le corps principal de l'**enceinte** est rectangulaire (84 m sur 110 m), flanqué de tours cylindriques aux quatre coins. À l'est, au sud et au nord-ouest, trois autres tours sont détachées en avant de la muraille. L'ensemble est à demi enterré et entouré d'un fossé de 15 m de large et de 7 m de profondeur, équipé d'un système de circulation d'eau pour le vider ou au contraire l'inon-

der. Les tours détachées sont reliées au corps principal par des couloirs voûtés. L'entrée se trouve au sud, du côté de l'Espagne, moins exposé, et flanquée de tourelles et de trois ponts-levis. Après avoir franchi le dernier pont, on devait encore passer quatre portes successives. Pour améliorer la résistance aux tout nouveaux boulets de fer, la muraille, haute de 15 m, est plus épaisse à la base (11 m). La position enterrée complète la protection du pied de la muraille contre les tirs rasants. Le parapet arrondi date, lui, des travaux de Vauban.

- Une fois franchies les nombreuses portes d'accès, on se retrouve dans la **cour intérieure** occupée par un puits central. De part et d'autre, tous les locaux nécessaires à la vie de la garnison sont réunis : belles écuries voûtées, logements et latrines collectives, chapelle, étable, laiterie, boulangerie, magasins et même un genre de buanderie avec un évier et une prise d'eau… Tout est prévu pour résister à des mois de siège. La citadelle devait accommoder 1 500 hommes et une centaine de chevaux. Le donjon se dresse sur 7 étages au milieu de la muraille ouest. Son aménagement est un passionnant modèle de modernité. Comme il est à la fois le poste de commandement et le logement du gouverneur, il bénéficie de tout le confort : latrines à tous les étages, chauffage, salle de bains avec étuve pour un sauna et eau chaude.

■ **Aux environs**
Les ruines de deux châteaux anciens sont encore visibles. L'un se trouve sur une butte rocheuse à une centaine de mètres au nord-est de la citadelle, l'autre, le **Castell Vell**, gardait la voie vers le nord, en direction d'Opoul.

- **Les fontaines salées** qui ont donné à Salses son nom sont des résurgences issues des derniers contreforts des Corbières. La plus impressionnante est la **font Estramar**, au nord-est du village. Elle semble jaillir du rocher et traverse l'étang. La seconde, la **font Dama** se trouve un peu plus au sud.

- **Sainte-Cécile-de-Garrius**, la petite chapelle au bord de l'étang, est de style roman archaïque (XIᵉ s.).

▼ *L'étang de Salses abrite de nombreuses activités liées à la mer : pêche, pisciculture, ostréiculture. Mais l'équilibre écologique de ce site, riche en espèces animales et végétales, est actuellement menacé.*

▲ *La pêche aux muges sur l'étang de Salses se pratique en creusant dans la terre des orifices pour accéder à des nappes d'eau salées où logent ces poissons.*

Pêcheries médiévales

L'étang de Salses est connu des pêcheurs de muges ou mulets depuis l'Antiquité, puisqu'un géographe grec du Iᵉʳ s. y fait déjà allusion. Au Moyen Âge, les pêcheries de la font Dama dépendaient de l'abbaye de Lagrasse. Elles se constituaient de trous circulaires d'un mètre de diamètre, creusés dans un terrain gorgé d'eau. On y attrapait le poisson à l'aide de harpons. Aujourd'hui, le site accueille la pisciculture de loups, truites et saumons.

Le Canigou, belvédère des Pyrénées

◀ *L'abbaye Saint-Michel-de-Cuxa.*

Montagne sacrée des Catalans, le Canigou est le plus beau lorsque l'on vient de Perpignan. Il dresse son cône enneigé au-dessus des vergers du Roussillon, entre le Vallespir, les Aspres et le Conflent. Difficile d'oublier cette silhouette massive que l'on aperçoit tout au long de la côte du golfe du Lion et au détour de chaque route de la plaine. Sillonné de profondes vallées, il est le plus oriental des massifs pyrénéens.

Visiter • Le Canigou, belvédère des Pyrénées

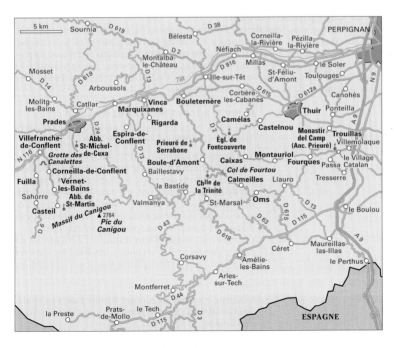

Le Canigou

CARTE P. 139

S ymbole de l'unité catalane de part et d'autre de la frontière espagnole, le Canigou est parfaitement visible à l'est de la plaine du
Roussillon, au sud du Conflent et au nord du Vallespir. Culminant à
2 784 m, il s'adosse à l'ouest à une chaîne de pics menant à la Cerdagne. Parcouru de multiples torrents et de vallées encaissées, il offre
une végétation riche et variée : quasi exotique du côté des Aspres,
mélange d'oliviers et de chênes-lièges près de Serrabone, sapins, hêtres
et bouleaux en gagnant de l'altitude, puis, au-dessus de 2 000 m, la
solitude infinie des alpages.

Une longue histoire

La chronique raconte que la première ascension du Canigou remonte à 1285. Pierre
III d'Aragon (le frère du premier roi de Majorque) serait l'auteur de cet exploit. Il tra-
versait en fait les Pyrénées avec ses soldats, durant la guerre que lui menait Philippe le
Hardi, roi de France. La légende veut qu'il ait eu à affronter les dragons d'un lac de
soufre. Beaucoup de contes catalans évoquent ainsi les créatures étranges qui peuplent la montagne sacrée, dragons ou fées. Elle reste en tout cas le théâtre de rites
ancestraux. Randonneurs et athlètes en tout genre ne résistent pas à ses attraits,
comme celui qui monta le premier à vélo au chalet des Cortalets (en 1901) ou le cou-
rageux gendarme qui atteint le sommet à cheval en 1907.

Le Canigou en voiture

Deux itinéraires sont possibles par la route, à partir de Vernet-les-Bains, un troisième
au départ de Prades. Dans les deux cas, la dernière partie de l'ascension se fait à pied
en 3 à 4 h aller-retour. Ceux qui ne peuvent pas marcher se consoleront avec les paysages splendides vus depuis la route. Mais attention, ne prévoyez pas de pratiquer ces
itinéraires en hiver, au printemps ou par temps de pluie, car les chemins d'accès, bien
que carrossables, ne sont que des pistes forestières.

■ Par Prades et les gorges du Llech

*À la sortie de Prades vers Perpignan, tournez à droite sur la D 24
en direction de Villerach et des gorges du Llech.*

La route passe d'abord au cœur des vergers.
- Après Villerach, elle se transforme en route forestière,
serpente en lacets au milieu des bois (elle croise un sentier de randonnée menant, à droite, à l'étonnante **chapelle Saint-Étienne**, près du village de Clara, restaurée
et peinte par un ermite orthodoxe). En contrebas, elle
dégage des points de vue superbes sur les gorges.
- Un premier refuge, **la Mouline**, à 1 183 m, permet un
arrêt pique-nique. Un second, à **Ras del Prat Cabrera**
(1 739 m), au cœur des pâturages, offre un panorama
magnifique sur le Roussillon et les Albères. Au nord, on
entrevoit l'échancrure des gorges de Galamus.
- La piste continue de monter ensuite jusqu'au **chalet
des Cortalets** (2 150 m), point de départ de l'ascension
du Canigou.

■ Par Vernet-les-Bains et Fillols

Quittez Vernet-les-Bains par la D 27, en direction de Fillols. Arrivé au col (842 m) tournez à droite sur le chemin forestier.

Caillouteuse et mal entretenue, cette route fut construite en 1899 et n'est praticable qu'en été, de préférence avec un 4 × 4. La route offre dans un grand virage une vue impressionnante de Prades et Saint-Michel-de-Cuxa.
- La partie la plus spectaculaire suit **l'Escala de l'Ours**, passe sous la voûte rocheuse et domine en corniche les **gorges du Taurinya**.
- Au Ras des Cortalets (2 055 m, jonction avec la route des gorges du Llech), prenez à droite pour rejoindre le **chalet des Cortalets**, d'où vous pouvez redescendre vers Prades.

■ Par Vernet-les-Bains et Mariailles

Quittez Vernet par la D 116, en direction de Saint-Martin-du-Canigou. Continuez jusqu'au col de Jou, puis suivez le chemin forestier vers le refuge de Mariailles, sur le GR 10.

Cette route alternative et plus longue permet surtout aux randonneurs de retrouver le GR 10 à l'ouest du massif et aux autres de passer par l'abbaye de Saint-Martin-du-Canigou. Les promeneurs peuvent le suivre jusqu'au **torrent du Cady** que le sentier franchit à gué.
- Au bord du torrent du Cady, la petite station thermale de Vernet-les-Bains est une oasis pleine de fraîcheur au cœur de l'été. Le vieux village est sillonné de ruelles pentues menant à **l'église Saint-Saturnin** (voir le beau Christ de l'abside). Vernet est aussi une station réputée chez les Anglais (Rudyard Kipling en tête) et conserve même une église anglicane.
- Une jolie promenade permet de remonter les **gorges Saint-Vincent** jusqu'à la cascade des Anglais.

▲ *Le massif du Canigou est l'un des plus beaux et des plus riches en paysages de la chaîne pyrénéenne. Relié à l'Espagne par le Pla Guilhem (2 302 m) et le Costa Bona (2 464 m), il est à lui seul un monde de rocs, de granit vert, d'alpages et de forêts où naissent une multitude de torrents.*

Les feux de la Saint-Jean

Chaque année, la veille de la Saint-Jean, on transporte une flamme entretenue toute l'année depuis le Castillet de Perpignan jusqu'au sommet du Canigou, où l'attend une délégation de Catalans espagnols. La coutume exige que la flamme reste allumée 24 h sur la montagne. Le soir du 24 juin, on donne le signal de la descente et au même moment on embrase tous les feux de joie de la campagne catalane. Ensuite, on fait la fête toute la nuit avant de partir, à l'aube cueillir les fleurs de la Saint-Jean. On en fait de petits bouquets en forme de croix, que l'on accroche aux portes pour protéger la maisonnée.

Le Canigou à pied

Les amateurs de grandes randonnées ne manqueront pas cette région, l'une des plus belles et des plus accessibles des Pyrénées, tout en étant très proche de la mer. Le massif du Canigou est à juste titre considéré comme le belvédère des Pyrénées, d'où l'on peut admirer l'un des plus beaux panoramas de la chaîne. Son ascension ne requiert pas de compétence particulière mais une bonne forme physique et surtout une prise en compte des conditions météorologiques. Le plein été peut être pénible à cause de la chaleur. La fin du printemps et le début de l'automne offrent des couleurs particulièrement attrayantes. Le GR 10 passe le long du Canigou. La carte IGN Randonnée pyrénéenne n° 10, au 1/50 000, quadrille le Canigou, le Vallespir et le Fenouillèdes.

■ Le pic du Canigou

L'ascension prend de 3 h à 4 h aller-retour et ne demande pas d'autre équipement que de bonnes chaussures, un coupe-vent, de l'eau et un en-cas calorique. Le départ se situe à l'ouest du chalet des Cortalets et emprunte d'abord le GR 10 (signalisation rouge et blanche). En plein été, le sentier est vraiment très fréquenté, n'y cherchez pas la solitude (un conseil : allez-y très tôt le matin, c'est plus tranquille et la lumière est très belle). On longe d'abord un étang, puis on monte sur le flanc du pic Joffre. À part quelques passages pénibles, notamment la dernière partie, raide et caillouteuse, l'ascension n'est pas difficile et offre des vues magnifiques. Le sommet, marqué d'une grande croix de fer forgé, est la récompense pour tous ces efforts : un panorama vraiment exceptionnel d'où vous repérerez tous les environs. À l'est, les sommets des Albères qui mènent à la Méditerranée, côté France et même côté Costa Brava. À l'ouest, la chaîne des pics pyrénéens, la Cerdagne et le pic Carlit. Au nord, la silhouette plus claire des montagnes calcaires des Corbières. Les ruines sont celles d'une cabane construite au XVIIIe s. par une équipe de scientifiques.

■ La traversée du massif par le GR 10

Comptez deux journées de 6 h chacune (sans compter l'ascension du Canigou) avec une nuit au chalet des Cortalets.

- Au départ du **col de Jou**, le GR 10 ne suit pas la route forestière, mais monte dans la forêt jusqu'au col de Créu. Là, il vire au sud pour rejoindre la piste de Mariailles que l'on suit environ 1/2 h avant de la quitter dans un virage en épingle à cheveux. Le sentier repart au sud dans la forêt, passe la **source de Font-Fréda**, puis la **crête du Cheval-Mort** avant de rejoindre l'abri de **Mariailles**.

- Ensuite, le GR 10 se rapproche du **torrent du Cady** qu'il franchit à gué. Un peu plus haut vous croisez un sentier qui mène au pic du Canigou. Le GR 10 se poursuit à travers des éboulis et atteint le **col de Ségalès**. Ignorez l'embranchement à gauche qui descend vers Saint-Martin-du-Canigou et continuez à flanc de massif jusqu'au **col de Jasse-d'en-Vernet**. Après la descente sous un chaos rocheux, vous arrivez au **refuge de Bona-Aygua**. Après le refuge, le GR 10 monte encore par un sentier en lacets et passe l'éperon du **pic Joffre**, à proximité d'une source canalisée.

À cet endroit, vous rencontrez le sentier qui relie le refuge des Cortalets au pic du Canigou. Redescendez-le vers le sud-est, puis le nord-est, jusqu'à un étang peu profond que vous contournez par le nord. De là vous aurez une belle vue sur le Canigou. Passez la nuit au **refuge des Cortalets** (2 150 m).

- Le second jour, quittez le refuge par l'arrière et descendez le sentier en lacets pour aller jusqu'au **Ras de Prats Cabrera** (c'est là que vous pouvez décider de bifurquer vers les gorges du Llech et Vinça). Suivez le GR 10 vers le sud-ouest, franchissez le **torrent de la Lentilla** puis un de ses affluents : le sentier est ici presque horizontal. Après 1 h 30, vous passez la **maison de l'Estagnole** et remontez vers le sud à travers la forêt. Vous gagnez ensuite les alpages et le **col de la Cirère** (1 731 m) d'où le sentier dévale vers les **mines de fer de Batère**, dernier vestige d'une ancienne industrie du fer florissante dans les Pyrénées catalanes. Le GR 10 suit ensuite le **chemin du Câble** (le câble d'évacuation qui permettait d'acheminer le minerai jusqu'à Arles) et atteint **Arles-sur-Tech** en 3 h C'est une portion facile et très agréable, car bien ombragée et offrant de belles vues sur la vallée du Tech.

Le fer des Pyrénées

La haute teneur en fer et en manganèse du massif du Canigou a été la cause de plusieurs catastrophes aériennes : la montagne agissait comme un aimant. L'exploitation du minerai est une spécialité catalane depuis des siècles. Dès le Moyen Âge, on traitait le minerai dans de nombreuses forges. Certains endroits, autour de Labastide et de Valmanya, ont gardé des traces de cette exploitation ancienne. Les ferronniers catalans étaient réputés pour leur savoir-faire que l'on voit partout dans la région, aux clochers, aux portails et aux balcons.

Les Aspres

CARTE P. 139
Syndicat d'initiative : rue Graffan
à Thuir. ☎ 04 68 53 45 86.

Cette petite région est constituée d'un demi-cercle de collines schisteuses entre le Conflent et le Vallespir. Limitée par la Têt au nord et le Tech au sud, les Aspres constituent les premiers contreforts du massif du Canigou, plantés de chênes-lièges, de vignes et de vergers, fleurant bon le thym, la lavande et le romarin. Au détour des routes sinueuses, c'est un semis de villages perchés, souvent massés autour d'une église romane ou d'un château médiéval.

■ Thuir

La petite capitale des Aspres est surtout connue pour son apéritif, le Byrrh, recette mise au point à la fin du XIXᵉ s. par un apothicaire catalan. Il s'agit de vin doux additionné de quinine, initialement conçu comme médicament. Les **caves Byrrh**, que l'on peut visiter, produisent nombre d'apéritifs (Cinzano, Ambassadeur, Dubonnet…). Le village a conservé son quartier médiéval.

6, boulevard Violet.

> **Ouvert tous les jours sauf le dimanche, en avril, mai, juin et septembre, de 9 h à 11 h 45 et de 14 h 30 à 17 h 45 ; en juillet et août, ouvert tous les jours de 10 h à 11 h 45 et de 14 h à 18 h 45 ; en octobre, tous les jours sauf le samedi, de 10 h à 11 h 45 et de 14 h à 18 h 45 ; de novembre à fin mars sur rendez-vous. Visite guidée de 45 mn. ☎ 04 68 53 05 42.**

- L'église mérite la visite pour la très rare **Vierge de la Victoire** (XIIᵉ s.) exécutée en plomb fondu au moule et habillée somptueusement. On ne compte que quatre statues similaires en France.
- À 8 km au sud de Thuir, le prieuré de **Monastir del Camp** fait désormais partie d'une station agricole. L'**église romane** (XIᵉ s.) est construite en galets de rivière à l'ombre de grands pins. Les chapiteaux sculptés du portail sont très ornés et pourraient être l'œuvre d'un artisan de l'atelier du Maître de Cabestany. Le **cloître gothique** (début XIVᵉ s.) est modeste mais ravissant.

> **Six visites payantes en été à 10 h, 11 h, 15 h, 16 h, 17 h et 18 h ; cinq visites en hiver à 10 h, 11 h, 14 h, 15 h et 16 h. Fermé le jeudi. ☎ 04 68 38 80 71.**

■ Castelnou

À 5,5 km à l'ouest de Thuir.

Cet adorable village médiéval est perché sur une butte verdoyante et dominé par la silhouette massive de son château et celle plus lointaine du Canigou.
- Une porte flanquée de deux tours ouvre le **village fortifié**. D'étroites **ruelles pavées** ou en escaliers, des maisons de schiste blond ou de cailloux roulés et nombre d'échoppes artisanales lui confèrent une certain cachet.

▲ *Le village de Castelnou, dominé par son château, est enfermé dans une enceinte médiévale encore bien conservée. L'exceptionnelle conservation de ce « village-château » en fait l'un des sites historiques des plus beaux de la région.*

- Le **château** coiffe le village qui s'est organisé autour de lui. Il fut édifié au Xe s. et a la forme d'un énorme cube de schiste. On peut faire l'économie de la visite, l'extérieur étant son plus bel atout.

Le château est ouvert de début juin à fin septembre de 10 h à 20 h ; de février à mai de 11 h à 19 h ; d'octobre à début janvier de 12 h à 17 h ; le week-end seulement en janvier. ☎ 04 68 53 22 91.

- À la sortie du village, arrêtez-vous au **belvédère** pour la belle vue sur Castelnou et le Canigou. Continuez ensuite par la D 48, puis prenez la direction de Caixas, où vous tournez à droite vers le col Fourtou.

■ La chapelle de la Trinité

Les ruines du château de Belpuig dominent le village et la petite chapelle romane de la Trinité. Remarquez les belles **ferrures** de la porte et, à l'intérieur, les **retables**. - La pièce majeure est cependant le Crucifix, désigné en Catalogne par le nom de *Majestat*, réalisé en bois au XIIe siècle. Revêtu d'une longue robe, comme le Christ roi est décrit dans l'Apocalypse, il arbore une expression sereine symbolisant sa victoire sur la mort.

- Revenez sur vos pas et tournez à gauche sur la D 618 vers Serrabone et Bouleternère. Après une très jolie route offrant de belles vues, vous atteignez le village de Boule-d'Amont et sa ravissante **église romane Saint-Saturnin** au toit de schiste et aux beaux retables.

■ Le prieuré de Serrabone

Joyau de l'art roman des Pyrénées, isolé dans un site sauvage, ce prieuré du XIIe s. surprend par son austérité extérieure brûlée par le soleil.

- On y pénètre par la **galerie sud**, suspendue au-dessus du ravin, où les moines se promenaient. Elle réserve la première surprise : 6 arcades aux gracieuses colonnettes et aux chapiteaux sculptés (on reconnaît des monstres et des motifs floraux inspirés de Saint-Michel-de-Cuxa). La **porte** d'entrée possède de beaux ferronneries superbes.
- La véritable surprise vous attend à l'intérieur : le contraste est total avec la rugosité extérieure. La nef est lumineuse et la **tribune** est l'un des plus émouvants chefs-d'œuvre de la **sculpture romane**. Son marbre rose affirme encore la différence avec la maçonnerie de schiste. Le décor est, lui aussi, inspiré de celui de Saint-Michel-de-Cuxa : bestiaire fantastique, visages d'un étonnant réalisme, délicats entrelacs floraux témoignent d'une rare maîtrise artistique. Lorsqu'elle fut exécutée, au XIIe s., elle servait de chœur aux moines.

■ Bouleternère

À la sortie des gorges du Boulès, beau défilé sauvage, voilà un autre village médiéval plein de charme : vieux remparts, château transformé en clocher et beau·mobilier dans l'église (retable en bois doré et armoire à reliques).

▲ *La tribune du prieuré de Serrabone est un des chefs-d'œuvre de l'art roman en Languedoc-Roussillon. La façade est entièrement recouverte de plaques de marbre rose. Le prieuré est ouvert de 10 h à 17 h 30. ☎ 04 68 84 09 30.*

Saint-Michel-de-Cuxa et Saint-Martin-du-Canigou

CARTE P. 139

Parmi les abbayes romanes de Catalogne, celles de Saint-Michel-de-Cuxa et de Saint-Martin-du-Canigou font partie de la grande vague de fondations qui ont suivi la conquête du Roussillon par les Carolingiens, durant les IXe et Xe s. Comme la plupart des communautés monastiques, elles sont établies dans des sites sauvages et retirés, favorables à la méditation et à la prière. Sur le plan architectural et artistique, Saint-Michel-de-Cuxa inspirera beaucoup de sanctuaires de la région.

▲ *L'abbaye Saint-Michel-de-Cuxa surmontée de son clocher domine les environs.*

▶ *Malgré le pillage du site par des marchands d'art peu scrupuleux, le cloître de l'abbaye de Saint-Michel-de-Cuxa est un des chefs-d'œuvre de la sculpture romane roussillonnaise. L'ornementation des chapiteaux en marbre rose de Villefranche-de-Conflent exclut les thèmes religieux pour se limiter à un répertoire floral et zoomorphe.*

■ Saint-Michel-de-Cuxa

Au sud de Prades par la D 27.

Ce vaste monastère raconte plus de 1 000 ans d'histoire religieuse. Chassés par une inondation de leur établissement d'Eixalada, dans le Conflent, des moines s'installent dans une vallée fertile, Cuxa, en 878. Ils y fondent la toute première abbaye en 883. Leur réseau de relations avec les comtes de Cerdagne et le clergé leur permet d'étendre considérablement leurs terres. Cela explique la surprenante richesse du monastère et son intense rayonnement culturel. L'ensemble a été réalisé en deux périodes distinctes, l'une préromane au Xe s., menée par l'abbé cistercien Garin, l'autre du plus pur roman au XIe s. Tombé ensuite dans l'oubli, le monastère fut presque démantelé après la Révolution. Il abrite aujourd'hui une communauté bénédictine. Avant d'aborder la visite, goûtez l'exceptionnelle harmonie du site et de l'ensemble architectural. Une partie de l'intérêt qu'il représente provient de l'heureux mélange d'influences arabes et wisigothiques.

Ouvert tous les jours sauf le dimanche matin, de 9 h 30 à 11 h 50 et de 14 h à 17 h (jusqu'à 18 h en été). Visites guidées en juillet et en août. ☎ 04 68 96 15 35.

- On remarque d'abord **le clocher** au sud, haute tour carrée de quatre étages (XIe s.). À l'origine, il y en avait une seconde, symétrique, au nord (détruite en 1839). On reconnaît le style lombard, avec les rangées d'arcatures soulignant chaque étage.

- **Le portail** sculpté, tranche avec l'intérieur sobre de l'église. On identifie la partie préromane aux **arcs outrepassés** ou en fer à cheval, marque de la forte influence wisigothique en Catalogne. On retrouve ce même profil dans certaines des fenêtres hautes.

- **Le chœur carré** était bordé par deux couloirs. Au XIe s., on les joignit pour former une sorte de déambulatoire.

- Mais les plus grands travaux furent la construction des tours-clochers et surtout, à l'ouest, d'**une chapelle circulaire à deux niveaux**. Au niveau de l'église, c'était la chapelle de la Trinité, dont il ne reste que des traces. En dessous, c'est la **crypte de la Vierge**, dont la voûte repose sur un seul pilier central.

- Le cloître date, lui, du XIIe s. Il a malheureusement souffert de son démantèlement et de la dispersion de ses chapiteaux. Des restes subsistent.

■ Saint-Martin-du-Canigou

Le chemin d'accès part de la D 116, à la sortie de Vernet-les-Bains vers le col de Jou et Mariailles.

> Visite à 10 h, 11 h 45, 14 h, 15 h, 16 h et 17 h en été. Du 15 septembre au 14 juin, visite à 10 h, 11 h 45, 14 h 30, 15 h 30, 16 h 30. Fermé le mardi du 15 octobre à Pâques.
> ☎ 04 68 05 50 03.

Pour atteindre ce trésor perdu en pleine montagne, il vous faudra marcher 30 à 40 mn. Le monument et le site sont vraiment exceptionnels. On imagine sans peine la vie silencieuse et mystique des moines, rythmée par le son des cloches. Pour bénéficier d'une **vue d'ensemble** du site, prenez, en arrivant à l'abbaye, l'escalier à gauche et montez dans le sous-bois jusqu'à un rocher en surplomb.

Plantée dans le roc au bord d'un précipice, cette émouvante abbaye fut construite au début du XIe s. grâce aux dons du comte Guifred de Cerdagne. Une petite communauté bénédictine venue de Saint-Michel-de-Cuxa s'y établit. Le style de l'abbaye appartient à la toute première période romane ; on y retrouve le **décor lombard** (abside et clocher), mais il en est ici en Catalogne à ses débuts.

- **La tour carrée** massive de Saint-Martin comporte la particularité d'abriter une chapelle dédiée au saint patron. L'église s'organise sur deux niveaux.

- **La chapelle supérieure**, dédiée à saint Martin, est voûtée en berceau. On note l'ensemble encore archaïque, montrant les tâtonnements des architectes. Sur la droite, la chapelle Saint-Gaudérique contenait les reliques du saint patron des paysans, censées les protéger des catastrophes naturelles.

- **Le cloître** primitif, qui comportait deux étages, a été entièrement détruit. Ce que l'on voit est la reconstitution d'une galerie à partir de **chapiteaux** récupérés sans doute à l'étage.

- Le monastère était si étroit que l'on enterrait les morts dans l'enceinte. **Les tombes** sont encore visibles sur le côté nord de l'église. Abandonné au XVIe s., l'édifice ne fut restauré qu'au début du XXe s.

▲ *La montagne des Pyrénées sert d'écrin à l'abbaye Saint-Martin-du-Canigou perchée sur un à-pic à 1 090 m d'altitude.*

▲ *Les chapiteaux en marbre blanc appartiennent à deux styles distincts : les uns, romans, sont illustrés par des motifs d'origine orientale (lions, dragons), alors que les autres, gothiques, témoignent d'un esprit anecdotique et religieux (scènes bibliques).*

L'art roman en Catalogne

▶ *Les clochers romans sont soit carrés et édifiés sur l'un des côtés de la façade ou dans l'axe de celle-ci, comme à Saint-Michel-de-Cuxa ; soit installés en ligne : ce sont des clochers-mur ou clochers-peigne.*

Les fondations de monastères, encouragées sous l'empire carolingien, ont entraîné une vague de construction et une nouvelle approche de l'architecture. Dans la période qui suit le déclin de cet empire, à partir du Xᵉ s., l'art roman garde les acquis carolingiens tout en conservant les apports des autres cultures. La Catalogne est à l'époque un foyer créatif important. Le style roman y prend une forme très originale où l'on reconnaît les influences de l'héritage romain, de l'art arabe ou wisigothique et des apports italiens. Du Xᵉ au XIIᵉ s., on recherche de nouvelles formules architecturales et l'on y intègre le décor.

▲ *Autre type de clocher caractérisant la période, celui de Llo où les cloches sont abritées dans un mur extérieur surélevé, percé d'arcades. On peut trouver jusqu'à 8 ou 10 baies étagées dans un pignon (clocher-pignon) ou dans une rangée (clocher-peigne).*

■ Les voûtes

Les édifices de la période préromane sont couverts d'une charpente de bois. La première innovation technique et la plus importante est de concevoir un système qui permette de couvrir l'église d'une voûte de pierre. Pour les minuscules chapelles des chrétiens primitifs, cela ne posait pas de problème. En revanche, avec l'essor des communautés, on a besoin de grands édifices. La taille de la voûte nécessaire pour couvrir ces églises pose des problèmes de solidité et de stabilité. Pour répondre à ces contraintes, les architectes s'inspirent des formules empruntées à l'architecture des Romains et des Byzantins. Pour soutenir les voûtes, on conçoit des piliers complexes, carrés ou cruciformes, additionnés de colonnes qui soutiennent les arcs de renfort. Une seconde solution consiste à renforcer la nef centrale par des nefs latérales, moins élevées, qui feront office de contreforts. La conséquence de ce besoin de solidité est le caractère massif des constructions et la petite taille des ouvertures afin de ne pas fragiliser davantage les murs de soutien. Vers la fin de l'époque romane, on renforce les voûtes d'arêtes par des nervures qui répartissent la charge vers les colonnes des piliers. Cela permet progressivement d'élever la nef et d'ouvrir des fenêtres plus grandes. Cette évolution trouvera son apogée par la suite, avec l'art gothique.

■ Le plan : le carré et la croix

Le module de base est le carré et le plan général la croix. Le chœur qui est le centre du culte se trouve systématiquement placé à l'est. Il recouvre de plus en plus fréquemment une crypte. En effet, après les croisades, de nombreuses reliques de saints ou fragments dits de la Croix sont ramenés dans les églises où ils font l'objet d'un culte. Cryptes et reliquaires se répandent. Ce culte des saints se voit aussi à l'élaboration de chapelles qui leur sont dédiées. Le clocher apparaît durant cette période. Dans le Roussillon, il prend la forme caractéristique d'une tour carrée de style lombard (Cuxa, Arles-sur-Tech). Pour les petites chapelles, il peut s'agir d'un clocher-mur, sorte de pignon surélevé (Llo) ou d'un clocher à peigne (Casesnoves, près d'Ille-sur-Têt). L'abside, ajoutée à l'arrière du chœur (Corneilla-de-Conflent), prend de l'importance et porte, avec le portail, une partie du décor.

▲ *Les chapiteaux des piliers des deux dernières travées de la cathédrale d'Elne sont de bons exemples de la première sculpture romane. D'une façon générale, le chapiteau roman est puissant, largement évasé, et surmonté d'un épais tailloir souvent mouluré.*

■ Le décor : fleurs, personnages ou monstres

Le décor est étroitement lié à l'architecture. Il a une double vocation : souligner les prouesses des bâtisseurs, lorsqu'il orne de motifs géométriques ou floraux les fenêtres, absides, piliers ; et enseigner au moyen de l'image, lorsqu'il reproduit des scènes de l'Évangile ou de la vie des saints. Portails, tribunes et chapiteaux sont des supports privilégiés. Le culte des saints est ainsi relayé par des sculptures au cloître d'Elne ou par des fresques murales, comme celles de Saint-Martin-de-Fenollar. L'art roman compte également un nombre impressionnant de monstres et d'animaux fantastiques qui font référence à la mythologie. Il n'est pas prisonnier de la réalité et même lorsqu'il représente des personnages ou des animaux connus, il les déforme volontiers pour les besoins de l'esthétique ou du symbole. En raison de la petite taille des fenêtres, l'art du vitrail est pauvre. Celui des statues en revanche est particulièrement émouvant. La Catalogne conserve un grand nombre de Vierges romanes (Hix, Odeillo…) et de *Majestats* (Christ en majesté) de toute beauté (chapelle de La Trinité, près de Serrabone).

▲ *La tribune du prieuré de Serrabone constitue l'un des chefs-d'œuvre de l'art roman en Roussillon. La façade est recouverte de plaques de marbre rose, matière également employée pour les chapiteaux et les colonnes.*

Le Conflent

CARTE P. 139
Office du tourisme :
route de Ria, à Prades.
☎ 04 68 05 41 02.

Le Conflent est la région qui borde la haute vallée de la Têt. Il est arrosé par de nombreux torrents, creusant eux-mêmes des vallées secondaires. Avec ses grandes différences d'altitude et de sous-sol (granit, schiste ou calcaire), il offre une faune et une flore variées. On a utilisé très tôt l'irrigation naturelle pour y implanter vergers et cultures maraîchères. L'élevage en altitude, le thermalisme et l'ancienne exploitation du fer, complètent la liste des activités traditionnelles.

▶ *Considéré comme l'un des plus beaux villages du Roussillon, avec ses remparts et ses ruelles en pente, Eus semble coiffer la colline, au-dessus des vergers ; à 3,5 km de Marquixanes, au nord de la Têt.*

■ Des villages pittoresques

En remontant la vallée de la Têt, vous rencontrerez une poussière de villages adorables et de jolies chapelles méconnues et très riches.

- Celle de **Rigarda** possède ainsi un superbe retable de la fin du XVe s. et un beau portail roman.
- À l'ouest de Rigarda, l'église romane d'**Espira-de-Conflent** garde de sa construction de 1165 une abside lombarde, une belle fenêtre ouvragée et, à l'intérieur, une Vierge romane originale ; le mobilier est stupéfiant.
- En regagnant la N 116 vers Prades, Marquixanes se masse derrière ses remparts et son entrée fortifiée. De là, traversez la Têt pour rejoindre Marcevol, adorable village perché avec son église du XIIe s.

■ Prades et ses environs

Cette petite ville agricole doit sa célébrité à Pablo Casals qui s'y installa en 1939, fuyant le régime franquiste. En 1950, le violoncelliste crée à Prades un festival Bach. Ce **festival de musique de chambre** a pris son nom et se tient chaque année de fin juillet au 15 août.

- L'**église Saint-Pierre** mérite une visite. Vous repérerez son superbe clocher carré typique de l'art roman du XIIe s., surmonté d'un gracieux campanile de fer forgé.

- Avant le village de Catllar, arrêtez-vous à l'église romane **Sainte-Marie-de-Riquer** (XIe s.) pour son joli clocher-mur et ses fragments de fresques murales.
- **Catllar** marque l'entrée de la vallée de la Castellane, un havre de verdure plein de sérénité. Visitez **Molitg-les-Bains**, ravissante petite station thermale, et **Mosset** dont l'église possède un mobilier intéressant et accueille à Noël une crèche vivante jouée et chantée en catalan.
- À l'ouest de Prades, la **vallée de la Nohèdes**, réserve naturelle entre lande et forêt, abrite une faune variée (chat sauvage, genette, isard, blaireau, aigle royal…).

■ Villefranche-de-Conflent

Fondée en 1090 par un comte de Cerdagne, Villefranche est un attrayant mariage entre cité médiévale et citadelle imposante renforcée par Vauban.
- La vieille ville est entourée de **remparts**, au confluent du Cady et de la Têt. Une partie de l'enceinte d'origine (XIe s.) subsiste : le chemin de ronde couvert et deux tours-portes carrées. Au XIVe s., le roi d'Aragon fait construire des tours semi-circulaires : il en reste quatre. La **tour du Diable**, à l'angle sud-est de l'église, date du XVe s. Le reste est l'œuvre de Vauban (XVIIe s.), notamment les **bastions d'angles**.

▲ *La N 116 contourne Villefranche-de-Conflent en empruntant le fossé sud et permet ainsi d'en apprécier trois faces mises en valeur le soir par un éclairage judicieux.*

> **Ouvert en juillet et août de 10 h à 19 h 30 ; en juin et septembre de 10 h à 18 h 30 ; pendant les vacances scolaires de 10 h à 12 h et de 14 h à 17 h 30 ; le reste de l'année de 14 h à 17 h. Fermé en janvier.** ☎ **04 68 96 16 40.**

- Les deux rues principales de la ville sont bordées de magnifiques **maisons médiévales**, de boutiques d'artisanat, où l'on peut voir travailler potiers ou cordonnier, et d'**enseignes de fer forgé**. C'est le matin que la lumière y est la plus belle, enflammant le marbre rose des façades.
- L'**église Saint-Jacques**, sur la place, possède un splendide **portail roman** en marbre local. Détail intéressant, juste à gauche : les rainures servaient à mesurer le drap lors des marchés. À l'intérieur, notez, au sol, les pierres tombales ornées de têtes de mort souriantes. Plusieurs retables ornent les chapelles dont un **retable de la Vierge** par Joseph Sunyer et un **retable de saint Pierre**, à droite (1627). Le **Christ gisant** en bois (1300) est rare dans la région.
- Le **fort Libéria**, perché au-dessus de la ville, garde le carrefour des trois vallées. On y accède par un escalier souterrain de 1 000 marches, creusé sous Napoléon III.

> **Ouvert tous les jours de 9 h à 18 h.** ☎ **04 68 96 34 01.**

- Plusieurs grottes des environs, aménagées pour la visite, présentent des concrétions intéressantes. La grande salle de la grotte **Grandes Canalettes** est grandiose.

> **Ouvert de Pâques à la Toussaint, de 10 h à 12 h et de 14 h à 18 h 30 ; de 10 h à 18 h 30 en juillet et août. Le reste de l'année, ouvert le dimanche de 14 h à 17 h.** ☎ **04 68 96 23 11.**

◄ *Monument essentiel de Prades, l'église Saint-Pierre est un vaste édifice construit au XVIIe s. sur l'emplacement d'une église romane. À l'intérieur, le maître-autel baroque attire instantanément le regard : immense, il est l'œuvre de Joseph Sunyer et fut réalisé entre 1697 et 1699. Dédié à saint Pierre, il comporte une quarantaine de statues, bustes, bas-reliefs, dont des tableaux sculptés de la vie du saint mis en scène de façon très théâtrale.*

La Cerdagne

Office du tourisme de
Font-Romeu : 38, avenue
Emmanuel-Brousse.
☎ 04 68 30 68 30.

Cernée de montagnes, plantée de forêts épaisses, ensoleillée, cette large dépression marie la douceur d'une plaine de moyenne altitude à la beauté sauvage des paysages montagnards. C'est le paradis des randonneurs, parcouru de sentiers ombragés et de torrents tumultueux. C'est aussi l'un des bastions de la culture catalane. L'une des plus jolies façons de la découvrir est d'y arriver depuis Villefranche par le train jaune.

▶ *À 14 km au nord-ouest de Mont-Louis, le lac des Bouillouses, que l'on atteint au bout d'une route boisée, est un lac de retenue de plusieurs torrents. De superbes randonnées y sont possibles. Le plateau est en effet couvert d'une dizaine de petits lacs étagés jusqu'au pied du pic Carlit. La plus belle excursion part du lac des Bouillouses vers le Carlit à travers des paysages splendides. À gauche du parking de l'hôtel, un panneau indique la direction du Carlit, sentier balisé en jaune. Facile, mais comptez entre 3 h et 4 h aller-retour (10 km).*

▲ *Le four solaire du CNRS, à Odeillo, commande 63 héliostats qui dirigent les rayons solaires sur des miroirs paraboliques. L'énergie solaire ainsi produite permet l'expérimentation de matériaux soumis à des chocs thermiques.*

■ Mont-Louis et les environs

Après le traité des Pyrénées en 1659, il devint important de garder la nouvelle frontière avec l'Espagne. Vauban décida donc de créer la place forte de Mont-Louis.

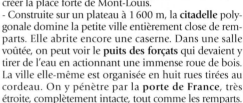

- Construite sur un plateau à 1 600 m, la **citadelle** polygonale domine la petite ville entièrement close de remparts. Elle abrite encore une caserne. Dans une salle voûtée, on peut voir le **puits des forçats** qui devaient y tirer de l'eau en actionnant une immense roue de bois. La ville elle-même est organisée en huit rues tirées au cordeau. On y pénètre par la **porte de France**, très étroite, complètement intacte, tout comme les remparts.

Visite uniquement en juillet et en août.

- À 6,5 km au sud, l'église de **Planès** est un curieux petit édifice du XIe ou XIIIe s. surmonté d'une coupole. Son plan en forme de trèfle évoque vraisemblablement la Trinité. On l'a longtemps attribuée à l'influence arabe, si bien que dans la région, on la désignait sous le nom de mosquée ! On y rend un culte à la Vierge noire. Le GR 10 passe à l'entrée du village.
Ouverte en été.

■ Font-Romeu et les environs

La réputation de la station n'est plus à faire, ni pour le ski, ni pour son climat idéal. Les randonnées et les activités sportives y sont nombreuses mais très fréquentées.
- Dans le village d'**Odeillo**, à 3 km au sud de la station, on verra l'église Saint-Martin, avec sa grille devant la porte pour empêcher le bétail de rentrer.
- Un peu plus loin, au sud, le hameau de **Via** possède une mignonne petite chapelle Sainte-Colombe, à la belle maçonnerie rustique et aux ferrures traditionnelles sur la porte.
- À l'ouest de Font-Romeu, les villages d'**Angoustrine**, de **Villeneuve-des-Escaldes** et de **Dorres** possèdent de

petites églises discrètes regorgeant de trésors.
- Parmi les nombreuses randonnées que l'on peut faire
dans la région, celle de la **vallée d'Angoustrine** mène en
1 h à une chapelle romane abandonnée, ancien hospice
pour voyageurs, ou en 4 h supplémentaires au lac des
Bouillouses. Depuis Dorres, une autre promenade
agréable mène à la **chapelle de Belloc**, au sommet de
la colline du même nom (1 700 m).

■ La vallée du Carol

Coincée entre le massif du Carlit et l'Andorre, cette
étroite vallée glaciaire, longue de 15 km, est un passage
traditionnel de la transhumance vers les pâturages. Elle
mène au col de Puymorens. Jalonnée de villages de
montagne, comme **Ur**, **Enveitg**, **Latour-de-Carol**, elle
compte elle aussi un patrimoine sacré de toute beauté.
- Près de ce dernier village, bifurquez vers la chapelle
Saint-Fructueux à **Yravals**. Le contraste est saisissant entre
l'extérieur rustique (XIe s.) et la richesse du mobilier.
- Plus loin vers le col de Puymorens, **Porté-Puymorens**
est gardé par une tour médiévale qui surveillait l'entrée
de la vallée. Le village est le point de départ de belles
balades, notamment par le GR 7 vers le nord-est, en
direction de **l'étang de Lanous** (5 h; pour la raccourcir,
aller en voiture jusqu'au barrage du Passet).

▲ *La chapelle de l'ermitage
Notre-Dame-de-Font-Romeu
abrite une Vierge qui, selon
la tradition, aurait été trouvée
par un taureau grattant le
sol. À cet emplacement, une
source jaillit; elle alimente
un bassin où se baignent
les pèlerins. La statue de la
Vierge est montée au
printemps, à la Trinité; elle
est redescendue à l'église
d'Odeillo le 8 septembre.
Ses déplacements font l'objet
de processions pittoresques.
Ouverte en saison jusqu'à
19 h 30.*

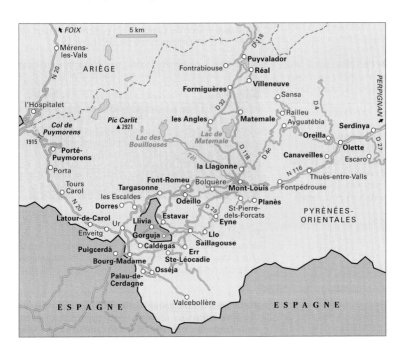

Le Capcir

CARTE P. 153

Office du tourisme : avenue de l'Aude, aux Angles.
☎ 04 68 04 32 76.
Place de l'Église, à Formiguères.
☎ 04 68 04 47 35.

Le plus haut plateau pyrénéen, balayé par d'âpres vents du nord, est couvert d'immenses forêts de pins et semé de lacs sauvages. À l'écart des grands flux touristiques, il est le paradis des randonneurs et, en hiver, des amateurs de ski de fond (c'est le plus bel espace des Pyrénées), qui y découvrent une nature splendide. Au Moyen Âge, le Capcir est connu sous le nom de montagne d'Aude, car il est traditionnellement tourné vers le Languedoc. En raison de l'altitude et du climat rigoureux, c'est une région d'élevage et d'exploitation des forêts.

■ La Llagonne

Au nord de Mont-Louis, avant d'aborder les trésors naturels du Capcir, ne manquez pas la modeste église de ce village. Le mobilier en est vraiment exceptionnel : **retable baroque** de Saint-Vincent, émouvant *majestat* (Christ en majesté) de bois peint du XIIᵉ s., **devant d'autel** peint de la fin du XIIIᵉ (rare et splendide), coiffé par un **baldaquin** de bois peint également.

La route passe ensuite les **cols de la Llose** et de la **Quillane**, entrée du Capcir, d'où partent des pistes de ski de fond, et s'approche du lac de Matemale.

▶ *On débouche sur le lac de Matemale après avoir traversé la forêt de la Matte. Cette vaste retenue de 200 ha accumule 20 millions de m³ d'eau. Elle alimente les centrales hydroélectriques de la vallée de l'Aude. Le plan d'eau est utilisé pour les sports nautiques : aviron, voile et planche à voile.*

■ Le lac de Matemale

Retenue artificielle d'un barrage, ce lac est un très beau plan d'eau, entouré de forêts de pins. On y pratique tous les sports nautiques. Le village de Matemale est un centre de ski de fond qui a gardé tout son charme montagnard.
- À l'ouest du lac, **Les Angles** sont une station de sports d'hiver très connue, mais le vieux village reste pittoresque.
- **Le parc animalier** est conçu pour permettre d'observer la faune des Pyrénées dans son cadre naturel. Deux

circuits passent d'un enclos à l'autre et l'on y observe des espèces en voie d'extinction dans le massif comme le loup ou l'ours brun.

Pla del Mir.

Ouvert tous les jours de 8 h à 19 h en été, et de 9 h à 17 h en hiver. ☎ 04 68 04 17 20.

- Du haut de la station, un chemin forestier mène, à 2 km, au petit **lac de Balcère** perdu dans une poche glaciaire, au milieu des arbres.
- En continuant sur le sentier, on atteint **les Camporells**, un site classé à couper le souffle : des petits lacs de montagne reliés par des ruisseaux, encadrés de rochers et de rhododendrons. Deux refuges sont ouverts dans la forêt des Camporells (renseignements à la Maison de Capcir, à Matemale). Les vrais amateurs de grande randonnée se procureront le tracé du GR *Tour du Capcir* qui traverse cette superbe région.

■ Formiguères
On a du mal à imaginer que ce petit village est le plus important du Capcir et qu'il était jadis la résidence d'hiver des rois de Majorque. Belles maisons montagnardes en pierre, toits de lauzes de schiste, petite église romane et son magnifique Christ du XIIᵉ s. composent un ensemble superbement préservé. De nombreuses randonnées sont possibles dans les environs.
- À 2 km à l'est de Formiguères, visitez la chapelle **Notre-Dame-de-Villeneuve**, lieu traditionnel d'un pèlerinage qui abrite un beau retable baroque et la statue gothique de la Vierge (XIVᵉ s.).

■ Le lac de Campoureils
En partant de Formiguères, le long de la Lladure, une route forestière vous rapproche du lac de Campoureils, à 2 240 m d'altitude. Au bout de la route, comptez encore une heure de marche. Vous arriverez à un cirque glaciaire occupé par de nombreux petits lacs dont la plupart n'ont même pas de nom. Un sentier de grande randonnée permet de rejoindre le **pic Péric** (2 810 m) en 3 h de marche depuis le sud des étangs.

■ La grotte de Fontrabiouse
Ouverte du 15 juin au 15 septembre de 10 h à 19 h ; hors saison de 10 h à 12 h et de 14 h à 17 h. Fermée du 15 novembre au 15 décembre. Visite guidée de 1 h. ☎ 04 68 30 95 55.
À 8 km de Formiguères par Puyvalador, cette grande galerie étire 356 m de couloirs ouverts à la visite, avec de belles concrétions : stalactites fistuleuses, disques, grappes de méduses, draperies, bouquets de fleurs d'aragonites. On entend, au fond, le grondement de la rivière souterraine.

▼ *La station des Angles, créée en 1964, s'étage sur les pentes du mont Llaret (2 377 m). Doté de 29 pistes, le domaine skiable (40 km) est souvent enneigé grâce à une bonne exposition.*

▲ *L'église Sainte-Marie à Formiguères est un édifice roman à nef unique (XIIᵉ s.) agrandi par des chapelles latérales au XVIIᵉ s.*

L'enclave espagnole de Llivia

Cette petite ville est une curiosité historique. Le traité des Pyrénées mentionnait que 33 villages cerdans devenaient français. On avait oublié que Llivia avait reçu de Charles Quint le statut de ville. L'Espagne conserva donc cette enclave, reliée à Puigcerda par une route neutre.

Les églises-musées de Cerdagne

La Cerdagne est riche de centaines de chapelles romanes éparpillées dans les hameaux ou au détour des chemins. Témoins d'un art catalan original, elles conjuguent une grande sobriété extérieure à une incroyable richesse intérieure. Leur situation dans quelques-uns des plus beaux villages de France ou dans des sites naturels somptueux en fait un formidable musée en plein air, à visiter au fil des randonnées.

► *L'église de Hix est l'un des joyaux de l'art roman cerdan. L'abside de l'édifice, construite en granit, est ornée de belles fenêtres sculptées et d'une corniche à motif de dents d'engrenages.*

Le Christ Roi

Aux XIIᵉ et XIIIᵉ s., on exécute dans la région des crucifix particuliers que l'on nomme majestats. *Ils représentent le Christ en croix avec un visage très serein, comme s'il avait déjà vaincu la mort (à Hix, Yravals, Angoustrine, La Llagonne). Il porte les signes de la royauté, une couronne au lieu du cercle d'épines (comme à Serdinya, dans le haut Conflent) ou une longue robe.*

■ Une moisson de chapelles

À côté des riches monastères du Conflent, ces édifices montagnards, construits durant les XIᵉ et XIIᵉ s. dans la pierre locale, sont d'une extrême simplicité et suivent tous le même plan : nef unique et petite abside circulaire. Deux font exception à cette règle : les chapelles de Planès, près de Mont-Louis, et d'Ur, dans la vallée du Carol, qui ont un plan triangulaire en trèfle très inhabituel. Malgré la simplicité de leurs moyens, elles copient souvent les sculptures de Saint-Michel-de-Cuxa ou Corneilla-de-Conflent, en les transposant de façon émouvante à des fenêtres ou des absides minuscules. Un autre trait commun est la porte massive, ornée de ferrures ouvragées qui attestent le talent des ferronniers catalans. Enfin, elles semblent toutes se distinguer par l'opulence de leur mobilier, à tel point que certaines d'entre elles deviennent des musées en elles-mêmes (Ur, Enveitg, Palau, Yravals…).

■ Le culte de la Vierge

Traditionnellement la mère et la patronne de la Cerdagne, la Vierge est vénérée lors d'innombrables pèlerinages. Ses sanctuaires sont généralement construits près des sources ou au sommet des montagnes. Le culte marial reprend des rites païens liés à ceux de la terre et de l'eau. Les statues sont habillées de soies et de dentelles et couvertes de bijoux. Lors des fêtes, on les sort en procession, au son des cantiques en catalan. Les églises de la région possèdent de superbes statues de la Vierge. De l'époque romane datent celles de la Mère à l'Enfant au visage brun. Les plus célèbres sont visibles dans les églises de Font-Romeu (ou Odeillo en hiver), d'Err et de Dorres, mais on en voit de très belles à Yravals ou à Hix.

■ L'art du retable

C'est avec les retables que l'art sacré catalan atteint son paroxysme. Le retable est un panneau vertical, richement orné, sculpté ou peint, qui surmonte l'autel. Dès la période gothique, la vogue des retables peints atteint la Catalogne. En Cerdagne, la surprise vient de leur nombre et de leur importance dans des églises rurales très modestes. Angoustrine commande un retable peint dès le XIIIᵉ s. À Yravals, les paroissiens font appel à un peintre de la cour des rois d'Aragon, Ramon Destorrents, pour l'exécution du retable de sainte Marthe : des tableaux peints dans le style italianisant se détachent sur un fond doré à la feuille (milieu du XIVᵉ s.). À Palau-de-Cerdagne, même débauche de moyens : le peintre barcelonais Jaume Serra est chargé d'un retable à panneaux peints (1360). Au XVᵉ s., on trouve d'autres retables peints, comme celui de la Vierge de Miséricorde de Villeneuve-des-Escaldes, qui sera ensuite placé dans un cadre baroque. À la Renaissance, on commande encore de nouveaux retables aux artistes à la mode, à Hix (belle œuvre naïve en l'honneur de saint Martin) ou encore à Angoustrine. Le Toulousain Antoine Peytavi, très renommé, peint celui de l'église Saint-Martin à Ur, celui du Rosaire à Sainte-Léocadie, celui de Saint-Fructueux à Yravals (une paroisse exceptionnellement généreuse). Mais les plus spectaculaires correspondent à l'éclosion de l'art baroque qui devient le porte-étendard de la civilisation catalane. Le maître incontesté de ce savoir-faire est Joseph Sunyer, dont la plus somptueuse réalisation en Cerdagne est le retable de Notre-Dame-de-Font-Romeu, invraisemblable foisonnement doré de petits tableaux ouvragés racontant la légende de la statue et débauche d'angelots joufflus. À Latour-de-Carol, ce sont deux œuvres de Sunyer que l'on peut admirer. Le maître s'est aussi manifesté à Osséja, au sud de Bourg-Madame ; son frère, Pau Sunyer, a travaillé à Hix et à Caldégas.

▲ *Le clocher de l'église paroissiale de Palau-de-Cerdagne. Le style apaisé de cette architecture aux couleurs douces est celui des modèles siennois.*

▲ *Le modèle des petites églises romanes construites aux XIᵉ et XIIᵉ s. est une nef unique et une abside semi-circulaire. L'exception à la règle : l'église d'Ur, bâtie sur un plan en trèfle.*

Comprendre • Les églises-musées de Cerdagne

Razès et Kercorb

Etre Limoux et Chalabre, ces régions sont unies par une même douceur de relief, partagées entre des influences climatiques opposées : Corbières méditerranéennes à l'est, les Pyrénées et le bassin de Carcassonne au nord. Les paysages n'y sont pas spectaculaires, sillonnés de cours d'eau et de forêts, heureusement à l'écart des grands passages touristiques. La vigne est le principal élément du paysage du Razès, tandis que le Kercorb tirait jadis de ses forêts et rivières l'énergie pour ses industries.

Visiter • Razès et Kercorb

◄ *Limoux, les couverts.*

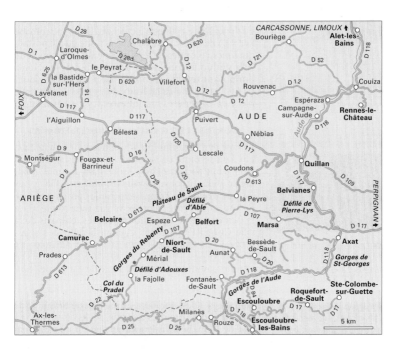

Limoux
une cité d'échanges

CARTE P. 159
Office du tourisme :
promenade du Tivoli.
☎ 04 68 31 11 82.

La blanquette et le carnaval ont fait la célébrité de cette petite ville animée qui a gardé une bonne partie de son caractère ancien. Cette situation de dernière grande ville avant les Pyrénées lui a valu un rôle d'importance dans les échanges avec les vallées montagnardes et l'Espagne. Elle fut occupée dès la préhistoire, et les Romains seraient à l'origine de sa fondation. Durant la croisade contre les cathares, elle suivit le parti des Inquisiteurs de Simon de Montfort. C'est après la fin des troubles, au XIIIe s., qu'elle prit réellement son envol. Elle tirait sa richesse de l'industrie du drap de laine, de la confection et de la tannerie. Quant à la blanquette, elle appartient depuis longtemps au patrimoine.

---

bonne adresse

Maison de la Blanquette, 46 bis, promenade du Tivoli. ☎ 04 68 31 01 63. Laurent Bernabet prépare des salades de saucisson de couenne ou des fricassées de porc qui font revivre la cuisine traditionnelle du pays.

▲ *Les arcades en pierre de la place de la République datent du XVIIe s. C'est sur cette jolie place que durant le carnaval se terminent les défilés des fecos. Par ailleurs, un marché s'y tient chaque vendredi.*

■ La vieille ville

Le meilleur moyen pour pénétrer la vieille ville est de se garer près de l'office du tourisme, sur la route de Carcassonne à Quillan. Vous entrez alors par l'ancienne porte de la Goutine, juste en face.

La rue de la Goutine mène au cœur de la vieille ville. Dans la rue Saint-Martin, **l'église Saint-Martin** se repère à sa fine flèche gothique à crochets. D'origine romane (XIIe s.), elle ne conserve de cette période que le **portail**, quelques colonnes et le plan général. Le reste est de style gothique : une nef et un déambulatoire. Notez l'imposant **retable** en bois sculpté du maître-autel (XVIIe s.) et les grands **tableaux du XVIIIe s.** La plus belle pièce du trésor est le **reliquaire de saint Martin** en argent et vermeil, du XVe s.

Ouverte de 9 h à 12 h et de 14 h à 17 h (jusqu'à 18 h 30 en été).

- La rue des Augustins longe le **couvent des Augustins**, que l'on reconnaît à sa façade aux belles fenêtres, la seule partie ancienne (XIVe s.) subsistant d'avant l'incendie de 1685. Le couvent avait été fondé en 1358.

- Après avoir passé l'emplacement de l'ancienne **porte de Toulzane**, prenez à droite vers **la tour ronde**. C'est la dernière des 19 qui jalonnaient les remparts de la ville. Ce qu'il en reste (XIIIe s.) rappelle celles de Carcassonne, à l'exception de la partie supérieure remaniée par la suite.

- Entrez à nouveau dans la vieille ville par la **rue Jean-Jaurès** et flânez le long des ruelles, pour découvrir quelques belles demeures des XVIIe et XVIIIe s. : rue Jean-Jaurès, le n° 7 est une élégante **maison de brique et de pans de bois** ; rue du Palais, le n° 10 est un ancien *ostal* de 1689 (belles galeries s'ouvrant sur un patio central). Au bout de la rue Saint-Victor, le **portanel** est un passage voûté surmonté d'une tour, percé dans les fortifications pour donner accès à la rivière.

- Le long de la rive, rejoignez le **pont Neuf**. En 1329, le roi avait donné 200 livres à la ville pour la construction du pont.

- De l'autre côté de la rivière, prenez à droite **la rue de la Blanquerie**. Ce quartier était autrefois celui des tanneurs (on les appelait des blanchers). Au n° 15, un petit passage mène à un autre **portanel**. Au bout de la rue de la Blanquerie, prenez le **pont Vieux** d'où l'on a une belle vue du pont Neuf.

- En continuant tout droit vous retrouvez la promenade du Tivoli. Au n° 32, le **musée Petiet**, du nom de deux peintres régionaux, fait la part belle aux tableaux de la région et à la peinture académique du XIXᵉ s. Une salle est consacrée aux fouilles archéologiques dans les environs.

Entrée par l'office du tourisme.

Ouvert en juillet et août de 9 h à 19 h ; le reste de l'année de 9 h à 12 h et de 14 h à 18 h. ☎ 04 68 31 11 82.

- Avant de quitter la ville, allez visiter le **Catharama** (n° 47, rue Fabre-d'Eglantine), un spectacle audiovisuel intéressant pour comprendre l'histoire du mouvement cathare. Le déroulement des événements et les doctrines sont bien présentés. Instructif avant de faire le circuit des châteaux cathares.

■ Notre-Dame-de-Marceille

À 2 km au nord-est de Limoux, sur la route de Saint-Hilaire.

Cette chapelle domine la rive droite de l'Aude, du sommet de sa colline. Vouée à la Vierge, elle est depuis le Moyen Âge l'objet d'un important pèlerinage le 8 septembre. Sa réputation vient d'une source aux vertus curatives. Pour preuve que le lieu est sacré, la légende raconte que la statue de la Vierge, cachée pour échapper aux envahisseurs arabes, aurait été miraculeusement retrouvée par un paysan. L'édifice est de style gothique languedocien, inspiré des églises de Carcassonne, avec un porche monumental qui date de 1488. L'intérieur recèle une très belle **statue de la Vierge noire** (XIᵉ s.), vénérée dans la région. Notez aussi les émouvants **ex-voto** qui témoignent de la ferveur des pèlerins.

◄◄ Au n° 59 de la rue de la Blanquerie, l'hôtel de Clercy est un ancien hospice pour les pauvres. À l'intérieur, on découvre une superbe cour Renaissance garnie de colombages.

◄ Nombreux anciens hôtels particuliers rue de Toulzane, dont l'hôtel de Brignac qui cache un belle cour d'honneur.

Bulles et blanquette

Les coteaux calcaires des environs se prêtent particulièrement bien à la culture de la vigne. La fabrication de la célèbre blanquette de limoux est un savoir-faire très ancien, découvert par les moines de Saint-Hilaire, dont on retrouve la trace dans les livres dès le début du XVIᵉ s. On tient donc ici le plus vieux des mousseux du pays. Il est élaboré selon la méthode champenoise, à partir de trois cépages différents de raisin blanc (mauzac, chardonnay et chenin). Son rendement très faible, moins de 40 hl par ha, en fait un produit rare, recherché par les connaisseurs.

Les carnavals
danses, défilés et charivaris

► *Les* fecos *de Limoux, somptueusement vêtus de leur costume de Pierrot, un roseau enrubanné – la* carabena *– à la main, ne se déplacent que centimètre par centimètre au milieu des badauds qui acceptent la « chine » sous un déluge de confettis.*

►► *La danse du chevalet.*

L e sens de la fête est l'un des traits marquants de la région languedocienne. Le carnaval est la plus célèbre et surtout celle qui dure le plus longtemps. Mais, selon les villes ou les villages, de nombreuses manifestations traditionnelles pittoresques se succèdent tout au long de l'année. La plupart tirent leur origine de très anciens rites, liés aux grands moments de la vie rurale et aux rythmes des saisons.

■ La tuée du cochon

Les festivités du carnaval commençaient autrefois par la tuée du cochon, au tout début de l'année. Le choix du jour revêtait une importance particulière : à la nouvelle lune, par temps sec pour que la viande se conserve bien. On faisait venir tous les parents et amis avec lesquels on écoulait le reste des charcuteries de l'année précédente. Le dépeçage, la préparation du premier ragoût, des jambons, boudins, saucissons et saucisses occupaient les participants. Dès le premier jour de la tuée, les jeunes gens se barbouillaient le visage ou portaient un masque et partaient dans les maisons pour faire la quête de nourriture, en cette période d'abondance alimentaire précédant le Carême. Si quelqu'un refusait de faire un don, on était autorisé à lui voler quelque chose. Curieusement, ces manifestations étaient réservées aux hommes et s'accompagnaient de plaisanteries d'un goût douteux, avec de lourdes connotations sexuelles. On aspergeait les filles avec le sang du cochon, les hommes se déguisaient en femmes, mimant la grossesse, brandissaient saucisses et boudins en faisant des allusions scatologiques… Dans la haute vallée de l'Aude, la quête était assurée par des garçons déguisés en ermites. À Espéraza, ils portaient un chapeau noir, produit de l'industrie locale, et réclamaient de la nourriture comme le faisaient durant des siècles les pauvres ermites des montagnes. La règle était de se déguiser, le plus souvent de manière tout à fait symbolique en se contentant de porter ses vêtements à l'envers ou en enfilant de vieilles chemises. La mode des costumes élaborés et des masques naquit dans les villes, à la fin du XIXᵉ s. et ne se propagea dans les petites communes que plus tard.

■ Vie et mort du roi Carnaval

C'est encore des groupes de jeunes gens qui étaient chargés de confectionner le mannequin Carnaval, dans le plus grand secret. À l'issue d'une série de parades dans les rues, il était intronisé roi de la fête et placé sur la place publique. Autrefois, on se contentait de fabriquer un énorme pantin de toile bourrée de paille et rigidifiée par un long piquet qui permettait de le porter en procession. On chantait un refrain en son honneur. À la fin de la période du carnaval, le Mardi gras ou le mercredi des Cendres, il passait solennellement en jugement. On le décrétait responsable de tous les malheurs du village et on le condamnait à mort. La cérémonie s'achevait par le bûcher et de grandes réjouissances, marquant la fin du Carême et le retour à l'abondance. À Limoux, cette dernière soirée est connue désormais sous le nom de « nuit de la blanquette », car elle s'achève dans des flots mousseux, renouant avec les origines païennes de la fête.

■ Limoux : danses et défilés

Le déroulement des opérations et leur fréquence varient selon les villes. À Limoux, le plus célèbre de ces carnavals, on défile tous les dimanches, de janvier au mercredi des Cendres, laissant aux différents quartiers, corps de métiers ou associations le soin d'organiser un défilé. Des thèmes sont choisis pour chacun, parfois très inattendus comme la prévention routière… Les meuniers ouvrent la saison en janvier, puis un nouveau groupe défile chaque semaine. À chaque fois, le défilé sort à trois reprises, à 11 h, 17 h et 21 h Arrivés sur la place de la République, au centre de la ville, les participants s'arrêtent dans tous les cafés pour boire un verre de blanquette. La cadence est scandée par des musiciens et par les gracieux mouvements des *fecos*.

■ Le charivari de Chalabre

Le 12 décembre lorsque sonne le premier coup de 19 h commence un grand charivari : en frappant à coups redoublés sur des instruments improvisés, les garçons de Chalabre parcourent les rues en criant : « Bei fa les ans que tueront Floris ! » À la fin du XVIIIᵉ s., un certain Floris aurait trouvé la mort sous les coups d'épée de deux frères dont il avait séduit la sœur, jeune veuve de bonne famille. Pendant longtemps, le charivari s'est déroulé devant la porte des personnes dont on désapprouvait la conduite, en particulier les veufs et veuves trop vite consolés.

▼ *Le hérisson de Roujan.*

Alet-les-Bains

CARTE P. 159

Les Romains, déjà, utilisaient les sources chaudes d'Alet pour leurs vertus curatives. Mais c'est l'implantation d'une abbaye bénédictine au XIᵉ s. puis son élévation au rang d'évêché qui donnèrent toute son importance à la petite ville. Aujourd'hui, Alet est une station thermale particulièrement agréable, à l'entrée de l'un des défilés verdoyants de l'Aude. Le village médiéval fortifié a gardé ses ruelles étroites et ses belles maisons anciennes.

▲ *Bien que très ruinée par les guerres religieuses qui dévastèrent le Razès en 1577, l'abbaye Sainte-Marie dégage un charme certain avec ses grès jaune cuivré, jaspés par endroits.*

▲ *Construit à la charnière des XIIIᵉ et XIVᵉ s., le donjon d'Arques est un véritable chef-d'œuvre de construction et un modèle dans l'art de la défense.*

■ L'abbaye Sainte-Marie

L'édifice originel date sans doute de l'époque carolingienne, mais il n'en reste rien. Durant les guerres de Religion, l'abbaye fut partiellement détruite.
- La **façade sud** est particulièrement belle. Les spécialistes ne sont pas tous d'accord sur les différentes étapes de son évolution, surtout pour la période romane, qui a pu s'étendre de la toute fin du XIᵉ à la seconde partie du XIIᵉ s.
- Il reste la **nef**, des **chapiteaux** sculptés, la salle capitulaire et un beau **chevet polygonal** très orné. On retrouve ici des détails d'architecture et de décoration typiques du Languedoc, surtout visibles sur les **corniches** et les bandeaux. Au XIVᵉ s., une autre campagne s'amorça, pour ajouter un chœur plus vaste, de style gothique. Il n'en reste que l'une des **chapelles rayonnantes**.

■ Le village médiéval fortifié

Il est organisé en étoile au départ de la place de la République, elle-même entourée de maisons anciennes. Autour, les rues étroites comptent de belles demeures à pans de bois et à encorbellement. Prenez, par exemple, la rue de Cadène menant à la **maison Romane** (XIIIᵉ s.) et s'achevant à la **porte de Cadène**, vestige des anciennes fortifications.

■ Arques

Au bord du Rialsès et près de la forêt du même nom, Arques est surtout connu pour son fier donjon, érigé sur une hauteur à distance du village. Le château fut bâti au XIIIᵉ s. par Gilles de Voisins, un fidèle de Simon de Montfort. L'enceinte entoure une cour, au centre de laquelle s'élève le donjon haut de 24 m sur quatre niveaux. On note son allure particulière, avec ses quatre tours-échauguettes d'angle. Rez-de-chaussée et premier étage sont voûtés d'ogives et l'on reste admiratif devant l'ingéniosité de son plan. Le grand nombre d'archères des niveaux supérieurs rappelle sa fonction défensive.
- Le village fut conçu au XIIIᵉ s. comme une bastide. Il ne reste plus grand-chose de cette époque car les Espagnols y mirent le feu. Ne manquez pas cependant de musar-

der dans les rues, pour voir la plus ancienne maison encore debout, rue Roché, ou encore, les pattes de sanglier, trophées d'un chasseur local, sur les portes de la rue Gilles-de-Voisins. La **maison Déodat-Roché** abrite une exposition sur le catharisme.

Ouvert de mars à novembre, de 10 h à 18 h (jusqu'à 19 h 30 en juillet et en août). Fermé entre 12 h et 14 h de septembre à novembre. ☎ 04 68 69 82 87.

■ **Couiza**

Par la D 613.

C'est une petite ville industrielle vivant de la chaussure et des scieries. Avec Espéraza, elle concentrait aussi un grand nombre de chapelleries, si bien qu'on parlait autrefois de la « vallée des chapeaux ». Il ne reste qu'une seule fabrique, *Chapeaux de France*, à Montazels.

■ **Espéraza**

Son passionnant **musée de la Chapellerie** permet de découvrir toutes les étapes de la fabrication d'un chapeau de feutre.

- **Le musée des Dinosaures** présente les résultats des fouilles archéologiques dans les environs : œufs, ossements fossilisés, films, reconstitutions grandeur nature…

Avenue de la Gare.

Ouvert tous les jours de 10 h à 19 h en été ; de 10 h à 12 h et de 14 h à 18 h hors saison. ☎ 04 68 74 02 08.

- **Le château des Ducs de Joyeuse**, forteresse imposante flanquée de grosses tours rondes (XVIe s.) a été transformé en hôtel.

■ **Rennes-le-Château**

À 3,5 km au sud-est de Couiza.

Les amateurs d'histoires étranges ne manqueront pas cet extraordinaire village, perché sur un promontoire offrant des vues splendides de toute la région. Objet de luttes successives contre les Espagnols puis les Inquisiteurs, le village garde de son passé mouvementé de mystérieuses légendes de trésor englouti. La visite du village laisse rêveur.

- **L'église Sainte-Madeleine** surprend, avec sa décoration exubérante et multicolore : diable grimaçant portant le bénitier, fresques murales, statues polychromes.

Ouverte de 10 h 45 à 18 h 45.

- **Le domaine de l'abbé Saunière** : la villa Béthania, la tour Magdala, les jardins et des documents concernant la mystérieuse fortune de l'abbé. Une visite passionnante.

Ouvert toute l'année de 10 h à 19 h. ☎ 04 68 74 31 16.

▼ *Un diable sous un bénitier à Sainte-Madeleine de Rennes-le-Château…*

La mystérieuse fortune de l'abbé

Au XIXe s., la paroisse se dote d'un curé bien étrange. En l'espace de 20 ans, il réussit, sans que personne puisse comprendre où il avait trouvé l'argent, à faire restaurer son église de fond en comble, construire une belle villa, une tour, une serre… Les imaginations vont bon train et les spéculations sur le trésor englouti se multiplient. Du monde entier, les spécialistes accourent et se mettent à écrire un livre après l'autre sur un sujet apparemment inépuisable (il suffit de se rendre à la petite librairie du village pour comprendre). Chaque construction de l'abbé est analysée et décortiquée pour tenter d'y trouver les clés du mystère et la nature du trésor. On y voit tour à tour l'or de l'empereur romain, celui d'un roi wisigoth ou le trésor caché d'un templier. Certains ont cru que le village abritait l'arche de l'alliance, le Grâal ou même la tombe secrète du Christ qui serait mort ici après s'être enfui avec Marie-Madeleine, toutes sortes de suppositions aussi surprenantes les unes que les autres…

Les villages ronds

E ntre Razès, Lauragais et Kercorb, une trentaine de villages présentent un plan circulaire très particulier. Bien que de telles agglomérations existent ailleurs, la concentration
d'exemples parfaits dans un petit périmètre
est très rare en Europe. La plupart de ceux de
la région sont concentrés dans le bassin du
Sou, au nord-ouest de Limoux.

■ La constitution d'un village

Le village naît de la volonté commune d'un certain
nombre d'habitants de vivre à proximité les uns des
autres, en général pour des raisons économiques ou
sociales.

- À l'époque romaine, la villa correspond à une organisation du territoire rural. À l'écart des villes, ce peut être
une grosse ferme autour de laquelle résident les personnes qui y travaillent.

- Au Moyen Âge, avec la christianisation et l'éclatement
politique de l'Empire en petites cours féodales, la nécessité de se regrouper est d'une autre nature : on se rassemble autour d'un lieu de culte pour bénéficier de la
protection spirituelle ou autour d'un château fort qui
offre la sécurité en cas d'agression.

- Deux types d'agglomérations apparaissent : le village
castral (autour du château) et le village ecclésial (autour
de l'église). Dans les deux cas, les habitations se massent sur le pourtour et adoptent souvent un plan
concentrique.

- La conception du village influe aussi sur la répartition
de la population. Dans les villages castraux, on observe
une hiérarchie très nette : auprès du château s'installent
les proches du seigneur et les classes supérieures, tandis
que les artisans et les paysans restent à la périphérie,
moins bien défendue. Dans le cas du village ecclésial,
les choses sont moins tranchées et les quartiers se répartissent indépendamment de l'église, plus en fonction
des métiers que du rang social.

■ Une question de topographie

La topographie des lieux conditionne parfois différentes
configurations du village.

- Dans les régions de collines ou de montagne, le relief
est utilisé comme protection supplémentaire et permet
de surveiller les abords : villages en gradins sur les versants, villages linéaires sur les éperons, villages ronds sur
les collines plus douces.

- La géographie du Razès, avec ses larges ondulations se prête au dernier type, celui des villages concentriques. La plupart d'entre eux se sont constitués à partir du Xe s., à la période des fondations religieuses et de la construction de nombreuses forteresses.

- Puis, du XIe au XIIIe s., la multiplication des conflits, l'apparition de bandes armées, la succession des croisades durant lesquelles chaque communauté devait défendre ses choix, ont renforcé encore les mesures défensives que l'on constate à tous les niveaux de construction : fermes fortifiées, châteaux forts, villages entourés de fossés ou de remparts, cités destinées à sécuriser le commerce… L'utilisation du fossé en remplacement des remparts devient de plus en plus systématique durant la seconde partie du Moyen Âge et correspond aussi à l'abandon des châteaux forts.

■ Protéger, défendre

Quel que soit son centre, le village doit avant tout protéger ses habitants. Chaque cercle de maisons constitue un rempart supplémentaire pour arrêter ou retarder l'agresseur. Le village peut être entouré à l'extérieur d'un fossé collectif ou d'une muraille.

- L'exemple le plus marquant du Languedoc, sur le modèle duquel la plupart sont calqués, est celui de Bram (entre Carcassonne et Castelnaudary), dont le plan parfaitement circulaire et régulier apparaît particulièrement sur une vue aérienne. Dans ce cas précis, le centre de la ville est l'église, alors que le château est situé au bord de l'agglomération.

- Pour découvrir ceux du Razès, descendez le sud en partant de Bram vers Fanjeaux et suivez la route de Limoux. De part et d'autre, sont répartis une trentaine de ces villages, certains ayant gardé tout leur caractère

initial. Brézilhac et Ferran, à l'ouest, présentent un plan en ellipse. Cailhau, un peu plus loin à l'est de la route, est le plus attachant, dominé par un curieux clocher de tuiles vertes. Lui aussi est centré sur l'église et perché sur la hauteur, mais des documents mentionnent un castrum à cet endroit dès 1234. On mesure tout à fait ici l'atmosphère protégée de la communauté repliée sur elle-même et d'autant plus difficile à envahir que les rangées de maisons sont nombreuses.

- En continuant sur la D 623 vers Limoux vous passez Cambieure, à l'est, Bellegarde-du-Razès et Alaigne, à l'ouest, puis Lauraguel qui suivent un plan tout aussi caractéristique. À l'ouest de Limoux, non loin des précédents, se trouvent la Digne-d'Aval, Loupia et Donazac.

▲ *Dans le bassin du Sou, au nord-ouest de Limoux, une trentaine de villages se distinguent par leur plan circulaire et la construction de leurs habitations en anneaux concentriques. Ce type d'agglomération n'existe pas en Razès uniquement ; néanmoins, on trouve peu d'exemples de région en Europe offrant une telle concentration et une telle pureté de style.*

Les défilés de l'Aude

CARTE P. 159
Office du tourisme : place de la Gare, à Quillan. ☎ 04 68 20 07 78. Pays d'accueil d'Axat, sur la D 117 en venant de Quillan. ☎ 04 68 20 59 61.

E n remontant vers sa source, l'Aude devient une rivière sauvage, au cœur d'un pays de forêts – principalement hêtres, chênes, sapins et pins sylvestres – ainsi que d'une flore des montagnes rare et variée. L'impression d'altitude (elle s'élève de 500 m à plus de 1 800 m) est renforcée par la succession de gorges et de défilés impressionnants qui forment une sorte de fissure du massif entre France et Espagne.

▼ Bâti sur le flanc d'un coteau escarpé, Axat est au centre d'un pays montagneux. La ville est située à l'entrée d'un cirque de 2 km de long sur 700 à 800 m de large, entourée par les Petites Pyrénées, les Fanges et le plateau de Sault.

Visite des grottes de l'Aguzou sur réservation uniquement.
☎ 04 68 20 45 38.

■ Quillan

Cette agréable bourgade au passé industriel dynamique est établie dans un cirque. Autour, les montagnes s'élèvent brutalement de 300 m à 1 200 m. Quillan commande naturellement l'entrée des défilés vers l'Espagne. Les épaisses forêts avoisinantes, l'abondance de l'eau et cet axe de communication évident ont stimulé son industrie : scieries, travail du bois, implantation de la société Formica, moulins, cuir, textile, chapellerie…

■ Pierre-Lys

Cette brèche spectaculaire dresse des falaises de 700 m de haut sur près de 2 km. Le défilé assure la liaison entre la plaine de Quillan et le Roussillon du Capcir. La route, l'une des plus belles du pays, passe trois tunnels creusés dans la roche. Le dernier est appelé *Trou du curé* en l'honneur du curé de Saint-Martin-Lys qui, le premier, décida d'ouvrir un passage en creusant la roche avec ses paroissiens.

■ Axat et les gorges de l'Aude

Les amoureux de nature, de randonnée et de sports de plein air aimeront ce village escarpé, à l'entrée d'un cirque montagneux. Pittoresque avec ses anciens passages couverts, son joli pont, ses fontaines, c'est le point de départ de belles randonnées vers Puilaurens et les Fenouillèdes, à l'est, ou vers la vallée du Rebenty et le pays de Sault à l'ouest. Au sud-ouest, l'Aude devient de plus en plus torrentueuse.

- Les **gorges de Saint-Georges** sont une autre brèche spectaculaire ménagée par la rivière entre deux pans verticaux de calcaire. Les falaises font plus de 300 m de haut et sont distantes de 20 à 25 m.

- Plus loin, les **gorges de l'Aude**, encaissées entre des versants boisés de sombres sapins, encombrées de gros blocs de pierre, offrent leurs rapides aux amateurs de rafting ou de canoë.

- Les **grottes de l'Aguzou** possèdent de belles salles qui intéresseront les passionnés de spéléologie ou de géologie.

▷ Le pays de Sault

CARTE P. 159
D'Axat vers le nord-ouest (D 117 puis D 107).

O n entre ici dans la vallée du Rébenty, tapissée d'épaisses forêts et remarquablement ignorée des touristes.

■ **Villages perchés et défilés**

On passe les villages perchés de **Cailla** et **Marsa**, avant d'aborder celui de **Joucou**, qui masse ses maisons de granit et de schiste autour des ruines d'une ancienne abbaye.
- On traverse ensuite le **défilé de Joucou**, où la route se taille un passage dans la roche calcaire sous des arches impressionnantes. Un peu plus loin, c'est au tour du **défilé d'Able**, dominé par les ruines romantiques d'un château. Les gorges sont ici particulièrement étroites, laissant un passage exigu aux eaux tourbillonnantes du Rébenty. Le charme de ces défilés successifs vient de la jolie couleur ocre de la roche qui contraste agréablement avec les pentes boisées.
- À 5 km de **Belcaire**, vers Quillan, le petit village forestier de **Roquefeuil** recèle un magnifique **retable** en bois doré et peint (fin XVIIe s.) dans son église paroissiale.

■ **Chalabre et le Kercorb**

On aborde le Kercorb par cette vallée. Entourée de collines boisées, Chalabre en est la capitale, dominée par l'imposante silhouette du château et située au carrefour des trois vallées de l'Hers, du Blau et du Mirepoix : on comprend son importance stratégique dans les guerres qui déchirèrent le Languedoc.

Activités nautiques possibles sur le lac de Montbel.

- La ville dut sa richesse au commerce du drap, puis des chaussures. Elle a conservé beaucoup de caractère, de belles **maisons à pans de bois** et des traditions pittoresques, dont celle du charivari. Le plan général géométrique autour de l'ancienne **halle aux grains** rappelle celui des bastides.
- Ne manquez pas les **marchés** colorés, le samedi, ou la foire, le deuxième mercredi de chaque mois. Profitez-en pour goûter les spécialités locales, le cidre du Kercorb et surtout le *tougnol*, un pain d'anis au beurre.

Les forges catalanes

Toute la partie catalane des Pyrénées est exceptionnellement riche en minerai de fer. La métallurgie y est très ancienne : dès le Moyen Âge, l'eau des rivières fournissait l'énergie motrice. Le bois des forêts alimentait le feu des forges, entretenu par un énorme soufflet actionné par une roue à eau. On alternait des couches de minerai et de charbon de bois. Sous l'action de la chaleur, le fer se liquéfiait et coulait par un trou dans le fond du fourneau jusque sous d'énormes marteaux à bascule, pouvant peser 600 kg. Ces marteaux, mus aussi par l'énergie hydraulique, frappaient le fer rouge sur une gigantesque enclume, le purifiant et l'étirant. Les forges de ce type étaient très nombreuses dans le pays de Sault et la haute vallée de l'Aude, dans le Vallespir et le massif du Canigou. La concurrence de la sidérurgie lorraine sonna le glas de cette tradition. La dernière forge catalane, à Arles-sur-Tech, a fermé ses portes en 1918.

La « vallée des chapeaux »

La haute vallée de l'Aude a connu un essor industriel important au XIXᵉ s., lié à une activité très pointue : la confection de chapeaux de feutre. Par le passé, la région s'était déjà fait une place de choix dans la fabrication du drap de laine et dans le travail du cuir. Il y avait donc un tissu industriel reposant sur l'énergie hydraulique tirée des rivières et la présence en abondance de la matière première : la laine des moutons des pâturages environnants. En outre, sur le plan social, il existait déjà une classe ouvrière distincte de la classe paysanne et constituant une main-d'œuvre qualifiée. Avec le déclin progressif de l'industrie drapière, ouvriers et infrastructures devinrent disponibles. La chapellerie naît d'abord à Bugarach, puis s'étend autour de Chalabre et d'Espéraza. Ce dernier village compta jusqu'à 16 usines. L'ensemble de cette industrie occupait 3 000 personnes entre les deux guerres mondiales. La « vallée des chapeaux » était alors le deuxième centre mondial de la chapellerie. À partir des années 1950, le chapeau passe de mode, l'industrie décline. Il ne reste plus qu'une usine aujourd'hui, mais elle maîtrise toute la chaîne de fabrication, du feutre au chapeau fini. Sa clientèle est prestigieuse, haute couture et célèbres têtes à chapeaux, de François Mitterrand à Michael Jackson.

Le musée d'Espéraza présente toutes ces opérations ainsi qu'une collection de chapeaux de célébrités.

■ Du feutre au cône

La matière première utilisée est la laine des moutons, dont les longues fibres écailleuses se prêtent particulièrement bien au feutrage. On les mélange à la blousse, des fibres plus courtes obtenues par peignage. Les fibres sont brassées et agglomérées en milieu humide, à une certaine température favorisant le feutrage et pulvérisées d'un mélange huileux qui les protège. La masse fibreuse est ensuite longuement manipulée pour obtenir, après le *cardage*, un épais matelas. À ce stade, les fibres sont solidaires mais restent parallèles. Pour obtenir le feutre, il faut les croiser. L'opération suivante est donc l'*enroulage* : on place deux cônes face à face, joints par leur base et on enroule en biais une longueur du matelas précédemment cardé, d'un côté puis de l'autre, de façon qu'elle s'entrecroise à chaque tour. Ensuite on coupe entre les deux cônes que l'on sépare. Chaque cône subit alors le *semoussage* : en compressant le cône à la vapeur, les fibres précédemment croisées se feutrent. On égalise les bords puis on passe au *cailloutage* : les cônes sont humidifiés dans un bain acide et comprimés par de multiples passages entre des rouleaux. Le *foulage*, ensuite, consiste à placer les cônes en vrac dans une grande cuve remplie d'un bain acide et à les frapper à l'aide de gros maillets de bois. Vient alors la *teinture* ou la décoloration suivant les couleurs recherchées (l'entreprise de Montazels dispose ainsi d'une palette de 4 000 couleurs) puis l'*essorage* dans une énorme centrifugeuse. Enfin, le *baffage* consiste à assouplir les cônes à la vapeur.

■ Du cône à la cloche

On est maintenant en possession d'un cône parfait, lisse et souple. Il faut commencer à lui donner la forme qui permettra ensuite de fabriquer le chapeau. Le cône subit d'abord le *dégageage*, qui en élargit la partie pointue. Il est alors prêt pour le *clochage*. C'est à ce stade que sa forme et sa taille seront définitives. On recourt à des moules en bois sur lesquels les cônes sont étirés à la vapeur. En les secouant à maintes reprises, on force peu à peu le cône à en prendre la forme et à se transformer en cloche. Pour fixer la cloche, on la passe à l'étuve à 70 °C durant une nuit. L'usine stocke ensuite les cloches de toutes les tailles et de toutes les couleurs, prêtes pour répondre aux exigences des chapeliers.

■ De la cloche au chapeau

La cloche n'a à ce stade qu'une vague forme de couvre-chef. Pour devenir chapeau, elle doit subir encore un bon nombre d'opérations. On la mouille de nouveau pour la rendre plus facile à travailler, on l'étire pour modifier sa forme et son volume, que l'on fixe à la presse. On rogne les bords, puis, lorsque la forme désirée est obtenue, on procède aux finitions, doublure, galons ou bandes de cuir intérieurs, doublure, piquage... À Montazels, on produit environ 200 modèles différents chaque année.

Naissance du chapeau

Le massif des Corbières

Ce serait une erreur de restreindre les Corbières à leur partie viticole. Ce massif montagneux est beaucoup plus étendu et varié. Limité par l'Aude au nord et à l'ouest, par la mer à l'est et par la vallée du Maury et de la Boulzane au sud ; il s'élève jusqu'à 1 230 m au pic de Bugarach. Le contraste est total avec les Pyrénées toutes proches. On est loin des pentes boisées : c'est plutôt un chaos sauvage de rochers clairs, un fouillis de crêtes torturées et de pentes couvertes de garrigue. La viticulture traditionnelle se cantonne aux vallées et aux premiers contreforts, bénéficiant ainsi d'un ensoleillement exceptionnel. Quant aux abbayes, leur destinée fut étroitement liée à l'histoire tragique des cathares.

◀ *La chapelle Saint-Martin-des-Puits.*

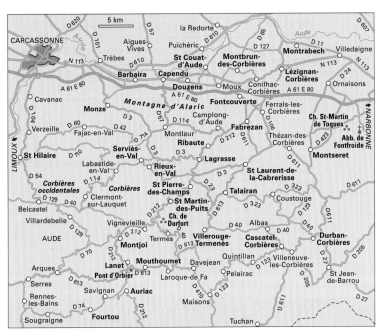

Lézignan et la montagne d'Alaric

CARTE P. 173

Juste au sud de l'Aude, à une vingtaine de kilomètres de la mer, Lézignan est la porte des Corbières à la frontière avec le Minervois. La montagne d'Alaric, du nom d'un roi wisigoth, en constitue la barrière nord, s'élevant brutalement au-dessus de la plaine, bien visible depuis la route qui joint Narbonne à Carcassonne. Longtemps l'élevage des moutons et la culture de l'olivier ont dominé, mais la vigne a peu à peu remplacé ces activités traditionnelles, modifiant complètement le paysage, avec des pentes alternant vignobles et garrigue.

Les capitelles

Partie intégrante des vignobles du Midi, les capitelles sont ces abris de pierre qui servaient aux vignerons pour passer la nuit dans le vignoble ou s'abriter lors des orages. Rondes ou carrées, elles sont exécutées sans mortier, exclusivement dans la pierre trouvée sur place. Elles utilisent la technique de voûte en encorbellement, avec une seule ouverture, une porte basse surmontée d'un linteau, épousant parfaitement la pente. Leur origine remonte sans doute aussi loin que l'âge de fer, bien que celles que vous voyez dans les vignes aient rarement plus de 200 ans. Elles sont très nombreuses dans le vignoble proche du littoral (autour de Fitou, elles sont exceptionnellement abondantes), se raréfiant en abordant les hautes terres. On les retrouve également dans le vignoble du Minervois.

■ Lézignan

La petite ville se dresse au milieu des vignes et de la garrigue, non loin de l'Orbieu. Avec ses **coopératives viticoles**, c'est la capitale du terroir et l'endroit idéal pour commencer sa découverte. La ville ancienne est assez plaisante avec un noyau d'étroites ruelles ombragées ceinturé de boulevards.

- Au cœur de la vieille ville, **l'église Saint-Félix** est un édifice roman fortifié, qui a subi des modifications aux XIIIᵉ et XVᵉ s. Elle se remarque surtout pour son mobilier intérieur, dont le maître-autel du XVIIIᵉ s. en marbre polychrome et surtout une belle Nativité, peinture de l'école allemande du XVᵉ s.

- Le **musée de la Vigne et du Vin** fournit toutes les explications pour comprendre la viticulture : présentation des outils, description du travail de chaque saison, costumes des vignerons, poteries…

3, rue Turgot.

Ouvert tous les jours de 9 h à 12 h et de 14 h à 19 h, l'été de 9 h à 19 h. ☎ 04 68 27 07 57.

■ Douzens

À 14 km à l'ouest de Lézignan.

Cette ancienne commanderie de Saint-Jean-de-Jérusalem est restée un village pittoresque, pressant ses maisons anciennes autour d'un château rénové et d'une église gothique.

- Le principal intérêt du village est son **musée des Oiseaux**, riche de l'une des plus importantes collections ornithologiques d'Europe.

- Regagnez la N 113 vers Capendu. Si vous voulez voir un exemple de village rond, faites un détour au nord de la N 113 vers **Saint-Couat-d'Aude**, perché en cercle autour d'une ancienne tour carrée.

- Le jour idéal pour visiter **Capendu** est le mardi, pour son **marché très vivant**. Le village est dominé par les ruines d'un château perché sur un rocher. L'abside de grès de la chapelle romane du cimetière a conservé sa toiture de lauzes, larges dalles de pierre, et donne une idée du style roman le plus simple.

■ La montagne d'Alaric

En sortant de Capendu, vous abordez les flancs de la montagne d'Alaric, à partir du village viticole de **Barbaira**, et son église à l'élégante tour carrée.

- Dans le village, prenez la direction du **château de Miramont**, à 3 km au sud-ouest. Dressé à 500 m au-dessus de la plaine, il commande un superbe panorama, dégagé jusqu'à la Montagne noire au nord. On l'a longtemps appelé à tort la forteresse d'Alaric, il s'agit en fait d'un château construit par les seigneurs de Capendu après la croisade contre les cathares.

- Partez ensuite pour **Monze**, au sud-est, au cœur d'un paysage désertique de rochers gris pâle. Le village est étagé à flanc de coteau. Un joli pont ancien (XIIIe s.) enjambant la Bretonne, une porte fortifiée et des rues en pente signent une charmante bourgade typique du vignoble.

■ Le val de Dagne

La D 3 mène au sud-est vers le val de Dagne et ses villages.

Servès-en-Val est la petite capitale de cette région. Le village est dominé par l'imposante silhouette de son château médiéval largement remanié aux XIVe et XVIe s. Le bâtiment se compose d'un corps rectangulaire flanqué de quatre tours rondes. Découvrez sa décoration intérieure, qui est particulièrement originale.

- Non loin de là, **Rieux-en-Val** conserve de jolies maisons du XVIIIe s. et une tour, vestige de l'ancien château médiéval. Plus remarquable, le ravissant **pont en dos d'âne** sur l'Alsou, à la sortie du village vers Lagrasse, enjambe la rivière de ses trois arches.

■ De l'Alsou à l'Orbieu

Suivez la route de Lagrasse, le long des belles gorges de l'Alsou, sur 7 km.

Peu avant Lagrasse, tournez à gauche vers les Auzines. À 1,5 km du carrefour, repérez un chemin sur la gauche. Laissez-y votre voiture. À 200 m, sur le flanc de la colline à droite, se trouve un bel **ensemble de capitelles**, hélas mal préservées.

- Prévoyez une étape à **Lagrasse**, l'un des plus beaux villages des Corbières, où l'Orbieu offre une halte idéale pour un pique-nique ou un bain de rivière.

Le vignoble des Corbières

La vigne est implantée dans la région depuis le VIIIe s. avant J.-C. Rapidement, elle fait l'objet d'un commerce qui finit par concurrencer celui des Romains. En 92, pour régler le problème, l'empereur ordonne même d'arracher la moitié du vignoble. La production de vin se poursuivit néanmoins jusqu'à l'arrivée des Sarrasins, musulmans. La renaissance viendra plus tard des monastères : les moines, non seulement consommaient le produit, mais expérimentaient et mettaient au point de nouvelles techniques. À l'époque, seuls les coteaux étaient plantés de vigne, la plaine étant laissée aux cultures vivrières et à l'olivier. Avec l'accroissement des marchés, on commença à planter dans la plaine, puis, après l'assèchement des marais littoraux, sur les basses terres récupérées de la mer. Le climat très ensoleillé (c'est la région la plus chaude de France) a ses revers : pluies irrégulières et mal réparties (Barcarès est l'endroit le moins arrosé du pays), orages parfois violents et vents fréquents qui dessèchent encore plus (mistral, cers, tramontane).

Les grandes abbayes

CARTE P. 173

L e relief accidenté et sauvage des Corbières et leur situation à l'écart des grandes routes ont attiré très tôt les ermites en quête de paix et de solitude. Les premiers monastères ont été fondés dans l'Aude dès le VIe s., le plus ancien à Saint-Hilaire, suivi ensuite des abbayes bénédictines. Les communautés cisterciennes sont arrivées plus tard, au XIIe s., avec les créations de Fontfroide pour les hommes et Rieunette pour les femmes. Le rayonnement spirituel des abbayes de l'Aude attire durant plusieurs siècles des personnalités de premier plan et suscite la protection des puissants. C'est ainsi que les domaines monastiques s'étendent sur des surfaces immenses, faisant des communautés religieuses des éléments majeurs de la vie politique et sociale au Moyen Âge.

▼ L'abbaye bénédictine de Saint-Hilaire est un ensemble de bâtiments monastiques assez important, disposé autour d'un cloître bien conservé. Un spectacle son et lumière se déroule dans le cloître en juillet et en août.

▶ Si vous êtes passionnés d'architecture ancienne, ne manquez pas la petite église de Saint-Martin-des-Puits. Le chœur remonte à l'époque préromane (IXe s.) : couvert d'une charpente, il est séparé de la nef par une arcade en fer à cheval reposant sur des colonnes antiques et des chapiteaux mérovingiens.

■ Saint-Hilaire

À 17 km au sud de Carcassonne.

Visites guidées en juillet, août et septembre. ☎ 04 68 69 41 15.

Saint-Hilaire jouit d'un monastère depuis le VIe s., la première mention écrite remonte à 825. L'établissement était placé sous la protection des Trencavel, comtes de Carcassonne, ce qui explique qu'il ait reçu des dons considérables et se soit enrichi. Au Xe s. Saint-Hilaire est rattaché à Saint-Michel-de-Cuxa. L'abbaye adopta la règle bénédictine, mais connut une période un peu difficile durant la croisade contre les cathares, car elle était soupçonnée de soutenir les hérétiques. À la fin des troubles, elle dut entreprendre une vaste campagne de restauration. Le cloître sera ajouté au XIVe s. Durant la guerre de Cent Ans, l'abbaye fut fortifiée : il en reste la partie appelée le Fort.

- **L'église abbatiale** date du XIIe s. et s'inspire du style roman provençal. La nef est voûtée d'ogives qui s'appuient sur des **chapiteaux** ornés de visages et de feuillages.

- L'élément le plus remarquable est un **sarcophage** en marbre blanc des Pyrénées qui sert d'autel dans l'absidiole sud : il s'agit d'une œuvre du **Maître de Cabestany**, ornée de scènes de la vie de saint Sernin, premier évêque de Toulouse, dont l'abbaye possédait des reliques.

- **Le cloître**, très élégant, s'ouvre sur le jardin par des arcs brisés reposant sur des colonnes géminées dont les chapiteaux sont décorés de feuillages et de monstres. Tout autour sont organisés les bâtiments de la vie monastique : au sud, le **réfectoire**, à l'ouest, se trouvent les caves et les celliers (les moines de Saint-Hilaire étaient de fins vignerons et inventèrent la blanquette de limoux).

■ Saint-Polycarpe : sous la règle de saint Benoît

À 8 km au sud-est de Limoux.

Le monastère de Saint-Polycarpe fut fondé au IXe s. par Attala, un chrétien d'Espagne qui avait fui les musulmans. Elle devint abbaye et adopta la règle bénédictine un siècle plus tard, puis passa successivement sous la dépendance des abbés d'Alet et de Lagrasse avant de gagner son indépendance en 1170. Au XVIIIe s., elle devint un foyer du jansénisme.

- **L'église abbatiale** date du XIe s. Son allure extérieure surprend : lourde silhouette fortifiée avec son chevet décoré d'arcatures lombardes. On distingue très bien comment l'abbaye a été surélevée.
- À l'ouest, le **clocher-porche** est tout aussi massif.
- À l'intérieur, elle est très simple, avec une voûte en berceau et un chœur étroit voûté en cul-de-four.
- Les plus beaux éléments sont deux **sarcophages carolingiens** ornés d'oiseaux et d'entrelacs, utilisés comme autels (Xe s.) et les **reliquaires** du trésor (Saint-Benoît, Saint-Polycarpe et une monstrance-reliquaire portée par deux anges, le tout du XIVe s.).
- Les **peintures des voûtes**, réalisées à la détrempe (XIIe s.), figurent des scènes de l'Apocalypse. À l'extérieur, l'**aqueduc** alimentait en eau les bâtiments monastiques aujourd'hui en ruines.

- Partez ensuite vers l'est, pour un itinéraire très pittoresque, par la D 129, puis la D 40, le long du **plateau de Lacamp**, en direction de Vignevieille, puis de Saint-Martin-des-Puits, sur la D 212.

■ Saint-Pierre-des-Champs

Sur la D 212, vers Lagrasse.

Ce village de la vallée de l'Orbieu était une ancienne station sur la voie romaine des Corbières. Sa butte a très vite été fortifiée pour garder la gorge resserrée qu'elle commande.

- De ces fortifications, il reste des vestiges de remparts et deux **portes fortifiées**. Les **ruelles étroites** de l'ancien fort ont été conservées avec leur pavage.
- Les **ruines du château** ont été réutilisées pour aménager des maisons et l'ensemble a beaucoup de charme.
- Le long de la rivière, le **quai ombragé** est particulièrement agréable.

La cuisine des monastères

La règle bénédictine ne se contente pas de faire des recommandations spirituelles. Elle donne des directives précises sur la diététique. Pour résister au froid, aux longues veilles et aux durs travaux, les rations quotidiennes sont énormes et nous apparaissent très déséquilibrées. 2 à 4 livres de pain, de copieuses bouillies de céréales et 1 l de vin ou de bière est la ration de base, à laquelle s'ajoutent, selon la richesse des dons que reçoit le monastère, de 5 à 30 œufs, du beurre ou du saindoux, du fromage, du poisson, des légumes bouillis et des fruits secs, mais pratiquement pas de viande. Ce régime riche en sucres et en graisses explique l'embonpoint des moines que leur prête l'iconographie. Les repas ne sont pas pour autant monotones et les moines sont affectés à tour de rôle aux fourneaux. Les œufs, qui constituent une part considérable du régime, sont préparés selon une trentaine de recettes différentes. Les fromages ont été élaborés par des moines ; épices et herbes aromatiques sont largement utilisées. En période de jeûne, on se limite au pain (seigle, orge, avoine, le froment étant réservé aux plus faibles) et à l'eau.

▼ *Le pont Vieux de Lagrasse (XIIe s.) au fort dos d'âne était à l'origine couronné de trois tours. Il fait communiquer le village avec le quartier de l'abbaye.*

■ Lagrasse

Syndicat d'initiative : 6, boulevard de la Promenade.
☎ 04 68 43 11 56.

Au carrefour des vallées de l'Orbieu et de l'Alsou, le ravissant village de Lagrasse offre un joli patchwork de toits de tuiles roses et de murs dorés, au milieu des collines couvertes de garrigue et des vignobles. Fortifié au XIIe puis au XIVe s., il conserve une partie de ses remparts (la **tour de Plaisance** est un vestige de la première enceinte) et tout son cachet médiéval. Au Moyen Âge, Lagrasse était la véritable capitale des Corbières, une ville commerçante d'importance.

- La visite du village permet de découvrir un lacis de **ruelles pavées** bordées de belles **maisons anciennes** (XIVe-XVIe s.), dont l'une (rue des Mazels) possède une façade décorée de peintures.

- Les **halles** de 1315, au milieu d'une adorable place, rappellent les marchés médiévaux qui firent la richesse de la ville.

- L'extérieur austère de style gothique languedocien de **l'église paroissiale** ne doit pas vous rebuter : à l'intérieur, le **mobilier** est très riche, en grande partie récupéré à l'abbaye pendant la Révolution (maître-autel, tableaux, Vierge à l'Enfant du XIIIe s.).

▼ *Le logis abbatial de Lagrasse comprend les parties les plus anciennes de l'abbaye. Au rez-de-chaussée, on visite le cloître. Au premier étage, la salle dite de garde a conservé son plafond à poutres et une belle cheminée. Les bâtiments abbatiaux et le donjon ont été élevés plus tardivement que le reste, au XVIIIe s.*

■ L'abbaye de Lagrasse

Pour rejoindre l'abbaye, franchissez le pont d'où la vue est très plaisante sur les maisons anciennes.

Ouvert de 10 h 30 à 12 h 30 et de 14 h à 18 h 30, 19 h en été.
Fermé le dimanche matin. D'octobre à mars de 14 h à 17 h.
☎ 04 68 58 11 58.

L'édifice fut fondé au VIIIe s. La légende veut que l'on ait choisi cet emplacement à cause d'un miracle accompli par sept ermites ayant multiplié sept pains pour les 7 000 soldats qui accompagnaient Charlemagne dans sa guerre contre les Arabes. La réalité est plus prosaïque : le fondateur est un proche de saint Benoît d'Aniane. Grâce aux nombreux dons, elle prit rapidement de l'importance et étendit son territoire depuis l'Albigeois jusqu'à l'Aragon, puis déclina après les épidémies et la guerre de Cent Ans. Elle connut un certain renouveau au XVIIIe s., mais fut confisquée à la Révolution.

- On pénètre dans l'abbaye par une **cour** encadrée par les **bâtiments du** XVIIIe **s.**, occupés par la communauté actuelle. Le **cloître** auquel on accède par un couloir est d'une grande sobriété. L'église abbatiale date du XIIIᵉ s. On remarque surtout le riche **décor de l'abside** marqué par l'influence antique.

- En passant par la chapelle primitive, on accède à l'imposant **clocher-donjon**. Prévu pour s'élever à 80 m de haut, il ne fut pas achevé. Du haut de ses 40 m, la vue sur les environs est cependant superbe.

- Pour visiter la partie où vivaient les moines, on prend l'escalier qui monte à la **tour préromane** (l'élément le plus ancien) où l'on remarque les **arcs en fer à cheval**. Le **dortoir des moines** est immense, couvert d'une belle charpente Il mène à la galerie supérieure du vestige le plus attachant : le **vieux cloître** à deux étages reposant sur des piliers romans.

- La visite conduit ensuite à la **chapelle de l'Abbé** (1296), ses **fresques** et son **pavage polychrome** remarquables.

■ L'abbaye de Fontfroide

Ouvert du 10 juillet au 31 août, de 9 h 30 à 18 h; du 1ᵉʳ avril au 9 juillet et du 1ᵉʳ septembre au 31 octobre, de 10 h à 12 h et de 14 h à 17 h; du 1ᵉʳ novembre au 31 mars de 10 h à 12 h et de 14 h à 16 h. Visites guidées (1 h) tous les jours, toutes les 45 mn en saison. ☎ 04 68 45 11 08.

Initialement bénédictine comme ses voisines, l'abbaye de Fontfroide, fondée au XIᵉ s., adopte la règle cistercienne en 1146. C'est l'un des plus beaux édifices du Midi. Elle participa activement à l'inquisition contre les cathares (Pierre de Castelnau, l'envoyé du pape dont l'assassinat déclencha la croisade, y fut moine). Elle connut ensuite une grande prospérité, comme en témoigne la splendeur des bâtiments. Son rayonnement dépassa le Languedoc et l'un de ses abbés devint pape sous le nom de Benoît XII, au XIVᵉ s. Au premier abord, ce remarquable ensemble de pierre blonde offre un superbe contraste avec son environnement rocailleux.

- On pénètre dans la cour d'honneur par un imposant portail, puis dans une grande salle du XIIIᵉ s., voûtée d'ogives. La **cour Louis XIV**, aménagée au XVIIIᵉ s., est la partie classique de l'abbaye.

- La partie médiévale présente une architecture très nette, proche de celle des abbayes provençales. L'église a conservé le plan bénédictin d'origine et un **portail roman** très simple orné de petits panneaux sculptés (XVᵉ s.), mais son élégante simplicité est le reflet de la règle cistercienne.

- **Le cloître gothique** (début XIIIᵉ s.) est splendide, peut-être le plus beau du Midi, avec ses voûtes d'ogives, ses arcades surmontées de hauts tympans ajourés et ses colonnes jumelles reposant sur des chapiteaux ornés de feuillages.

> ### *Emplois fictifs*
>
> *La commende est un mode de gestion des abbayes en vigueur dans la société médiévale. Pour récompenser des proches pour leurs bons services, pour s'assurer de leur fidélité ou pour caser un ecclésiastique sans revenu, on lui concédait les bénéfices d'une abbaye vacante. Très souvent l'abbé commendataire ne résidait même pas sur place, se contentant de toucher l'argent. C'est ainsi que de nombreuses abbayes sont peu à peu tombées en désuétude, faute d'un réel gestionnaire.*

▲ *Rieunette pour les femmes et Fontfroide pour les hommes illustrent l'ordre cistercien fondé par saint Bernard. De cette abbaye, dont le rayonnement s'est fait sentir en Roussillon et en Catalogne, sortirent Pierre de Castelnau, légat du pape assassiné en 1208, et Jacques Fournier qui coiffa la tiare sous le nom de Benoît XII.*

Bénédictins et cisterciens

L'appartenance à des ordres monastiques différents conditionne le mode de vie des moines, l'architecture de leurs couvents et leur rapport à la société. Deux grands ordres se sont partagé les abbayes durant la plus grande partie du Moyen Âge : les bénédictins et les cisterciens.

▶ *L'abbaye bénédictine de Saint-Hilaire.*

La langue des signes

Qu'ils soient bénédictins ou cisterciens, les moines avaient une obligation de silence. Bien difficile dès lors que l'on vit en communauté de se passer des messages sans parler. On avait donc mis au point tout un langage de signes, propre à chaque monastère. Ainsi, à Cluny, on dénombrait 22 positions différentes des doigts liées à l'habillement, 35 pour la nourriture…

■ La règle de saint Benoît

En 529, saint Benoît de Nursie, en Italie, rédige une règle pour son monastère du Mont-Cassin. Il prône une vie d'humilité, d'isolement et d'érudition, strictement rythmée de temps de prière, avec alternance de chants, lectures et travail manuel. Les moines sont tenus de rester dans leur couvent, mais ils ont une obligation d'hospitalité et restent ouverts aux idées extérieures. Ce sont des moines érudits et cultivés qui attachent une grande importance à la préservation des anciens manuscrits hérités de l'Antiquité. Ils fondent de nombreuses écoles dans leurs monastères et contribuent à leur intense rayonnement culturel. Dans toute l'Europe, la règle bénédictine se substitue à celles qui l'avaient précédée, notamment la règle irlandaise de saint Colomban. Mais cet essor et l'importance des dons qui affluent dans les couvents corrompent les moines qui adoptent peu à peu des mœurs relâchées. L'influence clunisienne a des effets durables sur l'art et la culture : une place prépondérante est accordée aux travaux intellectuels et les richesses inestimables des communautés sont consacrées à la construction et à la décoration des églises.

■ Cîteaux et saint Bernard

C'est en réaction à l'opulence affichée des abbayes clu-
nisiennes que se dessine le mouvement des cisterciens
(de Cîteaux). Au départ (début du XIIe s.), la volonté des
fondateurs de cet ordre est simplement de revenir à
l'austérité initiale de saint Benoît. Rédigée en 1119, la
règle était encore plus rigoureuse : pauvreté absolue y
compris dans le culte, interdiction des études profanes,
mise en avant de la contemplation ou du travail
manuel, notamment le défrichage et l'agriculture, isolement total, interdiction aux personnes extérieures d'assister aux offices. Bien que n'en étant pas le fondateur,
saint Bernard développa l'une des plus célèbres filles de
Cîteaux, Clairvaux. Très charismatique, il joua un rôle
prépondérant dans la diffusion des nouvelles règles.
L'opposition avec Cluny se manifestait jusque dans les
moindres détails, comme l'habit, blanc, pour marquer
une intense dévotion à la Vierge, un autre aspect majeur
de l'ordre cistercien. Le rapport aux saints, à Marie et au
Christ est teinté d'affectivité. La quête de spiritualité
intense amène les moines vers le chant et la recherche
de la perfection acoustique, ce qui conditionnera l'évolution architecturale des églises. L'ordre cistercien sera
pourtant lui aussi victime de son succès, lorsque devenu
riche et puissant, il délaissera progressivement la pauvreté et la rigueur.

■ Les différences architecturales

Austérité contre richesse : le contraste est évident. Le plan
même des églises en est le reflet. Le plan bénédictin multiplie les courbes et les chapelles semi-circulaires rayonnant vers un chœur spacieux, alors que le plan cistercien,
souvent strictement en croix, rejette ces mêmes courbes
jugées trop distrayantes et préfère les chapelles rectangulaires. Le transept y gagne de l'importance par rapport au
chœur. La volonté d'élévation spirituelle des cisterciens
se traduit par une recherche de volumes aériens et
dépouillés attirant le regard vers le haut. En ce sens, bien
qu'ancrée dans le style roman, les églises cisterciennes
adoptent les ogives très tôt et annoncent le gothique où
elles trouvent les réponses architecturales à leur désir
d'épuration. Mais c'est dans les ornementations que les
différences sont les plus flagrantes. Saint Bernard
dénonce les excès de luxe des abbayes bénédictines, les
sculptures élaborées, les vitraux, les fresques, ces artifices
qui ne font que distraire de l'essentiel. Les églises des cisterciens sont donc sévères et nues. Seule la structure élégante de l'architecture conduit le regard et permet la
contemplation. L'art est vu avec méfiance, comme une
façon de satisfaire les sens, alors que l'on ne cherche qu'à
les sublimer... L'eau en revanche est omniprésente : elle
conditionne le choix du site qui doit être isolé. Fontfroide en est un parfait exemple avec sa source.

Travailler la vigne

Le cycle annuel commence en hiver, à partir de décembre : il consiste à tailler les sarments pour que le bois ne se développe pas trop. Ensuite, au printemps, on déchausse les plants en dégageant les pieds et en ramenant la terre au milieu des rangs. Puis, il faut sans cesse désherber, maintenir un sol meuble pour éviter les pertes d'eau par évapora-tion. En outre, on surveille constamment la proliféra-tion végétale pour éviter l'excès de rameaux, on enlève les feuilles qui cacheraient le soleil, on protège la vigne des gelées tardives en entretenant des feux, on rogne les sar-ments, traite contre les parasites, surveille la matu-ration. Autant de gestes constamment répétés jus-qu'au moment de la ven-dange. C'est alors le cycle du vin qui commence.

Les châteaux cathares

CARTE P. 173

Devenues un symbole de l'histoire mouvementée du Languedoc, les citadelles cathares composent un patrimoine émouvant en raison de leur destin tragique et de la splendeur des sites. Pics rocheux désolés, collines arides et solitaires, on les a nommées les citadelles du vertige. Les Corbières possèdent les plus belles d'entre elles, surnommées les cinq fils de Carcassonne, la cité mère : Termes, Aguilar, Quéribus, Peyrepertuse et Puylaurens. D'autres se trouvent au nord de Carcassonne, dans le Minervois ou dans les Pyrénées. Un circuit permet de découvrir les châteaux des Corbières. Les passionnés pousseront jusqu'à Puivert, à l'ouest de Quillan et Montségur, non loin de là.

▶ *Dernier des cinq fils de Carcassonne, le château de Puylaurens fut un refuge pour des chevaliers cathares que Simon de Montfort n'a jamais pris. L'édifice a conservé ses créneaux, ses tours et son donjon des XIe et XIIe s., auxquels on accède par un joli sentier botanique.*

■ Durfort

À 47 km de Narbonne, au sud de Lagrasse.

Le château de Durfort prend le voyageur par surprise, au détour du défilé de l'Orbieu.
- Juché sur un éperon rocheux de 40 m, à l'image des plus célèbres bastions cathares, il gardait le couloir menant au château de Termes. La route contourne ce perchoir, dans un cadre d'une beauté sauvage, au milieu de la verdure. Il appartenait à la puissante famille Durfort, alliée aux seigneurs de Termes. Les croisés prirent le château en 1215.
- Il ne reste de la forteresse que des ruines, vestiges de remparts, chemin de ronde, tours, dont l'une servait à relayer les signaux aux châteaux alliés (visite gratuite, demandant des précautions).

■ Termes

Suivez la D 212. Sur la gauche, vous apercevez la citadelle de Termes. Prenez la D 40, à gauche, pour la contourner.

L'arrivée à Termes, à travers un paysage chaotique et sauvage, se fait après avoir traversé deux **tunnels creusés dans la roche**.

- Le site, un véritable nid d'aigle, est tellement escarpé, qu'on le jugeait imprenable. Son seigneur, Raymond de Termes, était un farouche opposant aux inquisiteurs. Après Carcassonne et Minerve, Simon de Montfort fit le siège de la citadelle en 1210. Aucun des engins de guerre ne réussit pourtant à déloger les rebelles, seule la soif eut raison de leur résistance. La chute de Termes, l'emprisonnement et la mort de Raymond de Termes devaient marquer un tournant psychologique dans la résistance des cathares.

- Entouré de ravins, il n'est accessible que par le sud. On peut voir les ruines des deux **enceintes concentriques**, une belle **poterne** et les vestiges de la chapelle. **La vue** est grandiose. Quelques belles promenades sont possibles dans les environs, notamment celle des **gorges du Coynepont**.

◀ *Le village médiéval de Villerouge-Termenès est dominé par un massif château, gardien de la vallée. À l'intérieur du château, une exposition évoque le « monde de Bélibaste ». Chaque année, durant la saison, sont organisés des concerts, des repas médiévaux et une fête médiévale qui reconstitue la vie et le jugement de Bélibaste.*

- Sortez de Termes vers le sud et prenez le chemin tout de suite à droite. Passez la chapelle et continuez jusqu'à un embranchement où vous laissez votre voiture. Dirigez-vous vers le pied de la falaise et découvrez devant vous un défilé très pittoresque où la rivière s'écoule en cascades et en marmites.

■ **Villerouge-Termenès**

À 40 km au sud-ouest de Narbonne par la D 613.

Le village médiéval de Villerouge est l'un des plus beaux des Corbières, propice à la flânerie au fil des ruelles. Contrairement à la plupart des forteresses cathares, son imposant château quadrangulaire n'est pas perché sur une hauteur, mais domine les maisons et les vignobles. Appartenant à l'origine aux archevêques de Narbonne, il tomba aux mains de Simon de Montfort en 1210, après la reddition de la forteresse de Termes.

- C'est là que fut brûlé, en 1321, le dernier parfait connu, **Guillaume Bélibaste**. Ce personnage haut en couleur était le fils d'un riche fermier des Corbières, converti au catharisme. À cette époque-là, beaucoup avaient émigré en Italie ou en Espagne pour échapper à

l'Inquisition. Bélibaste, un moment réfugié en Catalogne, décida de rentrer en France. Trahi par son compagnon, il fut arrêté et condamné au bûcher. On a retrouvé sa trace dans les registres d'Inquisition conservés au Vatican. Lors de la visite du château, vous pourrez voir un spectacle audiovisuel retraçant son histoire.
- **Le château**, entièrement restauré, est un bel exemple d'architecture militaire des XIIᵉ et XIIIᵉ siècles, avec ses quatre grosses **tours** d'angle, dont la plus grosse sert de donjon. On distingue les vestiges des créneaux. De la **terrasse**, on a une jolie vue du village et de son **église Saint-Étienne** (très beau **retable** sculpté et peint du XVIᵉ s.).

■ Aguilar

On l'aperçoit de très loin, perché à 400 m, sur une colline dominant la **plaine de Tuchan**.
- Ce château appartenait à la famille des Termes. Il gardait l'accès aux Corbières centrales et relayait les signaux de la tour de Tautavel et de la forteresse d'Opoul. Bien que moins escarpé que d'autres, il était très difficile d'abord, entouré de ravins. Comme celui de Termes, il fut assiégé en 1210. Il finit par revenir à la couronne de France, lorsque Olivier de Termes se soumit à Saint Louis. Sa position présentait un grand intérêt pour garder la frontière avec l'Aragon. Il subit d'ailleurs plusieurs attaques des Espagnols.
- Son **enceinte polygonale**, dirigée en pointe du côté d'où venaient les attaques, flanquée de tours rondes, est dominée par un donjon (visite gratuite, 10 mn d'ascension).

■ Quéribus

À 8,5 km de Padern.

▲ *« Citadelle du vertige posée sur son piton rocheux comme un dé sur le doigt », le château de Quéribus domine la plaine du Roussillon du haut de ses 728 m. Avec le traité des Pyrénées (1659) qui rattache le Roussillon à la France, la citadelle devint forteresse royale.*

Passé le beau village de **Cucugnan**, rendu célèbre par Alphonse Daudet, voilà l'une des sentinelles cathares les plus caractéristiques, celle qui fut le dernier îlot de résistance.
- Sa silhouette très identifiable se dresse au cœur d'un paysage aride et désolé de montagnes grises. Du haut de ses 728 m, il commande l'accès aux Fenouillèdes. De nombreux hérétiques s'y réfugièrent, pensant y être à l'abri. Après la chute de Montségur, Quéribus est le dernier bastion de la religion cathare. Il tombe après un siège très bref, en 1255 (visite payante, 20 mn d'ascension, attention par grand vent).
- C'est un exemple superbe d'architecture fortifiée. Les imposantes parois de pierre semblent prolonger le piton rocheux et son **donjon polygonal** est un défi d'architecture. L'accès, déjà, étonne, limité à une seule arête parcourue par un sentier et des escaliers. Une porte défend l'entrée. De près, on constate à quel point l'édifice épouse la montagne. À l'intérieur, la surprise vient

de la superbe **salle gothique voûtée** dont les ogives reposent sur un pilier central.

- D'en haut, la vue est vertigineuse sur toute la plaine du Roussillon, les Pyrénées et les Corbières. On aperçoit, fondu dans une crête rocheuse, au nord-ouest, la citadelle de Peyrepertuse, son alliée dans la surveillance de la zone.

■ Peyrepertuse

Voilà la plus monumentale des citadelles cathares, avec ses 2,5 km de remparts et ses imposants vestiges. On imagine parfaitement la vie dans ce village perché, alors qu'autour rôde l'ennemi.

- En approchant du pied de la montagne, on a du mal à distinguer où finit le rocher et où commence la muraille. Jaillissant au-dessus du vide, au milieu des chênes verts, la citadelle suit parfaitement le plan de la crête, en adoptant même les différences de niveau. On l'a surnommée la Carcassonne céleste.

- Avec ses **maisons**, son **église**, ses deux **châteaux**, elle est aménagée comme une véritable ville.

- On accède au château le plus haut, le **donjon**, par un jeu d'escaliers au bord du précipice. C'est à Saint Louis que l'on doit ces ajouts. Après avoir récupéré la citadelle, il en fit un important maillon de son dispositif sur la frontière espagnole.

- Au sommet, la **vue** est stupéfiante de tous les côtés. En regardant par-dessus la muraille, on est pris de vertige devant le précipice qui s'ouvre.

Visite payante, 30 mn d'ascension, attention par grand vent.

■ Puivert

Au nord-ouest de Quillan.

Le château de Puivert fut lui aussi la cible des attaques de Simon de Montfort. Comme Aguilar, Termes ou Villerouge, il tomba en 1210 en trois jours seulement. Hélas pour le vainqueur, tous les hommes s'étaient sauvés par les souterrains. Le château fut alors attribué à la famille Bruyère et devint un centre culturel important, accueillant une cour raffinée où les troubadours exerçaient leur art.

- Le style de l'édifice qui date, pour ses réaménagements, du XIVe s., est beaucoup plus élaboré que ses voisins cathares. On sent que la nécessité de se défendre n'est plus la même.

- **Le donjon**, haut de 35 m, compte trois salles superposées, l'une réservée aux gardes, une chapelle voûtée d'ogives de style gothique et une **salle des Musiciens**, elle aussi voûtée d'ogives. Les nervures se terminent sur de petits musiciens sculptés. On imagine tout à fait les « cours d'amour » de l'époque des troubadours…

▲ *L'ampleur des vestiges et la qualité des constructions font de Peyrepertuse, la « petite Carcassonne céleste », le plus important et le plus remarquable exemple d'architecture militaire du Moyen Âge en Languedoc.*

▼ *Encore un château pris d'assaut par Simon de Montfort. Les ruines imposantes de Puivert remontent aux XIIe et XIVe s. Le musée du Kercorb retrace l'histoire locale à travers les activités artisanales et la vie quotidienne du pays. On y découvre la reconstitution d'instruments de musique médiévaux réalisée d'après les huit sculptures du donjon du château.*

Narbonne

Cabanes de pêcheurs et maisons de vignerons : pêche, sel et vigne sont les principales ressources de la région.

◀ *Notre-Dame-des-Auzils.*

Au cœur d'un riche pays de vignobles, Narbonne est une ville méditerranéenne typique, avec ses ruelles étroites, ses avenues bordées de platanes, ses marchés colorés et sa pierre blonde. Il ne reste pas grand-chose pour rappeler son prestigieux passé romain, et pourtant elle garde un je-ne-sais-quoi de grandeur évanouie et une ambiance vivante et dynamique. Placée au carrefour des grandes voies de communication, au bord du canal de la Robine et à une douzaine de kilomètres de la mer, elle bourdonne d'activité.

Visiter • Narbonne

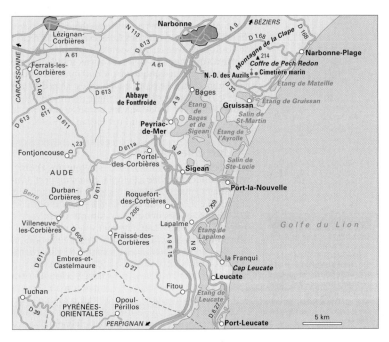

PLAN B2
Office du tourisme : place
Salengro. ☎ 04 68 65 15 60.

Narbonne
une histoire ancienne

▶ *Le canal de la Robine*
partage le centre historique
en deux quartiers : la cité,
avec la basilique Saint-Just-
et-Saint-Pasteur, et le
bourg, autour de la
basilique Saint-Paul.
L'unique arche qui subsiste
du pont médiéval, le pont
des Marchands, enjambait
l'Aude à cet endroit, dans
l'axe de la voie domitienne.

L'héritage gallo-romain

Les fouilles locales ont montré que la région est occupée depuis la préhistoire. Un oppidum existait sur la colline de Montlaurès, au nord-ouest de la ville, dès le VIIᵉ s. avant notre ère. On s'y livrait à un important commerce de céréales et de minerai. On sait par exemple qu'on y échangeait de l'étain venu de Bretagne. Après avoir subi les invasions ibères, les villages durent faire face à celles des Celtes venus de la région de Toulouse. Avec eux, la société s'organise et commence à s'urbaniser. La vigne et l'olivier font leur apparition. C'est à cette époque que Montlaurès prend une réelle importance. Le profil du littoral est alors différent de ce qu'il est aujourd'hui. Le village domine un golfe marin, l'actuel étang de Sigean, bordé au nord par le massif de la Clape et au sud par Sigean. Il possède un petit port florissant.

Une ville carrefour

Lorsqu'ils envahissent la région, les Romains choisissent de fonder une ville à l'emplacement du port. L'intérêt stratégique est évident : commander la route vers l'Espagne et l'Aquitaine et s'assurer ainsi un poste de surveillance et des débouchés commerciaux vers le reste de la Gaule. L'aménagement de la voie domitienne qui passe par là confirme encore cette vocation de ville carrefour. Narbonne devient une ville-champignon : 3 000 colons s'installent d'un coup et on procède à une urbanisation très organisée, selon un plan de cadastre géométrique typiquement romain. En 118 av. J.-C., la ville prend le nom de Narbo Martius, placée sous la protection du dieu Mars. Son formidable essor attire les négociants et les banquiers mais aussi une foule de fonctionnaires de l'administration romaine qui doivent veiller à l'ordre et au bon déroulement des gigantesques travaux. Narbonne devient la capitale de toute la province conquise. En 27 av. J.-C., la province sénatoriale prend le nom de Narbonnaise, englobant la Provence, le Languedoc et le Roussillon.

L'époque chrétienne

La christianisation commence très tôt, dès le IIIe s., par l'intermédiaire de Paul-Serge, un évêque venu de Rome. Il fonde un établissement qui deviendra l'archevêché et le restera jusqu'après la Révolution. Son tombeau, rapidement vénéré par les fidèles, devient une étape sur les chemins de Saint-Jacques-de-Compostelle. Mais, avec le déclin de l'Empire romain, les invasions reprennent : les Wisigoths en 413 (Narbonne reste la capitale de la province rebaptisée Septimanie), les Arabes en 721, puis les Francs en 759, avec Pépin le Bref. Ce qui était un avantage en période de paix est devenu un terrible danger : la ville se trouve toujours sur le passage des envahisseurs, d'où qu'ils viennent… Son rôle administratif devient moins important, mais son influence spirituelle et culturelle s'étend.

L'amour courtois

Sur le plan commercial, elle centralise le négoce du drap et développe une riche bourgeoisie. Le pouvoir se partage entre les archevêques et les vicomtes de Narbonne qui tiennent, à l'époque des troubadours, une cour brillante et raffinée. Ermengarde de Narbonne sera l'une des grandes inspiratrices de « l'amour courtois ». La décadence commence avec la guerre de Cent Ans et les épidémies de peste qui déciment la population. Enfin, après le traité des Pyrénées, la frontière espagnole est repoussée au-delà du Roussillon et elle perd son importance militaire. Narbonne connaîtra un sursaut économique au XIXe s., grâce au chemin de fer et au vignoble, mais la dramatique crise que traverse celui-ci au début du XXe s. compromet son envol.

◀ Portrait des consuls de Narbonne, *1600. Narbonne, musée d'Art et d'Histoire.*

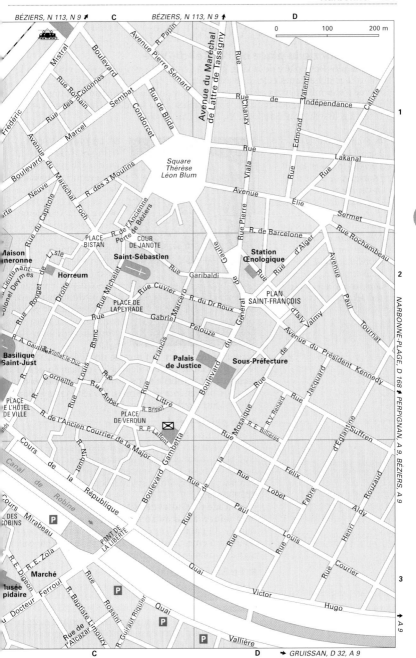

C

D

0   100   200 m

Avenue Pierre Sémard
R. Papin
Rue
Valentin
Calixte
Mistral
Boulevard
Rue Romain
Rue des Colonnes
Sembat
Condorcet
Rue de Bilda
Frédéric
Marcel
Rue de l'Indépendance
Rue Chanzy
de
Edmond
Avenue du Maréchal de Lattre de Tassigny

1

Avenue du Maréchal Foch
Neuve
Rue du Capitole
R. des 3 Moulins
Square Thérèse Léon Blum
Rue
Viala
Rue
Rue
Lakanal
Avenue
Élie
Sermet

R. de l'Ancienne Porte de Béziers
PLACE BISTAN
COUR DE JANOTE
Saint-Sébastien
R. de Barcelone
Rue Pierre
d'Alger
Rue Rochambeau

Maison aneronne
Lisle
Horreum
Rue Michelet
Rue
Garibaldi
Gauthier
Rue
Rue
Station Œnologique
Avenue
Paul
Tournat

2

Colonel Deymes
Rue Rouget de Drotte
PLACE DE LAPEYRADE
Rue Cuvier
R. du Dr Roux
Marceau
PLAN SAINT-FRANÇOIS
d'Isly Valmy

R. A. Gauthier
Viollet-le-Duc
Blanc
Gabriel
Pélouze
du Général
Avenue du Président Kennedy

Basilique Saint-Just
Corneille
Louis
Rue Auber
Francis
Palais de Justice
Sous-Préfecture
Rue
de
Rue
R.V. Renard
Jacquard
d'Églantine
Suffren

PLACE E L'HÔTEL DE VILLE
R. de l'Ancien Courrier de la Major
Littré
R. Brissot
PLACE DE VERDUN
Boulevard
Rue
Rue
R.E. Billières
Rue Mosaïque
Rouzaud

Cours
de
la
République
R.P. Laffont
Gambetta
Rue de la
Rue
Félix
Fabre
Aldy
Henri

Canal
de
Robine
P

Cours Mirabeau
DES COBINS
P
PONT DE LA LIBERTÉ
Boulevard
Rue de
Rue
Paul
Lobet
Rue Louis
Rue Courier

R.E. Digeon
R.E. Zola
Marché
P
Rossini
R. Guiraud Riquier
Quai
Victor
Hugo

usée pidaire
u Docteur
Ferroul
Rue Baptiste Limouzy
P
Quai
Vallière
P
Rue de l'Alcazar

C

D

→ GRUISSAN, D 32, A 9

NARBONNE-PLAGE, D 168 ↑ PERPIGNAN, A 9, BÉZIERS, A 9

3

→ A 9

▷ Le palais des Archevêques

PLAN BC-2

Autour de la place de l'Hôtel-de-Ville

C'est la plus belle place de la ville, grâce à l'ensemble exceptionnel composé par le palais des Archevêques et le chevet de l'ancienne cathédrale, aujourd'hui basilique. La vue d'ensemble permet de reconnaître l'évolution des styles d'architecture, depuis l'époque romane, en passant par le gothique jusqu'à la façade de l'hôtel de ville remaniée dans le style troubadour par Viollet-le-Duc au XIXe s.

▶ *Entre les tours de la Madeleine et Saint-Martial s'ouvre le passage de l'Ancre, autrefois marché aux poissons, qui permet d'accéder aux deux parties du palais : à droite le palais Vieux, à gauche le palais Neuf. Dans le passage de l'Ancre, un portail à droite introduit dans la cour de la Madeleine d'où l'on peut admirer le chevet de la cathédrale.*

■ Le palais Vieux

Entre les deux tours de droite du palais des Archevêques, le **passage de l'Ancre** mène, sur la droite, à la **cour intérieure** de la Madeleine, encadrée par la cathédrale et deux corps de logis en équerre. L'aile est (XIIe s.) est la plus harmonieuse avec ses jolies fenêtres. L'aile sud a subi de nombreux remaniements et porte tous les styles qui se sont succédé dans le palais.

- Entre les deux ailes, se trouve le **donjon de la Madeleine**, du nom de la chapelle qu'elle contient (notez au premier étage une belle **porte de marbre à colonnes** du XIIe s., de provenance inconnue). Les bâtiments hébergent le Musée archéologique.

■ Le palais Neuf

Il fut commencé par l'archevêque Gilles Aycelin à la fin du XIIIe s. On lui doit le puissant **donjon**, haut de 40 m, d'où l'on pouvait surveiller le port et le pont en contrebas. Du côté de la rue, il prend appui sur l'ancienne enceinte romaine. On peut y accéder par un escalier de 162 marches.

- **La façade de l'hôtel de ville** qui relie le donjon à la **tour Saint-Martial** est l'œuvre de Viollet-le-Duc. L'ensemble du palais s'ordonne autour d'une cour intérieure de forme asymétrique. On y pénètre par le passage de l'Ancre, sur la gauche.

■ Le Musée archéologique

Ouvert d'avril à septembre de 9 h 30 à 12 h 15 et de 14 h à 18 h ; d'octobre à mars de 10 h à 12 h et de 14 h à 17 h. Fermé le lundi en hiver.

Il est dédié à l'histoire ancienne de Narbonne et de la région et rassemble de passionnantes collections issues des fouilles locales.

- **La section protohistorique et préhistorique**, dans les trois premières salles, fait la synthèse des civilisations successives du pays narbonnais.
- La section suivante présente les résultats des **fouilles locales** (peintures, mosaïques, poteries…), notamment celles de la maison du **Clos de la Lombarde**, un quartier résidentiel chic de l'époque romaine, au nord de la ville.
- Les **salles gallo-romaines** donnent une bonne idée du degré de civilisation de l'époque, à travers une foule d'**objets quotidiens**, outils, bijoux, monnaies, mais aussi sarcophages, bornes de la voie domitienne, stèles, statues… Chaque domaine est ainsi développé, la vie du port, les activités économiques et religieuses, le monde des morts et les débuts du christianisme.

■ Le musée d'Art et d'Histoire

Mêmes horaires d'ouverture que le Musée archéologique.

Il est installé dans les anciens appartements des archevêques, dans le palais Neuf. Louis XIII puis Louis XIV séjournèrent dans ces murs. Le cadre impressionnant convient tout à fait aux belles collections que l'on découvre au fil des pièces.
- Dans **la salle des audiences** ou salle des gardes, sont exposés des portraits des archevêques, des consuls de Narbonne et un portrait équestre de Louis XIV par Van der Meulen.
- **La chambre du Roi** servait d'appartement pour les hôtes de qualité. Notez le beau plafond à caissons, la mosaïque romaine à dessins géométriques et les tableaux de l'école française du XVIIᵉ s. (Lesueur, Mignard, Rigaud…).
- **La grande galerie** correspond à l'étage supérieur de la façade construite par Viollet-le-Duc : elle accueille une collection de pots à pharmacie, exemples de faïence de Montpellier, des miniatures et des émaux et, sur les murs, des toiles des écoles étrangères, italienne et flamande.
- **La chambre à coucher** est un intéressant témoin de la vie opulente que menaient les chefs du clergé. Elle a conservé une superbe mosaïque romaine, le mobilier d'époque (Louis XV) et une importante collection de tableaux du XVIIIᵉ s.
- **Le cabinet de travail** occupe l'étage supérieur de la tour de la Madeleine, avec ses imposants rayonnages de livres et ses toiles de maître, dont une *Vierge dans la gloire* du Tintoret.
- **Le grand salon** contient encore des meubles (Louis XVI) et des tapisseries de Beauvais, ainsi que des toiles de David, Greuze, Véronèse, Ribera, Rigaud…

▼ *L'hôtel de ville.*

▷ Le Bourg et la cité

La ville se partage en deux quartiers placés de part et d'autre du canal de la Robine. La cité, avec la basilique Saint-Just-et-Saint-Pasteur, était administrée par les archevêques ; le Bourg, autour de la basilique Saint-Paul, était géré par les vicomtes de Narbonne.

La basilique est ouverte de 9 h 30 à 12 h 15 et de 14 h à 18 h. La salle du Trésor est ouverte de mi-septembre à mi-juin de 14 h 15 à 16 h, fermée le lundi et le mercredi ; de mi-juin à mi-septembre, tous les jours de 9 h 30 à 11 h 30 et de 14 h à 17 h 30.

▲ *Le jardin du palais des Archevêques d'où l'on découvre la façade nord-ouest du palais et la basilique Saint-Just.*

Ouvert de 9 h 30 à 12 h 15 et de 14 h à 18 h. Fermé le lundi de début octobre à mi-mai.

■ La basilique Saint-Just-et-Saint-Pasteur

PLAN BC-2

Cet édifice monumental n'a jamais été achevé, il ne comporte que le chœur. Malgré sa taille imposante, on admire la légèreté des arcs-boutants, dans la plus pure tradition gothique flamboyante. Gigantesque, ce projet donne la mesure du prestige de Narbonne. Débutée en 1272, la construction s'arrêta au chœur, car pour continuer, il aurait fallu abattre une partie des remparts. Les consuls de la ville s'y opposèrent. L'histoire leur donna raison : durant la guerre de Cent Ans, ils sauvèrent la ville des assauts des Anglais. Lorsque la paix fut revenue, les finances déclinantes ne permirent pas d'achever l'édifice. Seul, le cloître fut ajouté à la fin du XIVᵉ s.
- Du cloître, vous pouvez passer dans le **jardin des archevêques** pour avoir une vue extérieure de la basilique et de ses **deux tours-clochers** massives, et mieux comprendre ce qu'aurait pu être l'édifice une fois terminé.
- Revenez dans le **cloître** et entrez dans le chœur. On est saisi par ses proportions ambitieuses : à plus de 40 m de haut, les **voûtes** sont comparables à celles d'Amiens.
- Le chœur comporte un déambulatoire entouré de **cinq chapelles rayonnantes** et des chapelles latérales. Une lumière de toutes les couleurs ruisselle depuis les vitraux. Les différentes chapelles contiennent de beaux tableaux et de nombreuses **tapisseries d'Aubusson et des Gobelins**. L'ensemble de l'édifice montre un même souci d'architecture défensive, peut-être pour l'intégrer à l'ensemble du palais épiscopal.
- Le mobilier est d'une grande richesse. Le **maître-autel à baldaquin** fut dessiné par Mansart. Autour du chœur, notez les **tombeaux des évêques**, surtout ceux de Pierre de la Jugie et de Guillaume Briçonnet.
- Le **Trésor** est rassemblé dans une salle voûtée de brique, au-dessus de la chapelle de l'Annonciade. Il est d'une rare splendeur : **plaque d'évangéliaire** en ivoire du IXᵉ s., **manuscrits enluminés** de la même époque, très belle **tapisserie flamande** du XVIᵉ s. tissée de soie et d'or, orfèvrerie sacrée, **coffre de mariage** en cristal de roche.

■ L'Horreum

Rue Rouget-de-Lisle. PLAN C2

C'est le seul monument antique qui subsiste dans la ville. Cette sorte de cave, aménagée en petits compartiments, était sans doute destinée à entreposer des marchandises. Aujourd'hui, on peut y voir des fragments récupérés sur des monuments disparus (amphithéâtre, arc de triomphe, termes, temples) et l'on se prend à rêver de la ville splendide que devait être Narbonne au temps des Romains.

■ Le canal de la Robine

PLAN C3

On traverse le canal par une passerelle qui rejoint le quartier du Bourg. Au passage, on aperçoit l'unique arche qui subsiste du vieux pont médiéval, le **pont des Marchands**, qui enjambait l'Aude à cet endroit, dans l'axe de la voie domitienne.

■ Le Bourg

C'est aujourd'hui un quartier très vivant, longé de boutiques et animé de marchés colorés.
- En continuant tout droit la rue du pont des Marchands, on arrive à la jolie **place des Quatre-Fontaines** et à l'ancien quartier Saint-Paul, riche de belles maisons anciennes. La plus intéressante, en continuant vers le sud, est la **maison des Trois-Nourrices** qui date de 1558. De style Renaissance, elle appartenait à une famille de riches marchands. Elle doit son nom aux cinq cariatides girondes qui ornent la fenêtre.

■ La basilique Saint-Paul-Serge

PLAN AB-3

Elle fut construite à l'emplacement de l'oratoire du saint fondateur. De facture romane à l'origine, elle a subi de nombreuses modifications : voûtes d'ogives au XIIIe s., chœur gothique puis chapelles latérales.
- La période romane a laissé peu d'éléments. Notez toutefois les **chapiteaux** décorés de suppliciés dévorés par des monstres.
- La basilique contient aussi une belle collection de tableaux des XVIIe et XVIIIe s., des tapisseries d'Aubusson, de nombreux sarcophages, retables… Ne manquez pas l'étonnante **grenouille du bénitier** (1432).
- En ressortant par le porche nord, vous accédez au **cimetière paléochrétien**, établi à l'endroit d'une précédente nécropole païenne. Il recèle les sarcophages des tout premiers chrétiens, dont l'un serait le plus ancien de toute la Gaule chrétienne.

■ Le marché couvert et le musée lapidaire

PLAN C3

Gagnez ensuite le boulevard qui passe devant l'hôpital et repartez à gauche vers la Robine. Vous passez le **marché couvert** de 1900 et, juste à côté l'église **Notre-Dame-de-la-Mourguié** (XIIIe s.), aujourd'hui désaffectée et transformée en **musée lapidaire** (vestiges architecturaux de l'époque romaine et médiévale).

▲ *Le cloître de style gothique de la cathédrale Saint-Just-et-Saint-Pasteur (XIVe-XVe s.).*

La grenouille de bénitier

Plusieurs légendes expliquent la présence surprenante du batracien dans la basilique Saint-Paul-Serge. La première prétend qu'une grenouille qui dérangeait la messe de ses coassements aurait été pétrifiée. Selon une autre, saint Paul, pour prouver ses pouvoirs à des pêcheurs, aurait transformé un bloc de marbre en barque. Incapable toutefois de la manœuvrer, il aurait été secouru par une grenouille devenue dès lors un animal fétiche. Enfin, l'animal ne serait qu'une dame romaine devenue chrétienne, condamnée à la noyade par ses persécuteurs et sauvée en se transformant en grenouille. À ce stade, elle aurait secouru le pauvre Paul égaré sur sa barque…

Gruissan et le massif de la Clape

CARTE P. 187
Office du tourisme :
palais des Congrès,
avenue de Narbonne, à
Gruissan. ☎ 04 68 49 03 25.

Entre Narbonne et la Méditerranée, le massif calcaire de la Clape surgit étrangement de la plaine marécageuse. Du temps où Narbonne était au bord de la mer, la Clape était une île bordée de falaises de pierre blanche, entrecoupée de gorges verdoyantes. C'est désormais un petit pays de vignobles qui sent bon les pins et surtout un cadre idéal de randonnée. Le long du rivage, séparé des collines par un étang, le vieux village de Gruissan s'enroule autour de son château. Sur les plages immenses, les chalets sur pilotis composent un tableau pittoresque de cinéma.

▶ *Dominée par son château fort, Gruissan-Village est construit selon un plan en forme de toile d'araignée. Station balnéaire dynamique, elle propose de nombreuses activités sportives et de loisirs, sur terre comme sur mer.*

La fête des pêcheurs

Chaque année, le 29 juin, jour de la Saint-Pierre-et-Paul, c'est la fête des pêcheurs du Languedoc. À Gruissan, on dit la messe puis on sort la statue du saint en procession dans le village. D'une main, le saint tient une clé, de l'autre un bouquet de fleurs. Arrivé au port, on l'embarque pour une bénédiction au large, où l'on jette symboliquement les fleurs et la clé pour faire rentrer le poisson.

■ Gruissan

Posé entre les étangs et la mer, le vieux village était habité par les pêcheurs, les marins de commerce et les bergers. Jusqu'au XVe s., Narbonne est un port organisé sur une série de petites îles qui le séparent de la pleine mer. Avec le temps, l'Aude a déposé ses alluvions et peu à peu comblé les espaces entre les îles, les réunissant par un cordon et ménageant des **étangs** envahis par les flamants roses.

- **Le vieux village** est particulièrement pittoresque, construit en rond sur une colline autour d'un **château fort**. De ce dernier, il ne reste que la tour Barberousse juchée sur un promontoire rocheux, construite au XIIIe s. pour garder les abords de Narbonne. Les pierres proviennent de la carrière de l'**île de Sainte-Lucie**, toute proche, qui a aussi fourni celles de la cathédrale de Narbonne.

- Entre Gruissan et l'étang de l'Ayrolle, la **colline Saint-Martin** correspond à l'une des anciennes îles et offre une belle vue du vieux village.

- Gruissan doit sa récente célébrité au film de Jean-Jacques Beinex, *37.2° le matin* qui mettait en scène les chalets de **la plage des Pilotis**. Détruit pendant la Seconde Guerre mondiale, le village de chalets fut rebâti dans les années 1950 selon un plan très précis : 10 rangées de 100 cabanes placées en quinconce.
- Gruissan s'est également équipé d'une marina qui constitue un village à part entière : **Port-Gruissan**.

■ Le massif de la Clape

Pour découvrir le massif de la Clape, tournez à droite vers Saint-Pierre en quittant Gruissan, puis tout de suite à gauche, en direction de Notre-Dame-des-Auzils. Du parking, suivez les panneaux « sentiers d'Émilie » qui vous y mèneront.

Ouvert en juillet et août de 10 h à 12 h et de 15 h à 18 h ; fin juin et début septembre de 15 h à 18 h ; hors saison le dimanche seulement, de 15 h à 18 h.

Notre-Dame-des-Auzils est un ancien ermitage perdu dans les collines boisées. En montant, vous passez le **cimetière marin**, très émouvant, avec ses cénotaphes : il n'y a pas de tombes, ces marins-là ont disparu en mer. Un peu plus haut, la chapelle de 1635 est surtout le lieu de la dévotion des marins. Certains fidèles y sont montés à genoux pour accomplir un vœu. L'intérieur contient de très nombreux **ex-voto**, petits tableaux, maquettes de bateaux, objets divers, offerts pour conjurer la « fortune de mer ». La statue en pierre polychrome date du XVe s.

▲ *La plage des Pilotis. Ces chalets sur pilotis ont fait leur apparition sur la grande plage dès la fin du* XIXe *s., quand la mode des bains de mer commençait à faire rage. Comme la mer recouvrait souvent le sable, on construisait les maisons sur pilotis.*

- Revenez à la route principale et allez jusqu'à Saint-Pierre-sur-Mer où vous suivez la direction Fleury. Un sentier à droite mène au **gouffre de l'Œil-Doux**, une impressionnante dépression circulaire de 100 m de diamètre dans le calcaire de la colline. Au fond, les eaux vertes sont celles d'un lac salé, constitué par l'effondrement d'une voûte sous la falaise.
- Si vous avez le temps, visitez le joli hameau des **Cabanes-de-Fleury**, un pittoresque assemblage de maisons de pêcheurs et de viticulteurs. Entre Saint-Pierre et Fleury, tournez à droite sur un chemin, vers Moyau et **la Pagèze**. Vous dominez les bords de l'estuaire de l'Aude qui coule à cet endroit depuis 1316 seulement. Elle rencontre la mer par le **Grau de Vendres**. L'étang de Vendres n'est en fait qu'un vaste marécage.
- Revenez vers Saint-Pierre, passez Narbonne-Plage et bifurquez à droite juste après, sur la D 168. La route, très pittoresque, regagne Narbonne entre les collines calcaires plantées de pins odorants ou de vignobles.
- **Le domaine de l'Hospitalet** est une exploitation viticole dont la visite est passionnante. Non seulement il permet la découverte des **vins de la Clape**, mais il possède plusieurs **musées** sur 16 thèmes différents, de l'automobile (modèles rares et splendides) au téléphone, en passant par les fossiles…

▼ *L'étang de Bages.*

L'histoire du sel

L'extraction du sel à partir de l'eau de mer est connue des hommes depuis la préhistoire. Jadis, on plaçait l'eau de mer dans de petits récipients de poterie et on la laissait tout simplement s'évaporer pour recueillir ensuite les cristaux de sel. Puis, la production devint plus sophistiquée pour augmenter les quantités et les rendements. Les Romains chargeaient spécialement des ingénieurs d'organiser la production dans des bassins. Durant tout le Moyen Âge, le sel, unique moyen de conserver les aliments, fit l'objet d'un commerce très profitable, principalement contrôlé par les moines des abbayes, qui jouèrent un grand rôle dans l'assèchement des marécages, la construction des digues et la mise en culture ou en salins des territoires aménagés. Le sel fait alors l'objet d'un impôt, la gabelle. Les salins furent exploités par divers propriétaires privés jusqu'au XIXe s. À cette époque-là, de terribles inondations ravagèrent les sites et les petits exploitants s'assemblèrent pour constituer une seule société d'exploitation, la Compagnie des Salins du Midi.

La faune et la flore des étangs

Le milieu naturel que constituent les étangs du littoral du Languedoc obéit aux lois contradictoires de la mer et de la terre, de l'eau salée et de l'eau douce. C'est un environnement fragile, menacé par les pollutions, les débordements climatiques, l'intrusion de l'homme…

■ Un milieu fragile

La constitution du chapelet d'étangs qui double le littoral du Roussillon et du Languedoc est très récente, en termes d'histoire géologique. Son évolution est constante, en fonction des vents, des courants marins et des modifications apportées par l'homme dans le cours de l'aménagement du littoral. Lorsque l'on regarde, depuis les buttes, l'ensemble des étangs et des langues de terre qui les séparent ou les traversent, on remarque les promontoires rocheux, la Clape, Bages, Sigean, Leucate. Au fil des siècles, les îles qu'ils étaient se sont progressivement réunies, à mesure que les rivières déposaient leurs alluvions le long des estuaires et que les courants marins modelaient ces dépôts pour constituer de longues plages ou tombolos. Le fond du golfe, abandonné par la mer s'est ensablé peu à peu, laissant la place à des marécages. Les étangs et les lagunes sont reliés à la mer par les graus, des chenaux traversant les cordons d'alluvions. Ces graus peuvent être naturels, ou artificiels, créés ou modifiés pour les besoins économiques ou touristiques, pour implanter une marina ou construire un village lacustre, comme ce fut le cas à Port-Barcarès. Les comblements que la nature n'avait pas faits, l'homme s'en est chargé, dès l'époque des moines, remblayant, construisant des digues, isolant des salins, asséchant les marais pour les mettre en culture. Le milieu du XXᵉ s. et les plans de développement en vue du tourisme ont vu la naissance d'une gigantesque urbanisation du littoral pour accueillir les stations balnéaires surgies des marais, autant d'interventions qui continuent de modifier le profil du rivage. Dans ces milieux changeants, à la lisière de l'eau douce et de l'eau salée, le moindre déséquilibre peut pourtant entraîner la destruction d'une espèce ou la prolifération d'une autre.

▲ *Le flamant rose vit en grandes colonies à proximité des lieux de passage, sans se préoccuper de l'agitation causée par le tourisme.*

■ Le flamant rose : l'oiseau symbole

Les étangs, les lagunes et les marais offrent aux oiseaux migrateurs une étape de choix durant leur long voyage vers le nord en été, vers l'Afrique en hiver. Ils sont attirés par l'abondance de poissons qui permutent constamment entre la mer et les lagunes. Dorade, mulet, rouget, loup, turbot, anguille, clovisses, palourdes constituent des proies faciles. Les milieux lagunaires saumâtres, où la température de l'eau est élevée, offrent un berceau de choix pour de nombreuses espèces de poissons, de crustacés et de bivalves. Parmi les oiseaux sédentaires, le symbole de la région est le flamant rose. Le héron cendré, le râle d'eau, le sterne, le bruant des roseaux et la foulque noire fréquentent aussi les étangs, tout comme les sarcelles, les aigrettes, les courlis, les guifettes… Parmi les oiseaux migrateurs, le plus recherché est la cigogne, devenue très rare, mais aussi les spatules, oies et canards. Les goélands sont omniprésents, parsemant les îlots de leurs nids. Les insectes sont tout aussi nombreux. Bien que la démoustication ait débarrassé une bonne partie du littoral de ces hôtes indésirables, libellules et demoiselles foisonnent encore.

■ Lavande des marais, camomille des sables

Le milieu humide des étangs est naturellement celui du jonc, qui servait à faire les paniers, et des roseaux, autrefois utilisés pour construire les cabanes typiques des pêcheurs (on en voit des reproductions au bord de l'étang de Canet). Les abords de la mer sont le domaine de la sansouïre. Cette prairie salée est plus ou moins envahie par la mer et accueille les salicornes. Sur les dunes poussent le panicaut maritime, l'oyat et la camomille des sables. Certains endroits, dans les étangs du Narbonnais, abritent des espèces très rares, comme une variété de statice unique au monde sur l'île de Sainte-Lucie ou l'héliotrope de Curaçao sur l'île de l'Aute. Une partie des cordons dunaires, plus élevés au-dessus du niveau de la mer, est le lieu de l'implantation humaine et a été aménagée pour les cultures. Très tôt, on y a planté des oliviers, des amandiers et de la vigne (le fitou est un excellent exemple de ce type de vignoble littoral), puis des pins, des tamaris… Plus haut ce milieu rejoint celui de la garrigue et ses touffes odorantes de lavande, de thym, et de romarin.

▲ *Les salicornes sont de petites plantes grasses aux pousses rouges ou orange qui concentrent le sel (on les conserve dans du vinaigre comme des cornichons) ; on les appelle aussi lavande des marais en raison de la teinte mauve qu'elles prennent en été.*

Comprendre • La faune et la flore des étangs

La route des étangs

CARTE P. 187
Syndicat d'initiative : place de la Libération, à Sigean.
☎ 04 68 48 14 81.
Rue de Dour, à Port-Leucate.
☎ 04 68 40 91 31.

La fermeture progressive de l'ancien golfe de Narbonne par les alluvions de l'Aude a laissé un paysage amphibie, où l'eau et la terre se mélangent, où le marécage se finit en étang, où les longues îles abritent des salines, et où les promontoires accueillent des vignes. C'est le moyen de découvrir le milieu étrange des salins. Pêche, sel et vigne sont les ressources de ce littoral.

▲ *L'île Sainte-Lucie servit autrefois de carrière de pierre aux évêques de Narbonne.*

■ Bages

En quittant Narbonne vers Perpignan, prenez la D 105 vers Bages.

Vous êtes au bord de l'ancien golfe de Narbonne. Le village de Bages occupe un promontoire rocheux qui s'avance dans le lac et en offre une belle vue. Flânez dans ses **ruelles escarpées** et ses escaliers, admirez les belles villas du XIXe s., les **remparts**, l'ancienne **porte fortifiée** et son cadran solaire de 1725.

■ Peyriac-de-Mer

Juste avant d'entrer dans le village, une petite route sur la gauche mène à l'**étang du Doul** et au massif du même nom, d'où la vue est superbe sur l'ensemble des étangs et des îles.
- Le village lui-même est occupé depuis l'âge du bronze ainsi que le prouvent les vestiges réunis au petit **Musée archéologique** (rares amphores puniques et témoignages d'un commerce actif avec les Grecs et les Carthaginois).
- Le cœur du village est occupé par l'**église fortifiée** (XIVe s.), surmontée d'un joli **campanile de fer forgé** comme souvent dans la région.
- Au bout du village, traversez la digue entre les deux parties de l'étang et faites la très **jolie randonnée** qui contourne le massif du Doul, entre la vigne et l'eau.
- Sur la route, vers Sigean, visitez la **réserve africaine** qui présente un millier d'animaux dans un cadre respectant leur milieu d'origine. Les oiseaux migrateurs s'arrêtent régulièrement dans ces étangs.

Ouvert tous les jours de 9 h à 18 h 30. ☎ **04 68 48 20 20.**

■ Sigean

Ce petit port commandait jadis l'entrée du golfe et des Corbières. De nombreuses traces subsistent du village médiéval fortifié, attestant son importance : vestiges du château, porte fortifiée…
- L'**église des Pénitents** est couronnée d'une gracieuse coupole de fer forgé.
- Il règne une atmosphère très méditerranéenne dans les

---

bonne adresse

Restaurant *Le Portanel*, passage du Portanel, à Bages. ☎ 04 68 42 81 66. Au-dessus de l'étang de Bages. Plusieurs recettes de belles anguilles toutes fraîches accompagnées de vins du Languedoc.

étroites **ruelles à rigole centrale**. L'une des belles maisons du village abrite le **musée des Corbières**. Trois facettes de la vie locale y sont présentées : les vestiges archéologiques produits par les fouilles des environs, la nature environnante (collection d'oiseaux, minéraux) et les traditions populaires (pêche, vigne...).

Place de la Libération.

Ouvert tous les jours en été de 10 h à 12 h et de 17 h à 19 h ; en hiver le mardi et le vendredi matin de 10 à 12 h. ☎ **04 68 48 14 81.**

- À 3 km à l'ouest de Sigean, **l'oppidum pré-romain de Pech-Maho** fut fondé au VIe s. avant J.-C. Il s'agissait d'un petit comptoir commercial actif qui profitait du mouillage abrité. On y retrouve surtout d'importants vestiges de la civilisation ibère ; les plus intéressants sont exposés au musée des Corbières de Sigean.

■ Port-la-Nouvelle et l'île Sainte-Lucie

La silhouette disgracieuse des cimenteries gâche l'abord de Port-la-Nouvelle, dont on ignore souvent qu'il est le troisième port de commerce français de la Méditerranée et un port de pêche très actif. Ambiance garantie et authentique sur les quais et aux alentours de la criée. La ville bénéficie aussi de l'exploitation industrielle du sel, avec les salins de Sainte-Lucie.

- Sur **l'île Sainte-Lucie**, un sentier botanique permet de découvrir un milieu fragile d'espèces rares, placé sous la garde du Conservatoire du Littoral.

Parcours fléché en bleu.

- À l'intérieur des terres, le **sentier cathare** passe au pied d'immenses éoliennes qui brassent leurs pales au cœur de la garrigue

À 1 km de Port-la-Nouvelle en direction de Lapalme, le sentier part à droite, en face d'un poste de gaz, balisé en jaune, rouge et orange ; compter 2 h 30 au total.

■ Lapalme

Ce paisible village est niché au fond d'un vallon planté de pins, de vignes et d'amandiers. Les nombreuses bergeries éparses aux environs témoignent de la présence des troupeaux de moutons et de chèvres. Les collines étaient autrefois exploitées pour fournir du marbre. De son passé fortifié, le village conserve une porte coiffée d'un campanile de fer forgé. Le salin de Lapalme est un autre site d'extraction du sel.

- **Le cap Leucate** est une ancienne île escarpée. Très belle promenade à faire sous les pins, le long d'un sentier bordé de lavande, jusqu'aux falaises de Leucate.

Départ près du fort de la Haute-Franqui.

Le salin

C'est une succession d'immenses bassins que l'eau de mer recouvre en permanence sur une faible épaisseur. L'alimentation en eau se fait par de grosses pompes. L'eau circule lentement d'un bassin à l'autre et se concentre en sel en s'évaporant, sous l'effet conjugué du soleil et du vent. Lorsque la concentration maximale est atteinte (la teneur en sel monte de 29 g/l à 260 g/l), la saumure est laissée dans d'autres bassins, de 5 à 10 ha chacun, où le sel va cristalliser. La coloration rose de l'eau est due à la présence d'algues microscopiques. On laisse ensuite la couche de sel cristallisé épaissir progressivement tout au long de l'été. À la fin de la saison de production, la couche fait en moyenne 9 à 10 cm et forme une véritable galette grisâtre. On récolte alors le sel à l'aide d'énormes engins, puis on le lave dans une saumure propre, avant de le placer en grosses collines blanches de plus de 20 m de haut, les camelles. Il peut ensuite partir en conditionnement selon sa destination.

Carcassonne
et le canal du Midi

À voir l'imposante masse de la cité de Carcassonne dominant la plaine, on devine son important passé. Coincée dans la vallée qui sépare les Corbières et la Montagne noire, elle est le point de passage obligé entre deux mers, qui réunit la Narbonnaise à l'Aquitaine. La splendeur de cette cité médiévale fortifiée, encore marquée par le tragique souvenir de l'épisode cathare, en a fait un des principaux centres touristiques du pays.

◄ *Le canal du Midi.*

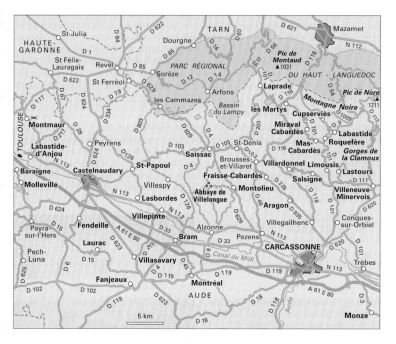

Visiter • Carcassonne et le canal du Midi

Carcassonne

Office du tourisme :
15, boulevard Camille-Pelletan.
☎ 04 68 10 24 30.
PLAN C2.

Dès l'époque romaine, une véritable cité fortifiée est établie sur le site, relais important, sur la route du vin, entre le bassin méditerranéen et le reste de la Gaule. La partie la plus ancienne des murailles date de cette période. Au Vᵉ s., les Wisigoths s'emparent de la ville, renforcent le système défensif et la tiennent plus de trois siècles. Clovis les chasse au VIIIᵉ s., mais la ville subit plus tard les assauts des Arabes, qui l'occupent une trentaine d'années. Pépin le Bref les évince en 759 et Carcassonne devient un comté franc.

La grandeur des Trencavel

Lors de l'effondrement de l'empire carolingien, le comté est vendu à Barcelone, puis repris par les puissants Trencavel, qui possèdent déjà Béziers, Albi et Nîmes. Ils se proclament vicomtes de Carcassonne au XIIᵉ s. À l'image des autres cours occitanes, celle de Carcassonne accueille érudits, artistes et troubadours. De beaux édifices sont construits comme la cathédrale Saint-Nazaire ou le château comtal. Durant cette époque de prospérité, les Trencavel comptent, avec les dynasties de Toulouse et de Barcelone, parmi les puissantes familles féodales du Midi.

L'épisode cathare

Les complications débutent en 1198, lorsque le pape ordonne aux nobles de s'associer à l'Inquisition contre une vague d'hérésie qui inonde le Midi. Il leur demande de confisquer les biens des cathares excommuniés et de leur rendre la vie impossible. Les Trencavel, comme les comtes de Toulouse, se désolidarisent de cette persécution, abritent les hérétiques et refusent de rejoindre la croisade. Après avoir ravagé Béziers, le raz-de-marée inquisiteur pose le siège devant Carcassonne le 1ᵉʳ août 1209. Trencavel capitule et Carcassonne est prise le 15. La ville, rasée, devient le quartier général de Simon de Montfort. Les rois de France utilisent alors Carcassonne comme ville clé de leur système de défense de la frontière espagnole jusqu'à la signature du traité des Pyrénées en 1659.

La richesse drapière

Aux XVIᵉ et XVIIᵉ s., la fortune de la ville repose sur la fabrication et le négoce du drap, principalement avec les pays du Levant. En 1696, une manufacture royale est créée : elle améliore la production dans un cadre monopolistique. De belles demeures sont construites et la ville basse supplante totalement la cité. Après la crise du textile et la chute des marchés orientaux, la ville se tourne vers la viticulture et ses activités dérivées. Elle en subit la crise du début du XXᵉ s. Le tourisme représente aujourd'hui pour elle des ressources substantielles.

La cité : « l'état ancien probable »

Son aspect général est dû à la vaste campagne de restauration subie au XIXᵉ s., sous la férule de Viollet-le-Duc. Durant 35 ans, l'architecte a tenté de restituer ce qu'il définit comme « l'état ancien probable », ce qui explique des interventions parfois peu réalistes. On accède à la cité par un pont-levis refait au XIXᵉ s.

■ Les enceintes

PLAN D3-4

L'enceinte intérieure est la plus ancienne et porte la marque des différentes époques. La première tour que vous passez, sur l'enceinte intérieure, est la **tour du Tréseau**, ajoutée au XIIIe s. comme renfort. Son dernier étage est cerné d'un chemin de ronde et elle se termine par un haut pignon à deux tourelles de guet.

- Ensuite, de la tour du Moulin du Connétable à la tour Charpentière (la première et la dernière de cette section), observez bien les remparts. Vous reconnaîtrez la **partie romaine tardive** (IVe s.) aux couches alternées de pierres carrées et de briques et à ses tours pleines à la base, tous les 25 m. À droite de l'avant-dernière tour (tout du Moulin d'Avar), notez les énormes pierres de la **poterne romaine** : elles sont les plus anciennes, remontant aux Ier et IIe s.

- La campagne de construction due aux Trencavel (XIe et XIIe s.) consista à surélever la muraille : on l'identifie, à mi-hauteur, à ses **pierres lisses et rectangulaires**. La courtine de cette section, les créneaux et les fenêtres géminées datent de la même époque.

- La dernière campagne de construction, celle des rois de France, s'attacha à rehausser l'enceinte intérieure, à rajouter certaines parties au nord-est et au sud (que l'on reconnaît à l'emploi de pierre à bossage ou saillantes). Mais surtout, il fallut remblayer et niveler les abords des remparts pour constituer les lices et construire la seconde enceinte.

- **L'enceinte extérieure** avec ses tours rondes fut construite à partir du début du XIIIe s. Au bout de la promenade, passez sous la poterne et pénétrez dans la cité par une petite porte menant au fossé du château comtal.

- La plus grande des tours extérieures au sud de la porte Narbonnaise, est la **tour de la Vade**, une forteresse de cinq niveaux presque indépendante des remparts. Elle fut bâtie à la place du second faubourg rasé durant la croisade.

■ Les ruelles médiévales

En entrant par la porte Narbonnaise, vous arrivez dans la **rue Cros-Mayrevieille**, étroite et pentue, dont le dallage et les vieilles maisons évoquent l'atmosphère d'une cité médiévale. Allez-y tôt le matin, avant que la foule compacte et les étals des bazars ne brisent le charme.

■ Le château comtal

PLAN D4

Adossé au rempart dont il semble faire partie intégrante, il formait une imprenable forteresse défendue par l'escarpement de la colline et par des fossés. Construit par

◀ ▲ La porte Narbonnaise est l'entrée principale située face au pont-levis. Elle est flanquée de deux tours en éperon qui la transforment en un véritable château fort. Observez les lices basses (la partie qui sépare les deux enceintes) qui permettent de retracer l'histoire des fortifications depuis les Romains.

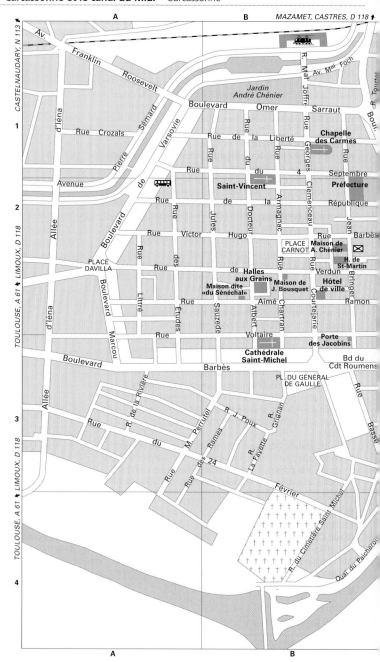

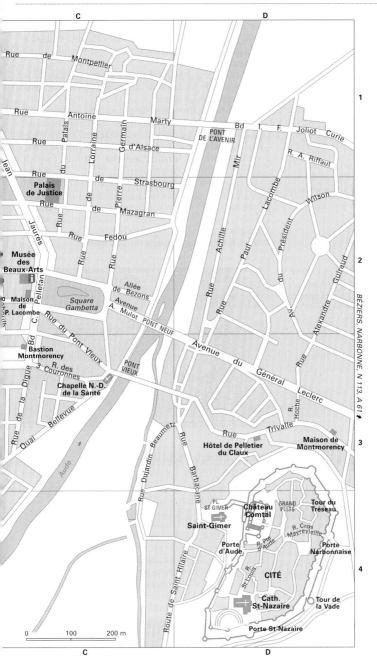

C · D

1

Rue de Montpellier
Rue Antoine Marty
Rue d'Alsace
PONT DE L'AVENIR
Bd l. F. Joliot Curie
R. A. Riffaut
Rue de Strasbourg
Wilson
Palais de Justice
Rue de Pierre de Mazagran
Rue Fedou
Jean
Jaurès

2

Musée des Beaux-Arts
Maison de P. Lacombe
Square Gambetta
Allée de Bezons
Avenue A. Mulot
PONT NEUF
Avenue du Général Leclerc
Achille
Rue Paul
Président
Alexandre Guiraud

BÉZIERS, NARBONNE, N 113, A 61

Bastion Montmorency
R. des 3 Couronnes
Rue du Pont Vieux
PONT VIEUX
Chapelle N.-D. de la Santé
Bd de la Digue
Bellevue
Quai
Aude

3

Rue Trivalle
Hôtel de Pelletier du Claux
Maison de Montmorency
Rue Dujardin-Beaumetz
Rue Barbacane
R. Hoche

4

PL ST GIMER
Château Comtal
GRAND PUITS
Tour du Tréseau
Saint-Gimer
R. Cros Mayrevieille
Porte d'Aude
R. Pte d'Aude
Porte Narbonnaise
Route de Saint-Hilaire
R. St-Louis
CITÉ
Cath. St-Nazaire
Tour de la Vade
Porte St-Nazaire

0 — 100 — 200 m

C · D

les Trencavel sur l'emplacement d'une villa gallo-romaine, il fut très remanié par les occupants successifs. La partie la plus ancienne est celle qui s'appuie sur le rempart.

- **L'enceinte du château**, flanquée de 6 tours, date de la période royale. L'édifice lui-même est constitué de deux bâtiments et deux cours.

- **Le donjon** était le siège du pouvoir du vicomte puis de Simon de Montfort. L'entrée se fait par un pont au-dessus des douves et par une **barbacane** (fortification avancée) semi-circulaire. Dans la salle du Donjon, remarquez les **peintures murales romanes** (XIIᵉ s.) représentant des scènes de combat.

- Le château héberge un **musée lapidaire**, réunissant tous les vestiges découverts aux environs et retraçant l'histoire locale depuis l'Antiquité. Parmi les objets intéressants, notez, dans la salle du Moyen Âge, les **sarcophages** mérovingiens et carolingiens et les curieuses **stèles discoïdales** typiques du Lauragais.

▶ *Pietà de la cathédrale Saint-Nazaire. À voir également : la pierre tombale de Simon de Montfort.*

Les fiefs des chevaliers

Pour mieux garantir la défense de la cité, le vicomte de Trencavel avait attribué chacune des tours de l'enceinte à un chevalier, qui bénéficiait en outre d'une maison à l'intérieur des murs et d'un domaine à l'extérieur. La muraille était ainsi une succession de petits fiefs que chacun défendait d'autant mieux qu'il en avait la jouissance.

■ La cathédrale Saint-Nazaire

PLAN D4

L'édifice initial fut commencé au Xᵉ s. et béni par le pape en 1096. Il fut complété par plusieurs campagnes ultérieures (XIIIᵉ et XIVᵉ s). L'extérieur a été largement remanié par Viollet-le-Duc au XIXᵉ s. On est frappé par le contraste entre les deux parties, correspondant aux deux grandes périodes de construction.

- **La nef romane** (Xᵉ-XIIᵉ s.) est sobre et obscure sous une voûte en berceau et alterne piliers carrés et ronds.

- **Le transept et le chœur gothiques** (1270-1320) sont très lumineux. On admire la légèreté de l'architecture qui donne à l'ensemble une clarté étonnante et une allure de dentelle de pierre. On s'étonne de l'influence, rare dans le Midi, du style gothique du nord de la France, tel qu'on le voit à Amiens ou Reims.

- **Les vitraux** du chœur et du transept (les plus beaux du Midi) remontent à la fin du XIIIe ou début du XIVe s. Les plus anciens sont dans les teintes de bleu, ceux qui portent des grands personnages sont plus récents (XVIe et XVIIe s.). Les vitraux du chevet racontent des scènes de la vie de Jésus (le plus vieux – 1280 – se trouve dans l'axe du chœur et figure l'enfance et la passion du Christ et le Jugement dernier).

- Dans **le transept** figure un bel arbre de Jessé. Les rosaces, très spectaculaires, sont du XIVe s. La luminosité du matin est préférable pour la rosace nord, celle du soir pour la rosace sud.

■ **La ville basse**

Descendez de la cité par la rue de la Trivalle.
Plan C3/B2

Cette rue sinueuse et pentue, bordée de quelques façades Renaissance, témoigne de la richesse drapière de la ville (les n°s 125 et 64). Après avoir passé l'ancienne manufacture royale de la Trivalle (aujourd'hui cité administrative), vous arrivez au **Pont-Vieux** (XIVe s.)

- L'essor économique a eu lieu dans la partie basse de la ville, alors que la cité médiévale, sur la colline, déclinait. De nombreuses maisons attestent cette splendeur. La **rue Aimé-Ramon** compte de belles façades (31, 32, 47, 70…). **La rue de Verdun** permet de découvrir d'autres maisons, dont celle du poète surréaliste Joë Bousquet (53), mais aussi la **halle aux grains** (XVIIIe s.) ou le **musée des Beaux-Arts** (peintures hollandaises, italiennes et languedociennes).

- La **place Carnot**, ornée d'une belle **fontaine de Neptune** en marbre, est le centre de l'ancienne bastide. Des marchés très animés s'y tiennent les mardi, jeudi et samedi. **L'église Saint-Vincent** attire l'attention avec un clocher du XVe s. se dressant à 54 m.

▲ *Vierge à l'Enfant du* XVIIe *s. dans la cathédrale Saint-Nazaire.*

La légende de Dame Carcass

Charlemagne fait le siège de la cité durant plus de cinq ans. Elle est alors tenue par une princesse musulmane, dame Carcass. Voyant sa population affamée, elle décide d'un double bluff. Pour faire croire qu'elle a beaucoup de soldats, elle aligne le long des remparts des mannequins bourrés de paille. Pour suggérer qu'il reste encore des provisions, elle donne au seul cochon qui lui reste la dernière mesure de blé, puis elle lâche l'animal bien gras par-dessus la muraille. Persuadé que la ville peut tenir encore longtemps Charlemagne lève le siège. L'astucieuse princesse le rappelle à grands renforts de cloches pour négocier la paix, d'où le nom de la cité, Carcass sonne !

La Montagne noire et le Cabardès

CARTE P. 203

L a Montagne noire est le balcon méridional du Massif central. Son sommet le plus élevé est le pic de Nore (1 210 m). Au nord, elle se caractérise par de riches forêts et des lacs. Le Cabardès est le versant sud du massif, mieux exposé et plus sec, couvert de genêts et de châtaigniers. À basse altitude, ces forêts laissent la place à une garrigue méditerranéenne, aux vignes et aux oliviers. Habitée depuis la préhistoire, la région doit sa richesse à l'abondance du minerai dans son sous-sol, à l'industrie textile et aux scieries. Avec ses nombreuses rivières, le Cabardès est une région de crêtes sauvages et de vallées encaissées, un pays de forteresses féodales, enjeu de luttes acharnées durant la croisade contre les cathares, puis de combats fratricides pendant les guerres de Religion.

▶ *Village du livre, Montolieu accueille, dans un beau site entre les vallées de la Dure et de l'Alzeau, 12 librairies, un atelier de reliure, un copiste, un encadreur, un moulin à papier et un Café du livre.*

■ Montolieu

Quittez Carcassonne par la N 113 vers le nord-ouest.

C'est un ravissant village étagé entre les deux **vallées escarpées** de la Dure et de l'Alzeau, à leur confluent avec la Roujeanne. Les alentours sont plantés de **vignes** (production d'un VDQS côtes du Cabardès et de l'Orbiel).

- Dans le haut du village, le château est plutôt une grosse maison fortifiée. Il possède toutefois une belle corniche de pierre taillée. Les maisons blotties les unes contre les autres sont dominées par l'imposant clocher carré de l'**église Saint-André** (XIVe s.). Sous le porche sud, notez la **Vierge à l'Enfant** du XIIIe s. À l'intérieur, on remarque deux grands **tableaux de Gamelin**, un peintre carcassonnais.

- Montolieu se consacre désormais aux métiers du livre. Le **musée des Arts et Techniques** retrace l'histoire et les techniques des métiers du livre. L'atelier de la **Route du papier** explique la fabrication et l'impression du papier marbré qui sert à la reliure. Dans le village, de très nombreuses librairies de livres anciens ou rares font revivre ces savoir-faire. Chaque troisième dimanche se tient un marché aux livres.

Le musée est ouvert tous les jours sauf le lundi. ☎ **04 68 24 80 04.**

■ L'abbaye de Villelongue

À 6 km à l'ouest de Montolieu, sur la D 64 vers St-Martin-le-Vieil.

Ouvert de mai à octobre. ☎ **04 68 76 92 58.**

Dans un site sauvage et serein, se trouvent les ruines romantiques de cette **abbaye cistercienne** fondée vers 1180. Le calme de l'endroit convient tout à fait à l'austérité de l'ordre.

- Comme c'est souvent le cas dans les monastères cisterciens, **le cloître** (XIVe s.) occupe la position centrale. Il n'en reste que la galerie sud, avec ses colonnes géminées et ses chapiteaux à la sculpture délicate, proches du style de Saint-Papoul. Le reste des bâtiments s'organise autour : l'église au nord, les quartiers des moines à l'est, ceux des convers à l'ouest, le réfectoire et la cuisine au sud.

- Dans le bâtiment des moines, la sacristie est voûtée en berceau et ornée de **fresques du XIIe s.**, la salle capitulaire est en ogive. **L'église** est très ruinée, mais on reconnaît le plan cistercien traditionnel, simple et exempt de lignes courbes, construit au début du XIIIe s. La présence d'un abondant **décor sculpté** indique des aménagements plus tardifs, vers la fin du XIIIe s., quand la stricte austérité commençait à être délaissée.

■ Saissac

En approchant de la Montagne noire, le paysage devient typique : sous-bois envahis de fougères, alternant avec les pâturages et les landes piquées de bruyère.

- **Le bourg** de Saissac est l'un des plus jolis du massif, niché dans un ravin, avec de belles maisons anciennes, un château fort et des vestiges de fortifications. Le village connut la prospérité aux XVIIe et XVIIIe s. grâce à l'industrie textile. On comptait 240 ateliers de tissage dans les hameaux de la Montagne noire.

- Notez les **deux tours** qui sont des vestiges des fortifications du XIIe s. La plus massive présente un curieux encorbellement associant des corbeaux en pierre et des créneaux en brique. Elle abrite le **musée des Vieux Métiers**, qui évoque la vie quotidienne dans la Montagne noire.

Ouvert tous les jours du 15 juin au 15 septembre de 10 h 30 à 12 h et de 15 h à 18 h. Le reste de l'année, ouvert le dimanche et les jours fériés seulement. ☎ **04 68 24 47 80.**

- **La porte de Montolieu** est un autre vestige des fortifications et porte deux blasons, celui de Toulouse avec la croix, celui de Saissac avec les trois tours. Elle mène au vieux village et à ses nombreuses **maisons anciennes**.

- Curieusement, le **château fort** est construit en contrebas du village, perché sur un éperon rocheux entouré de ravins. Il fut pris par Simon de Montfort lors de la croisade. Du château primitif, il ne reste que le donjon et la muraille, ainsi que les salles voûtées souterraines. Le reste fut ajouté lors des remaniements successifs, aux XIIIe, XVe et XVIe s. Spectacle son et lumière en été.

Des arbres géants

Les forêts de la Montagne noire se distinguent par la grande variété d'espèces d'arbres et par la taille étonnante qu'ils atteignent. À Lampy-Vieux, on trouve les plus gros thuyas géants de France et de superbes cyprès de Lawson. À Cuxac-Cabardès, ce sont les araucarias à feuilles imbriquées ou les heydérias (dont le plus gros du pays), sans compter les hêtres impressionnants des environs de Saissac.

■ Lacs et forêts

Au nord de Saissac vers le bassin du Lampy, le paysage change radicalement : les chênes verts sont remplacés par les châtaigniers et les toits de tuile par des ardoises. L'air devient plus montagnard, la forêt plus épaisse.

- **Le bassin du Lampy** est un lac artificiel créé au XVIIe s. par Riquet pour alimenter le canal du Midi. Ses berges boisées que l'on peut longer par un sentier composent un paysage magnifique.

- Retournez sur vos pas et reprenez la route d'Arfons. Une route forestière, à droite, mène au cœur de la **forêt de Ramondens**, replantée peu à peu de résineux, et rejoint la **prise d'eau d'Alzeau**, un autre barrage conçu par Riquet dans ses travaux pour le canal du Midi. Sur le rivage subsistent les vestiges d'une ancienne forge où l'on fabriquait des munitions en fer.

- Suivez ensuite la direction de **Lacombe** et de la **forêt de la Loubatière**, au cœur d'un paysage montagnard. Les villages ont perdu les couleurs rosées du Midi pour se parer de plaques d'ardoises noires. À plus de 800 m d'altitude, la forêt est peuplée de hêtres, chênes et sapins.

- Redescendez alors par la D 203 vers le sud et **Brousses**, paisible village qui vivait de la fabrication du papier. Ne manquez pas la visite du **Moulin à papier**, posé le long d'un torrent, au bout d'une agréable promenade ombragée. Vous y verrez toutes les étapes de la fabrication du papier fait à la main. Chaque année, la nuit du 14 août est la **Nuit des papivores**, fête sympathique avec musique et animations au bord de la rivière.

■ Mas-Cabardès

C'est un village typique de la Montagne noire, avec ses maisons anciennes en pierre couvertes d'ardoises bâties sur les deux berges escarpées de l'Orbiel. Au centre du village, notez la belle **croix des Tisserands** (1545) sculptée sur ses deux faces.

- L'église possède un beau **clocher** octogonal et contient un riche mobilier : **retable** en bois sculpté et peint (XVe s.), autel en bois doré.

▲ *Les araucarias, thuyas géants, cyprès de Lawson, heydérias, sapins de Douglas, magnolias et hêtres comptent parmi les espèces d'arbres que l'on rencontre dans les forêts de la Montagne noire et du Cabardès.*

- Au sommet d'un promontoire dominant le village se trouvent les **ruines d'un château**. Prenez le temps d'arpenter le village pour voir ses belles maisons anciennes.

- Les environs sont semés de beaux villages de montagne. Vers le nord-ouest et Miraval, notez les jolies ruines de la chapelle de **Saint-Pierre-de-Vals** ou le village de **La Tourette** accroché à sa colline boisée, avec une ravissante **église au clocher octogonal** de schiste sombre (beau **retable** en bois polychrome du XVIIe s.).

- **Miraval** était le fief d'un des plus célèbres troubadours, Raymond de Miraval, dont le château ne conserve qu'une tour. Le village est lui aussi bâti avec la pierre locale d'un brun grisé.

- En remontant de Mas-Cabardès vers le pic de Nore, **Roquefère** et son château médiéval, **Cupservies**, sa cascade et sa chapelle romane rustique, **Labastide-Esparbairenque** et son église de pierre sèche, **Pradelles-Cabardès** perché sur son plateau, se succèdent et se fondent dans le paysage de montagne.

■ Cabrespine et Limousis

Descendez du pic de Nore par Pradelles et le **col de la Prade**, en longeant les pittoresques **gorges de la Clamoux** jusqu'à Cabrespine.

- Dans un cadre tourmenté et sauvage de crêtes rocheuses, **le château féodal** de Cabrespine, en ruine, domine le village. Le village marque le retour progressif au paysage méditerranéen : le calcaire reprend le pas sur le schiste, l'olivier et la vigne remplacent le châtaignier. Dans les environs, ne manquez pas deux grottes souterraines impressionnantes.

- **Le gouffre géant de Cabrespine** est l'une des plus belles grottes d'Europe. On est absolument saisi par son immensité (250 m), au bout d'un tunnel de 30 m. Une cathédrale splendide aux concrétions variées, aux coloris multiples. Le clou de la visite est sans doute la salle rouge et ses fines dentelles ou les balcons du Diable, au bord du gouffre.

> Ouvert en juin, juillet et août de 10 h à 19 h ; en avril, mai, septembre et octobre de 10 h à 12 h et de 14 h à 18 h ; en mars et novembre ouvert l'après-midi. Fermé de décembre à février.
> ☎ 04 68 26 14 22.

- Non loin de là, vers le sud puis l'ouest, se trouve la **grotte de Limousis** avec ses huit salles et son exceptionnel **lustre d'aragonite**.

> Ouvert d'avril à juin et en septembre de 10 h à 12 h et de 14 h à 18 h ; en juillet et août de 10 h à 18 h ; en mars et octobre de 14 h à 17 h. ☎ 04 68 77 50 26.

■ Les châteaux de Lastours

Superbe ensemble de quatre châteaux forts dressés sur des crêtes rocheuses au creux des vallons encaissés du Grézilhon et de l'Orbiel. Avant de les approcher à pied, rendez-vous au **belvédère**, dans le haut du village pour avoir une impression d'ensemble du site, qui fut le cadre de terribles empoignades : les citadelles étaient des fiefs cathares.

> Ouverts en avril, mai, juin et septembre de 10 h à 18 h ; en juillet et août de 9 h à 20 h. Le reste de l'année le week-end et pendant les vacances scolaires de 10 h à 17 h. ☎ 04 68 77 56 02.

▼ *Le château de Cabaret fait partie des quatre châteaux de Lastours, vestiges des XIIe et XIIIe s. appartenant aux seigneurs de Cabaret.*

Le canal du Midi

Empruntant l'axe naturel de communication entre la Méditerranée et l'Atlantique, le canal du Midi a été conçu pour améliorer les échanges commerciaux.

Commencé en 1666, il nécessita 15 ans de travaux colossaux. Long de 240 km, il comprend 64 écluses, 55 aqueducs, 7 ponts-canaux et 126 ponts en dos d'âne. Même si son étroitesse et son manque de profondeur l'ont vite rendu désuet, il reste un superbe ouvrage et une voie préservée pour découvrir le Midi.

▶▼ *À la sortie de Port-Lauragais, où l'autoroute et le canal se croisent, se dresse l'obélisque érigé à la mémoire du percepteur Riquet.*

■ Le rêve du percepteur

Pierre-Paul Riquet est né à Béziers en 1604. Il n'est ni architecte, ni ingénieur, mais un simple percepteur d'impôts se faisant passer pour un descendant de famille noble. Il a un grand rêve : construire un canal qui relierait la Méditerranée à la Garonne et à l'Atlantique. Bien que personne ne le prenne au sérieux, il acquiert le soutien de l'archevêque de Toulouse. Encouragé, Riquet écrit au tout-puissant Colbert qui, lui, plaisante à propos de « la rigole à Riquet ». En revanche, Louis XIV, impressionné par l'énormité du projet, donne son aval. Colbert s'incline et les travaux commencent. Un tel chantier demande pour l'époque une main-d'œuvre pharaonique (12 000 hommes) : il faut des hommes pour creuser et évacuer la terre. Il faut aussi repérer un tracé pentu et songer à l'alimentation du canal en eau. Riquet, qui apprend tout au fur et à mesure, décide d'aller la recueillir dans la Montagne noire où il collecte les ruisseaux pour constituer des bassins de retenue.

■ Une affaire de sous

La seule chose qui ait manqué à Riquet fut un solide financement. Louis XIV dépensait trop, sur tous les fronts. Versailles coûtait très cher, les guerres encore plus. Le canal n'était pas sur la liste des priorités royales. Le maître des travaux dut alors recourir à toutes sortes d'avantages et de primes pour s'assurer de la constance des ouvriers. Las, Riquet est obligé d'engager ses biens personnels puis ceux de sa femme, une riche héritière

◀◀ *Aujourd'hui, ne transitent sur le canal que de rares pinardières qui font le trajet entre Narbonne et le Bordelais : 12 000 t de vin sont ainsi transportés en un an. Mais pour cause de vétusté (l'ouvrage accuse un triple centenaire), blé, bois et sable ne passent plus par cette voie.*

de Béziers. La dette qu'il contracta ne fut réglée par sa famille qu'en... 1724. Au total, le canal coûta 15 millions de livres. Malade, ruiné, épuisé, Riquet ne pu voir l'achèvement de son œuvre. Il meurt en 1680, quelques mois avant la fin du chantier. Ce fut l'intendant du Languedoc d'Aguesseau qui ouvrit la voie le premier en parcourant à cheval le canal encore à sec, de Béziers à Toulouse. Le 15 mai 1681, les vannes étaient ouvertes.

◀ *Il faut compter une dizaine de jours (sans se presser, ce qui fait le charme du voyage) pour traverser le Languedoc depuis Port-Lauragais, à la limite de l'Aude et de la Haute-Garonne, jusqu'à l'étang de Thau et au port de Sète.*

■ La nouvelle voie

Le port de Sète, fréquenté par les marchands génois et catalans, se trouve désormais relié à l'Aquitaine. Grâce au vent ou aux chevaux, les bateaux se déplacent sur le canal pour une durée de trajet réduite de moitié. Le canal est conçu pour laisser passer des bateaux mesurant jusqu'à 24 m et pesant 120 t. Très vite, les voyageurs prennent le bateau plutôt que les diligences, lentes et inconfortables. Le long du canal, les villages connaissent une santé florissante, les auberges se multiplient.

■ Au fil de l'eau

Le canal est aujourd'hui inadapté au trafic moderne. Il n'est qu'un axe de découverte touristique, unique en son genre, pour un regard différent sur le patrimoine du Midi. Le point de partage des eaux entre la Méditerranée et l'Atlantique se situe à l'**écluse** de la Méditerranée. À partir de là, le plaisancier descend vers la mer.
- Passé Castelnaudary et son grand bassin, les écluses se succèdent, comme celle baptisée « la Criminelle » pour une raison obscure et peinte de couleurs vives, dans le genre naïf. Puis ce sont les longues avenues d'eau bordées d'arbres, passant sous les vieux ponts de pierre.
- Un peu plus loin, on est au pied de Carcassonne, puis c'est Trèbes et un étroit passage entre des falaises de pierre et un pont-canal construit par Vauban, appelé à la rescousse. Les berges ombragées accueillent les châteaux et les vignobles avant d'atteindre le pont-canal de Répudre, presque le plus ancien d'Europe. On arrive enfin sur le canal de la Robine, à Narbonne.
- L'Hérault est rejoint ensuite, avec Quarante et Fontcalvy. À Ensérune, l'obstacle de la montagne semblait infranchissable : qu'à cela ne tienne, on creuse un canal-tunnel de 160 m de long !
- Le dernier chef-d'œuvre de cet étonnant parcours est l'incroyable escalier d'eau que forment les sept écluses de Fontséranes.

▼ *Les sept écluses de Fontséranes permettent de franchir une dénivellation de 13,60 m en quelques centaines de mètres et de mesurer le génie de Riquet.*

Comprendre • Le canal du Midi

Castelnaudary et le Lauragais

CARTE P. 203

Traversée par le canal du Midi, la plaine du Lauragais se partage entre tradition marchande et vocation agricole. Située dans la zone de partage des eaux, elle offre des paysages ruraux paisibles, peu de relief et de vastes étendues de cultures, ponctuées par les moulins à vent. Le Lauragais fut l'un des berceaux de l'hérésie cathare. La région tira ensuite sa fortune de la production du pastel. La construction du canal du Midi a renforcé les activités commerciales de ce lieu de passage obligé. Sa capitale, Castelnaudary, est un port important le long du canal et le berceau du célèbre cassoulet.

▶ *Le bourg de Saint-Papoul doit son nom à son abbaye fondée par Charlemagne. Le village possède encore son enceinte des XIIe et XIVe s.*

▶▶ *Au sud de l'ancienne cathédrale de Saint-Papoul, le cloître ne date que du XIVe s. malgré ses arcades en plein cintre. On voit encore la porte et les deux fenêtres gothiques de l'ancienne salle capitulaire.*

■ L'abbaye de Saint-Papoul

À 8 km au nord-est de Castelnaudary.

Saint-Papoul est une abbaye fondée par Charlemagne en 817, sur la tombe de Papoul, disciple de saint Sernin de Toulouse. Au XIe s., elle adopte la règle bénédictine et devient une possession de l'abbaye d'Alet, au sommet de sa puissance. Elle est érigée en évêché par le pape en 1317.

- On aborde en premier l'ancien palais épiscopal qui atteste la richesse de l'abbaye. L'ancienne **cathédrale** est composée d'une **nef unique** du XIVe s., voûtée en berceau brisé, et d'un **chœur roman**, datant du XIIe s., encadré de deux absidioles. Celle de droite contient le **tombeau** de l'évêque François de Donnadieu.

- Le plus intéressant est à l'extérieur : le **chevet** est orné de colonnes et d'une corniche et les **chapiteaux sculptés** sont l'œuvre du célèbre **Maître de Cabestany**, qui

travaillait aussi pour Saint-Hilaire et Lagrasse. On remarquera son savoir-faire, nettement supérieur à celui des sculpteurs de l'intérieur de l'église.
- **Le cloître** (XIVᵉ s.), au sud, dégage un grand charme, avec ses quatre galeries d'arcades en plein cintre. Les colonnes octogonales supportent des chapiteaux sculptés, mélangeant les feuillages et fleurs gothiques et les monstres hérités du bestiaire roman. On apprécie l'usage de la brique qui donne une chaleur toute méridionale au petit jardin.
- Le village lui-même a gardé quelques traces de ses anciennes **fortifications** et de belles **maisons médiévales** à pans de bois.

■ Montmaur

Ce village doit son nom aux Maures qui ont occupé la région. Il était jadis défendu par son imposant **château**, qui fut pris par Simon de Montfort en 1211. L'édifice actuel, un carré massif pourvu de quatre tours rondes, date du XVᵉ s. Avec son donjon et sa muraille percée de meurtrières, il donne une idée de l'architecture défensive de la fin du Moyen Âge. On remarque toutefois les modifications apportées ensuite : les **fenêtres** à meneaux de la Renaissance et les **gargouilles** finement sculptées. Avant de quitter le village, faites un tour au chevet de l'église pour voir des exemples de **stèles discoïdales**.
- **Les Cassés**, à 5 km environ vers Saint-Félix, est un autre village typique du Lauragais avec son beau **moulin à vent** et ses **stèles discoïdales** adossées à l'église.

■ Baraigne

On arrive au village en retraversant le canal du Midi vers le sud.

Dans l'enceinte quadrangulaire du **château**, flanquée de tours, la cour illustre bien l'architecture gracieuse de la Renaissance ; l'entrée est marquée par une élégante **tour polygonale**.
- Dans le village, la discrète église romane est ornée des traditionnelles **bandes lombardes** et le chœur a conservé des **chapiteaux sculptés**. Notez, au fond à gauche, une curieuse **croix de Sépulcre** du XIIᵉ s., décorée d'une ancre, d'une croix en triangle et d'un oiseau. Le cimetière recèle une collection de **stèles discoïdales**.

■ Molandier

Au sud-ouest de Baraigne par Salles-sur-l'Hers.

Molandier, paisible village de brique rose, possède une très curieuse église à **clocher-mur**, comme il s'en construisit beaucoup dans la région. Il compte **onze baies** abritant chacune une cloche. Le **carillon** retentit trois fois par jour.

Le pastel

À partir du XIIᵉ s., une nouvelle culture vient enrichir le Lauragais, celle de la guède, plus connue sous le nom de pastel des teinturiers. Une fois récoltées, ses feuilles sont séchées et stockées sous forme de boules appelées cocagnes. Le Lauragais y a gagné le nom de pays de Cocagne. Pour les utiliser, on broie les cocagnes au moulin et on les soumet à une fermentation qui libère un produit, le pastel. De nombreux moulins à pastel apparaissent dans toute la région de Saint-Papoul. Les affaires marchent d'autant mieux que le bleu devient à la mode. Il remplace le rouge pour les habits du roi ou pour le manteau de la Vierge. Les cocagnes du Lauragais sont exportées vers toute l'Europe. La concurrence de l'indigo sonnera le glas de cette activité à partir du XVIIᵉ s.

Les bordes

En parcourant la campagne lauragaise, vous remarquerez les bordes, ces longues fermes basses orientées pour résister aux vents dominants. Le matériau le plus courant est la brique qui peut alterner avec les galets de rivière. Les étables et les hangars ont une grande importance, en raison des activités agricoles. Ils sont souvent ouverts par des arcades en plein cintre imposantes et alignés sur les bâtiments d'habitation, du côté du vent pour les protéger.

Les stèles discoïdales

Très fréquentes dans le Lauragais, elles marquaient l'emplacement des tombes. Il s'agit de structures monolithes dont la base s'élargit en un cercle sculpté d'une croix du Languedoc simple ou d'une croix de Toulouse (additionnée de 12 perles sur l'extrémité des branches). On en trouve dans beaucoup de villages des environs (Pexiora, Montferrand) et une belle collection au château de Carcassonne. Elles datent de la fin du Moyen Âge (XIIᵉ-XIVᵉ s.).

■ Fanjeaux

Au sud de l'autoroute, entre Castelnaudary et Carcassonne.

Ce site qui surplombe le seuil du Lauragais est sacré depuis l'époque romaine. Le nom du village (*fanum Jovis*) signifiait temple de Jupiter. Le village fortifié fut par la suite l'un des bastions de l'hérésie cathare : une communauté de Parfaits y vivait sous l'autorité d'un évêque cathare. Le pape décida d'y envoyer un émissaire, saint Dominique, qui y séjourna pendant neuf ans. Depuis Fanjeaux, l'apôtre de l'Inquisition rayonna dans tout le Lauragais, organisant des « disputes », sortes de débats contradictoires avec les cathares pour tenter de les ramener à la foi catholique. Il fonda même un monastère à **Prouille**, non loin de là, pour abriter les femmes cathares qu'il avait reconverties. Il fondera à Toulouse l'ordre des Frères Prêcheurs, mais le Lauragais, avec le pèlerinage annuel de Prouille (début octobre), reste l'un des hauts lieux de la foi dominicaine.
- À l'entrée du village, côté Montréal, on remarque une **croix du Languedoc**, encastrée dans le parapet du pont. Le village a conservé son atmosphère médiévale, ses **halles du XVIᵉ s.** et ses **maisons à colombages**.
- **Le couvent des Dominicains** possède une belle église de style gothique languedocien très sobre, propre à l'ordre, et des vestiges du cloître du XIVᵉ s.
- **L'église paroissiale**, surmontée d'un beau clocher est du même style, mais l'intérieur abrite un riche **mobilier** (statues de la Vierge à l'Enfant, toiles peintes, « gypseries », boiseries, autel de marbre…) et un superbe **trésor** (buste-reliquaire de saint Gaudéric, monstrances-reliquaires, croix d'autel…).
- Montez au **Seignadou** : c'est là que saint Dominique aurait eu la vision lui indiquant où fonder le monastère de Prouille. La vue est superbe sur le Lauragais et la Montagne noire en fond.

■ Montréal

Ce gros village paisible se dresse au cœur d'une plaine fertile. Il est dominé par son imposante **collégiale Saint-Vincent**, fortifiée, de style gothique méridional. Initialement influencé par la foi cathare, le village fut récupéré par la prédication de saint Dominique. L'aménagement de la collégiale témoigne de ce renouveau de la foi catholique. Les nombreuses chapelles latérales et le cœur abritent un **riche mobilier** dont des tableaux du peintre toulousain Despax représentent la vie de saint Vincent.

■ Bram

Du temps des Romains, Bram était un important marché aux vins. En 1211, des cathares y furent condamnés au bûcher. La ville est surtout remarquable pour son **plan parfaitement circulaire**. Dans l'église gothique, notez les autels et retables en marbres et bois polychromes.

▷ Castelnaudary

La ville du célèbre cassoulet

CARTE P. 203
Office du tourisme : place de la République. ☎ 04 68 23 05 73.

Dominée par le clocher de sa collégiale, la ville réunit ses maisons de brique rose autour d'un grand bassin créé par Riquet. Avec ses 1 800 m de pourtour, il forme un agréable plan d'eau et sert de retenue pour les quatre bassins d'écluses du canal.

■ La collégiale Saint-Michel

Le point culminant de la ville a été incendié en 1355 par le Prince Noir (le prince de Galles, lors de la guerre de Cent Ans) et reconstruit ensuite. Après les guerres de Religion, la collégiale fut progressivement délaissée.

- Son **clocher-porche** inhabituel enjambe la rue. Il est carré à sa base et octogonal pour les deux derniers niveaux. L'église est de type gothique méridional et surprend par les vastes proportions de son **vaisseau unique** très large. La voûte ne date que du XVIIIᵉ s. et remplace l'ancienne charpente apparente.

▲ *La collégiale Saint-Michel (1318) est de type gothique méridional à plan régulier. La nef, formée d'un vaisseau unique, mesure 18 m de large sur 39 m de long et se termine par un chœur profond de 11 m.*

- Parmi les éléments de mobilier, notez la **croix du XVIᵉ s.** (une face avec le Christ, l'autre avec une Vierge à l'Enfant), une statuette en argent repoussé de la **Vierge à l'Enfant** (XVIIIᵉ s.) et les **tableaux** des XVIIᵉ et XVIIIᵉ s.

- Tout autour de la collégiale, visitez les **ruelles étroites** semées d'escaliers et de maisons anciennes.

■ La vieille ville

Sur la place des Cordeliers, remarquez l'**hôtel de Bataille**, demeure bourgeoise du XVIIIᵉ s. dont l'escalier présente l'alternance, typique à Castelnaudary, de bois et de brique.

- Au sommet de la ville se dresse le **présidial**. Initialement c'était un *castellum*, assiégé tour à tour par Simon de Montfort puis par le comte de Toulouse, et incendié par le Prince Noir. En 1554, Catherine de Médicis, comtesse du Lauragais, obtint que la ville ait une sénéchaussée. Le présidial (tribunal civil et militaire) fut créé la même année. Les deux administrations se partagèrent l'édifice et la partie ouest accueillit la prison.

◀ *C'est en 1554 qu'est créé un tribunal civil et militaire : le présidial. Une partie des bâtiments était affectée au sénéchal, l'officier royal en poste, l'autre à une prison.*

- Dans la rue de l'Hôpital, la **chapelle Notre-Dame-de-Pitié** passe facilement inaperçue, coincée entre les maisons : elle recèle pourtant un décor somptueux de **boiseries du XVIIIᵉ s.** en bois doré. La pharmacie, dans l'**hôpital Saint-Jacques**, possède une rare **collection de pots à pharmacie** en faïence de Moustiers du XVIIIᵉ s.

- Sur la colline du Pech, le **moulin de Cugarel** illustre l'une des anciennes traditions locales, la meunerie. Le moulin a conservé son mécanisme et sa toiture mobile en fonction de la direction du vent. Autrefois, en raison de l'importante production régionale de céréales, cette colline était couverte de dix moulins à vent.

▲ *Perché en haut d'une colline, le moulin de Cugarel date du XVIIᵉ s. De là, la vue embrasse toute la plaine du Lauragais.*

Béziers
et le haut Languedoc

Béziers   **p. 222**
La capitale languedo-cienne du vin est surtout connue grâce à son équipe de rugby.

Le Biterrois   **p. 236**
AOC, VDQS et vins de pays : petites villes et villages vivent de ce vignoble.

Minerve   **p. 238**
Un site unique, repaire naturel convoité de tout temps.

Le Minervois   **p. 240**
Petites églises paroissiales et chapelles rurales : un art roman tout en modestie.

Le Parc régional du haut Languedoc p. 244
Un patrimoine humain exceptionnel : vestiges du néolithique et beaux villages médiévaux.

La haute vallée de l'Orb   **p. 250**
Le charme Belle Époque de Lamalou-les-Bains.

◀ *Roquebrun, sur les bords de l'Orb.*

Capitale du Languedoc viti-cole, Béziers est aussi la ville du rugby et de la fête. La ville s'étage à flanc de coteau dans une boucle de l'Orb et veille sur une vaste étendue de vignobles. Propul-sée vers la richesse à la grande époque du vin, elle a gardé un beau patrimoine, dispersé le long de ruelles ombragées à l'atmosphère toute méridionale. C'est un pays de vallées encaissées, de lourdes mon-tagnes et de villages de pierre aux pittoresques toitures de schiste.

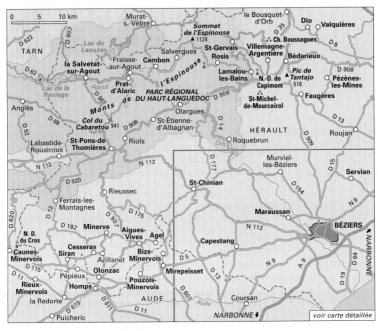

voir carte détaillée

Béziers
la battante

CARTE P. 221
Office du tourisme : palais des Congrès, 29, avenue Saint-Saëns. ☎ 04 67 76 47 00.

À seulement 10 km de la mer, Béziers n'a pourtant rien d'une ville du littoral. Entièrement tournée vers sa richesse naturelle, le vignoble, elle a l'aspect d'une vieille ville du Midi et le charme du temps qui coule lentement, sous les platanes des promenades. Couronnée par la silhouette splendide de sa cathédrale, elle paraît presque endormie. Pourtant, les jours de corridas ou durant la feria, son caractère méditerranéen éclate, fortement marqué par son héritage espagnol.

▶ *À l'image de son association sportive de rugby, l'ASB, auréolée de nombreuses victoires, Béziers est une ville « battante ». Crée en 1911, le club demeure le plus médaillé de France.*

Une longue histoire de commerce

Toutes les conditions sont réunies, dès la préhistoire, pour que l'homme s'établisse ici : une terre d'alluvions, riche et bien arrosée, et un climat adouci par la proximité de la mer. Ces mêmes atouts favorisent le commerce et, à partir du Ve s. avant notre ère, on retrouve la trace d'échanges nombreux, avec les Grecs par l'intermédiaire d'Agde, avec les Espagnols par Port-Vendres et avec les Celtes par le nord et l'ouest. Protégée par un oppidum, la petite cité prospère, et l'artisanat local se développe.

La colonisation romaine confirme cet essor : placée sur la voie domitienne, Béziers est une étape pour les marchands, même si elle est loin du prestige de Narbonne. Ces deux villes sont d'ailleurs les seules du Languedoc à être des colonies de droit romain : les habitants ont tous les privilèges des citoyens romains. Un aqueduc de 37 km apporte l'eau potable. Au Ier s., on plante des vignes et la plaine devient renommée pour la qualité de ses vins que l'on exporte vers Rome.

Les pages noires

Le christianisme fait son apparition dans la ville au IVe s., mais la communauté doit subir les invasions successives des Vandales, des Wisigoths et des Arabes. Au VIIIe s., les Francs la libèrent, mais la ville est brûlée. Elle se reconstruit peu à peu sous la dynastie carolingienne et le pouvoir s'organise, durant les siècles qui suivent, entre trois têtes : l'évêque, le vicomte et le consul. Le pire reste à venir, durant la croisade contre les cathares. Béziers fait partie du fief des Trencavel, protecteurs notoires des hérétiques. La ville compte alors plus de 10 000 habitants, parmi lesquels 223 sont suspectés d'hérésie, et un grand nombre de visiteurs venus pour la fête de la Sainte-Madeleine, le 22 juillet 1209. Le vicomte de Trencavel vient de partir pour défendre Carcassonne, emmenant avec lui les juifs qui craignaient les représailles. Le 21 juillet, les armées des croisés campent devant la ville et somment les habitants de livrer les hérétiques. Les Biterrois refusent. Sûrs de leur invulnérabilité, au matin du 22, quelques provocateurs sortent des remparts pour narguer les croisés. Furieux, les « ribauds » (on appelait ainsi les fantassins) se précipitent à leur suite à l'intérieur de la ville et entament le sac de Béziers (en occitan, on dit le *gran mazel*, la grande boucherie). Les habitants terrifiés se réfugient dans les églises, mais les ribauds mettent le feu à la ville. La cathédrale en flammes s'écroule sur les habitants. Dans l'église de la Madeleine, des milliers de femmes et d'enfants sont égorgés à l'épée. Partout, le sang coule. Les évaluations, invérifiables, parlent de 10 000 morts, voire 20 000. Le compte rendu au pape, en tout cas, est clair : « la vengeance de Dieu a fait merveille, on les a tous tués ». Une nouvelle vague de violence envahit la ville durant les guerres de Religion. Les Réformés la prennent en 1562 et saccagent les églises des catholiques.

Le retour à la richesse

Malgré quelques crises politiques lors de la révolte du gouverneur du Languedoc contre Richelieu, la ville est riche et prospère. Elle tire ses revenus du commerce du vin, du blé et de l'huile. Un marché très actif permet de négocier les alcools des distilleries, les vins, les poteries, les cuirs et peaux… Un important collège de jésuites est fondé au XVIe s. et la ville abrite une bourgeoisie cultivée. Au XIXe s., la bonne santé économique se confirme avec l'essor du vignoble. Les investisseurs se bousculent et le Biterrois se lance dans la monoculture. À la fin du siècle, Béziers est la ville la plus riche du Languedoc. Mais la grande crise viticole de 1907 plonge la région dans la débâcle et entraîne des manifestations d'une extrême violence. Après ce difficile passage, Béziers reste un grand centre viticole, mais se diversifie vers l'industrie et les services.

▷ La cathédrale Saint-Nazaire

Place des Albigeois. Sur un promontoire dominant la vallée de l'Orb.

Des rivières de sang

Dominant la ville de sa masse de pierre blonde, la cathédrale est le siège de l'évêché depuis 760. Sa construction commence en 977, grâce à un don du vicomte de Béziers. Ce premier édifice laisse la place à une église romane au début du XIIᵉ s. C'est celle-ci qui brûle lors du sac de la ville en 1209. Dès 1215, on attaque les restaurations qui se prolongent jusqu'au XVᵉ s. Sauf deux plaques commémoratives (l'une à l'intérieur, l'autre en face de la cathédrale), rien ne rappelle le drame. Pourtant, les récits évoquent les rivières de sang qui dévalaient les ruelles pentues jusqu'à l'Orb, en contrebas.

▼ *La cathédrale Saint-Nazaire est un important édifice médiéval dont la construction s'est étalée sur plusieurs époques, mais qui conserve une majestueuse unité.*

■ L'extérieur : une allure fortifiée

La façade occidentale donne sur le parvis. Deux tours crénelées encadrent une rose de 10 m de diamètre.
- De part et d'autre du portail, les niches vides devaient abriter des statues. Au-dessus, on remarque les deux figures représentant l'**Église et la Synagogue** comme à Reims, Strasbourg ou Bâle.
- Le lourd **clocher** carré date de la seconde moitié du XIVᵉ s. ; il est surmonté d'un campanile en fer forgé.
- L'entrée habituelle se fait par le transept nord et ne remonte qu'au XVIIᵉ s. Le **linteau** raconte le martyre de saint Nazaire.

■ L'intérieur : un volume imposant

L'incendie de 1209 avait considérablement endommagé la cathédrale romane, puisque les récits disent qu'« elle se fendit par le milieu et s'écroula ». Il en reste la base du clocher, certaines parties du transept et l'avant-chœur.
- Deux beaux **chapiteaux historiés** du XIᵉ s. se font face : celui du nord, au-dessus de la chaire, représente l'Adoration des Mages, celui du sud deux personnages et des animaux fantastiques. Un troisième chapiteau roman se trouve à l'angle nord-ouest du transept.
Lorsque la restauration est entreprise au XIIIᵉ s., l'architecte réutilise les structures romanes qui restent et les intègre au projet gothique.
- Au fond de la nef, l'**orgue** date de 1633. Sa tribune repose sur quatre piliers ornés de cariatides.
- À l'entrée du chœur, à droite, un **escalier** contre le pilier mène au clocher et à l'une des tribunes de chant. Un autre escalier, en face, menait à l'autre tribune et à une tour aujourd'hui disparue. Au-dessous, une série de **tableaux** dépeignent des scènes de la vie de Moïse et de l'empereur Constantin.
- Le chœur est décoré d'une **gloire en stuc** figurant saint Nazaire et saint Celse et de **colonnades de marbre rouge** avec des statues des apôtres et des bas-reliefs

---

bonne adresse

Restaurant *Le Jardin*, 37, avenue Jean-Moulin. ☎ 04 67 36 41 31. Huîtres de Bouzigues gratinées au roquefort, ou escalopes de loup au jus brunet à l'estragon : une cuisine de saison dans un cadre frais et fleuri.

◀ *Les culs-de-lampe des retombées des voûtes (1380) sont sculptés de motifs caractéristiques de l'art du XIVᵉ s. Ici, un couple d'amoureux.*

représentant la Religion, la Foi, l'Espérance et la Charité. Lors de la modernisation du chœur, au XVIIIᵉ s., on a intégré les **vitraux gothiques** (fin du XIIIᵉ s.) aux nouvelles verrières, plus claires.

- On entre dans la **chapelle de la Vierge** par le transept nord : elle est très vaste, car elle servait d'église paroissiale. On y passe pour pénétrer dans la **crypte** (XIIIᵉ s.) contenant deux chapiteaux antiques et une **table d'autel** de 945, en provenance de Capestang.

- Le plus bel élément de la cathédrale est la **chapelle Saint-Nazaire-et-Saint-Celse**, devenue la sacristie. On y entre par la chapelle de la Vierge. Commencée en 1444, elle comporte une splendide **voûte en étoile**. Les murs portent des portraits des évêques.

■ Le cloître
Ouvert de 9 h à 12 h et de 14 h à 18 h.

On y accède par la cathédrale ou par le parvis. Très sobre, il date du XIVᵉ s. et abrite un petit musée lapidaire. Son intérêt réside dans les nombreuses sculptures qui ornent les **consoles** à la retombée des voûtes : scènes courtoises comme à gauche de l'entrée, anges, animaux fantastiques. La porte qui mène à la cathédrale est ornée de têtes superposées.

- Par un escalier, on peut passer dans le **jardin des Évêques**, d'où la vue est très plaisante sur les toits de la ville.

■ Le parvis
Très large, il conduit à une terrasse d'où l'on a une belle vue sur l'Orb en contrebas, le canal du Midi et l'oppidum d'Ensérune ainsi que l'ensemble de la plaine jusqu'aux monts de l'Espérouse. Une **table d'orientation** est située sur la droite.

- Au niveau de l'abside de la cathédrale, l'ancien évêché a été transformé en palais de justice.

▲ *Le cloître de Saint-Nazaire date du XIVᵉ s.*

▷ Le musée des Beaux-Arts

Ce musée est le fruit de plusieurs legs de peintures et de céramiques grecques. Il est réparti entre deux hôtels particuliers, sur des sites différents.

▶ *Bouteille, 600-575 avant J.-C. Béziers, musée des Beaux-Arts.*

▲ *Hans Holbein (1497-1543), Portrait d'homme. Béziers, musée des Beaux-Arts.*

▲ *Béziers rend hommage à l'un des siens mort pour la France par ce monument situé sur le plateau des Poètes : Jean Moulin, qui unifia les mouvements de Résistance de 1941 à 1943.*

■ L'hôtel Fabregat

Place de la Révolution. Dans la maison de l'ancien maire Auguste Fabregat (XIXᵉ s.).

Ouvert du mardi au samedi de 9 h à 12 h et de 14 h à 18 h, le dimanche de 14 h à 18 h. Fermé le lundi. ☎ **04 67 28 38 78.**

Une petite salle, au premier étage, contient les céramiques grecques : des vases remontant aux VIIᵉ et VIIIᵉ s. avant J.-C. L'un des plus rares, décoré d'un char, vient de l'île de Mélos. Un autre est une **bouteille corinthienne** qui servait à la consécration des enfants à la déesse Déméter. Notez aussi une **amphore à figures noires**, légendées un peu à la manière d'une bande dessinée.
- Au même étage, on note deux **croix de procession** d'origine espagnole du XVᵉ s., deux petits **tableaux sacrés**, des toiles flamandes et italiennes. Au fond, le grand tableau représentant une *Troupe de comédiens italiens dans leur costume de scène* a été commandé par Henri IV.
- L'escalier mène à une galerie consacrée aux XVIIᵉ et XVIIIᵉ s. Les plus grands tableaux proviennent d'édifices disparus. On compte aussi des œuvres de Brueghel de Velours, Guido Reni, Bertin et une belle marine de Van der Capelle. Au rez-de-chaussée, dans la **salle du XIXᵉ s.**, sont conservées de belles œuvres de Delacroix, Corot, Daubigny…
- Les salles les plus remarquables sont celles consacrées à **l'art moderne et contemporain** avec des œuvres de Chirico, Friez, Soutine, Utrillo, Kisling, de nombreux dessins de Degas, Signac, Valadon et tous ceux de Jean Moulin.

■ L'hôtel Fayet

9, rue du Capus.

Ouvert du mardi au vendredi de 9 h à 12 h et de 14 h à 18 h. ☎ **04 67 49 04 66.**

C'est le second bâtiment attribué au musée. Il abrite de nombreuses sculptures du Biterrois Injalbert et des peintures d'artistes méditerranéens des écoles de Montpellier, Marseille, Nîmes et Sète.

Jean Moulin

Le héros de la Résistance est né dans le milieu républicain de Béziers en 1889. Il fait ses études au lycée Henri IV puis à la faculté de droit de Montpellier. Lorsque l'occupation allemande commence, il est préfet à Chartres. Il rejoint de Gaulle à Londres ; très vite, il est chargé de coordonner les forces de Résistance. Il est arrêté le 21 juin 1943, torturé et exécuté. Sa couverture de marchand d'art lui permit de réunir une belle collection. En 1975, Laure Moulin fait don de tous les dessins, tableaux et effets personnels de son frère au musée des Beaux-Arts de Béziers.

▷ La vieille ville

Une ville du Midi

Tout autour de la cathédrale, sur la colline, la ville a conservé ses ruelles anciennes, étroites et fraîches, typiquement méridionales.

■ La place de la Révolution

C'est la première des nombreuses petites places de Béziers, avec sa fontaine gothique. Adossée au palais de justice, la statue réalisée par le sculpteur local Injalbert représente la Marianne officielle des années 1905.
- Autour de la place, se trouvent le **musée Fabregat** et de belles demeures (notez, au n° 7, les **balcons de fer forgé** du XVIIIe s.).
- Dans les rues adjacentes, les maisons ont conservé de beaux **portails anciens**.

■ La place des Bons-Amis

Cet endroit offre une belle vue sur la cathédrale. Elle doit son nom à la **sculpture en relief**, sur une maison dans l'un des angles, représentant un groupe de cinq personnages. Il s'agit de Bernard Pourquier, un charpentier de la ville, et ses amis, meneurs d'une révolte populaire en 1381 : ils furent décapités sur la place.
- À l'angle, prenez la **rue du Docteur-Vernhes**, très pittoresque, qui coupe la **rue de Bonsi** et ses belles maisons à balcons ouvragés, portails de pierre, cours intérieures…
- Les **rues Viennet et du Capus** comportent également de belles façades.

■ La place Gabriel-Péri

Au nord-est de la cathédrale, située sur l'emplacement de l'ancien forum romain.

▲ *Du XIVe au XVIe s., l'hôtel de ville a connu de nombreux agrandissements et restaurations. L'édifice est essentiellement composé d'un majestueux beffroi. La ferronnerie soutient une cloche qui date du XVIe s.*

L'hôtel de ville occupe le même endroit depuis le XIIe s. Le bâtiment actuel est du XVIIIe s. C'est un imposant **beffroi** couronné de ferronnerie. Le projet initial prévoyait l'addition d'ailes latérales convexes jamais réalisées.

■ Les Halles

Elles composent un quartier pittoresque et coloré. Construites en 1889-1891 sur le modèle des pavillons Baltard de Paris, elles témoignent de la pros-

◀ *La statue de Pépézut est partie intégrante du folklore local. Elle doit son nom à un certain Montpézut qui défendit vaillamment la ville contre les Anglais. Les Biterrois l'associent en tout cas à toutes les fêtes : autrefois, on l'habillait pour les grandes occasions et les corporations venaient lui donner le salut.*

► *Dans le grand escalier de l'hôtel de ville, un tableau du peintre biterrois Sylvestre représente l'assassinat de Raymond Trencavel en 1167 dans l'église de la Madeleine.*

▼ *L'église de la Madeleine se remarque par son imposant clocher de 40 m de haut, flanqué d'une étroite tourelle d'escalier datant du XVe s.*

périté de Béziers, lorsque les vignobles, moins affectés que d'autres par le phylloxera, avaient fait la richesse de la ville. Ne les manquez pas le matin (sauf le lundi) : leurs marchands sont réputés et l'ambiance est très sympathique. Les **marchés** sont d'ailleurs une tradition méridionale particulièrement vivante à Béziers : le vendredi, la ville devient un gigantesque étal, avec atmosphère garantie.

■ La place de la Madeleine

Rejoignez, au nord, **l'église de la Madeleine** qui porte la mémoire du martyre de la ville. C'est là que plusieurs milliers de femmes, d'enfants et de vieillards furent assassinés. Le portail, la voûte et les chapelles sont postérieurs au massacre, mais la nef, le transept et le chœur ont été en grande partie conservés.

■ La chapelle des Pénitents-Bleus

Dans la rue du Quatre-Septembre.

C'est l'ancienne chapelle du couvent des Cordeliers. Cette jolie construction gothique était, lors de sa construction au XVe s., adossée aux fortifications. Très remaniée lors de la destruction du couvent, elle comporte un étonnant trompe-l'œil qui remplace les parties supprimées. On y entre par un **portail gothique** sculpté. À l'intérieur, notez les **fresques** des XVe et XVIe s.

Une tradition de fêtes

La fête des Caritatchs avait lieu le jour de l'Ascension et célébrait le triomphe sur les Sarrasins. Un cortège précédait un char décoré et chargé de pains qui étaient bénis et distribués. Tous les métiers défilaient au son de la musique. La fête de la Saint-Aphrodise est toujours célébrée, le dimanche le plus proche du 28 avril. Un faux chameau en carton-pâte, en mémoire du chameau du saint patron, est promené dans les rues jusqu'à l'église où le curé le bénit en occitan. En même temps, on vend des petits pains au sucre et des « terraillettes », instruments de cuisine miniature en terre.

La feria

Centrée sur les courses de jeunes taureaux, cette fête d'inspiration espagnole a lieu chaque année au mois d'août. Elle comporte des défilés de chars fleuris, l'élection de la reine de Béziers, des corridas et un lâcher de taureaux dans les rues menant aux arènes, où l'on brûle en grande cérémonie un taureau de bois. La nuit s'achève en musique, sur les Allées, dans les danses et les flots de vin.

■ La caserne Saint-Jacques : le musée du Biterrois

Rampe du 96ᵉ. Au sud de la vieille ville.

Ouvert en hiver de 9 h à 12 h et de 14 h à 18 h ; l'été de 10 h à 19 h. Fermé le lundi. ☎ 04 67 36 71 01.

L'édifice date de 1695 et fut construit en utilisant des pierres récupérées sur les murailles de la ville. Ce passionnant musée fait découvrir la région et ses habitants depuis la préhistoire, en expliquant aussi bien son patrimoine naturel que le résultat des nombreuses fouilles archéologiques. Le musée est organisé par thème : géologie, préhistoire, histoire gallo-romaine, arts et traditions populaires…

■ L'église Saint-Jacques

Place Saint-Jacques.

Ce bel édifice roman, très sobre, servait peut-être d'étape aux pèlerins sur la route de Compostelle. Il était situé à l'extérieur des remparts. Le plus remarquable est son **abside pentagonale** du XIIᵉ s., dont l'extérieur porte une corniche et des chapiteaux d'un grand raffinement évoquant le style antique.

- À l'intérieur, la nef et le chœur, construits séparément, sont raccordés maladroitement, sans doute parce que le plan initial n'a pu être respecté. L'abside a perdu pratiquement tout son décor intérieur. Remarquez la belle Vierge en marbre du XVIIIᵉ s.

▲ *L'architecture équilibrée, le raffinement des chapiteaux à décoration de vannerie, l'importance de la corniche à double rang de modillons font de l'abside romane de l'église Saint-Jacques un appareil monumental rare pour un édifice de petite taille.*

◄ *Au fond de la chapelle des Pénitents-Bleus, remarquez cette pittoresque représentation en plâtre de la barque des Saintes-Maries-de-la-Mer (XIXᵉ s.).*

▷ En dehors des vieux quartiers

L'axe central de la ville moderne

Longtemps endormie, la ville a peu modifié son urbanisme à travers les siècles. Le vieux centre et les quartiers de Saint-Jacques et Saint-Aphrodise étaient occupés par les grandes familles bourgeoises. La périphérie était réservée aux artisans et aux laboureurs. Les faubourgs restent longtemps limités et la ville est prisonnière de ses remparts. Au XVIᵉ s., on commence à combler les fossés à l'est, puis, au XVIIIᵉ s., on aménage des promenades plantées d'arbres, composant un axe transversal. Mais la plus grande innovation arrive au XIXᵉ s. avec la démolition complète des remparts, et la mise en valeur de l'axe des allées Paul-Riquet, place Jean-Jaurès, plateau des Poètes, qui sera l'axe central de la ville moderne.

▶ *Le plateau des Poètes est un vaste jardin de type anglais, créé en 1865 par les frères Bülher.*

■ Le plateau des Poètes

Pour aménager cet espace qui sépare la ville de la gare (le chemin de fer arrive à Béziers en 1857), on fait appel aux maîtres jardiniers Bülher qui ont dessiné le bois de Boulogne à Paris. Il est composé de deux parties différentes : le plateau proprement dit et le versant parcouru d'allées sinueuses très romantiques. L'ensemble du jardin est planté d'**essences rares** d'arbres désormais centenaires et ponctué de **statues des poètes locaux**. Le sculpteur Injalbert a réalisé le spectaculaire **Titan**. La statue de **Jean Moulin** est l'œuvre de son ami Cordier. Les grilles, l'entrée et l'escalier du côté de la gare ont été conçus par l'auteur de l'ancienne gare d'Orsay.

■ Les allées Paul-Riquet : le centre animé de la ville

En haut du plateau des Poètes.

Cet espace est dédié au génial créateur du canal du Midi, dont la statue en bronze est l'œuvre de **David d'Angers**. Bordée de beaux immeubles du XIXᵉ s., ombragée de platanes, semée d'agréables terrasses de café, cette promenade est le lieu de rendez-vous consacré et le site de toutes les grandes fêtes populaires. Un marché aux fleurs très coloré s'y tient le vendredi.

- L'extrémité nord est fermée par **le théâtre** semblable à ceux d'Italie. Le sculpteur **David d'Angers**, qui s'était attaché à la ville au point de travailler parfois gratuitement, en dessina la façade ornée de bas-reliefs de sa main. À l'intérieur, la salle a conservé tout son caractère et son décor peint d'après des croquis de David d'Angers : le plafond est décoré d'allégories des arts libéraux.

■ La basilique Saint-Aphrodise

Au nord-est des allées Paul-Riquet, place Saint-Aphrodise.

Sa fondation remonte au IVe s., au tout début du christianisme à Béziers, autour du culte rendu au saint évangélisateur de la ville. Une nécropole païenne existait déjà lorsque les premiers chrétiens édifièrent un mausolée pour abriter le corps du saint. Par la suite, le culte s'organisa et une chapelle fut construite. Les sarcophages découverts sur place montrent que les fidèles cherchaient à se faire enterrer près du saint. Avec l'essor du culte des reliques, Saint-Aphrodise devint au Moyen Âge une église renommée. On découvre l'édifice de manière surprenante, après avoir passé le porche d'un immeuble.

▲ *Le Titan d'Injalbert portant le monde.*

- Au-dessus du portail, les **fragments historiés** ont été récupérés sur des sarcophages romains. À l'intérieur, **la nef** du Xe s. est assez sombre. La voûte de brique, ajoutée au XVIIIe s., cache la charpente de bois en plein cintre qui couvrait l'église. On voit encore les baies romanes du côté sud. Le reste est très remanié. **Le chœur** date de la période gothique (XIVe s.). **La crypte** remonte probablement à l'époque carolingienne. Elle comporte un petit déambulatoire prévu pour tourner autour des reliques et abrite une belle **tête de Christ**.
- Au fond de la nef, le superbe **sarcophage romain** (IIIe s.) qui sert de **fonts baptismaux** abritait jadis les reliques du saint déposées dans la crypte : on dit que les enfants baptisés là étaient protégés des maladies. Il est décoré d'une chasse aux lions.
- Dans le chœur, on note le **baldaquin** du XVIIIe s. et, derrière l'autel, une chapelle contenant un reliquaire en bois doré. Dans la chapelle du Rosaire, en face de l'escalier de la crypte, le **retable baroque** représente l'Annonciation. Dans le bas-côté nord, un tableau représente l'histoire de saint Aphrodise portant sa tête.
- De la basilique, la rue Ermengaud mène au **cimetière Vieux**.

▼◄ *C'est dans les allées Paul-Riquet que se déroulent les fêtes populaires et que se retrouvent les Biterrois.*

▼ *Le cimetière Vieux : un endroit plein de charme nostalgique, avec ses statues à l'ombre des cyprès.*

▷ Les environs de Béziers

Le moulin Cordier : de l'eau pour la ville

En amont du pont Vieux, à l'extrémité du barrage sur l'Orb, le moulin Cordier rappelle l'un des problèmes majeurs de la ville autrefois. Malgré la présence d'eau dans la rivière, il était très difficile d'alimenter la ville car elle est située sur la hauteur. Les aqueducs s'effondraient et les puits s'asséchaient. Jean-Marie Cordier, un serrurier local, avait imaginé une machine à vapeur permettant de pomper l'eau. En 1827, il réussit à apporter l'eau dans la cité. En 1844, le débit était de 800 000 l par jour, à 66 m de haut, jusque dans le réservoir de la place Saint-Louis. Aujourd'hui, le système de pompes a disparu, mais les bâtiments sont conservés.

▲ *L'Orb, le pont Vieux et la cathédrale Saint-Nazaire.*

▲ ▶ *Le pont-canal de Béziers fut le dernier construit et le plus remarquable car il mit à profit tout le savoir-faire de Riquet et de Vauban. Afin de conserver le niveau nécessaire pour passer au-dessus de la rivière, le canal est construit sur un puissant remblai de terre battue. À son point de rencontre avec la rivière, il a ainsi une hauteur suffisante pour passer sur un pont conçu de la même façon qu'un simple pont routier.*

▲ *L'étang de Montady.*

■ Les bords de l'Orb

Au pied de la cathédrale de Béziers, **le pont Vieux**, harmonieux avec ses 16 arches et ses 240 m de long, est mentionné dans les textes dès 1134. Il est même vraisemblablement construit sur les bases d'un ancien pont romain (en grosses pierres), car il est situé sur la voie domitienne, à l'endroit où elle franchit l'Orb. Il fut élargi en 1471. On remarque son tracé légèrement sinueux et, du côté de la ville, l'ancien bureau de péage, construit au XVIIe s.

- En aval du pont Vieux, passé le pont d'Occitanie, moderne, se trouve **le pont-canal**. Construit en 1857, il fait partie des étonnants ouvrages d'art qui ponctuent le canal du Midi.

■ Les écluses de Fonséranes

Au niveau du pont-canal, en suivant le canal sur 1 km (jolie promenade à pied) vers le sud, vous arrivez aux écluses de Fonséranes, conçues par Riquet, l'un des joyaux du canal du Midi. Cette succession d'écluses permet au canal de franchir un dénivelé de 21,50 m en moins de 300 m. La perspective depuis le point le plus bas montre une véritable escalier d'eau. À l'origine, elles étaient au nombre de 10, avec des sas de 6 m de large sur 30 m de long, caractérisés par leur forme ovale. Elles ne laissent plus passer aujourd'hui que les plaisanciers, les grosses péniches empruntant la grande écluse construite depuis.

■ Nissan-lez-Ensérune

De Béziers vers Narbonne par la N 9.

Le village de Nissan-lez-Ensé-
rune est surtout le site de l'oppidum d'Ensérune, mais il
mérite un petit détour pour les
trésors d'art sacré de son église. À l'intérieur, vous verrez
des fresques et une belle Vierge du XIVe s., ainsi qu'un
petit **musée d'art sacré et d'archéologie**.
- Suivez ensuite les panneaux vers l'oppidum (voir
pages suivantes). Vous passerez non loin du **tunnel de
Malpas**, aménagé par Riquet : creusé sur 160 m dans le
tuf de la colline d'Ensérune, il est longé par un petit
sentier de halage. Au-dessus, passent la voie ferrée et
un **aqueduc du XIIIe s.**

◄ *Le tunnel de Malpas
(Malpas signifie « mauvais
passage ») est creusé dans le
tuf de la colline. Au-dessus
passe un aqueduc du XIIIe s.
qui reçoit l'écoulement des
eaux de Montady.*

> **L'oppidum d'Ensérune est ouvert d'octobre à mars de 10 h à
> 12 h et de 14 h à 16 h ; en avril, mai, juin et septembre, de 10 h
> à 12 h et de 14 h à 18 h ; en juillet et août de 9 h 30 à 19 h.**

■ L'étang de Montady

C'est depuis l'oppidum d'Ensérune que la vue sur ce paysage étrange est la plus intéressante : une immense étendue circulaire, sillonnée de rayons dessinant un soleil et
délimitant de longs champs triangulaires. L'évêque de
Narbonne commanda d'assécher ce marais saumâtre au
XIIIe s. On imagina un réseau de fossés de drainage partant du pourtour et se rejoignant au centre comme les
rayons d'une roue. De là, on creusa ensuite une énorme
tranchée dans la colline pour évacuer les eaux.

■ L'église Sainte-Marie, à Quarante

L'édifice fut consacré en 1053, mais il conserve certains
vestiges antérieurs, datant de sa première fondation au
Xe s. D'allure sobre et massive, l'église ressemble presque
à une forteresse. On reconnaît à son architecture encore
fruste les premiers essais de l'art roman. Les pierres sont
grossières, on retrouve les **bandes lombardes** avec des
incrustations décoratives de basalte noir (l'abside est la
plus remarquable).
- **La nef**, très ample, est constituée de trois vaisseaux :
celui du centre est voûté en berceau renforcé d'énormes
doubleaux, ceux des côtés en curieuses voûtes d'arêtes à
cinq quartiers. À la croisée, elle est couverte d'une coupole irrégulière, l'une des plus anciennes du Languedoc.
Le mobilier est magnifique.
- On note plusieurs **sarcophages monolithiques** de
l'époque wisigothe, deux **tables d'autel** romanes (XIe s.),
la plus grande à lobes, l'autre avec des motifs d'inspiration antique. À l'entrée du trésor, le **sarcophage en
marbre** date du IIIe s. (remarquez l'expression des
visages et le réalisme des drapés). Le trésor compte,
entre autres, un **buste-reliquaire** de saint Jean-Baptiste
en argent et vermeil (1440).

Les passagers indésirables

*Lorsque la poste décida
d'utiliser le canal du Midi
pour acheminer le courrier,
la rapidité de ce moyen de
transport frappa tous les
esprits et les curieux se
pressèrent, autant pour voir
passer les bateaux que pour
les essayer. Les voyageurs
devinrent si nombreux et
l'atmosphère à bord si
brouillonne et agitée que
l'administration décida de
réglementer les embarque-
ments. On bannit d'abord
le bourreau qui ne cessait
de faire des allées et venues
pour vaquer à ses sinistres
occupations. Contagieux,
vagabonds et personnes cir-
culant « entre deux gen-
darmes » furent ensuite
priés de s'abstenir. Puis ce
fut le tour des dames aux
mœurs légères qui trou-
vaient à bord une clientèle
facile, ne demandant qu'à
tromper l'ennui. Les
fumeurs furent très vite
évincés puis les voyageurs
bruyants et enfin ceux qui
chantaient des chansons
déplacées… Tant et si bien
qu'il ne resta plus que les
postiers !*

Ouvert d'octobre à mars de 10 h à 12 h et de 14 h à 16 h; en avril, mai, juin et septembre de 10 h à 12 h et de 14 h à 18 h; en juillet et août de 9 h 30 à 19 h.

L'oppidum d'Ensérune

Avant la conquête romaine, les populations de la Gaule ancienne se regroupaient déjà dans des oppidums, ces villages fortifiés établis sur les hauteurs. Celui d'Ensérune, qui domine la plaine du Biterrois de 120 m, est l'un des plus beaux exemples de ceux qui existaient dans le Languedoc, tout comme Nages, Ambrussum, Pech Maho… Lorsque ces oppidums se trouvaient sur le parcours de grandes routes, les Romains en firent naturellement des relais d'étape. Celui d'Ensérune, un peu à l'écart de la voie domitienne, a été abandonné très tôt, au début du

▲ *Ensérune est l'un des oppidums les plus importants de France; il fournit une foule d'informations sur le mode de vie pré romain.*

Ier s. Il reste un passionnant témoin de la vie avant les Romains. Les fouilles extensives qui ont lieu sur le site depuis 1915 ont permis de réunir dans le musée de superbes collections d'objets montrant l'évolution progressive de l'oppidum. Les ruines et les éléments reconstitués permettent d'imaginer la vie du temps des Gaulois.

■ Les débuts de l'urbanisation

À partir du VIIe s. avant notre ère, les populations se sédentarisent, abandonnant la chasse et la pêche au profit de la culture et de l'élevage. Avec les progrès des techniques agricoles, les communautés s'organisent et mettent en commun leurs installations et leur défense. Le VIe s. voit la naissance de l'urbanisation proprement dite, avec l'éclosion rapide de véritables villes, un peu partout sur les axes de communication en essor. C'est de cette période que datent les principaux oppidums découverts dans le Languedoc. Placés sur des promontoires dominant la plaine, ils permettent de voir venir les attaquants éventuels. L'oppidum est toujours situé le long d'un axe de communication ou au point de rencontre de voies fluviales. La place stratégique d'Ensérune, entre mer et rivière, sur un axe entre l'Italie et l'Espagne, montre la volonté de commercer des habitants. En concentrant les savoir-faire au sein d'une même ville, les communautés sont en mesure de se spécialiser et d'améliorer leurs techniques. L'organisation en oppidums aura aussi une influence sur la structure politique de la société : une hiérarchie s'installe entre les différents territoires et leur rayonnement, ce qui débouche sur l'émergence de pouvoirs forts.

■ L'évolution de l'habitat

La constitution d'Ensérune s'est faite en trois grandes périodes.

- La plus ancienne va de 600 à 425 avant notre ère. Elle concerne une population indigène assez fruste, vivant de l'agriculture et de la pêche. Les maisons étaient de petite taille, espacées, construites en bois, en pisé et en branchages. Elles se répartissaient au sommet de la colline. Pour stocker les provisions, on creusait de grands silos dans la pierre du sol. La découverte à Ensérune de fragments de poteries grecques et étrusques confirme les échanges avec le reste du monde méditerranéen.

▲ *Dans chaque maison, on enfonce de grandes jarres dans le sol pour ranger les provisions.*

- Entre 425 et 230 avant notre ère, l'habitat s'organise et se diffuse. Le plan se dessine : il y a une enceinte et des rues en damier. Les remparts sont faits de gros blocs liés à la terre et ceinturent complètement la partie haute. Des vestiges d'une poterne sont visibles au nord, ainsi que des fortifications restaurées au bord du plateau sud. Les maisons portent la marque grossière du modèle grec que les artisans tentent d'imiter. Elles sont en pierre sèche, en pierre liée à l'argile ou en brique crue et pierre. Les toits ont une faible pente et sont couverts de bois et de torchis. Pendant toute cette période, malgré l'apport grec et l'implantation celte, l'héritage ibérique (dialecte, écriture, monnaies…) reste le plus fort.

- La dernière époque de l'évolution d'Ensérune, de 230 av. J.-C. à 30 de notre ère, marque une croissance conséquente de la ville qui déborde de l'enceinte pour atteindre 7 000 ou 8 000 habitants. Le sommet de la colline ne suffit plus, il faut aménager les pentes en terrasses. De grandes citernes sont construites, on installe des égouts, on dalle les rues. On bâtit un quartier résidentiel à la place de la nécropole. L'influence romaine se fait de plus en plus sentir. Les plans des maisons sont plus élaborés, centrés autour d'une cour. Le décor devient plus raffiné, les murs sont couverts d'enduit et peints. Mais la paix romaine a écarté les dangers d'agression ; les habitants émigrent peu à peu vers la plaine et le site est abandonné au cours du Iᵉʳ s.

Comprendre • L'oppidum d'Ensérune

Le Biterrois

CARTE P. 221

Terre de vignobles et de riches villages, le Biterrois occupe une plaine en amphithéâtre qui s'élève progressivement pour atteindre les coteaux et les premiers contreforts des monts de l'Espinouse. Irriguée par l'Orb et ses nombreux affluents, elle est ponctuée de belles propriétés, petits châteaux des riches viticulteurs du XIXᵉ s.

▶ *Situé au pied des derniers contreforts de l'Espinouse et au bord du Vernazobre, Faugères est surtout connu pour ses bons vins.*

■ Capestang

À l'ouest de Béziers par la D 11.

Le village est écrasé par l'orgueilleuse masse de la **collégiale gothique**. Selon la tradition, elle aurait été réalisée par l'architecte de la cathédrale de Narbonne, mais aurait été tellement réussie que les Narbonnais, jaloux, lui auraient crevé les yeux ! On remarque d'emblée son allure élancée malgré ses puissants contreforts. Le clocher, flanqué de sa tourelle d'escalier et couronné de ferronneries, mesure 44 m de haut. À l'intérieur, on est surpris par la hauteur de la nef (26,70 m).

■ L'abbaye de Fontcaude

À l'est de Saint-Chinian (D 20 puis D 134).

C'est en arrivant que l'on en a la plus jolie vue : un ravissant sanctuaire roman, solitaire au cœur de la garrigue. Le premier monastère fut fondé en 1154, près d'une source chaude, d'où elle tient son nom. Occupée par les prémontrés, qui connaissent un grand rayonnement durant le Moyen Âge, c'était une étape sur la route de Compostelle. Au XIVᵉ s., elle souffrit des incursions des Anglais, de la peste puis de la famine. Au XVIᵉ s., ce fut au tour des protestants en colère de l'assiéger et de l'incendier. La nef et la plus grande partie du cloître furent détruites.

- On ne voit aujourd'hui que **le chœur et le transept**. L'abside est voûtée en cul-de-four et éclairée par trois fenêtres. À la naissance des voûtes, un beau bandeau unit les différentes parties de l'édifice.

- Les bâtiments des moines conservent de beaux vestiges de la salle capitulaire, du cloître, de la sacristie et du scriptorium (pièce où les moines étudiaient et copiaient les manuscrits) aménagé en **musée**. On peut y voir les restes d'une fonderie de cloches du XIIe s. et d'un moulin à huile.
- Plusieurs **chapiteaux sculptés**, d'une finesse exceptionnelle, illustrent des scènes de l'Évangile. Ils sont l'œuvre du Maître de Fontcaude, au XIIIe s.

■ Cessenon

Au bord de l'Orb, ce village dominé par un donjon est situé au bord d'un coteau schisteux où pousse la vigne (terroir de Saint-Chinian) et une **flore très méditerranéenne**, ressemblant au maquis corse. Deux jolies randonnées permettent de découvrir ces paysages.
- Au nord-ouest, par la D 14, vous pouvez rejoindre un circuit de petite randonnée (balisé en jaune, départ à 3,5 km du village) vers le Bois de Cessenon et ses étonnantes **plantations d'eucalyptus**. Le sentier s'élève entre les vignes et les bois, dans un parfum incomparable (les feuilles d'eucalyptus résistent très bien à la chaleur grâce à leur position verticale qui ne les expose pas aux rayons du soleil).
- Au sud-est, vers Murviel-lès-Béziers, allez voir **le chaos de Réals**, sur l'Orb (sentier à travers les rochers, juste avant l'usine EDF).
- Passez **Murviel-lès-Béziers**, un vieux village pittoresque, perché sur une butte, dont les ruelles en pente mènent aux terrasses du château. Rendez-vous ensuite à **Magalas**, vers le nord-est, un autre village paisible, et prenez la direction de Puissalicon.

■ Puissalicon

Le village est dominé par la masse de **l'église et du château accolés**. La visite de l'église permet de voir, sur le tableau représentant saint Guéraud, ce qu'était l'ancienne église Saint-Étienne-de-Pezan. La **tour romane**, aujourd'hui dans le cimetière (à 1,5 km de l'église, sur la D 33), haute de cinq étages (25 m), est le seul vestige de cette église disparue. C'est en fait l'ancien clocher (XIe s.), typique de l'art roman du Languedoc, avec son alternance de **bandes de basalte noir et de calcaire blanc** et ses fenêtres géminées. Sur le sol, à côté, notez les **arceaux** richement décorés de la même époque.

■ Faugères

À 27 km au nord de Béziers.

Parmi les plus prestigieux terroirs de la région, le village entouré de remparts était autrefois un bastion protestant. **La tour nord des fortifications** servit de temple après la proclamation de la liberté de culte et avant la construction d'un véritable sanctuaire.

Minerve

CARTE P. 221

Capitale d'un vignoble célèbre, Minerve est aussi une des merveilles naturelles de la région, avec ses canyons tourmentés creusés dans la roche calcaire. La ville se dresse sur le Causse au confluent de la Cesse et du Brian. Les deux cours d'eau ont creusé de véritables falaises, fortifiant naturellement la ville, à la manière d'une presqu'île rocheuse. Serrée derrière les vieux remparts, la petite cité paraît imprenable. Les avantages du site n'ont pas échappé aux hommes qui habitent ses grottes et ses anfractuosités depuis la préhistoire.

La tourmente hérétique

Au Moyen Âge, la petite ville et son château appartiennent aux Trencavel, vicomtes de Carcassonne. La cour de Minerve tolère parfaitement la nouvelle religion cathare. Après le sac de Béziers, ceux qui ont pu s'échapper se réfugient ici et la petite forteresse devient l'un des verrous de la zone d'hérésie. Elle est donc assiégée. Pour vaincre les Minervois, 7 000 croisés encerclent la ville en 1210 et la bombardent avec une énorme catapulte, la « Malvoisine », causant d'énormes dégâts : murailles endommagées, maisons détruites, fermeture de l'accès au puits d'alimentation de la ville. Au bout de cinq semaines de siège, les habitants doivent capituler, à cause de la soif. 180 cathares qui refusent de renier leur foi sont livrés au bûcher.

■ La vieille ville

À visiter de préférence tôt le matin pour éviter la foule, surtout en saison.

Vous arrivez en bas de **la Candela**, impressionnante colonne octogonale, vestige du château médiéval. Remarquez les **bossages de pierre**, typiques de l'architecture du XIIIe s., et les restes de remparts qui courent le long de la falaise.

- La rue principale mène à **l'église Saint-Étienne**, petit édifice roman du XIe s. À l'intérieur, la **table d'autel** de marbre blanc date de 456 (l'une des plus anciennes d'Europe), commandée par saint Rustique. Les graffitis sont postérieurs (entre le Ve et le IXe s.).

- **Le musée d'Archéologie et de Paléontologie**, dans la Grand-Rue, présente les fossiles et les vestiges découverts dans la région, attestant son occupation ancienne.

Ouvert tous les jours de 10 h à 18 h de mai à la Toussaint, samedi et dimanche après-midi le reste de l'année. ☎ 04 68 91 22 92.

- Plus loin, le **musée Hurepel** s'attache à retracer l'histoire des cathares au moyen de maquettes et de santons d'un réalisme époustouflant.

Ouvert l'après-midi d'avril à fin octobre ; toute la journée de mi-juin à fin août. ☎ 04 68 91 12 26.

◄ La Candela est une colonne octogonale à bossages de pierre avec les restes de deux corniches qui supportaient les étages (fin XIIIe s.) ; elle appartenait au château construit après la croisade. Du château lui-même ne subsistent que quelques parements au-dessus de la rue.

- Au bout de la rue, la **porte des Templiers** (XIIIe s.) fait partie d'une maison de l'ordre de Saint-Jean-de-Jérusalem. Sur la droite, notez les vestiges d'une ancienne porte menant au quartier des Barris. À gauche, après le pont, la ruelle descend à la **Porte basse**, en arc brisé. La côte pavée (cela s'appelle une calade) passe la **tour de la Prison**, semi-circulaire. En bas, vous pouvez emprunter le **chemin de ronde** qui contourne la cité par le canyon du Brian.

- **Le puits Saint-Rustique** qui alimentait la ville est relié à l'enceinte par un chemin couvert. La **catapulte** qui servit à le détruire a été reconstituée de l'autre côté de la rivière.

■ Les ponts naturels

Le paysage exceptionnel qui entoure Minerve comporte de nombreuses curiosités à découvrir. En été, le lit de la Cesse offre une jolie promenade (moins d'1 h aller-retour) jusqu'aux **ponts naturels**, façonnés dans la roche calcaire par les eaux de la rivière. Ce sont en fait des tunnels creusés au cœur de la falaise : le plus long, le « pont grand » mesure 250 m pour une ouverture de 40 m de haut, le « pont petit » fait 110 m de long pour une ouverture de 30 m. De chaque côté des gorges qui se prolongent sur 5 km, s'étend le Causse, immense plateau calcaire envahi par la garrigue. Les nombreuses grottes portent les traces d'occupation humaine très ancienne.

Le Minervois

CARTE P. 221

Le Minervois porte la mémoire d'une longue histoire, grottes habitées dès la préhistoire, champs d'oliviers exploités depuis l'Antiquité, délicieuses chapelles romanes d'une austère simplicité semées à travers les vignes et souvenirs de la terrible croisade contre les hérétiques. Il se partage en trois zones : les contreforts humides et boisés des Cévennes au nord-ouest, le plateau calcaire ou Causse, planté de garrigue, au milieu, et la plaine viticole au sud.

▶ *La chapelle Notre-Dame-de-Centeilles a été construite aux XIIe s. ; au XIVe s. on a ajouté un transept dont les clefs de voûte sont sculptées d'armoiries.*

■ Les environs de Minerve

À 5 km à l'ouest de Minerve, dans le hameau de Fauzan, se trouve la **grotte de la Coquille**. Elle s'enfonce dans le plateau en plus de 1 200 m de galeries sous des voûtes de 10 à 20 m. Les parois de l'une d'entre elles portent des dessins d'animaux datant du paléolithique inférieur et ont révélé des vestiges d'une occupation suivie : empreintes de pas humains et traces d'ours des cavernes, poteries du néolithique... Les nombreux dolmens et allées couvertes qui jonchent la région remontent à cette dernière époque (3 000-1 500 avant J.-C.).

La grotte est accessible deux fois par an, en juillet et en août; il y a peu de places, réservez au ☎ 04 68 91 23 66.

- **La Caunette** est un joli village qui conserve une impressionnante porte fortifiée et une petite chapelle romane rustique surplombant la rivière. Notez le fin cordon de basalte qui décore la maçonnerie, comme c'est souvent le cas dans la région.

- **Aigne**, un peu plus loin au sud-est, est surnommé le *Cagaraou* (l'escargot en occitan) en raison de sa curieuse disposition en **colimaçon** autour de sa colline et de son église. On entre dans le village par une porte fortifiée et l'on prend à gauche sous un passage couvert : la rue s'enroule comme une coquille d'escargot. La petite église marie les styles roman et gothique, son clocher est une ancienne tour défensive.

■ Bize-Minervois

Au sud-est de Minerve.

Le village abrite une **coopérative oléicole** et permet de découvrir une activité ancestrale du Languedoc : la fabrication de l'huile d'olive. La région s'est spécialisée dans une olive de table verte, allongée, très particulière, la Lucques. La coopérative *L'Oulibo* produit de 15 000 à 18 000 l d'huile par an. Il est possible de visiter le **moulin** utilisé pour presser les olives et de découvrir les produits dérivés de l'olive (tapenade, savon, objets en bois d'olivier…).

- **La grotte de Bize**, à 2 km du village le long de la Cesse, a révélé d'importants vestiges de la préhistoire. C'est là qu'on découvrit, en 1826, le premier squelette d'homme fossile (seule la première salle est visible, le reste est fermé au public).

■ Cesseras et Siran

Au sud-ouest de Minerve.

La chapelle Saint-Germain se trouve au milieu des pins à 3 km de Cesseras vers Siran. Construite au pied du Causse, elle surprend par son élégance dans ce site sauvage. Datée du XIᵉ s., elle témoigne des débuts de l'art roman avec son abside à bandes lombardes et à modillons sculptés. On retrouve l'habituel cordon de basalte au-dessus de la fenêtre. Elle est couverte d'un toit de lauzes.

▲ *Le village de La Livinière est surtout connu pour son pèlerinage à Notre-Dame-du-Spasme. Au bas du village, le sanctuaire serait bâti sur un ancien lieu de culte païen.*

- En continuant vers Siran, sur la gauche après le domaine de Massamier, le **dolmen des Fades** est bien signalé. C'est le plus long du Midi (20 m par 2,5 m).
- **La chapelle Notre-Dame-de-Centeilles**, au nord de Siran, se dresse entre les vignes et les cyprès et offre une

---

L'huile d'olive

On la fabrique de novembre à janvier, après la récolte, à la main, des olives noires. On lave les fruits, puis on les place dans une cuve où elles sont écrasées à froid par une meule de granit de 7 tonnes. Seule l'huile issue de la première pression est utilisée. Il faut de 6 à 8 kg d'olives pour 1 l d'huile.

▶ *L'église abbatiale Saint-Pierre-et-Saint-Paul de Caunes-Minervois fut édifiée au XIe s. Portail et porche datent du début du XIIIe s.*

▼ *Autour du déambulatoire de l'église de Rieux, admirez les 14 colonnes et les 14 chapiteaux sculptés attribués au Maître de Cabestany. Notez celui, superbe, de l'Annonciation, un thème récurrent au XIIe s.*

belle vue sur les vignobles et le village de La Livinière. Elle est surtout remarquable pour ses **fresques peintes** des XIVe et XVe s. Sur le sol du transept gauche, la belle **mosaïque romaine** date du IIIe s.

■ Rieux-Minervois

Au bord de l'Argent-Double, au sud-ouest de La Livinière.

Le gros village de Rieux conserve un château, des vestiges de remparts, de belles maisons anciennes et un joli pont de pierre à trois arches.
- Et surtout une **église très rare**, au plan centré insolite. Elle est composée d'un vaisseau central à sept côtés, entouré d'un déambulatoire en rotonde qui en compte quatorze. Le chiffre sept symbolise la sagesse divine, assimilée à la Vierge Marie. La porte sud est encadrée de colonnettes reposant sur des chapiteaux sculptés. Le vaisseau est surmonté d'une coupole, au-dessus de laquelle se dresse le clocher, une tour à sept pans.

Le marbre de Caunes

Colbert cherche à diminuer les importations de marbre : c'est pour cette raison que l'on se met à favoriser les carrières de Caunes. En outre, au XVIIe s., les sculpteurs génois sont à la mode et cherchent des marbres de différentes couleurs pour jouer sur les contrastes. Le plus beau titre de gloire des carrières de Caunes est d'avoir fourni les 13 colonnes de 7 m de haut qui ornent le Grand Trianon à Versailles. Avec le canal du Midi, son transport est facilité et on le retrouve à l'Opéra Garnier, sur l'arc de triomphe du Carrousel, au palais de Chaillot. Les carrières sont encore en exploitation et exportent jusqu'au Japon.

◀ *La petite ville de Caunes-Minervois est connue pour ses carrières de marbre. Ce sont de magnifiques chantiers aux vastes excavations géométriques et colorées ; l'une d'elles, fort belle, est dite « le trou du Roi ». On y extrait cinq variétés qui vont du rouge au vert.*

■ Caunes-Minervois

Petite cité au cœur des vignobles, elle marque la limite entre la plaine minervoise et la Montagne noire. Elle doit son renom à son abbaye et à ses carrières de marbre ; le sel, le textile et le vin ont également contribué à sa richesse.

- **L'église abbatiale Saint-Pierre-et-Saint-Paul** remplace un monastère carolingien fondé par un compagnon de saint Benoît d'Aniane en 791, dont il reste quelques éléments. Après la croisade, l'abbaye récupéra une grande partie des biens confisqués aux hérétiques et s'enrichit considérablement. La partie basse de l'abside, à **chapiteaux ornés de volutes**, est un exemple du premier art roman du XIe s. Le **portail** comporte des chapiteaux historiés du XIIe s. (Annonciation, Nativité, Massacre des Innocents). Les **autels** et le **mobilier** en marbre de Caunes et de Carrare ne remontent qu'au XVIIIe s. (notez les associations des deux types de marbre, très recherchées à l'époque).

Ouvert tous les jours d'avril à septembre de 10 h à 12 h et de 14 h à 19 h ; hors saison le week-end et pendant les vacances scolaires. Fermé en janvier. ☎ 04 68 78 09 44.

◀ *La confrérie des Compagnons du Minervois.*

Le Parc régional du haut Languedoc

CARTE P. 247

Office du tourisme : place du Foirail, à Saint-Pons-de-Thomières. ☎ 04 67 97 06 65. Maison du parc : 13, rue du Cloître. ☎ 04 67 97 38 22.

Le parc couvre une vaste région montagneuse, 145 000 ha à cheval sur les départements de l'Hérault et du Tarn. Pour sa partie occidentale, il comprend le versant nord de la Montagne noire et le massif du Sidobre, au nord, il est bordé par les monts de Lacaune, à l'est il se compose du massif de l'Espinouse. L'ensemble forme un milieu naturel très préservé et peu habité, avec des paysages variés. La ligne de partage des eaux, entre l'Atlantique et la Méditerranée, affecte la végétation. La zone occidentale, océanique, est semée de genêts, de bruyères et de hêtres. La zone méditerranéenne, à l'est, se caractérise par les chênes verts et les châtaigniers en altitude. C'est un pays de beaux villages médiévaux mais surtout de nature sauvage où pratiquer la randonnée, le canoë-kayak ou l'escalade.

▶ *Depuis 25 ans, grâce au groupe folklorique Los Castanhàïres dal Somal, Saint-Pons a renoué avec la tradition de la fête de la châtaigne.*

■ Saint-Pons-de-Thomières

Cette tranquille bourgade abrite le siège du Parc régional et s'est tournée vers le tourisme vert. C'est une base idéale pour découvrir les routes des montagnes et pour pratiquer la randonnée. Dès le deuxième millénaire avant notre ère, une agglomération existait sur la rive droite du Jaur, Thomières. En 936, le comte de Toulouse, Raymond Pons, fonde une abbaye sur la rive gauche. Le village qui se développe prend le nom de Saint-Pons. Chacun des villages est fortifié et ils sont réunis par des ponts au-dessus du Jaur. Durant tout le Moyen Âge, la ville grandit, portée par le rayonnement de l'abbaye et par l'industrie du drap.

■ L'abbaye Saint-Pons

Cette ancienne cathédrale, construite aux XIe et XIIe s., fortifiée, a été remaniée considérablement entre le XVe et le XVIIIe s. La façade est, qui donne sur l'esplanade, date du XVIIIe s. et remplace ce qui était l'ancien chœur gothique. À ce moment-là, on a inversé le plan de l'église, plaçant le centre liturgique à l'ouest. La façade d'origine, à l'ouest, est romane.

- Encadrée de **deux tours**, elle a conservé son **portail à deux tympans**, l'un figurant la Crucifixion (notez la curieuse position des larrons sur leurs croix percées de trous), l'autre la Cène et le Lavement des pieds. Du côté nord, le porche carré du XVe s. précède une porte romane, dite **porte des morts** parce qu'elle donnait accès au cimetière. Elle est surmontée de deux **bas-reliefs** figurant la lune et le soleil.

- À l'intérieur, la nef romane présente une originalité : une **galerie** aménagée dans l'épaisseur du mur pourvue d'une rangée de meurtrières. Ce système défensif, avec les deux tours crénelées et le **chemin de ronde à mâchicoulis**, fut conçu au XIIe s. Le chœur possède un beau **mobilier** de marbre polychrome du XVIIIe s. Les **orgues** de 1772 sont parmi les plus belles de France.

- À l'époque médiévale, le bourg Saint-Pons était appelé la « ville mage », Thomières étant la « ville moindre ». Prenez le temps de flâner dans les ruelles aux maisons anciennes (XIVe-XVIe s.) et surtout, empruntez le vieux **pont Notre-Dame** entre les deux villes pour voir les vestiges des **fortifications** et, le long du Jaur, de la **maison du gouverneur**.

■ Le musée de la Préhistoire

Ouvert tous les jours de 10 h à 12 h et de 14 h 30 à 18 h.
☎ **04 67 97 22 61.**

Il présente les vestiges des civilisations qui ont occupé les grottes des environs. On y voit par exemple des expositions sur la **grotte de Campafraud** qui a livré, sur 6 m d'épaisseur, les traces des civilisations successives qui l'ont occupée durant 5 000 ans. Les industries préhistoriques sont expliquées : **travail du bois de cerf et de l'os** pour fabriquer des outils (poinçons, ciseaux, peignes à carder…) et **artisanat de la laine**, important dans la région dès les premiers temps. La vie quotidienne au néolithique est évoquée ainsi que les étonnantes **statues-menhirs** typiques de la région datant de 3000 à 2000 ans avant notre ère.

■ La grotte de la Devèze

À 5 km à l'ouest de la ville.

Visite guidée tous les jours du 16 mars au 30 septembre. Ouvert les dimanche et jours fériés le reste de l'année.

Cet endroit a été baptisé « palais de la Fileuse de verre »

La fête de la châtaigne

Le dernier dimanche d'octobre, cette fête très ancienne est toujours l'occasion d'une grande foire, faite de veillées, de contes, de danses et de musique. Autrefois, le châtaignier était l'une des richesses de la région. Le 27 octobre, jour de la foire de Saint-Pons, les propriétaires recrutaient le personnel pour le dur travail de la récolte. Les castanhaïres (ramasseurs de châtaignes) descendaient de la montagne. Le mercredi était le jour de la vente sur le marché.

▶ *Découverte en 1886-1887 lors des travaux de la ligne de chemin de fer Toulouse-Montpellier, la grotte de la Devèze s'est formée dans des calcaires dolomitiques tantôt très purs, tantôt riches en fer et en manganèse, ce qui explique la diversité de ses concrétions.*

Les statues-menhirs

Il s'agit de pierres de la taille d'un humain, arrondies au sommet et gravées de façon à représenter un personnage (bras, visage, vêtement…). Ces statues, les plus anciennes de cette taille en Europe, étaient l'œuvre d'une société de chasseurs et de pêcheurs. Représentations de divinités ou de chefs, leur signification reste inconnue.

tant ses concrétions sont fines et variées. Elle est très riche en aragonites formant de véritables fleurs, et en formations aux formes et aux couleurs diverses.

■ La chapelle Notre-Dame-de-Trédos

Au milieu d'une forêt de sapins, la chapelle est un lieu de pèlerinage très ancien. Les fidèles viennent implorer les grâces de Notre-Dame-des-Trésors dont la statue est à l'intérieur (lundi de la Pentecôte et premier dimanche de septembre). La vue est splendide sur le massif de l'Espinouse et la plaine languedocienne.

■ La Salvetat-sur-Agout

Avant de traverser le massif de l'Espinouse, dirigez-vous vers ce pittoresque village médiéval aux toits d'ardoises, aux ruelles et aux passages voûtés, qui produit une eau minérale gazeuse, la Salvetat. Le bourg a conservé une partie de ses anciennes murailles et des portes fortifiées.
- Dans l'église, ne manquez pas la statue miraculeuse de **la Vierge noire**, Notre-Dame-d'Entraygues (XIe s.).
- À 1 km vers Lacaune, une petite randonnée vers **le sommet de la Lauze** vous entraînera à travers bois et collines.

- À l'ouest du village, le **lac de la Raviège** offre ses eaux poissonneuses aux pêcheurs mais aussi aux amateurs de sports nautiques et de balades.

■ À travers l'Espinouse

En sortant de Saint-Pons par la D 907 vers le nord.

La route traverse d'épaisses forêts de tilleuls, de châtaigniers, puis de sapins et de hêtres, et longe le **mont du Somail**, pour arriver au **col du Cabaretou** (949 m). Le paysage est celui d'une lande humide, presque plate, parcourue de rivières à truites.

Prendre à droite la D 169, vers Fraisse-sur-Agout.

- Vous arrivez au **lac du saut de Vesole**, formé par un barrage, qui s'étend au milieu d'un paysage de lande et de prairies.

■ Fraisse-sur-Agout

Joli village fleuri et paradis des pêcheurs de truites, la **maison du parc de Prat-d'Alaric** est une ravissante ferme traditionnelle construite avec les matériaux de la nature environnante : granit pour les sols et les murs, bois pour la charpente et genêt pour les toitures des *paillers*.

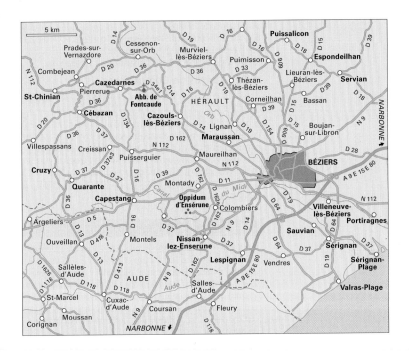

■ Cambon

Revenez vers Fraisse-sur-Agout et prenez la direction d'Olargues jus-qu'au col de Fontfroide. Là, bifurquez vers Cambon (D 53).

Après le village, c'est la solitude du plateau jusqu'au sommet arrondi et nu du **mont de l'Espinouse** (1 123 m) que longe la route (le GR 71 monte au sommet). À la fin de l'été, la bruyère teinte la lande de rose et de mauve.
- La route redescend ensuite vers le **pas de la Lauze** d'où l'on voit la ligne des Causses et le **col de l'Ourtigas** et son panorama superbe : à droite le mont de l'Espinouse, à gauche la crête épineuse du mont Caroux, devant la réserve de chasse, domaine des mouflons.
- Suivez ensuite la route vers le sud, jusqu'au hameau de **Douch**, au pied du mont Caroux. Ne manquez pas la petite **chapelle romane Sainte-Marie** au fond de son vallon et cet adorable village aux maisons de pierre sèche, réservé aux piétons. C'est le point de départ d'une belle randonnée jusqu'au **sommet du mont Caroux**.

■ Saint-Gervais-sur-Mare

Quittez Douch, passez Rosis et tournez à gauche vers un village particulièrement attachant avec ses ruelles en escaliers, ses passages couverts, ses belles maisons anciennes.
- La **Maison cévenole** présente les arts et traditions populaires de la région à travers les âges. Faites la belle balade de la **chapelle de Neyran**. En chemin, vous verrez d'étonnants vestiges médiévaux bâtis ou taillés dans le roc. L'église (XIe s.) est construite sur un éperon.

■ Les gorges de Colombières

Prenez la direction de Lamalou-les-Bains (D 13) puis celle d'Olargues (D 14).

À partir du village du même nom, elles constituent l'une des plus belles randonnées des environs. Moins connues que celles d'Héric, elles abritent des mouflons et conservent d'anciennes habitations troglodytiques (comptez 5 h pour le tour complet, assez raide).

Reprendre la route d'Olargues et tournez à droite vers le hameau de Saint-Martin-de-l'Arçon.

Les mouflons

En 1956, un petit groupe de mouflons corses ont été introduits dans le massif du Caroux. Grâce à la création d'une réserve de chasse, la petite colonie a grandi et compte aujourd'hui un millier d'individus. Le mouflon est un animal craintif qui vit à moyenne altitude, plus facile à observer tôt le matin quand il sort à découvert. Le mâle porte d'imposantes cornes recourbées ; la femelle se reconnaît à son masque blanc.

◀ *À deux pas du mont Caroux, dans un méandre du Jaur, Olargues propose toute sorte d'activités de plein air : escalade, randonnées, spéléologie, pêche en rivières classées…*

Le hameau de **Saint-Martin-de-l'Arçon** est un adorable assemblage de pierres sèches et de petits escaliers noyés de soleil. Du village, un sentier part vers le hameau de la Coste et conduit aux **gorges d'Héric**, le long des parois rocheuses, au-dessus du torrent, jusqu'au **gouffre du Cerisier** et au village d'Héric (4 h au total).

- Vers le sud, le village de **Roquebrun** est surnommé « le petit Nice » en raison de son climat exceptionnel dont témoigne la végétation luxuriante. Un **jardin méditerranéen** a même été planté sur les terrasses exposées au sud. La ville se vante de ses mimosas qui sont en fait une variété d'acacias originaires d'Australie. Une plage est aménagée sur les bords de l'Orb.

■ Olargues

Cette ancienne capitale wisigothe a conservé un charme paisible : pont en dos d'âne (XIIIᵉ s.), ruelles pavées, tour-clocher (XIᵉ s.), vestiges des remparts accrochés au rocher… C'est aussi le pays des cerises, des châtaignes et du sanglier, qui se plaît dans la garrigue.

La haute vallée de l'Orb

CARTE P. 247
Office du tourisme :
2, avenue du Docteur-Ménard,
à Lamalou-les-Bains.
☎ 04 67 95 70 91.

E n remontant vers sa source, l'Orb creuse cette vallée verdoyante, étroit couloir ouvert dans le calcaire des causses. Lamalou-les-Bains, ses sources thermales et ses villas désuètes, laisse la place à Bédarieux, puis au Bousquet-d'Orb et aux gorges de l'Orb. Plus haut encore, la rivière s'étale en un grand lac juste au-dessus d'Avène.

▲ *La rue Foch et l'avenue Charcot, principales artères de Lamalou-les-Bains, présentent de belles façades du* XVIIe *s.*

■ Lamalou-les-Bains

Créée dès le XVIIe s., la petite station donne envie de s'arrêter et de s'occuper de soi. Avenues ombragées de platanes, villas de la Belle Époque, des eaux qui soignent rhumatismes et maladies nerveuses : tout cela, ajouté à un festival d'opérette très kitsch, en fait un endroit à part où le temps coule plus lentement. Les plus grandes célébrités y vinrent en leur temps, rois, empereurs, sultans, mais aussi Alexandre Dumas, Alphonse Daudet ou André Gide.

■ L'église Saint-Pierre-de-Rhèdes

Elle est située sur un ancien carrefour de la voie romaine de Béziers à Cahors et de la route de Compostelle.

Notez le **portail roman**, son beau **linteau** sculpté de motifs inspirés de l'arabe et son **tympan** orné d'incrustations de basalte noir. Le **chevet** est aussi intéressant avec ses bandes lombardes et la **sculpture naïve** représentant un pèlerin.
- À l'intérieur, remarquez le curieux **plan en trèfle** de l'abside, la Vierge à l'Enfant en pierre polychrome et le **bas-relief roman** figurant saint Pierre.

■ La chapelle Notre-Dame-de-Capimont

Au nord de l'Orb, par la D 22. On peut aussi s'y rendre à pied depuis le stade de Lamalou en suivant le GR 7 puis le sentier de petite randonnée.

Elle présente des traits archaïques qui laissent deviner une construction à la fin du Xe s. : les arcs outrepassés (en fer à cheval) de la nef.
- Un sentier part de l'église vers le sud et mène, à travers un chaos de roches et de chênes verts, aux **orgues de Taussac**, une formation rocheuse à la silhouette étrange, sculptée dans le calcaire par l'eau et le gel.

■ Villemagne-l'Argentière

À 8 km au nord-est de Lamalou, sur la D 922.

Cette ville s'est développée autour de son abbaye bénédictine et de ses mines de plomb argentifère. La prospérité de l'abbaye, fondée au VIIᵉ s., date de l'arrivée sous
son toit des reliques de saint Majan. L'afflux des pèlerins
et les bénéfices des mines qui appartenaient en partie à
la communauté lui ont apporté la richesse.
- Le village a conservé une partie de ses **fortifications** du
XIIᵉ s. Il reste deux églises : **Saint-Grégoire** est de style
roman, **Saint-Majan**, devenue église paroissiale, est de
style gothique avec un clocher roman.
- Le village comprend les ruines de l'ancienne **abbaye** et
de l'ancienne église **Saint-Martin**, ainsi qu'un bel **hôtel
des Monnaies** (XIIᵉ s.), rappelant que les seigneurs et les
abbés se partageaient les mines et faisaient frapper
monnaie sur place, dans le village.

■ Le pont du Diable
À 2 km de Villemagne vers Saint-Gervais.

Un superbe viaduc du XVIIᵉ s. qui relie les deux rives
malgré une forte différence de niveau.

■ Bédarieux
Office du tourisme : place aux Herbes. ☎ 04 67 95 08 79.
Cette paisible petite ville appartenait jadis à l'abbaye de
Villemagne. D'abord protestante lors de la Réforme, elle
passa ensuite, tour à tour, aux mains des catholiques et
des réformés. Après la révocation de l'Édit de Nantes, un
grand nombre de protestants durent s'exiler. L'industrie
du drap et les tanneries étaient alors les principales activités locales, remplacées ensuite par l'exploitation de la
bauxite et du charbon, et la biscuiterie.
- Belles balades à faire dans les alentours, notamment
vers le nord, en remontant la vallée de l'Orb.

■ Valquières et Dio
À 4,5 km de Bédarieux sur la D 35, tournez à droite sur la D 157.

Arrêtez-vous pour leurs petites églises et pour **le château
de Dio**, bâti sur un éperon rocheux dominant le vieux
village.
- Plus loin sur la D 35, bifurquez à gauche vers **Bous-
sagues**, un magnifique village fortifié qui a conservé de
très belles maisons des XVIᵉ et XVIIᵉ s., une église romane
ravissante (XIIᵉ et XIIIᵉ s.), un château fort et une tour.
Dans le cimetière, notez d'intéressantes stèles discoïdales remployées sur la clôture.

■ Des gorges de l'Orb au lac d'Avène
Vers le nord, passez le **château de Cazhilhac**, de style
Renaissance, et rejoignez **Les Bains-d'Avène**, une petite
station thermale spécialisée dans les maladies de la
peau.
- La route atteint enfin le **lac artificiel d'Avène** qui sert
à alimenter l'Orb en période de sécheresse.

**Les cloches
d'Hérépian**

*Les Gra-
nier fabri-
quaient
des clous
dans les
environs
en 1605.
Puis ils se
sont inté-
ressés aux clochettes et son-
nailles en tous genres. En
1930, ils commencèrent à
produire des grosses cloches
d'église. La visite de leur
atelier permet de découvrir
toutes les étapes de la fabrication d'une cloche : préparation du noyau et des
moules, le fourneau, la
fosse et, avec un peu de
chance, la coulée du
bronze. Néanmoins, c'est à
Castalnet-le-Basque que se
trouve la fonderie la plus
ancienne.*

▲ *Avec son aérodrome de
tourisme, ses installations
sportives, son terrain de
camping et sa maison des
Arts, Bédarieux est le point
de chute idéal pour visiter
la région.*

Le littoral

Du cap d'Agde aux bords de la Petite Camargue, le littoral est une succession de caps réunis par de longs cordons de dunes. Vignobles, ostréiculture, mytiliculture sont des activités traditionnelles de ces étangs. Le tourisme est venu compléter les revenus avec la création de véritables villes dressées face à la mer, comme La Grande-Motte. Pourtant le patrimoine traditionnel reste très attachant : Agde, avec sa cathédrale de basalte, Sète et son cimetière marin, l'étang de Thau et ses parcs à huîtres, Aigues-Mortes et ses remparts…

◀ *Sète, la Pointe courte.*

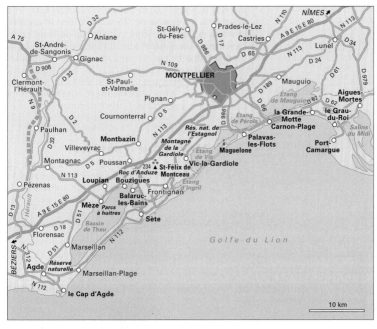

Visiter • Le littoral

Agde
la ville noire

CARTE P. 253
**Office du tourisme : espace
Molière.** ☎ 04 67 94 29 68.

Au cœur d'un paysage plat et monotone, Agde se dresse sur un promontoire, à l'embouchure de l'Hérault. Formée par une coulée de lave de l'ancien volcan qui a constitué le cap d'Agde, la colline a fourni le basalte dont on a construit la ville. Marco Polo, en la découvrant, l'avait baptisée « la ville noire ». Entre son cap et les rives de l'Hérault, elle offre un mouillage abrité qui a très tôt suscité les convoitises.

De la préhistoire à l'Antiquité

Bien que la région soit occupée depuis l'âge de bronze, ce n'est qu'au VIIᵉ s. avant notre ère que la butte accueille une communauté organisée ayant des liens commerciaux avec les peuplades voisines. À l'époque, les indigènes ont surtout des contacts avec les Grecs qui dominent le bassin méditerranéen. Ce sont des Grecs d'Asie Mineure, les Phocéens qui fondent la première colonie vers 560 av. J.-C. Elle s'appelle *Agathê Tyché*, la « bonne fortune » et devient un pôle commercial très actif. Au début du VIᵉ s. avant J.-C., elle passe sous le contrôle de Marseille et connaît un véritable essor, car elle devient la tête de pont du commerce marseillais vers le reste du Languedoc. Son organisation urbaine date de cette époque-là. Les fouilles ont montré que son plan de cadastre, basé sur les unités de mesure grecques, était bien antérieur à l'arrivée des Romains. Après la conquête romaine, elle a conservé une importante activité commerciale et portuaire comme le prouvent les épaves découvertes dans le lit de l'Hérault.

Du Moyen Âge à nos jours

La christianisation d'Agde remonte au Vᵉ s. La ville est alors un évêché, mais les églises sont construites à l'écart de la cité antique. À la chute de l'Empire romain, Agde

---

Le volcan d'Agde

C'est le dernier élément de la chaîne des volcans d'Auvergne. Il y a un million d'années, il entra en éruption, d'abord sous la mer. Ses scories se sont vitrifiées au contact de l'eau pour donner des tufs jaunes, visibles aux extrémités de la Conque. Puis les éruptions suivantes formèrent les cônes que sont les trois collines d'Agde. Les dernières, enfin, de lave plus fluide, ont donné l'épaisse couche de basalte qui recouvre la région. L'ensemble de ces processus a duré deux cent mille ans.

tombe sous la coupe des Wisigoths, comme le reste de la région. Puis c'est au tour des Arabes d'en prendre possession. Lorsque Charles Martel les chasse en 737, il décide de détruire la ville pour que ses ennemis ne puissent plus la réinvestir. Après avoir été la propriété des Trencavel, Agde passa sous le contrôle des évêques en 1187. C'est alors un port prospère qui perd pourtant de son importance lorsque Saint Louis lui préfère Aigues-Mortes pour les échanges avec l'Orient. Durant la guerre contre l'Espagne, elle est à nouveau détruite, en 1286. La construction du canal du Midi qui aboutit à l'Hérault et à l'étang de Thau lui ramène un peu d'activité, mais c'est surtout Sète qui en profite et devient le grand port de la région. Avec l'ensablement progressif de l'Hérault et l'augmentation du tonnage des navires, Agde est inadaptée au trafic portuaire et se contente de la pêche et du cabotage.

▲ *Agde se sépare en trois parties distinctes : la cité ancienne appelée quartier de la Glacière, le Bourg qui était situé à l'extérieur des remparts, et le cap d'Agde, une station balnéaire à part entière construite au bord de la Méditerranée.*

Les joutes nautiques

Durant l'été, surtout le 14 juillet et le 15 août, les joutes nautiques sont l'un des sports de fête les plus populaires. Comme à Sète sa voisine, le port d'Agde est envahi par les barques colorées, chargées d'un équipage vêtu de blanc. Les équipes s'affrontent à coups de lance comme dans un tournoi médiéval. Leur dextérité, l'enthousiasme de la foule et les couleurs éclatantes en font un spectacle très pittoresque.

▷ Le quartier de la Glacière

Le quartier des notables

Il est délimité à l'ouest par l'Hérault, au sud par la rue Jean-Roger, à l'est et au nord par la rue du 4-Septembre. Autrefois, c'était là qu'habitaient les notables de la ville.

▶ *Bâtie à 4 km de l'embouchure de l'Hérault à partir de roche basaltique, Agde était surnommée la « ville noire » par Marco Polo. Aux activités traditionnelles (pêche, viticulture), la ville a peu à peu ajouté le tourisme avec la création du cap d'Adge. Ici, la plage de la Grande Conque et son sable noir.*

■ Les remparts

Bâti sur la butte basaltique, le quartier était ceinturé de remparts dès le début de l'occupation grecque. Au Moyen Âge, la muraille mesurait 680 m de long, comptait 18 tours et 5 portes. De cette enceinte, détruite volontairement en 1850, on a reconstitué une petite portion d'une cinquantaine de mètres, visible à la limite nord du quartier, au bout des promenades. Les premières assises, en grosses pierres, pourraient dater de la période grecque. La partie supérieure avec ses créneaux et ses meurtrières est du XIIIe s. Prenez ensuite les quais, le long de l'Hérault pour rejoindre la cathédrale.

■ La cathédrale Saint-Étienne

Elle se remarque à son imposante masse noire qui ressemble plus à un fort militaire qu'à un sanctuaire. Selon la légende, elle est construite à l'emplacement d'un ancien temple de Diane. Un édifice chrétien existait sans doute très tôt, avant que la ville ne soit détruite par Charles Martel. Le sanctuaire actuel date du XIIe s.

- À l'extérieur, on est frappé par son austérité, la couleur noire de ses pierres de basalte et ses fortifications massives. C'est un énorme cube rayé de puissants **contreforts** couronnés de **mâchicoulis**, avec des murs de 2 à 3 m d'épaisseur. À l'origine, un toit en pierre de taille et des escaliers menant au chemin de ronde complétaient le système défensif. En fait, l'édifice tient plus des fortifications militaires en vogue au Moyen Âge que d'une église. Le clocher est un véritable **donjon**, élevé au XIVe s. L'ensemble montre à la fois la richesse des évêques d'Agde et l'insécurité ambiante. Les églises servaient alors de refuge à la population, en cas d'attaque.

- L'entrée dans l'église se fait par une chapelle ajoutée vers 1860 en utilisant les restes du cloître du XIIIe s. (arcatures à colonnettes géminées avec leurs **chapiteaux historiés**) et un **dallage** du XIIe s. qui provient de la toiture. La nef unique offre le même aspect sévère que l'extérieur, avec un décor très avare. L'ouverture circulaire dans la voûte servait à monter nourriture et munitions aux défenseurs sur le toit.

- **L'arc triomphal**, en marbre blanc, pourrait être en partie récupéré d'éléments antiques, notamment les chapiteaux sculptés. Le **maître-autel**, en marbre polychrome, serait un cadeau de Louis XIV à l'évêque. La **chaire à prêcher**, elle aussi en marbre polychrome, date du XVIIIe s.

■ L'hôtel de ville

Au sud de la cathédrale.

Ce monument du XVIIe s. est lui aussi construit en basalte noir. Ses **arcades** délimitent une **halle voûtée**. Notez, sous les arcades, l'ancienne **formule d'accueil** du XVIe s. : *Fortunate infortunate agathetyche advolato* (heureux ou malheureux, accourez à la Bonne Fortune). À l'intérieur, la **salle principale** a été décorée en 1939 par des artistes catalans exilés du franquisme.

■ La vieille ville

Un circuit de découverte de la vieille ville est proposé par l'office du tourisme le mardi et le vendredi en juillet et en août.

Avec son labyrinthe de ruelles étroites que les hautes maisons de guingois transforment en profonds canyons, elle dégage un charme fou. Le contraste avec les autres villes du Midi est total, tant l'omniprésence de la pierre sombre lui confère une pénombre secrète, reposante les jours écrasés de soleil. La plupart des maisons, bien que remaniées, datent des XVIe et XVIIe s. et conservent de belles portes, des escaliers, des tours…

- Le quartier doit son nom à la grande **glacière souterraine** que l'on avait creusée sous la place de la Glacière, au XVIIe s. À la fin de l'hiver, on amenait de la neige pressée sous forme de cylindres que l'on entreposait dans de la paille et des chiffons pour l'été.

- En haut de la **rue de la Glacière**, deux maisons portent des dates (1596 et 1621) : ce serait là que Richelieu aurait séjourné en mars 1642. La **rue de la Ville** compte de nombreuses portes anciennes, des couloirs et des escaliers des XVIe et XVIIe s.

- Place Conessa, la **maison Baldi**, avec son bel escalier de basalte sur quatre colonnes aurait abrité François Ier en visite à Agde. **Rue Michelet**, au n° 5, remarquez la **porte dite persane**, à la base d'une tour.

▷ Le quartier du Bourg

Le quartier des artisans et des petits-bourgeois

Situé au sud de la rue Jean-Roger, il était le site des cimetières au temps des Grecs. C'est là que furent construites les premières églises, Saint-André et Saint-Sever. Peu à peu, les habitants s'installèrent autour. On y a retrouvé la trace de jardins potagers. Au Moyen Âge, on le ceintura de remparts reliés à la cité.

▶ *Station touristique développée dans l'entre-deux-guerres, Le Grau d'Agde connaît aujourd'hui une expansion parallèle aux autres parties de la commune. Les plages sont le principal attrait de la station. Ici, la criée.*

■ L'ancienne Consigne

Sur le quai du Commandant-Mages, cet élégant bâtiment au bord de l'Hérault date du XVIIIᵉ s. Son perron donne directement sur le fleuve et permettait de mettre les équipages en quarantaine.

■ L'église Saint-Sever

Elle existait dès le Vᵉ s., sous le nom de Saint-Martin. Elle était construite sur le cimetière antique et paléochrétien où fut enterré le saint fondateur. L'église actuelle ne date que du XVᵉ s. Son plus bel élément est un grand **Christ de la Renaissance** en bois peint : à la Révolution il fut jeté dans l'Hérault puis repêché par la suite.

■ Le Musée agathois

5, rue de la Fraternité; près des halles.

Ouvert de 10 h à 12 h et de 14 h à 18 h. Fermé le mardi.
☎ **04 67 94 82 51.**

Il est installé dans un élégant hôtel de la Renaissance, transformé ensuite en hôpital puis en un musée passionnant des **traditions populaires** d'Agde et des environs. Tous les aspects de la vie quotidienne et des vieux métiers sont présentés au moyen de collections d'objets anciens, de tableaux, de reconstitutions, de maquettes…
- Au rez-de-chaussée, une première salle présente **l'histoire des transports** et la reconstitution d'un relais de diligences. Une deuxième salle est consacrée à l'histoire des **joutes nautiques**, l'une des traditions vivantes d'Agde. Deux autres salles réunissent tout ce qui a trait à **l'archéologie**, avec de belles collections de vases, de coupes et d'amphores, vieilles de 2500 ans.
- Le premier étage est plus spécifiquement consacré à **l'histoire du costume** et de ses accessoires depuis le XVIIIᵉ s. L'atelier de la monteuse de « sarrets » (la coiffe

locale) est reconstitué, montrant les secrets de leur fabrication. Plusieurs scènes de **la vie quotidienne** et des intérieurs d'autrefois ont été recréés : chambre de jeune fille, cuisine… À mi-étage, une salle présente **l'art religieux**, très riche du temps où Agde était un évêché.
- Le deuxième étage s'attache aux **activités maritimes**. La pêche est expliquée grâce à des reconstitutions et à de nombreux instruments. La marine marchande est évoquée au travers de meubles et d'objets précieux ramenés d'Orient par les marins agathois.

■ Le cap d'Agde
Très colonisé par un tourisme intensif, le site a perdu presque tout son charme, bien que son architecture ait respecté le style et les couleurs du Languedoc. Il mérite cependant la visite pour son port très vivant, animé par les terrasses de cafés et les boutiques. Le cap d'Agde est aussi le premier centre naturiste d'Europe.

■ Le musée de l'Éphèbe
Ouvert de septembre à juin le lundi et du mercredi au dimanche de 9 h à 12 h et de 14 h à 18 h ; en saison, ouvert tous les jours de 9 h 30 à 12 h 30 et de 14 h 30 à 18 h 30. ☎ 04 67 94 69 60.

Il présente les **techniques d'archéologie sous-marine** et retrace l'histoire de la navigation à travers les âges. Les différents bateaux de l'Antiquité sont exposés ainsi que l'évolution des **amphores**, depuis la période étrusque jusqu'à la période gauloise. Les épaves retrouvées le long de la côte et les résultats des fouilles locales sont présentés avec, parmi les plus belles pièces, **l'Éphèbe d'Agde**, une superbe statue de bronze de style grec remontant au Iᵉʳ ou IIᵉ s. avant J.-C.

■ L'île Brescou et les falaises volcaniques
En face des jetées, **l'île Brescou** porte un fort bâti au XVIᵉ s. et amélioré par Vauban pour servir de prison. Des visites sont organisées en saison à partir du port.
- La promenade des **falaises volcaniques**, très agréable, commence près de l'Aquarium. Trop fréquentée dans la journée, cette balade est à faire tôt le matin ou au coucher du soleil, pour les lumières qui soulignent les formes creusées par l'érosion dans les couches de pierre volcanique. Le sommet de la falaise est doublé d'un sentier botanique, intéressant au printemps surtout.

■ La réserve du Bagnas
Situé au nord-est d'Agde.

Ce marais est une étape pour les oiseaux migrateurs et un site de reproduction pour les échasses blanches, les hérons pourprés, les grands butors…
- À 7 km au nord d'Agde, le village de Bessan est la patrie du **Ricard**, l'apéritif symbole du midi de la France. L'usine est ouverte à la visite, mais ne comptez pas découvrir la recette : elle est gardée soigneusement.

▲ *L'Éphèbe d'Agde a été découvert le 13 septembre 1964 dans le fond de l'Hérault, face à l'ancien évêché. C'est une statue de bronze haute de 1,40 m, datant du IIᵉ s. avant J.-C.*

Sète
presque une île...

Service municipal du
tourisme : 60, Grand-Rue
Mario-Roustan.
☎ **04 67 74 71 71.**

S on incomparable lumière, ses couleurs, l'omniprésence de l'eau ont fait nommer Sète la Venise du Languedoc. Bâtie au flanc du mont Saint-Clair, coincée entre l'étang de Thau, la mer et les canaux, c'est l'un des plus grands ports de la Méditerranée, aux odeurs mêlées de mer et de garrigue. Paul Valéry ou Georges Brassens en sont les fils les plus célèbres. C'est aussi une ville cosmopolite à laquelle les communautés étrangères, notamment italienne, donnent une ambiance pittoresque.

Le port : une plaque tournante

Bien qu'occupée dès l'âge de bronze, Sète a surtout gardé la trace de ses habitants gallo-romains. On sait qu'à l'époque il y avait une industrie consacrée à la saumure du poisson. Le commerce était très actif avec l'Espagne, l'Etrurie et la Campanie, jusqu'à la fin de l'Empire romain, ainsi que le prouvent les nombreuses monnaies découvertes sur place. Au Moyen Âge, la petite communauté vit de la pêche, d'un peu d'élevage et surtout des récoltes de kermès d'où l'on extrait une teinture écarlate. En 1596, lorsque le gouverneur nommé par Henri IV décide de créer un port, il n'y a même pas une centaine d'habitants. Son projet avorte, faute d'argent, et Sète devra attendre la création du canal du Midi pour devenir un véritable port. Riquet et Colbert le conçoivent comme le débouché du canal sur la Méditerranée. En 1673, la ville reçoit le privilège d'exemption fiscale. Le môle Saint-Louis est construit pour abriter une rade et protéger l'accès au canal et à l'étang de Thau. La ville se développe et devient une plaque tournante et le port d'embarquement des exportations d'eaux de vie, de sel, de produits manufacturés vers le reste du bassin méditerranéen, les pays nordiques et les îles d'Amérique. À la fin du XVIIIe s., les 100 habitants sont déjà devenus 6 500.

Marseille : la concurrence

En l'absence de capitaux importants, Sète ne réussit pourtant pas à se développer suffisamment, surtout qu'elle doit faire face à la rivalité de Marseille qui garde jalousement son monopole du commerce avec le Levant. Sète doit se satisfaire d'un cabotage plus risqué de tabac, sucre et savon. Le formidable essor de la vigne au XIXe s. et la colonisation de l'Algérie changent la donne. Le port est relié à Montpellier par le train dès 1839. La capacité des quais est doublée par le creusement du canal maritime et du bassin du Midi, en 1859. Sète devient le premier port du vin au monde. Lorsque le vignoble français est affaibli par la crise, elle s'enrichit encore plus en important le vin espagnol ou algérien. Les fabricants de tonneaux, les négociants, les producteurs d'apéritifs, les agrumes augmentent encore cette richesse. À la fin du XIXe s., Sète est le quatrième port français. Aujourd'hui, c'est le premier port de pêche français de la Méditerranée et le deuxième pour le trafic des marchandises. Sa force repose sur la diversité de ses marchés et sur les nombreuses destinations desservies, comme le Maghreb, l'Italie, la Grèce, la côte africaine, les Antilles. Le port accueille aussi les ferries vers le Maroc et les Baléares. Enfin, dans un domaine plus sportif et très prestigieux, la base d'entraînement de l'America's Cup est située contre le môle Saint-Louis.

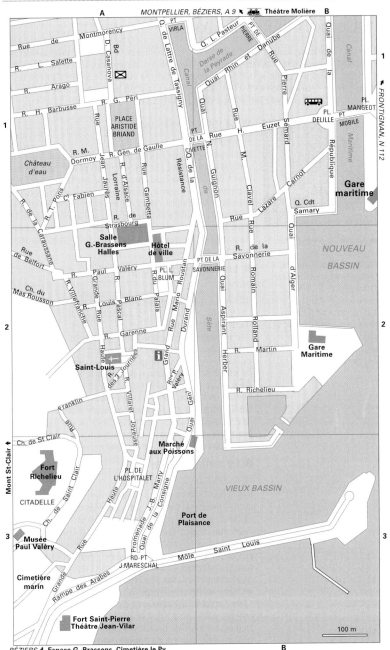

BÉZIERS ↓ Espace G. Brassens, Cimetière le Py

100 m

▷ Le port et la ville basse

Sète est construite autour du mont Saint-Clair qui s'élève à 182 m au-dessus de la mer. Autrefois, la butte était une île et elle n'est reliée à la terre ferme que par d'étroits cordons d'alluvions. Elle se partage en deux parties : la ville basse, striée d'une demi-douzaine de canaux, traversée d'une douzaine de ponts, et les pentes du mont Saint-Clair. Tout l'esprit de Sète est résumé dans ses différents ports.

▲ *Sète est le premier port de pêche du littoral méditerranéen. Chaluts et filets tournants de surface (pour pêcher le thon) ramènent à Sète 139 variétés de poissons et de coquillages. La flotte de la ville est composée de 57 chalutiers et 24 thoniers.*

■ Le môle Saint-Louis

PLAN AB-3

Sa construction fut lancée par Colbert en 1666. À l'origine, il se terminait par un fort et un phare, détruits en 1944 par les bombardements alliés et le minage des Allemands. Le phare a été reconstruit en 1948 (il est le seul de France à posséder encore ses lentilles d'origine). La base d'entraînement de l'America's Cup est juste derrière. C'est de ce môle qu'est parti le célèbre bateau *Exodus*, en 1947, emmenant 4 500 juifs qui émigraient vers le futur État d'Israël.

■ Le quai de la Consigne

PLAN A3

Retrouvez ici **la criée aux poissons** et le **port de pêche**. On y contrôlait les navires au XVIIIe s. Chalutiers et thoniers y sont amarrés.

- Le moment idéal est la fin d'après-midi, lorsque les bateaux arrivent avec leur chargement, escortés par des nuées de mouettes et de goélands. Les caisses débordant de sardines, maquereaux, crabes envahissent les quais dans un bouquet d'odeurs et de bruits. C'est là que l'ambiance est la plus colorée et que se retrouvent les vieux Sétois, pêcheurs à la retraite, mareyeurs, visiteurs curieux.

- Le matin, pour les enchères, la criée est une ruche bourdonnante, même si, depuis qu'elle est informatisée, elle est un peu moins pittoresque.

■ Le canal de Sète

PLAN A-B/1-2

Rejoignez **la Marine**, qui était le port de commerce au XVIIIe s. Imaginez les trois-mâts, puis les navires à vapeur déchargeant leurs marchandises exotiques.

- Les maisons alignées le long du quai sont sobres, à trois ou quatre étages, et comportaient autrefois des entrepôts voûtés au rez-de-chaussée. Aujourd'hui, ils se sont transformés en boutiques ou en restaurants, et les quais sont envahis par les filets de pêche colorés, séchant sur les rambardes.

- Les façades ont retrouvé des couleurs, lie-de-vin, orange, jaune, bleu. C'est là que l'on goûte les spécialités locales, bourride de baudroie, encornets farcis, rouille de seiches, tielle (tourte au poulpe), macaronade…

■ Le quai Aspirant-Herber

PLAN B2

Il offre la plus jolie perspective de la ville, avec les chalutiers en premier plan, l'église Saint-Louis et le mont Saint-Clair au fond.

- Rejoignez ensuite le **quai d'Alger** et le **quai du Maroc**, où s'alignent ferries et paquebots en escale.

- En allant vers le **port de commerce**, vous croisez les équipages des nombreux navires étrangers, marins philippins, ukrainiens, turcs, pakistanais qui ajoutent à l'atmosphère bariolée du port.

- De sa gloire passée de grand port, Sète a gardé quelques beaux immeubles, à remarquer en flânant le long des quais. Dans le quartier Victor-Hugo, le **théâtre Molière** est un de ces témoins, construit à la fin du XIXe s. sur le modèle de celui de Montpellier. Le décor sculpté à l'italienne est dû à l'artiste biterrois Injalbert.

▲ *L'animation règne sur le quai Général-Durand en fin d'après-midi avec le retour des chalutiers, le débarquement du poisson et le cri des mouettes.*

■ le quartier de la Pointe courte

Dans le prolongement du canal de Sète, ne manquez pas ce véritable village très pittoresque, coincé entre l'étang de Thau et le débouché du canal. Jadis, on appelait ses habitants les « bordigots » (la bordigue était la zone de marécages et de sable où étaient installées les pêcheries). Ces pêcheurs de tradition familiale forment un clan à part, vivant de la capture des palourdes, crevettes, anguilles, loups, daurades qui peuplent l'étang. Agnès Varda leur a consacré son premier film en 1954, *La Pointe courte*. Avec les aménagements successifs des bords de l'étang, beaucoup de ses habitants se sont réorientés vers la production de moules et d'huîtres.

■ L'espace Georges-Brassens

En contournant le promontoire en direction d'Agde, vous longez le bord du mont Saint-Clair par le boulevard Camille-Blanc. HORS PLAN A3

> Ouvert de juin à septembre tous les jours de 10 h à 12 h et de 14 h à 18 h (jusqu'à 19 h en juillet et août) ; fermé le lundi hors saison. ☎ 04 67 53 32 77.

▲ *Goûtez à la tielle, cette spécialité sétoise. Il s'agit d'une tourte de pâte à pain remplie d'une farce à base de poulpe, de sauce tomate et d'épices.*

Visitez ce lieu original tout à la mémoire du poète chanteur, né à Sète. Équipé d'un casque vous suivrez de salle en salle tout le parcours de l'artiste, vous l'entendrez discuter des femmes, de l'amitié, de la mort, de l'anticonformisme, à sa manière sobre et bourrue. Photos, films, affiches, concerts enregistrés garantissent une rencontre vivante et émouvante.

- **Le cimetière Le Py**, modeste et populaire, abrite la tombe de Brassens, enterré auprès de ses parents ; il rêvait d'« un petit trou moelleux sur la plage de la Corniche » (*Supplique pour être enterré sur la plage de Sète*).

bonne adresse

Le Grand Hôtel, 17, quai de-Lattre-de-Tassigny. ☎ 04 67 74 71 77. Les plantes vertes sous la verrière et le patio intérieur donnent une teinte romantique à cet hôtel centenaire.

▷ La ville haute et le mont Saint-Clair

PLAN A2-3

On dirait le Sud…

Le mont Saint-Clair est une colline calcaire autrefois couverte d'une forêt de chênes et de pins (on y chassait le loup au XVIIe s. !). Elle offre l'une des plus belles promenades de la ville. Sur ses pentes, la ville haute est agencée en étages, à la manière des villes méditerranéennes comme Naples ou Alger. Les ruelles pentues ont absorbé les flots successifs de l'immigration, italiens, catalans, pieds-noirs, maghrébins…

▶ *Situé face au soleil levant, le cimetière marin abrite, outre les tombes de Valéry et de Vilar, celle du jouteur Cianni dont l'épitaphe et les sculptures de la tombe rappellent la passion des Sétois pour « l'art des joutes ».*

L'or rouge des teinturiers

Durant l'Antiquité et le haut Moyen Âge, la couleur rouge a les faveurs du public et signe la grandeur de celui qui la porte. L'une de ses origines est la cochenille, connue en Languedoc sous le nom de kermès. Elle était ramassée dans la garrigue par les femmes et les enfants. Il s'agit d'un insecte parasite du chêne vert et du chêne kermès, nombreux dans la région. Une fois séché, le kermès donne une teinture écarlate très résistante au lavage et à la lumière. À ce titre, on la réserve aux tissus nobles, draps de laine ou soie. Chaque cochenille donne un rouge différent, ce qui produit des palettes très variées. Le commerce de la cochenille du Languedoc a décliné lorsque l'on a importé massivement celle des Amériques.

■ La ville haute

Depuis le port, empruntez **l'escalier de Cèbe**, une ruelle étroite où le linge aux fenêtres rappelle l'Italie.
- À partir du quai, jusqu'à **l'église Saint-Louis** (beaux vitraux du XIXe s.), c'est la ville haute qui domine le port, rue Garenne, rue Jeanne d'Arc, Grande Rue Haute… Les tout premiers ouvriers des môles s'y étaient installés d'abord, suivis des pêcheurs et des étrangers. Les ruelles étroites qui plongent vers la mer, les vieilles qui bavardent devant les portes et les gamins qui jouent dans la rue évoquent irrésistiblement l'Italie.

■ Le musée imaginaire de la Sardine

Rue Alsace-Lorraine.

C'est un espace plein d'humour entièrement tourné vers tout ce qui concerne le petit poisson argenté. Techniques de pêche, méthodes de conservation, fabrication et décoration des boîtes, collections hétéroclites et savoureuses à l'intention des puxisardinophiles : on apprendra ici que ce sont les collectionneurs de boîtes de sardine…

■ Le cimetière marin

Sur la butte, face à la mer, rue Dunoyer. PLAN A3

L'un des sites les plus célèbres de Sète. Paul Valéry, le poète sétois, a immortalisé « ce toit tranquille où marchent les colombes ». Alignés comme sur un balcon devant la mer, les tombes et les caveaux composent un paysage d'une grande sérénité. Paul Valéry est enterré dans la partie haute, la plus ancienne (tombeau de la famille Grassi), tandis que Jean Vilar est dans la partie basse.

▲ *Au sommet de la colline Saint-Clair, une grande croix illuminée jouxte la chapelle Notre-Dame-de-la-Salette décorée de fresques par le peintre Bringuier en 1954.*

■ Le musée Paul-Valéry

Derrière le cimetière marin, rue François-Desnoyer. PLAN A3

Ouvert de 10 h à 12 h et de 14 h à 18 h. Fermé mardi et jours fériés hors saison. ☎ 04 67 46 20 98.

Il présente l'**histoire de Sète** et de ses traditions, grâce à des objets trouvés lors des fouilles, des gravures anciennes, des maquettes des fortifications et des tableaux rattachés à la ville, notamment des œuvres de Marquet, Baille, Desnoyer… Le thème des joutes nautiques est abordé et l'on peut voir leur évolution depuis le XVIIᵉ s. À l'étage, sont exposées les collections de **peinture classique** (Botticelli, Courbet, Doré…) et d'**art moderne** (Dufy, Dezeuze, Juan Gris, Matisse…). La **salle Paul Valéry** retrace l'enfance sétoise du poète, son adolescence et sa vie de philosophe, au travers d'objets familiers, de portraits, de manuscrits et de nombreux dessins et aquarelles de sa main.

■ Le mont Saint-Clair

Il peut être atteint de plusieurs façons. Si vous êtes dans le quartier du musée de la Sardine ou de l'hôtel de ville, prenez la rue Paul-Valéry, puis la rue de Belfort et le chemin de Biscam-Pas. Si vous êtes du côté du cimetière marin et du musée Paul-Valéry, empruntez le chemin de Saint-Clair.

Très vite, vous abordez un secteur de verdure et de sentiers de promenade entre les murets de pierre sèche.
- Au sommet, la chapelle **Notre-Dame-de-la-Salette** est un lieu traditionnel de pèlerinage, tous les 19 du mois. Le plus fréquenté est celui du 19 septembre qui marque une apparition de la Vierge (le 19 septembre 1866 à la Salette, dans les Alpes). La vue sur la ville, le port et la mer est vraiment splendide. La grande croix est illuminée dès la nuit tombée. Elle évoque le souvenir de la fête de saint Clair, lorsque l'on allumait un feu sur le mont.
- Du mont Saint-Clair, un sentier mène aux **Pierres Blanches**, de l'autre côté du promontoire (1 km). Là aussi d'agréables sentiers parmi les pins permettent de découvrir le panorama du côté de l'étang de Thau et cordon littoral, particulièrement agréable au soleil couchant. Cet espace vert compte près de 700 espèces végétales dont certaines ont été amenées par les bateaux venus de toutes les mers de la planète.

L'école des joutes

Les joutes nautiques de Sète sont loin d'être un divertissement folklorique. Les jouteurs sont très sérieusement organisés en sociétés. Le Languedoc en compte une quinzaine, sept pour la seule ville de Sète. Près de 500 licenciés s'entraînent ainsi avec persévérance. Les enfants commencent l'initiation dès trois ans, sur de petits chariots de bois. À six ans, ils sont autorisés à s'exercer sur des barques à moteur. À neuf ans, ils ont le droit de participer à de véritables joutes sur barques à rames. Les barques richement décorées qui s'affrontent portent chacune l'une des couleurs de la ville, le rouge et le bleu. En été, elles ont lieu tous les week-ends, mais la plus prestigieuse, celle qui assoit la réputation d'un jouteur, est le Lundi de la Saint Louis, fin août.

La Gardiole

CARTE P. 253
Office du tourisme : rue de la Raffinerie, à Frontignan. ☎ 04 67 48 33 94.

Culminant au roc d'Anduze, à 234 m, la montagne de la Gardiole barre l'arrière de l'étang de Vic. De nombreux sentiers de randonnée parcourent le massif et se prêtent aux excursions à VTT, à pied ou à cheval. Habitée depuis le paléolithique, la colline est semée de villages médiévaux. Les quelques capitelles qui demeurent ici et là rappellent son passé pastoral. Ses principales activités sont les salines et la vigne.

▲ *L'église de la Conversion-de-Saint-Paul construite au XIIᵉ s. sur un hypothétique emplacement de villa romaine conserve une architecture et une ornementation riche et travaillée.*

■ Frontignan

Le village, très ancien, existait déjà à l'époque romaine. Au sud du village, Frontignan-Plage accueille un grand port de plaisance. Mais la célébrité du village vient de son muscat : environ 800 ha dans les environs du village sont consacrés à sa production.

■ L'église de la Conversion-de-Saint-Paul

C'est un édifice roman imposant, solidement fortifié. Il conserve un intéressant portail orné de poissons et de bateaux, rappelant le passé portuaire de la ville.
- La nef fut surélevée au XIVᵉ s. et ornée d'une **poutre maîtresse** décorée de cavaliers et des armes de Catalogne. Dans l'abside, notez le **Christ en bois polychrome** (XVIᵉ s.) et les **statues** de saint Paul et saint Roch.
- Dans le chœur, le **retable** en bois doré de la Nativité et de l'Adoration des mages date du XVIIᵉ s. Un **tableau** de 1727 représente la *Conversion de saint Paul*, à qui le sanctuaire est dédié. Au XIVᵉ s., on érigea une **tour-clocher** carrée et crénelée, reliée par un chemin de ronde à une **tour de guet**.

■ Le musée de Frontignan

4 bis, rue Lucien-Salette.

Ouvert de 10 h à 12 h et de 14 h 30 à 18 h 30. Fermé le mardi.
☎ 04 67 18 50 05.

À côté de l'église, il est installé dans l'ancienne chapelle des Pénitents-Blancs. Il retrace l'histoire locale, explique l'épopée du muscat et réunit les résultats des fouilles aux environs.

■ La plage des Aresquiers

Sur la route de Vic. La promenade démarre du parking avant le pont, au bord de la D 114 (balisage en jaune).

Préférez venir très tôt le matin ou tard le soir en été, pour les belles lumières, en hiver ou aux demi-saisons, pour découvrir le milieu des étangs et voir les oiseaux.
- Après l'étang où vous observerez des **flamants roses**, vous arriverez au croisement de plusieurs chemins. Suivez les balises jaunes vers le nord, ou bien continuez dans les salines. Vous passez les ruines d'un ancien mas

puis d'un vieux **poste de douane**. Au carrefour qui suit, prenez à gauche sur un sentier surélevé qui vous permettra de dominer les **salines** de Frontignan.

- Revenez sur vos pas et suivez les balises jaunes qui vous conduiront au point de départ à travers la **pinède**.

■ Vic-la-Gardiole

Le village médiéval, en bordure d'étang, a gardé ses ruelles étroites, ses passages voûtés et quelques belles maisons anciennes des XVIIe et XVIIIe s.

- **L'église Sainte-Léocadie** (XIIe s.) domine le village de sa lourde masse fortifiée couronnée d'un petit campanile en fer forgé. Ses hauts contreforts sont reliés par des arcades formant des mâchicoulis et le parapet crénelé abrite un chemin de ronde. Les échauguettes ont été rajoutées à la fin du XIVe s.

■ Gigean

On entre dans ce village médiéval par une première porte fortifiée et par la Rue-Basse, bordée de demeures du XVIIe s.

- **L'église Saint-Geniès** (fin XIe s.) possède une abside de style lombard. À l'intérieur, le plafond du chœur est orné de fresques du XVIIIe s. Le plan du village, avec ses quatre rues, donne une idée de l'organisation des petites communautés médiévales.

- On atteint **l'abbaye de Saint-Félix-de-Montceau** par une petite route en lacets (2 km au sud-est de Gigean). Tour à tour cistercienne et bénédictine au Moyen Âge, elle est ensuite ravagée par les routiers puis abandonnée en 1517. Les ruines comportent deux églises, la plus petite de style roman (XIe s.), l'autre plus imposante, de style gothique, montrent la richesse de l'abbaye. Au sud, on reconnaît l'emplacement de la salle capitulaire, du cloître, de l'infirmerie…

- Le **panorama** sur les vignes et le littoral est imprenable. Les environs sont sillonnés de sentiers de randonnée (balises bleues).

■ Montbazin

Entre la montagne de la Gardiole et celle de la Moure, ce village fortifié plein de charme est entouré d'une double enceinte et conserve de jolies ruelles sinueuses et voûtées.

- **Le château** du XIVe s. et son église fortifiée sont très beaux. On y pénètre par un passage voûté. À l'intérieur, ne manquez pas le rare **autel paléochrétien** et les **fresques romanes**.

Au nord-ouest du village, un sentier de randonnée (balises jaunes) permet de monter au flanc de la **colline de la Moure** et de parcourir la **garrigue de chênes kermès**, où l'on récoltait la cochenille des teinturiers au Moyen Âge. Vous verrez aussi des **capitelles** et aurez un agréable panorama sur la ville de Sète.

▲ *Les fouilles exécutées dans l'abbaye de Saint-Félix-de-Montceau (XIe s.) ont révélé un important matériel lapidaire et de nombreux objets dont des poteries du XIVe s., à dessins hispano-mauresques.*

Le muscat

Ce breuvage est apprécié des connaisseurs, depuis l'époque romaine. Pline en vantait la saveur, Rabelais s'en délectait, Jefferson, le président des États-Unis, le commandait par caisses entières. Parmi les vin doux naturels, seuls six ont droit à l'appellation de muscat : frontignan, mireval, saint-jean-de-minervois, lunel, beaumes-de-venise, rivesaltes. Ils proviennent du raisin muscat blanc.

L'étang de Thau

CARTE P. 253

Isolé de la mer par un étroit cordon littoral, l'étang de Thau s'étire sur 18 km, pour une largeur de 5 km. Sa profondeur n'excède pas 5 m. La rive continentale porte les traces d'une occupation très ancienne, remontant au néolithique. Les Grecs et les Romains ont très vite compris la richesse de cette longue succession d'étangs salés et y ont développé l'exploitation du sel, comme sur l'ensemble du littoral. Aujourd'hui, vignes, parcs à huîtres et à moules constituent la richesse du bassin.

---

bonne adresse
à Bouzigues

Hôtel-restaurant *La Côte bleue*, avenue Louis-Tudesq. ☎ 04 67 78 30 87. Les tables installées au ras de l'étang de Thau semblent attendre les poissons, huîtres et moules débarqués sur la terrasse. Une adresse qui respire la fraîcheur.
L'hôtel abrite des chambres bien équipées avec leurs terrasses qui font face à l'étang ou à la garrigue. Une ambiance de plantes vivaces autour d'une piscine...

▲ *Le musée de l'Étang de Thau à Bouzigues, sur le quai du port de pêche, donne une idée exacte de l'élevage des coquillages dans l'étang et des techniques utilisées.*

■ Balaruc-le-Vieux

Au nord de Sète, ce vieux village fortifié occupe la crique de l'Angle, au fond du bassin de Thau.
- Son plan circulaire défensif est typique des villages du Languedoc. Il a gardé ses **remparts** à contreforts dominant l'étang et offrant une belle vue.
- Sur la pointe qui s'enfonce dans l'étang, **Balaruc-les-Bains** est une station thermale depuis le XVIIe s. Sa source chaude et ses boues marines sont recherchées pour les rhumatismes et les affections osseuses.

■ Bouzigues

Déjà, du temps des Grecs, on appréciait les huîtres et les moules du littoral. Devenue la capitale de ces coquillages pour le Languedoc, Bouzigues est à l'huître de Méditerranée ce que Marennes est à celle de l'Atlantique. Les tables de conchyliculture qui constituent le paysage traditionnel de l'étang sont très nombreuses autour du village et offrent un sujet de rêve aux amateurs de photo. Un **sentier littoral** permet de faire une balade agréable au bord de l'étang.
- Outre la **culture des huîtres et des moules**, l'étang livre aussi ses richesses aux pêcheurs : crevettes, palourdes, anguilles. Un problème se pose pourtant, celui du braconnage de plongeurs équipés de bouteilles qui ratissent le fond et épuisent les gisements.

■ Loupian

Un peu en retrait des bords de l'étang, ce village situé à la place d'une ancienne villa romaine se consacre principalement à la viticulture. Situé à proximité de la voie domitienne, il subit de nombreuses attaques successives. On comprend que ses fortifications aient été imposantes. Il en reste quelques vestiges, dont des **portes fortifiées** (XIVe s.), des sections de murailles, la tour de l'Horloge et le **château** à quatre tourelles d'angle.
Le village compte aussi deux églises médiévales superbes.

- **L'église Saint-Hippolyte** (XIIᵉ s.) a été insérée dans le système défensif des remparts au XIVᵉ s. Elle est surmontée d'une tour polygonale crénelée, permettant de faire le guet. L'intérieur est couvert d'une belle voûte en berceau et conserve des chapiteaux sculptés.
- **L'église Sainte-Cécile** (XIVᵉ s.) fut construite à l'extérieur des murs. Elle surprend par sa grandeur. On remarque ses puissants contreforts, caractéristiques du gothique languedocien. Sur la façade ouest, la rosace est surmontée d'un petit clocher-arcade à une seule cloche.
- À 1 km au sud de Loupian, la **villa gallo-romaine des Prés-Bas** est la luxueuse maison d'un domaine agricole. Plusieurs dizaines de pièces s'organisent autour d'une cour à bassin ceinturée d'un péristyle.

▲ *Mosaïque de la villa gallo-romaine des Prés-Bas, à Loupian.*

■ Mèze

Ligures, Ibères, Phéniciens, Grecs, Romains investirent tour à tour ce petit port où les salines et les huîtres étaient exploitées dès l'Antiquité. Au XVIIIᵉ s., le commerce du vin et des eaux de vie en

font la richesse. Le long de l'étang, une partie des anciens **remparts** subsiste, ainsi que **le château**, les ruelles étroites et un beau passage voûté, près de **l'église Saint-Hilaire**. Aujourd'hui, c'est surtout un centre important de conchyliculture et de recherche en aquaculture.

◄ *Bien que Mèze ait pris l'Agneau pascal pour armoiries en 1209, c'est le bœuf que l'on sort pour la fête votive de la ville. On rapporte que l'évêque d'Agde, Thédise, prenant possession de son fief au XIIIᵉ s., fut accueilli par les consuls précédés d'un bœuf.*

■ Marseillan

On pense que ce petit port doit son nom à des marins marseillais, qui l'auraient fondé vers le VIᵉ s. avant notre ère. Bien que comptant encore quelques pêcheurs, le port se consacre désormais à la navigation sur le canal du Midi.
- Les quais, les anciennes **halles** couvertes et de nombreux édifices utilisent le basalte noir que l'on retrouve à Agde toute proche.
- **L'église Saint-Jean-Baptiste** abrite de beaux panneaux peints, des stalles de la Renaissance et quelques jolies statues.
- Marseillan est surtout le siège des **caves Noilly-Prat**, une vermoutherie qui date du XIXᵉ s. La visite permet de découvrir la fabrication du vermouth, un apéritif mis au point en 1813 par Joseph Noilly et Claudius Prat. Il est élaboré à partir de vins blancs légers qui macèrent avec une vingtaine de plantes aromatiques et vieillissent dans des fûts de chêne exposés au soleil et à l'air libre pendant un an.

Ouvert tous les jours de 10 h à 11 h et de 14 h 30 à 18 h. Fermé en janvier et février. ☎ 04 67 77 20 15.

Le bœuf de Mèze

En souvenir du bœuf qui aurait accueilli l'évêque d'Agde, la principale fête populaire de Mèze, la troisième semaine d'août, met en scène un faux bœuf. Une armature de bois est recouverte d'une toile marron et garnie d'une tête encornée. 10 hommes se cachent dessous, menés par un bouvier. Le bœuf s'amuse à courir et à charger la foule. Certains ont voulu y voir le souvenir du culte de Mithra sacrifiant le taureau, hérité des Grecs. D'autres évoquent une famille de paysans qui, désespérés de la mort de leur bœuf, en auraient conservé la peau.

Huîtres et moules

▼ *Mèze : arrivée des huîtres au mas conchylicole.*

Huîtres, moules, palourdes, clovisses sont les richesses du bassin de Thau. Cultivés avec soin pour les huîtres et moules ou pêchés à la saison à l'aide de grands râteaux pour les autres, ces mollusques constituent la seconde force économique de l'Hérault après le vignoble. 10 % de la production nationale d'huîtres est issue de la région et occupe environ 800 exploitations.

▼ *Parcs à huîtres et à moules sur l'étang de Thau.*

■ Histoire de mangeurs d'huîtres

Les piles de coquilles vides trouvées à proximité des zones d'habitat préhistorique montrent que déjà à cette époque les hommes appréciaient cet aliment facilement disponible et moins difficile à obtenir que le gibier. Les Grecs en étaient tout aussi friands et les dégustaient rôties ou au miel, agrémentées d'herbes fines. Avec les Romains, la consommation prit une grande ampleur. On commença donc à les stocker, puis on mit au point les premières techniques d'élevage. Des viviers furent créés et l'on apprit à affiner les coquillages. L'ostréiculture était née. Délaissée au Moyen Âge, l'huître revient en grâce sous Louis XIV. L'huître existe alors à l'état naturel, en bancs gigantesques qui longent toutes les côtes, méditerranéennes et atlantiques. Personne n'imagine qu'il faille cultiver ce qui paraît une richesse inépuisable. Pourtant les bancs se fragmentent peu à peu et se réduisent jusqu'à se limiter à quelques rares zones. On ne commence l'élevage artisanal qu'au milieu du XIXᵉ s.

Bouzigues fête l'huître à la mi-août.

■ Un coquillage complexe

Les deux grandes variétés d'huîtres, les plates et les creuses, ne se distinguent pas seulement par la forme de leur coquille. Leur structure et leur mode de reproduction sont fondamentalement différents. L'huître ordinaire est plate (*ostrea edulis*) et vit naturellement en bancs, à une profondeur d'une dizaine de mètres. Vivipare (ses œufs se développent à l'intérieur de la mère), elle libère ses larves par centaines de milliers (de 500 000 à 1 500 000), en général en été, souvent par temps orageux. À ce moment-là, la jeune huître microscopique (comme un grain de poussière) part à la recherche d'un support. Lorsqu'elle l'a trouvé, elle s'y fixe et secrète deux petites valves. L'huître creuse, dite aussi portugaise (*gryphaea angulata*), vit naturellement plus près de la surface. Elle est plus robuste, résiste mieux aux intempéries et aux parasites que l'huître plate. Elle est ovipare, c'est-à-dire qu'elle pond des œufs (de 20 à 100 millions) qui seront fécondés dans les courants. C'est seulement ensuite que les petites huîtres se fixeront. Dans les deux cas, seules quelques dizaines atteindront ce stade et pourront grandir.

■ Les méthodes d'élevage

En longeant les rives de l'étang de Thau, on remarque l'omniprésence de tables métalliques, alignées dans l'eau, servant de support à l'élevage des huîtres. On commence par capter les naissains (petites huîtres) d'huîtres plates dans l'étang. Au moment voulu, en général début juillet, l'ostréiculteur prépare des supports susceptibles de recueillir les naissains. Pour cela, il utilise des tuiles de toiture enduites de chaux et les dépose à proximité des bancs naturels. Empilées entre des montants, face creuse vers le bas, elles offrent un support de choix pour les jeunes huîtres qui viennent s'y fixer. Lorsqu'elles ont atteint une taille suffisante, au bout de 10 à 12 mois, on procède au détroquage. On les décolle des tuiles et on les fixe sur des cordes. Ces cordes sont suspendues dans l'eau, accrochées aux tables (environ 1 000 cordes par table). Après 12 à 18 mois, on collecte les plus grosses pour les vendre et on replace les autres pour continuer leur croissance. Les naissains d'huîtres creuses ne sont pas collectés sur place mais livrés en provenance de l'Atlantique. Les huîtres creuses représentent 80 % de la consommation.

▲ *Le petit port pittoresque de Bouzigues a donné son nom à l'appellation officielle des huîtres produites ici.*

■ Les moules

Ces mollusques bi-valves font aussi l'objet d'un élevage : la mytiliculture. On récolte les naissains en mer puis on les place dans des petits filets à bourses accrochés le long des cordes. Lorsque les jeunes moules grossissent, le filet éclate. Les moules se fixent alors directement sur la corde au moyen du byssus, un solide filament qui leur permet de s'accrocher au support (corde dans le bassin de Thau ou bouchot dans l'Atlantique). Le filtrage continu de l'eau de mer et de ses éléments nutritifs permet à la moule de grossir.

▲ *Moules de Bouzigues. Après deux ans dans l'eau, les moules sont collectées, calibrées, nettoyées et mises en vente.*

Comprendre • Huîtres et moules

La cathédrale de Maguelone

CARTE P. 253

Isolée entre la mer et les étangs, perdue sur son îlot de basalte, la cathédrale de Maguelone se dresse au cœur d'un paysage plat de vignes et de pins, à peine reliée à la terre par un étroit cordon de sable. La meilleure façon d'aborder ce site est d'y aller à pied, le soir, quand la lumière descend et que le site a retrouvé son calme.

Une forteresse chrétienne

Jusqu'au XVIIIe s., Maguelone était une île au milieu d'un étang, un petit soulèvement volcanique dressé dans la lagune. Avec la conquête de la Septimanie par les Arabes, l'île fut occupée et devint Port-Sarrasin, une base idéale pour abriter les troupes mauresques dans leurs incursions vers l'intérieur des terres. En 737, quand Charles Martel chasse les occupants, il fait la même chose qu'à Agde : il fait tout raser pour prévenir un éventuel retour des Arabes. C'est l'évêque Arnaud, nommé en 1030, qui décide de reconstruire une cathédrale. On choisit la technique lombarde et l'on se lance dans des travaux d'aménagement comme la construction d'un immense pont, long d'un kilomètre, pour relier l'île à la terre.

Un bastion du catholicisme

L'évêché devient fief pontifical en 1085. Au siècle suivant, l'évêque fait considérablement agrandir la cathédrale et la fait fortifier. C'est à l'époque une véritable cité épiscopale, avec de nombreux bâtiments. Maguelone suit la règle de saint Augustin depuis le IXe s., elle est directement rattachée à Rome. La cité demeure, au XIIIe s., un solide bastion du catholicisme face à l'hérésie. En récompense de sa fidélité, le pape lui attribue le comté de Melgueil (Mauguio) et tous ses fiefs, confisqués au comte de Toulouse : l'évêché gagne en puissance et frappe sa monnaie. Pourtant cette insolente prospérité attise les convoitises des rois de France et de Majorque qui possèdent à l'époque le fief de Montpellier. Quant aux évêques, ils préfèrent faire bonne figure en Avignon. La décadence est inéluctable et l'évêché est transféré à Montpellier en 1536. Démantelée sur les ordres de Richelieu, elle est réhabilitée au XIXe s. Las, elle ne garde rien des bâtiments conventuels ni du cloître, ni des fortifications, ni du pont.

▶ *Le tympan actuel de la cathédrale garde la marque du gothique, vraisemblablement du début du XIIIe s. Y figure un Christ en majesté, sculpté dans un marbre blanc très pur.*

■ L'extérieur : un caractère défensif

Seule une arche massive surmontée de créneaux évoque les anciennes fortifications et permet d'imaginer la forteresse qu'était la cité, entourée par les eaux. Elle fut érigée au XIXᵉ s., face à l'étang, pour marquer symboliquement le départ du pont de l'évêque Arnaud.

- La masse austère de la cathédrale en donne une autre idée. Bien que construite sur une période de plus de 150 ans, elle présente une remarquable unité. Les hautes façades de pierre très dure, les contreforts et les grands arcs supportant les mâchicoulis, les rares fenêtres, les archères et les meurtrières soulignent son caractère défensif.

- Par contraste, le **portail** semble écrasé par la façade. Bien que d'une extrême beauté, il est le résultat d'un assemblage un peu disparate. Le **linteau** (1178) paraît trop long et trop haut pour la porte. Pourtant, son riche décor sculpté de feuillages enroulés est splendide.

■ L'intérieur : harmonie et élégance

On est saisi par l'harmonie du vaisseau unique : 27,50 m de long, 10 m de large, 20 m de haut. La voûte est en berceau légèrement brisé.

- Sur les deux premières travées, la nef est coupée à mi-hauteur par une lourde **tribune**. Les moines se tenaient sur la tribune pour chanter la messe, éclairés par la fenêtre située derrière eux. De là, on apprécie encore mieux l'élégance des volumes de l'édifice, son austère simplicité et son absence de lumière.

- La **nef** date de la seconde moitié du XIIᵉ s. Les bas-reliefs et inscriptions antiques et romanes ont été intégrés dans le mur au XIXᵉ s., lors de la réfection de l'édifice.

- Le transept et l'**abside** sont plus anciens (début du XIIᵉ s.). L'abside est voûtée en cul-de-four et éclairée par trois fenêtres. Les fines colonnettes soutenant la bande d'arcades sont typiques du décor lombard. Les deux bras du transept, voûtés sur croisée d'ogives, sont les bases d'anciennes tours.

- La seule partie subsistant de la première cathédrale de l'évêque Arnaud est la **chapelle Saint-Augustin**, à droite avant le transept. On remarque sa toiture, faite de larges dalles posées en gradins à la manière méditerranéenne.

◄ De part et d'autre du portail se trouvent deux bas-reliefs représentant saint Pierre (avec sa clé) et saint Paul (avec une épée ; ici). Ils ont été rapportés et sont incomplets. On reconnaît toutefois le style de certaines figures carolingiennes et on les pense du XIIIᵉ s.

▲ À la croisée du transept, découvrez les dalles funéraires des anciens évêques. De chaque côté, de beaux gisants sont visibles, dont un sarcophage en marbre gris (VIIᵉ s.) à pilastres cannelés, qui serait celui de la « Belle Maguelone », la fille du roi de Naples, héroïne de la littérature occitane.

Aigues-Mortes

Office du tourisme : porte de la Gardette. ☎ 04 66 53 73 00.

Citadelle irréelle posée au milieu des marais et des lagunes, Aigues-Mortes dresse sa masse énorme à 6 km de la mer, au fond d'un golfe ensablé, envahi par les salines et les oiseaux. La rigueur impassible de son architecture, ses proportions impressionnantes sont un symbole de l'entêtement de ses concepteurs, qui ont voulu faire jaillir une ville nouvelle des marécages.

Un port idéal

Au XIIᵉ s., Saint-Gilles est le grand port des confins du Languedoc. Pourtant, les conditions de navigation s'y dégradent et on le juge trop loin de la mer. Au XIIIᵉ s., Saint Louis rêvait d'un port en eau profonde dans les environs. Depuis 1229, le Languedoc appartient à la France et constitue une base idéale pour embarquer vers le Levant. Pour bénéficier de l'essor des foires de Champagne et du Rhône, on choisit le site d'Aigues-Mortes, alors protégé par une flèche sablonneuse et facile à défendre des incursions arabes. La cité est créée de toutes parts et un appel est lancé pour son peuplement. Le port se répartit en deux sites : un avant-port de mouillage dans la lagune et un port intérieur, plus proche de la cité, accessible par des canaux. Entre les deux, la surveillance est assurée par la tour de Constance qui sert à la fois de phare et de vigie.

Grandeur et décadence

Les travaux démarrent en 1241. Pour stimuler le commerce, le roi accorde des franchises qui attirent les marchands de la Catalogne à Gênes. En 1248, c'est d'Aigues-Mortes que Saint Louis embarque pour sa croisade en Terre sainte, avec 40 000 croisés. Aigues-Mortes se développe très vite et devient un véritable entrepôt sur la grande route maritime qui relie la Catalogne à Gênes et à la Syrie. Sous le règne de Philippe le Hardi, le trafic commercial s'intensifie : épices, grain, toiles, soie, draps transitent par le port. Une fois les remparts achevés (1300) commencent les années noires : attaques arabes, ensablement du port, mauvaises récoltes : c'est la récession. À la fin du XIVᵉ s., les Génois reviennent. Au XVᵉ s., Jacques Cœur y attache sa flotte. Les rois de France continuent de croire en cette base maritime stratégique, mais son entretien est de plus en plus coûteux et n'est plus soutenu par le commerce depuis que Montpellier (en 1349) et surtout Marseille (en 1481) sont rattachés à la France. La concurrence est trop forte et c'est la ruine définitive.

L'oubli

Marais redevenus insalubres, récoltes catastrophiques, épidémies et guerres de Religion aggravent encore une situation déjà critique. Aigues-Mortes connaît un dernier répit au XVIᵉ s., quand elle se focalise sur la production et le commerce du sel. Elle est alors un fief protestant avec une garnison réformée et des habitants catholiques... Finalement les huguenots, assiégés par Louis XIII, doivent renoncer à leur hégémonie sur la ville. En 1666, la création du port de Sète sonne le glas des derniers espoirs. L'ouverture du Grau-du-Roi en 1725 arrive trop tard. Il ne reste plus à la ville que sa forteresse. Elle a cessé d'être un port. Elle retrouve alors l'une de ses anciennes fonctions, celle de prison. Au XIXᵉ s., la vocation maritime d'Aigues-Mortes renaît brièvement avec le souffle du commerce du sel et des eaux-de-vie. Mais Sète et Marseille ont leurs réseaux de communications bien plus développés. Le port se résout alors à ne devenir qu'une escale pittoresque le long du canal du Rhône à Sète.

Aigues-Mortes se présente comme deux ensembles distincts : la citadelle qui se vante du plus beau patrimoine et la ville nouvelle qui vit du sel, du vin et des asperges, dont les préoccupations quotidiennes sont à mille lieues de l'histoire. On y parle de récolte, de problèmes économiques, de pétanque et de courses de taureau, comme partout ailleurs dans la région.

■ Les remparts

La cité est enclose dans un immense quadrilatère de 16 ha. Son plan est conçu comme ceux des bastides, avec des rues se croisant à angle droit. L'ensemble présente une remarquable homogénéité et s'apparente aux fortifications de Carcassonne (tour Narbonnaise), Narbonne (donjon de Gilles Aycelin) témoignant d'un plan défensif global. Sa vocation maritime se voit dans la répartition des portes : elles ne sont que deux au nord

▲ *La porte de la Gardette et la montée aux remparts.*

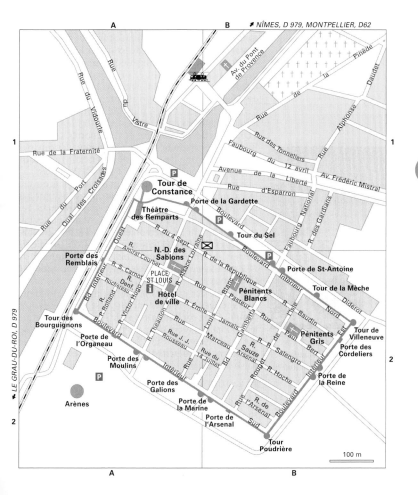

▶ *La cité est enclose dans un vaste quadrilatère de 16 ha entièrement fortifié par les remparts.*

vers la terre, mais cinq au sud, du côté de l'étang où se trouvaient les quais d'embarquement. Les murailles sont couronnées d'un chemin de ronde et flanquées de tours pour défendre les angles et garder les portes.

- **Le front nord-est** est long de 520 m. Il comporte ce qui est aujourd'hui l'entrée principale, la porte de la Gardette, et la porte Saint-Antoine. Les tours du Sel et de la Mèche (on y conservait une mèche allumée en permanence pour les armes à feu) interrompent la muraille entre les portes et les angles.

- **Le front sud-est** est percé de deux portes, celle de la Reine, la plus grande, et une plus petite, la porte des Cordeliers. Long de 325 m, il est encadré à chaque angle par les tours de Villeneuve et de la Poudrière.

- **Le front sud-ouest**, long de 510 m est le plus ouvert. De la tour de la Poudrière à l'angle opposé marqué par la tour des Bourguignons, il compte cinq ouvertures. Les deux principales sont la porte de la Marine qui était empruntée pour les cérémonies et la porte des Moulins.

- **Le front nord-ouest**, enfin, ne compte qu'une petite entrée, la porte des Remblais. D'une longueur de 285 m, il se termine à l'angle nord-ouest par la tour de Constance.

- Chacune des grandes portes est flanquée de **deux tours reliées** entre elles par un passage dans le corps central. Cette **rue Militaire** fait le tour de la ville entre les habitations et les remparts pour faciliter les mouvements de troupes. Toute l'enceinte est équipée d'un **triple système défensif** d'archères et bretèches, pour surveiller l'extérieur, la rue et l'accès aux courtines.

▲ *La tour de Constance était à l'origine la seule défense de la ville, entourée d'un profond fossé. Elle commandait alors l'entrée du château, incendié en 1421. Avec 30 m de haut, 20 à 22 m de diamètre et des murs de 6 m d'épaisseur, elle était imprenable.*

■ **La tour de Constance**

PLAN A1

Facilement reconnaissable à sa lourde silhouette cylindrique et à la lanterne de son phare, la tour de Constance est le seul élément dû à Saint Louis.

- L'intérieur confirme qu'elle devait être l'entrée d'un autre monument. La première porte était munie d'une herse et d'un assommoir, puis en traversant la pièce circulaire on accédait à une deuxième ouverture équipée des mêmes engins.

- Ce sas est surveillé par une **galerie à 11 baies**, véritable chemin de ronde ménagé dans l'épaisseur du mur. Des archères sur l'extérieur permettaient la défense de l'édifice.
- **Des cachots** furent aménagés dans les réduits. On admire la sobriété et l'élégance de leur dis-cret décor, à l'image de ce que les bâtisseurs gothiques font à l'époque en Ile-de-France. La salle haute reproduit le même plan. Elle servit de prison. Remarquez les graffitis et inscriptions gravés par les prisonniers : certaines femmes y restèrent enfermées des dizaines d'années (on connaît le cas d'une Marie Durand séquestrée 38 ans, ou d'une Anne Gaussent emprisonnée 45 ans).
- Un escalier, inclus dans la masse des murs, conduit à la **terrasse** qui porte la **tourelle du phare**. Le feu était protégé par une cage de fer sur laquelle se fixait un vitrage. Chaque navire passant en vue de la tourelle devait payer la taxe portuaire. Si un capitaine passait outre, on arraisonnait son bateau.
- **L'hôtel du Gouverneur**, qui commande l'accès à la tour de Constance, fut construit au XVIIe s. pour remplacer le château détruit. Son **escalier** en est la partie la plus belle.

▲ La partie la plus ancienne de la ville était organisée autour de la place Saint-Louis où s'élève aujourd'hui la statue du roi de France. Les terrasses de café et les restaurants ont remplacé les halles qui abritaient un marché jusqu'au XVIIIe s.

■ **La ville**

Parce qu'elle n'a gardé aucune belle maison médiévale, on suppose que les riches marchands n'habitaient pas sur place à cause du climat insalubre des marais et que la ville était occupée par les marins ou les dockers.

- **La chapelle des Pénitents-Gris** date du XVIIe s., après les guerres de Religion. Elle contient un décor de chœur monumental : l'autel en marbre est surmonté d'un imposant **retable** mélangeant maçonnerie, charpente et stuc.
- **La chapelle des Pénitents-Blancs** fut fondée au XVIIe s. par des dissidents des Pénitents gris. Elle possède des **peintures murales** du XIXe s.

◀ L'église Notre-Dame-des-Sablons, de style gothique primitif, surprend par son extrême dépouillement. Édifiée avant l'enceinte vers le milieu du XIIe s., elle a été plusieurs fois remaniée. Saccagée par les protestants, elle est réparée au XVIIe s. pour devenir temple de la Raison, caserne, réserve de blé puis entrepôt de sel pendant la Révolution.

Les étangs
entre tourisme et environnement

S i les randonneurs peuvent encore trouver leur bonheur sur les rives préservées des étangs de Mauguio et Pérols, si les oiseaux hantent encore les marais et les dunes, le littoral aux portes de Montpellier a subi depuis une quarantaine d'années plus de changements que dans les mille ans précédents. Le Conservatoire du littoral veille sur ces derniers lambeaux de nature.

▼▶ *Édifiée en 1743, la Redoute de Ballestras, tour de défense du littoral, fut enfermée dans l'enceinte du château d'eau en 1943, puis démontée pierre par pierre en 1991. Reconstruite sur l'île du Levant, elle accueille depuis 1992 le musée Albert-Dubout.*

▶ *Flamants roses sur l'étang de l'Or.*

▲ *L'architecte Jean Balladur adopte la forme des pyramides de La Grande-Motte dans le but « d'organiser à chaque niveau des terrasses de retrait ».*

■ Une géographie mouvante

Le littoral languedocien est un milieu en constante évolution. Le profil qu'il a aujourd'hui ne correspond en rien à ce qu'il était du temps des Romains. Les longs cordons littoraux qui isolent les étangs n'existaient pas et les étangs étaient alors de profondes lagunes ouvertes sur la mer. Le Rhône avait un troisième bras qui amenait la Camargue jusqu'à l'étang de Mauguio. Malgré les nombreuses interventions de l'homme (construction de canaux, édification de digues et de remblais, plantations végétales pour fixer les dunes), la géographie littorale reste changeante. Ainsi, à certains endroits, comme à l'Espiguette, la plage avance de 10 m par an, ailleurs, elle recule au contraire de plus de 3 m. À l'échelle historique, les conséquences sont énormes. Un port peut disparaître à cause de l'ensablement, (Narbonne ou, dans une certaine mesure, Aigues-Mortes), des étangs autrefois fermés s'ouvrent à la mer, perturbant leur équilibre écologique. Une bonne partie des efforts d'aménagement a toujours été consacrée à cet incessant travail : se protéger des flots ou repousser le sable.

■ Le choix du tourisme de masse

Malgré la pêche et le commerce, le littoral languedocien n'a véritablement trouvé sa vocation qu'avec le tourisme.

À partir de 1936, les congés payés amène en masse les nouveaux vacanciers au bord de la mer. Palavas-les-Flots se transforme d'un coup en une station bourdonnante. En 1955, on comprend que pour tirer parti de ces nouvelles possibilités, il faut entreprendre de grands travaux. Les premières campagnes de démoustication sont lancées. En 1963, un plan national d'aménagement est établi. Pour le golfe du Lion, cinq zones sont définies et affectées au développement du tourisme de masse : La Grande-Motte, le cap d'Agde, l'embouchure de l'Aude, Gruissan et Leucate-Barcarès. Chacune de ces régions connaît à son tour un développement secondaire. Ainsi, La Grande-Motte constitue avec ses voisines de Palavas, Carnon et Le Grau-du-Roi un gigantesque pôle dont il va falloir contrôler l'urbanisation.

■ Les aléas de l'urbanisation

Car il s'agit bien d'urbanisation. Des villes sont créées à partir du sable et des marais. Il a fallu décider de l'architecture, de la répartition des espaces verts et du respect de l'environnement. Certaines zones marécageuses ont été copieusement arrosées d'insecticides. Désormais, le Conservatoire du littoral mène une politique d'achat des terrains littoraux afin d'éviter une agglomération continue de stations le long du rivage. La Grande-Motte est à ce titre l'un des meilleurs exemples. Pour faire surgir cette ville nouvelle, on a tout aplani. Même la dune la plus haute (5 m) a été réduite. Puis on a érigé les pyramides, censées donner « une image des collines absentes », conçues pour laisser la meilleure place au soleil et à la vue. Architecture incongrue et contestée qui s'est associée à une démarche de plantation d'espaces verts et de protection du milieu dunaire. À Port-Camargue, où l'architecture basse est privilégiée, on a misé sur la présence de l'eau. Entièrement tournée vers le nautisme, la station est conçue comme une succession de lagunes, de presqu'îles artificielles, de marinas imbriquées dans les maisons.

■ Préserver l'authentique et le charme

À l'inverse, là où des villages existaient déjà, le caractère des stations n'a pu être imposé. Ce sont souvent des anciens villages de pêcheurs qui ont peu à peu attiré les touristes et dont l'aménagement s'est fait a posteriori. Ainsi, Palavas-les-Flots a-t-elle gardé le charme coloré de ses quais, son petit port de pêche, ses terrasses de cafés et ses villas désuètes. On s'y livre même aux joutes nautiques. Le Grau-du-Roi est un autre exemple de ce type de développement. Port de pêche traditionnellement habité par les Italiens, il a gardé une atmosphère bon enfant et des quais grouillants de vie. Bien qu'il soit devenu le paradis des campings et des petits meublés, il a gardé un charme intact et pittoresque, à l'opposé du luxe tranquille des marinas de Port-Camargue, aux portes de la ville.

▲ *Retour de pêche au Grau-du-Roi. C'est le second des ports de chalutage méditerranéens avec de 5 000 à 6 000 t de poisson par an.*

Comprendre • Les étangs

La vallée de l'Hérault

De Pézenas, la ville dédiée à Molière, aux étendues sauvages du Larzac, le bassin de l'Hérault présente une succession de paysages variés et spectaculaires. On passe sans transition du raffinement des demeures nobles aux chaos rocheux et désertiques, de la plaine viticole à la solitude des causses : rives rouges du lac de Salagou, reliefs torturés du cirque de Mourèze, canyons blancs de la Vis et de la Virenque, grottes souterraines aux mille concrétions…

◀ *Les gorges de l'Hérault vues du pont du Diable.*

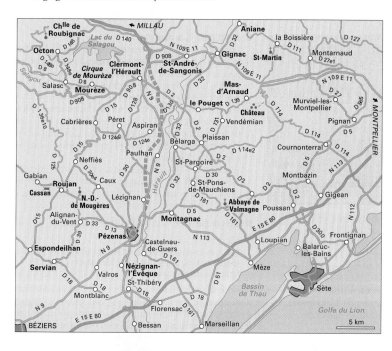

Pézenas

Au nord de la ville, la colline Saint-Siméon fut peuplée dès le VIIe s. avant J.-C. Les Romains la développèrent sous le nom de Piscenae (on appelle encore les habitants des Piscénois). C'était à l'époque un centre lainier d'importance. La petite ville subit ensuite des invasions barbares successives et tomba dans l'oubli.

CARTE P. 281
Maison du tourisme : place Gambetta. ☎ 04 67 98 36 40. La meilleure façon de découvrir la ville est de suivre l'itinéraire fléché qui parcourt les plus belles rues en 2 à 3 h.

Les bases de la prospérité

Son heure de gloire devait arriver avec son rachat par Louis IX (Saint Louis) en 1261. Devenue ville royale, elle eut rapidement le droit de tenir des foires générales centralisant le commerce des draps produits dans toute la région. Cet essor économique se doubla d'un rôle politique d'importance lorsque les états généraux du Languedoc se tinrent en ville (à partir de 1456). Ces sessions amenaient tout ce que la région et le royaume comptaient de personnalités. C'est à cette époque que s'accentua la fièvre de construction qui allait donner à la ville son architecture prestigieuse. Ses nombreux escaliers extérieurs et ses galeries autour de cours centrales témoignent d'une originalité propre à Pézenas. Les gouverneurs du Languedoc, les Montmorency, font de la ville la base de leur pouvoir et encouragent les nombreuses fondations religieuses. Ils élargissent la vieille cité médiévale et englobent ses faubourgs dans une nouvelle enceinte, beaucoup plus vaste. Les maisons qui se bâtissent sont de plus en plus imposantes. Cette brillante période se termine brutalement en 1632, lorsque Montmorency est décapité pour avoir entraîné la province dans la rébellion contre Richelieu.

▲ *Il existe à Pézenas un véritable mouvement « moliériste ». Entre 1893 et 1957, la Comédie-Française est venue jouer de multiples pièces. C'est en 1897 qu'est inauguré le monument dédié à l'auteur de Don Juan.*

■ La place Gambetta

C'était au Moyen Âge le centre commercial de la ville. C'est là qu'étaient dressées les mesures à grains. L'office du tourisme est installé dans l'ancienne **échoppe du barbier Gély**, où Molière avait son fauteuil et ses habitudes.
- L'ancienne **Maison consulaire** se remarque à sa façade classique à fronton. Le rez-de-chaussée servait de halle couverte et la salle du premier étage était utilisée pour les délibérations. Les états du Languedoc s'y réunissaient et c'est là que Montmorency lança la révolte contre Richelieu.
- À l'angle de la place Gambetta et de la rue Alfred-Sabatier, **l'hôtel de Sébasan** mêle les styles gothique et Renaissance. Les baies et les ferronneries de la façade datent du XVIIIe s. Anne d'Autriche y logea en 1660.

■ Le musée de Vulliod-Saint-Germain

Rue A.-P. Alliés.

Ouvert du mardi au samedi de 10 h à 12 h et de 15 h à 19 h; jusqu'à 17 h hors saison; le dimanche, ouvert de 14 h à 17 h. Fermé le lundi hors saison.

Il présente les activités traditionnelles : reconstitution d'un intérieur, évocation du vignoble, meubles languedociens, bannières des confréries locales, collection de faïences anciennes... Une salle est consacrée à Molière.

■ La rue de la Foire

Jadis artère très animée, elle était empruntée par tous les cortèges lors des grandes fêtes et processions. Elle est bordée de beaux hôtels des XVe et XVIe s. (nos 7, 10, 17, 22, 24, 26, 27) résumant les innovations architecturales de l'époque : cours intérieures et escaliers extérieurs, tourelles d'escaliers, galeries… Notez le dessus de porte sculpté représentant **les Enfants musiciens** (n° 22), un motif à la mode au XVIIIe s.

◄ *L'hôtel de Lacoste, construit au tout début du XVIe s., présente un beau vestibule voûté et une galerie sur cour. Les voûtes de l'escalier, qui imitent maladroitement celle de la galerie, ont été rajoutées en 1638.*

■ La rue Émile-Zola

On passe devant la **maison de Jacques Cœur** (n° 7 ; la présence à Pézenas du grand argentier du royaume montre l'importance de la ville) à façade ornée de sculptures, et la **maison de Nostradamus** (n° 10) avec sa tourelle d'escalier. Au bout de la rue, la porte du Ghetto mène au **quartier juif**, rues de la Juiverie et des Litanies. Il ne présente pas d'intérêt, mais souligne la santé florissante de la ville au Moyen Âge, puisque les juifs s'étaient fait une spécialité de la banque et du commerce.
- On quitte ensuite la vieille ville par la **porte Faugères**, vestige de la première enceinte médiévale. Au-delà, on arrive dans la ville nouvelle, aménagée sous la férule des Montmorency. C'est là que se trouvent les hôtels les plus spectaculaires.

Pour satisfaire les touristes, les réjouissances qui avaient jadis lieu pour le Mardi gras et les grandes fêtes, comme la sortie du Poulain du roi, ont lieu régulièrement tout l'été.

■ L'église Sainte-Ursule

Elle date du XVIIe s. et contient un beau **retable en bois doré** de la même époque ainsi qu'une **Vierge noire** du XIIe s., entièrement habillée.

■ L'église Saint-Jean

Elle est bâtie à l'emplacement d'une ancienne chapelle templière. De style classique (XVIIIe s.), elle présente une architecture intérieure très élégante avec coupoles, mobilier de marbre, boiseries, stalles et tableaux.
- Juste en face la **maison des Commandeurs** (XVIIe s.) possède une belle porte et une tourelle d'angle.

▲ *L'un des plus beaux hôtels de la ville, rue Conti, est l'hôtel d'Alfonse (XVIIe s.) doté d'une cour et d'un jardin avec galeries à colonnes et à arcades, composant une loggia spectaculaire. Molière y donna des représentations.*

Molière à Pézenas

Tournant à travers le pays avec sa troupe, Molière profita des sessions des états généraux pour s'installer à Pézenas. Le prince de Conti, séduit, décide de le garder et d'entretenir la troupe. De nombreuses pièces sont jouées dans la ville et Conti lui-même servit de modèle à Don Juan. Malheureusement, sous l'influence des religieux qui l'entourent, le mécène se désintéressera de Molière qui quittera la ville en 1656.

▷ Les environs de Pézenas

CARTE P. 281

Saint-Thibéry

À l'époque préromaine, il y avait un oppidum appelé Cessero à l'emplacement de l'actuel village de Saint-Thibéry. Les Romains l'occupèrent, car il dominait la voie domitienne. La tradition veut que le village doive son nom à saint Tibère, fils chrétien d'un gouverneur d'Agde qui fut martyrisé sur place, au début du IVᵉ s. Ses reliques firent rapidement l'objet d'un culte et l'on édifia un sanctuaire. Le premier monastère remonte au VIIIᵉ s. et fut fondé par un compagnon de saint Benoît d'Aniane. Les principales ressources de la communauté provenaient des moulins.

Les petits pâtés

La région de Pézenas s'est fait une spécialité de ces petits pâtés en croûte dorée, fourrée de viande sucrée, à déguster chauds. On attribue cette recette délicieuse au cuisinier indien de Lord Clive, un gouverneur des Indes qui séjourna à Larzac, entre Pézenas et Roujan.

Visite du château tous les jours du 1ᵉʳ avril au 30 septembre de 15 h à 19 h, en juillet et août de 10 h à 19 h.

■ L'église Saint-Thibéry

C'est celle de l'ancien monastère bénédictin, de style gothique méridional. La crypte, dite la *gleyzette*, serait une chapelle plus ancienne. Son clocher date de 1509. Il est isolé de l'église que l'on comptait agrandir. Un fléchage permet de faire le tour des bâtiments monastiques.
- En suivant l'Hérault vers le sud-est, on peut voir des vestiges d'**anciens moulins** et un pont médiéval, qui franchit l'Hérault dans l'axe de la via Domitia.

■ Caux

À 8 km au nord-ouest de Pézenas.

Caux conserve quelques belles traces médiévales, comme son **église romane** des XIIᵉ et XIIIᵉ s., avec son imposant **clocher-porche** qui se dresse à 45 m. Les **portes fortifiées** sont du XIIᵉ s. et les maisons anciennes du XVᵉ au XVIIᵉ s.
- À 3,5 km à l'ouest de Caux, l'**ancienne chartreuse de Mougères** occupe le site ancien d'un pèlerinage à la Vierge. La source était parée de vertus curatives. Les dominicains y demeurèrent par intermittence jusqu'à la Révolution. Les chartreux en prirent possession en 1825 et développèrent le vignoble.

■ Le château de Cassan

À 11 km au nord-ouest de Pézenas.

Roujan est un paisible bourg viticole, qui possède le plus surprenant château de la région (à 2 km du village). Ce splendide édifice est un ancien prieuré. Fondé au XIᵉ s. sur le site de la villa de Cassiano, déjà dédié à la Vierge, le monastère abritait une communauté de chanoines de Saint-Augustin. Au XIIᵉ s., elle prit une importance considérable. Une nouvelle église fut construite ainsi qu'un hôpital. Comptant 80 moines, la communauté recevait de nombreux dons. Malgré des hauts et des bas, notamment au moment des guerres de Religion, le prieuré continua de prospérer. Au XVIIIᵉ s., les moines firent transformer l'église et construire un somptueux palais abbatial, témoin de leur richesse. C'est devenu l'un des plus grands châteaux du Languedoc.
- À droite, dans la cour, notez le **campanile** et le petit

dôme de l'église romane, ainsi que le jeu de **polychromie** des pierres utilisant le basalte. À gauche se trouvait l'hôpital des pauvres. Le palais abbatial lui-même ressemble plus à un bâtiment profane que religieux, mais telle était la coutume au XVIIIe s.

- Une galerie dessert les salles du rez-de-chaussée et aboutit à l'**escalier d'honneur**. Un passage mène à l'église, mais il vaut mieux y accéder par les jardins. Traversez le palais et rejoignez les **terrasses**.

- De ce côté, la façade, longue de 65 m, offre sa remarquable **ordonnance classique**, succession de 57 baies régulièrement espacées sur trois niveaux, adoucie par la teinte chaude de la pierre. Contournez le bâtiment par la droite pour pénétrer dans l'**église**.

- La **nef unique** en plein cintre, de 48 m de long, date du XIIe s. Les remaniements du XVIIIe s. sont clairement visibles : l'**abside** est voûtée en cul-de-four nervé, la plupart des colonnes ont été transformées en **pilastres cannelés**, le portail a été modifié.

■ L'abbaye de Valmagne

À 13,5 km au nord-est de Pézenas.

Cette abbaye, parmi les plus prestigieuses du Midi, fut fondée en 1139 par Raymond Trencavel, qui la confia à des moines bénédictins. Très vite, en 1145, elle adopta la règle cistercienne. Ses proportions somptueuses l'ont fait surnommer la « cathédrale des vignes ». Ruinée par la guerre de Cent Ans puis par les conflits religieux, elle fut pourtant restaurée par quelques riches abbés aux XVIIe et XVIIIe s. Après la Révolution, elle fut vendue puis transformée en exploitation viticole. L'église devint un chai à vin, ce qui lui évita la ruine (les grosses barriques sont encore dans l'église comme souvenir).

- L'**église** n'a rien à voir avec le gothique languedocien : elle ressemble plutôt aux cathédrales du Nord. Avec ses trois vaisseaux, ses murs très ajourés, ses hautes arcades, son déambulatoire à chapelles rayonnantes, elle surprend dans la région. Ses proportions sont imposantes : 82 m de long, 24,50 m de haut. Les fenêtres hautes ont hélas été murées en 1625, par souci de consolidation.

- Les **bâtiments monastiques** suivent le plan cistercien : cloître fermé au nord par l'église, au sud par le réfectoire, à l'est par les salles des moines, à l'ouest par celles des convers.

- Le **cloître** (XIVe s.) est sobre et élégant. **La salle capitulaire**, du XIIe s., s'ouvre sur la galerie est du cloître. Sur les murs, les scènes de la vie du Christ sont des **vestiges de l'ancien jubé gothique**. Face à la porte de la salle capitulaire, le ravissant **lavabo des moines** fut exécuté en 1768 avec des éléments récupérés lors des restaurations. Au-delà, on voit encore les **bâtiments des moines** et le réfectoire avec sa belle cheminée Renaissance.

Visite guidée de l'abbaye tous les jours en été de 15 h à 18 h sauf le mardi ; hors saison, le dimanche et les jours fériés de 14 h 30 à 18 h.

▲ *Après un passé riche et tumultueux, l'abbaye de Valmagne est vendue en 1791 comme bien national. Cet ensemble ne dut son salut qu'à sa transformation en exploitation agricole, d'où la présence, sur les bas-côtés de l'église, de grands foudres de bois.*

Le bassin de l'Hérault

CARTE P. 281

En remontant le cours de l'Hérault, on quitte progressivement le vignoble pour aborder la montagne calcaire nue et tourmentée. Les rivières, tout en érodant les massifs plantés de garrigue, ont déposé des alluvions qui forment des terrasses cultivées. Les crues de l'Hérault, fréquentes autrefois, sont régularisées par le barrage du Salagou. La région se consacre principalement à la vigne, produisant des vins de qualité. Les oliviers dévastés par le gel à plusieurs reprises sont l'objet d'un renouveau.

▶ *Après avoir appartenu aux Guilhem de Montpellier, comme la plupart des châteaux situés entre l'Hérault et le Virdoule, le château d'Aumelas tombe en 1204 dans le domaine du roi Pierre I*er *d'Aragon. La dynastie britannique des Orange-Nassau est issue de ce terroir et la couronne d'Angleterre détient aujourd'hui encore des droits sur la commune.*

■ Canet

À 20,5 km au nord de Pézenas.

Ce village est entouré d'une enceinte à plan carré. Il reste quelques **vestiges de la muraille**, une tour carrée et trois tours rondes.
- À l'intérieur du village, on trouve quelques belles **maisons anciennes**, du Moyen Âge à la Renaissance. L'**église Saint-Martin** est du XVIIe s. : la nef est couverte d'une **voûte d'ogive** décorée.
- Notez la **statue-reliquaire** de saint Martin, en bois, du XVIIe s. La haute tour que vous voyez près de l'édifice est l'ancien clocher de l'église précédente du XIVe s.

■ L'église Saint-Jacques, au Pouget

Le Pouget est un parfait exemple de **village circulaire** constitué au IXe s. autour de l'église Saint-Alban. Elle se dresse en haut du village, en son centre. Son nom a changé, sans doute en référence aux nombreux pèlerins sur la route de Compostelle. Elle est de style roman, à plan très simple, mais elle se distingue par son **décor sculpté**, en haut du chevet, au portail et aux fenêtres.
- Le **clocher rectangulaire** fut ajouté au XIVe s. et servit de tour de guet pendant la guerre de Cent Ans. Son escalier extérieur est encore plus récent (XVIe s.).

Un travail de titan

Difficile d'imaginer le dur labeur qu'implique la construction d'un énorme dolmen. Il faut d'abord tailler la pierre avec les outils rudimentaires de l'époque. Pierres taillées, coins de bois mouillés pour agrandir les fentes et faire éclater la pierre, système de leviers et de rouleaux pour déplacer les dalles qui pèsent plusieurs tonnes, travaux de terrassement : la réalisation d'un dolmen occupait la communauté des mois voire des années.

- Tout autour de l'église, remarquez de **belles maisons** construites entre le XIIIᵉ et le XVIIIᵉ s. **La fontaine de la Griffe** est celle qui fut construite lors de la création de la place publique.
- À l'extérieur de l'enceinte médiévale, **l'église Sainte-Catherine** fut érigée au XIVᵉ s. quand Saint-Jacques devint trop exiguë. La première travée, de style néogothique, est un ajout du XIXᵉ s.

■ Le dolmen des Crozes

À 800 m au sud du village par un sentier balisé.

Ce monument mégalithique spectaculaire date de la fin du néolithique. Il s'agit d'une grande sépulture de 12 m de long comportant un étroit couloir conduisant à une antichambre et à la chambre funéraire. Les parois sont constituées de murs de pierre sèche et d'une grande dalle de couverture. Les parties qui remontent réellement à l'époque mégalithique sont la dalle du fond, les dalles perpendiculaires qui marquent les passages du couloir à l'antichambre et de l'antichambre à la chambre, et une partie de la couverture. En effet, le dolmen tel qu'on le voit est le résultat d'une réhabilitation intempestive, car lorsqu'on l'a découvert, il n'était conservé que jusqu'à sa hauteur de 1 m. La reconstitution a certainement exagéré les proportions pour accentuer la splendeur de l'édifice.

▲ *L'imposant dolmen du Pouget date de la fin du néolithique.*

■ Le château d'Aumelas

Quittez Le Pouget par la D 139 vers Montpellier, puis la D 114, à droite vers Cournonterral. Après 3 km, prenez le chemin à droite, balisé vers le château d'Aumelas.

Après avoir été mentionné comme possession des vicomtes de Béziers, il passe sous la domination des Guilhem de Montpellier, qui possèdent tous les châteaux des environs entre l'Hérault et le Vidourle. Solitaire et imposant, au sommet d'une colline, il domine toute la garrigue. Un fossé doublé d'un puissant rempart barre son accès à l'extrémité de la colline. Richelieu le fit démanteler mais il conserve les **vestiges d'un énorme donjon**, avec une salle romane au rez-de-chaussée.
- Côté falaise, on peut voir les restes du **logis seigneurial**, petites pièces dallées de calcaire et caves voûtées en plein cintre. La chapelle, à l'extérieur des fortifications, est bien conservée, son architecture austère convenant parfaitement au cadre.

■ Saint-Martin-de-Cardonnet

Voilà un édifice plein de charme, dressé sur le causse : une **chapelle romane** du XIIᵉ s., d'une extrême austérité, avec un portail très simple et une abside à peine ornée d'une couronne de dents d'engrenage et de

---

Le jeu du tambourin

Ce jeu de balle typiquement méridional oppose deux équipes et se joue avec des cerceaux de bois tendus de peau. Le but est d'envoyer la balle derrière la ligne de fond du camp adverse et de l'empêcher de pénétrer derrière sa propre ligne. La pratique en reste vivace dans les villages de l'Hérault et les meilleures équipes, Pézenas, Gignac, Montpellier s'affrontent régulièrement ou rencontrent des équipes italiennes venues d'aussi loin que Turin ou Gênes.

▶ *La très sévère église Saint-Martin-de-Cardonnet s'élève majestueusement dans la solitude du causse.*

fenêtres cintrées. Elle faisait partie d'un ancien prieuré, ainsi que le montrent les vestiges autour de l'édifice (mur d'enceinte et cellules).

■ Gignac

Retournez sur la D 114, tournez à gauche vers la N 109 et Gignac.

Une petite ville agréable avec ses platanes et ses vieilles **portes fortifiées**, vestiges de l'ancien rempart.

- La belle **tour de l'Horloge** date du XIVᵉ s. Le donjon est plus ancien, mais a été transformé en château d'eau au XVIIIᵉ s. L'hôtel de ville est curieusement installé au-dessus d'un passage voûté. Dans le bourg, il reste quelques belles **maisons** aux façades des XVIᵉ-XVIIIᵉ s.

- La façade de l'**église Saint-Pierre** fut construite en 1608, dans le style de la Contre-Réforme, très inspiré par l'Antiquité. Initiée en Italie au XVIᵉ s., la Contre-Réforme est un mouvement lancé par les jésuites qui redéfinissent les dogmes catholiques en réaction à la Réforme protestante. Elle s'accompagne de modifications dans le style des églises. En France, il est fréquent qu'une nouvelle façade soit ajoutée à un édifice existant. Le clocher de l'église date de 1745.

- Un peu à l'écart du village, sur un promontoire, l'**église Notre-Dame-de-Grâce** adopte elle aussi le parti de la Contre-Réforme. Elle appartenait au couvent des carmélites. Elle fait l'objet d'un pèlerinage le 8 septembre en souvenir de la guérison miraculeuse d'un petit aveugle, au XIVᵉ s. Juste en face, notez le très beau **chemin de croix** (XVIIIᵉ s.) qui domine la vallée de ses 14 chapelles.

- Après le bourg, sur la N 109 vers Lodève, le **pont de Gignac** enjambe l'Hérault de ses trois arches puissantes. Long de 174 m, c'est le plus beau pont français du XVIIIᵉ s., construit entre 1776 et 1810. Un escalier vers l'aval permet de descendre pour en admirer l'architecture splendide. Une réplique de ce pont (plus petite) existe un peu plus loin sur la même route, après Saint-André-de-Sangonis.

L'âne de Gignac

Au VIIIᵉ s., les Arabes tentèrent de prendre la ville de nuit. Un âne se mit à braire si fort que les habitants, réveillés, comprirent le danger et réussirent à repousser les assaillants. En souvenir de cette victoire, chaque année, un âne de bois et de toile est sorti en grande pompe dans les rues pour la fête de l'Ascension.

■ Aniane

Cette petite ville revêtait une importance majeure au Moyen Âge à cause de son abbaye, fondée par saint Benoît d'Aniane, rénovateur de l'ordre bénédictin, à l'origine du grand renouveau monastique de l'époque carolingienne. Du monastère fondé par le saint au VIIIe s., il ne reste rien.

- Une nouvelle **église Saint-Sauveur** fut construite entre 1679 et 1714. Sa façade classique est caractéristique des projets de l'époque avec ses deux étages inspirés des modèles antiques : superposition de colonnes doriques et corinthiennes et fronton semi-circulaire. À l'intérieur, les deux parties du vaisseau sont séparées par un transept à coupole : la partie la plus longue accueillait les moines, la plus courte était celle des fidèles.

- L'**église Saint-Jean-Baptiste**, qui abrite des expositions, est assez disparate : mélange de parties préromane et gothique derrière une porte très classique d'époque Louis XVI.

- Une belle **randonnée** au cœur des collines, au sud-est d'Aniane, part près de l'Observatoire. Le sentier conduit à travers les chênes verts et la garrigue, le long des ruines d'un hameau, d'un petit lac artificiel enserré dans la terre rouge de la colline, de l'ancienne voie ferrée… Vous passerez même sous un tunnel abandonné.

▲ *À la périphérie du vieux village de Gignac, sur la colline, se trouve l'église Notre-Dame-de-Grâce des XVIIe et XVIIIe s.*

■ Saint-Jean-de-Fos

Ce village était renommé pour ses nombreux potiers qui fournissaient tout le Languedoc en vaisselle et en tuiles. La concurrence et la richesse limitée des gisements d'argile ont sonné le glas de cette petite industrie.

- Du village fortifié, il reste une **porte** imposante qui traverse l'une des tours d'enceinte surmontée d'un clocheton de fer forgé. L'église possède une belle **abside du XIe s.**, voûtée en cul-de-four. La **tour-clocher** est en partie romane.

■ Le rocher des Vierges

Pour vous rendre au rocher des Vierges, suivez la direction de Montpeyroux, un village médiéval étiré le long de la route, de Jonquières et de Saint-Saturnin, qui mérite un arrêt pour ses vestiges de fortifications, ses belles maisons anciennes et son église gothique fortifiée. À la sortie de Saint-Saturnin vers Saint-Guiraud, prenez à droite une route menant au rocher des Vierges. Compter 45 mn pour l'ascension.

Occupé à l'âge du fer, le site commande une **vue exceptionnelle** sur la vallée. Il s'agit d'une crête rocheuse jaillissant de la végétation. Le **château** est complètement ruiné, mais la **chapelle** est toujours un lieu de pèlerinage.

Saint-Guilhem-le-Désert

CARTE P. 281

L'abbaye de Gellone, dans le village de Saint-Guilhem, est entourée d'un paysage splendide : montagnes escarpées de calcaire blanc, falaises abruptes surgissant de la garrigue odorante, sentiers battus par les pèlerins de Compostelle.

Les débuts du monastère

Guilhem, cousin de Charlemagne, joua un rôle majeur dans la lutte contre les Arabes. Après sa participation à la prise de Barcelone, il retrouva un ami, Benoît, fils du comte de Maguelone, qui avait tout quitté pour se faire moine à Aniane. Comme lui, Guilhem décide de fonder un monastère à Gellone en 804. Au début, le nouveau monastère dépend d'Aniane, mais rapidement les dons affluent, l'établissement se développe et, au Xe s., Gellone prend son indépendance. Après sa mort, le culte de saint Guilhem devient très populaire, porté par sa lutte contre les infidèles. Son essor finit par créer des tensions avec Aniane. Le pape tranche en faveur de Gellone en 1090, on entreprend une vaste campagne de construction, les activités économiques s'y développent. L'importance des reliques de l'abbaye en fait une étape majeure sur la route de Compostelle. Mais les guerres de Religion ont raison de Gellone qui ne cesse de décliner. Et en 1783, l'évêque de Lodève obtient la suppression de l'abbaye.

▶ *Le chevet de l'église Saint-Guilhem est un chef-d'œuvre de l'art roman languedocien. Admirez l'élégance de la succession des arcades et les belles fenêtres, ainsi que la profonde harmonie de l'ensemble.*

■ L'église Saint-Guilhem

On l'aborde par la place et sa façade ouest, étonnamment modeste avec son allure fortifiée.

- **Le portail** est typique du premier art roman. Les chapiteaux, les colonnes et les deux têtes en marbre sont des éléments antiques, récupérés peut-être dans la ville romaine de Nîmes. La tour défensive ne date que du XVe s. Notez, tout en haut, un **bas-relief roman** (XIIe s.) représentant le Christ, très abîmé par les balles des protestants.

- À l'intérieur, on pénètre dans **le narthex,** carré et voûté d'ogives avec des chapiteaux sculptés archaïques : les pèlerins s'y abritaient et se reposaient sur les bancs de pierre.

- **La nef** (IXe s.) surprend par son étroitesse (6 m) accentuée par sa hauteur (18 m). La voûte est en berceau et les bas-côtés s'ouvrent par des arcades d'une grande sobriété. Ils sont eux aussi recouverts d'une **voûte en plein cintre**.

- **L'abside** montre le savoir-faire des architectes, avec sa gigantesque **voûte en cul-de-four** de 12 m de diamètre, une véritable prouesse technique. Elle est délimitée par un hémicycle de sept arcades en plein cintre typique du style lombard.
- Sous le chœur, **la crypte** est le vestige de la première église où se trouvait le tombeau de saint Guilhem.
- De chaque côté du chœur, des cavités dans les piliers abritent les **reliques de saint Guilhem** et celles de la **Vraie Croix**, offertes par Charlemagne à son cousin.
- **Le cloître**, auquel on accède par le bas-côté droit, comprenait jadis deux étages de galeries. Il fut hélas démantelé et vendu pierre par pierre. Seules les galeries nord et ouest ont pu être restaurées et donnent une idée de la merveille que l'ensemble devait être.

■ Le musée lapidaire

Il donne un aperçu de la splendeur passée de Gellone. Il est hébergé dans l'ancien réfectoire des moines.
- **Le sarcophage de saint Guilhem**, en marbre blanc, date du IVᵉ s. et représente des scènes bibliques. La quatrième face, portant les figures des mages, fut réalisée à l'époque romane. À l'origine, il était placé en hauteur pour que les pèlerins puissent passer dessous.
- **Le sarcophage d'Albane et Bertrane** (VIᵉ s.), en marbre gris, aurait contenu les restes des sœurs de saint Guilhem. Il est orné de scènes figurant le Christ et les apôtres, Adam et Ève, Daniel dans la fosse aux lions et les trois Hébreux dans la fournaise.
- En sortant de l'église, prenez, à droite, la ruelle sous un passage : elle rejoint la **rue Font-du-Portal**, la principale du village. Vers le bas du village, les plus belles **maisons romanes** sont sur la gauche, comme la **maison Lorimy**.
- Dans le bas du village, dans une maison à cheval sur la rivière, visitez l'étonnant **Village d'antan**, une reconstitution des anciens métiers du village et de sa vie quotidienne.

◀ *Dans la chapelle située à droite du chœur, l'autel de saint Guilhem (fin XIIᵉ s.), exécuté en marbre blanc, délicatement sculpté, est peut-être la plus belle pièce. Il comporte sur le devant deux panneaux qui évoquent la finesse des miniatures, représentant une Crucifixion et un Christ en majesté.*

▼ *L'idéal pour visiter Saint-Guilhem-le-Désert est d'y venir hors saison ou aux heures extrêmes, quand l'ombre paisible évoque la sérénité de l'ancienne abbaye. Le village s'étire le long de la vallée et suit le cours du Verdus.*

◀◀ *Outre les reliques de saint Guilhem, les cavités des piliers de l'église abritent celles de la Vraie Croix, offertes par Charlemagne à son cousin.*

Le baromètre du berger

En parcourant les ruelles, vous remarquez que les portes sont ornées d'un grand chardon séché. Il s'agit de la cardabelle (chardon des causses) qui porte aussi le nom de baromètre du berger car elle s'ouvre par temps sec et se ferme quand il va pleuvoir. Les amateurs doivent savoir que sa cueillette dans la nature est interdite car il est en voie de disparition.

L'enluminure à Gellone

Trois règles fondamentales régissent l'ordre de saint Benoît : *ora, studia et labora.* Prière, étude, travail. Pour satisfaire la deuxième exigence, il faut se procurer ou fabriquer des livres. La bibliothèque ainsi constituée se compose d'écrits liturgiques qui servent à célébrer les offices et d'ouvrages profanes qui permettent aux moines d'approfondir leur culture.

■ Un travail bien organisé

Chaque grande abbaye bénédictine possède un *scriptorium*, un atelier où les moines copient les manuscrits et les enluminent. La journée est réglée avec précision. L'écriture occupe la fin de la matinée et le milieu de l'après-midi. Le travail se fait en silence. Copistes et enlumineurs transcrivent les textes minutieusement sur du parchemin. Les moines écrivent souvent debout, la lumière est parcimonieuse et le froid engourdit les doigts. La fabrication d'un livre prend en moyenne un an. Chaque abbaye a sa spécialité. À Gellone, comme à Aniane d'ailleurs, il s'agit d'introduire la liturgie romaine adoptée par les Francs dans une région encore marquée par les rites wisigothiques. Il faut d'abord se procurer les livres conformes puis les recopier. Ainsi, saint Guilhem fit-il venir des manuscrits du nord et de l'est de la France, qui allaient constituer le noyau de la bibliothèque malheureusement dévastée par les protestants au XVIᵉ s.

▲ *Retombée d'une voûte du cloître de Saint-Guilhem.*

■ Une technique éprouvée

Ce sont les Égyptiens qui ont inventé l'encre, de même qu'ils pratiquaient déjà l'enluminure. L'époque romane marque un retour en force de ces savoir-faire. Le parchemin remplace le papyrus. C'est une peau de chèvre, de mouton ou de veau mort-né (vélin), longuement tannée, saupoudrée de craie en poudre pour ralentir l'absorption de l'encre et finement poncée. On assemble les feuillets en cahiers puis en livres, nommés *codex*. Le papier ne fait son apparition qu'après les croisades. Pour la calligraphie et le dessin, le copiste utilise une plume d'oiseau, oie, dindon, aigle, corbeau… Les plumes fines, vers l'intérieur de l'aile ou sur la queue,

◄ *L'abbaye de Gellone, à trois nefs avec transept et abside entièrement voûtés, caractérise le style lombard tel qu'il a été interprété dans la région.*

servent aux dessins très fins. Il faut les tailler, ce qui est tout un art et conditionne l'épaisseur de l'écriture. L'encre est un savant dosage de sulfate de fer, de tannin et de gomme arabique. Cette encre, noire lors de son application, se décolore avec le temps pour devenir brun rouge, comme on le constate sur les anciens manuscrits. L'enluminure, comme son nom l'indique, doit éclairer le texte et le rythmer. Les pinceaux sont souvent en poils d'écureuil. Les pigments viennent de trois sources : animale, végétale et surtout minérale. Parmi les pigments végétaux, le tournesol, la guède (ou pastel) ou l'indigo donnent du bleu ; le safran donne du jaune. Une substance animale est le kermès (cochenille) que l'on appelait *vermilium*, « petit vers », au Moyen Âge et qui a donné « vermillon ». Parmi les pigments d'origine minérale, la malachite est verte, le lapis-lazuli est bleu. Autant de recettes qui demandent de longues manipulations et une préparation minutieuse, avant même que le travail proprement dit ne débute.

■ Les trésors de Gellone

De la fabuleuse collection de manuscrits réunie par les moines de Gellone, il n'en reste qu'une vingtaine, dispersée entre les bibliothèques de Paris, Montpellier et Lunel. Certains ont été exécutés à l'abbaye, notamment un lectionnaire, trois sacramentaires et un martyrologe (XIᵉ-XIIᵉ-XIIIᵉ s.). Les plus célèbres sont ceux qui ont été importés, parmi lesquels le Sacramentaire de Gellone et l'Évangéliaire de Montpellier, d'origine franque, amenés par saint Guilhem lors de la fondation de l'abbaye. Le Psautier de Lunel est une importation d'Angleterre. Ces importations marquent le rayonnement de l'abbaye : elles viennent de pèlerins étrangers qui en font don lors de leur passage. Le Sacramentaire de Gellone, le plus ancien des manuscrits conservés, date de l'apogée du règne de Charlemagne, à la fin du VIIIᵉ s. Il possède une iconographie riche et variée qui témoigne de l'art préroman. L'une des originalités du sacramentaire est la présence répétée des lettres-visages, véritables caricatures parfois humoristiques qui, en évoquant le quotidien médiéval, constituent la touche personnelle de l'enlumineur.

▼ *Dans le fond de la crypte de l'église de Saint-Guilhem, on voit une maçonnerie basse en tuf qui conserve les traces des dalles d'un sarcophage : c'est ici que fut placée la dépouille du saint lors de sa première translation vers l'an mil et où elle restera jusqu'en 1138, date à laquelle elle fut « élevée » dans la grande abside.*

Comprendre • L'enluminure à Gellone

▷ Les environs de Saint-Guilhem

Le paradis des randonneurs

Ne vous contentez surtout pas de la simple visite du village. Plusieurs sites exceptionnels et un paysage somptueux se prêtent à des randonnées très agréables. Prenez soin de toujours emporter de l'eau et prévoyez de bonnes chaussures.

L'un des arbres caractéristiques de la vallée est le pin de Salzmann, un arbre rare, de petite taille et au tronc tourmenté. On le trouve dans une zone qui va de la Catalogne aux Cévennes.

■ La vallée du Bout-du-Monde ou cirque de l'Infernet

Comptez 1 h 45 aller-retour, très facile.

Dans le haut de Saint-Guilhem, la rue du Bout-du-Monde suit la **rive du Verdus**. Sur la droite, vous apercevez d'anciennes terrasses vouées à la culture de l'olivier. Le sentier est ensuite surplombé par une paroi naturelle de tufs et d'éboulis, qui marque le début de **l'Infernet**. - Plus loin, vous voyez un second dôme de même nature. Ces dômes sont élaborés peu à peu par les dépôts calcaires des sources, un peu à la manière des stalagmites. Durant leur élaboration (il y a 8 000 ans), ils ont emprisonné des végétaux qui se retrouvent pétrifiés. Voilà pourquoi de nombreux rochers portent des empreintes de feuilles. En observant le lit du torrent vous notez que le même phénomène s'y est produit, causant l'apparition de « gours » ou vasques d'eau. Le chemin se poursuit vers les falaises, atteint la **source du Verdus** et le fond de la gorge.

▲ *Par une entrée aménagée au-dessus de l'ouverture naturelle, on accède à l'une des plus belles grottes connues : celle de Clamouse. La grotte comprend deux niveaux de galeries reliées par des passages. Les galeries supérieures sont les plus belles et les plus décorées. Ici, le Couloir blanc.*

■ Le cap de la Croux et Notre-Dame-de-Belle-Grâce

De la rue du Bout-du-Monde, un chemin sur la droite mène à une porte de l'enceinte et monte au **cap de la Croux** et, à droite, au **château du Géant**, en ruine (XIᵉ-XIIᵉ s.). La tour carrée servait de point de surveillance. - **La vue sur le village** est magnifique. Revenez au cap de la Croux et poursuivez sur le GR 74 (blanc et rouge), qui conduit à **l'ermitage de Notre-Dame-de-Belle-Grâce**, aussi connu sous le nom de Notre-Dame-du-Lieu-Plaisant, un ravissant édifice crépi, niché au pied d'imposants rochers, dans la combe des Trois-Frères.

■ La forêt de Saint-Guilhem

Comptez 3 h 30; attention aux falaises, mais assez facile.

Autrefois Saint-Guilhem était entouré d'une épaisse forêt. Le sentier part de la rue du Bout-du-Monde et longe d'abord le torrent qu'il traverse vers la gauche, avant de monter en lacets vers la falaise.

- C'est l'ancienne **route des pèlerins de Compostelle**, qu'ils empruntaient quand ils quittaient l'abbaye. Les châtaigniers, les oliviers et les premiers pins de Salzmann se mélangent. À la bifurcation, prenez à gauche pour aborder un secteur plus désolé et aride.

- Sur la droite, vous arrivez à un **point de vue** sur le château du Géant et le cirque de l'Infernet. Après une montée vers le col, vous embrassez un vaste **panorama** : la plaine de Gignac devant, le pic de Saint-Loup derrière. Le chemin se poursuit au milieu des pins de Salzmann, très petits à cause de la rigueur des conditions climatiques. Laissez un premier sentier à droite et allez jusqu'à la piste

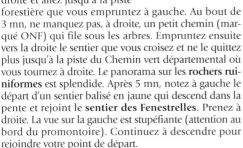

▲ *Le pont du Diable : construit au XIe s. pour relier les abbayes de Gellone et d'Aniane, il marque l'introduction dans cette région des techniques du premier art roman.*

forestière que vous empruntez à gauche. Au bout de 3 mn, ne manquez pas, à droite, un petit chemin (marqué ONF) qui file sous les arbres. Empruntez ensuite vers la droite le sentier que vous croisez et ne le quittez plus jusqu'à la piste du Chemin vert départemental où vous tournez à droite. Le panorama sur les **rochers ruiniformes** est splendide. Après 5 mn, notez à gauche le départ d'un sentier balisé en jaune qui descend dans la pente et rejoint le **sentier des Fenestrelles**. Prenez à droite. La vue sur la gauche est stupéfiante (attention au bord du promontoire). Continuez à descendre pour rejoindre votre point de départ.

■ La grotte de Clamouse

Ouvert du 10 juillet au 31 août de 10 h à 19 h ; de mars à juillet et d'août à décembre de 10 h à 17 h ; de décembre à février, de 10 h à 17 h.

À 3 km au sud du village, c'est sans doute l'une des plus belles grottes connues, reliée par un réseau souterrain avec le causse du Larzac, 12 km plus loin et 600 m plus haut. Le réseau inférieur de la grotte sert d'ailleurs de déversoir pour le trop-plein du plateau. Le réseau supérieur est abandonné par la rivière et présente des concrétions de toute beauté, draperies rouges, cascade pétrifiée… Le **Couloir blanc** est un foisonnement d'aragonites de toutes les formes, qui ressemblent à des cristaux de neige ou à des bouquets de fleurs.

■ Les gorges de l'Hérault

Au-delà du pont du Diable, les gorges s'élargissent au niveau de Saint-Guilhem pour rétrécir ensuite et atteindre leur partie la plus belle : roches gris clair, eau verte bouillonnant dans les marmites de géant, végétation méditerranéenne… On peut s'y baigner.

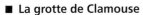

> ### *Les chemins de saint Jacques*
>
> *Le pèlerinage le plus fréquenté du monde occidental emmène des millions de pèlerins depuis plus de mille ans à travers l'Europe. Plusieurs grands chemins sillonnent la France. Saint-Guilhem se trouve sur le chemin d'Arles et sur la route qui relie Saint-Gilles, dans le Gard, au col de Somport dans les Pyrénées. Les étapes recommandées aux pèlerins étaient celles où ils pouvaient se recueillir auprès de reliques, comme celles de saint Guilhem ou de la Vraie Croix, dans l'abbaye de Gellone.*

Clermont-l'Hérault

CARTE P. 281
Office du tourisme : 9, rue René-Gosse. ☎ 04 67 96 23 86.

Cette petite ville de l'arrière-pays marque la transition entre la plaine languedocienne et la montagne. Bâtie à flanc de colline, elle conserve ses vieux quartiers et des ruelles étroites et raides. Sa richesse vient traditionnellement de la vigne et de l'olivier.

Au fil des siècles

La ville et son marché sont évoqués la première fois par écrit en 1140, même si l'on sait qu'un oppidum existait sur la colline dès le Vᵉ s. avant J.-C. et que trois églises étaient en service en 586. Le château féodal, construit en 1158 était la propriété des Guilhem, seigneurs de Montpellier et de tout le bassin de l'Hérault. Au Moyen Âge, la petite ville était une véritable place forte ceinturée de remparts. Très prospère, elle dut rapidement en déborder et l'on commence à construire à l'extérieur de l'enceinte : hôpital, monastère des Dominicains et abbaye bénédictine. Aux siècles suivants, la ville est durement secouée par les guerres de Religion et par la grande épidémie de peste. Dans un premier temps, elle retrouve la santé économique grâce au textile, aux XVIIᵉ et XVIIIᵉ s. Au siècle suivant, c'est la vigne qui prend le relais. Après la crise viticole du début du XXᵉ s., beaucoup de vignerons replantent des cépages à raisin de table, occupant une bonne part du marché français. La production d'huile d'olive est une autre spécialité de Clermont-l'Hérault.

▶ *L'intérieur de l'église Saint-Paul, avec ses trois vaisseaux, est de belles proportions. La voûte de la nef s'élève à 19 m. Les chapelles latérales ont été rajoutées au XVᵉ s. L'abside à sept pans est éclairée par trois hautes fenêtres. Remarquez la chaire de bois datée de 1638 et l'appui de communion en fer forgé (XVIIIᵉ s.).*

■ L'église Saint-Paul

Elle est, après celle de Valmagne, la plus belle église gothique de la région. Sa construction est entamée en 1276 et elle est inaugurée en 1313. En 1351, l'église Saint-Paul est fortifiée pour se protéger des incursions anglaises. On ajoute des mâchicoulis, des loggias à meurtrières, deux tours et un donjon. De ces additions successives et des altérations ultérieures, l'église a conservé une allure extérieure un peu surprenante, faite d'un assemblage hétéroclite.

- Sur la **façade occidentale**, percée d'une grande rosace (8 m de diamètre, l'une des plus grandes de la région), la tour la plus haute servait à faire le guet. Elle porte l'horloge et un clocheton de fer forgé. Elle est réunie à la

seconde tour par un porche rajouté en 1766 dans un style classique qui tranche malheureusement, et reste surmontée des anciens mâchicoulis, intacts. À cette époque, les murs qui reliaient l'église à l'enceinte furent abattus.
- Sur les **façades latérales,** les contreforts à arcs-boutants sont surmontés de clochetons inattendus. La corniche rappelle, en revanche, les frises en dents d'engrenage du style roman lombard. Sur la façade nord, le porche est surmonté du donjon, à créneaux et à échauguette. Au sud, le tympan est orné d'une Crucifixion.

■ Le château féodal

En sortant de l'église, montez vers le sommet de la colline par les **ruelles étroites,** parfois en escalier, vers le **château féodal.** Placé stratégiquement au-dessus de la ville, il domine toute la vallée de l'Hérault. Au sud, un rempart et la pente lui servaient de protection. Au nord, les fortifications étaient renforcées par un fossé encore visible. Le rempart est construit en petites pierres et flanqué de sept tours semi-circulaires. On y pénétrait par deux portes : la porte de Clermont au sud est l'entrée actuelle. Au nord, la porte de Puech Castel possédait un pont-levis et une herse. Il ne reste pas grand-chose de l'aménagement intérieur, si ce n'est le donjon carré, des salles souterraines et la salle d'armes que l'on atteint par un escalier droit.

■ La vieille ville

Redescendez dans la vieille ville en prenant l'escalier qui longe un couvent désaffecté. Pour visiter le vieux **quartier du Pioch,** suivez la rue d'Arboras puis la rue de la Filandière qui vous fera passer sous une porte de l'ancien rempart.
- Arrivé place Rougas, prenez la rue Louis-Blanc pour voir **l'hôtel de Martin,** construit sur les remparts (la belle rampe de fer forgé est de l'artisan qui réalisa l'appui de communion de l'église Saint-Paul). Continuez la rue pour retrouver Saint-Paul.

■ L'huilerie coopérative

Boulevard Wilson.

L'été, de 8 h à 12 h et de 14 h à 18 h. ☎ **04 67 96 10 36.**

C'est l'une des dernières de la région. Plus de 2000 producteurs d'olives y apportent leurs fruits. Selon la variété et la qualité, ils donneront des huiles différentes. L'huilerie a conservé son outillage traditionnel, mais il ne sert plus, remplacé par des machines électriques. La boutique propose tous les produits dérivés de l'olive et vous permet de découvrir les différentes variétés d'olives de table.

▲ *Mentionné pour la première fois en 1160, le château féodal de Clermont-l'Hérault fut le témoin de nombreuses périodes tourmentées, avant d'être vendu comme bien national à la Révolution.*

◀◀ *Les toits de Clermont-l'Hérault. Depuis les années 1960, la ville s'est beaucoup développée et de nouveaux quartiers ont été créés aux abords du centre médiéval.*

◀ *Un moulin à huile. La culture de l'olive qui était en voie de disparition connaît un renouveau certain qui participe au dynamisme de la ville.*

▷ Les environs de Clermont-l'Hérault

Lac, cirque et chapelles…

Au cœur d'un pays de calcaire et de chaos dolomitiques, le contraste est total en découvrant les terres rouges des environs du Salagou. La grande diversité géologique, des paysages d'un autre monde et la beauté des villages font de cette petite région l'une des plus belles pour les randonneurs.

▲ *La chapelle Notre-Dame-de-l'Hortus* (XVᵉ *s.*).

▲▶ *Une maison du quartier des tisserands. En continuant au-delà de la manufacture, sur le chemin qui longe les ateliers de filature du* XIXᵉ *s., on arrive à un porche qui s'ouvre sur d'anciens logements ouvriers.*

■ Ceyras et la chapelle Notre-Dame-de-l'Hortus

À 3,5 km de Clermont vers Gignac.

Avant d'entamer la découverte des merveilles naturelles, faites un détour par le village de **Ceyras**. Notre-Dame-de-l'Hortus est la plus adorable des chapelles. Construite au XVᵉ s., elle possède un plan carré, de belles pierres couvertes de tuiles, une voûte d'ogive et surtout un **porche** splendide et inhabituel, qui forme un préau appuyé sur deux énormes **piles rondes**.

Revenez vers Clermont et suivez la direction de Bédarieux, vers l'ouest, jusqu'à Villeneuvette.

■ La manufacture royale de Villeneuvette

En 1670, Pierre Baille, un riche drapier de Clermont, achète des moulins au bord de la Dourbie et y crée une manufacture de drap fin. Il est soutenu par des financiers de Montpellier, mais surtout la jeune manufacture reçoit l'appui de Colbert qui cherche à casser le monopole des Anglais et des Hollandais sur le marché du drap fin. Pour cela, la manufacture doit produire uniquement des « londrins seconds » (draps de laine très fins, teints de couleurs vives, spécialité des Anglais et des Hollandais). L'exportation concerne en priorité les pays où les rivaux font leurs meilleures affaires : l'Orient et le bassin méditerranéen. Via Marseille, les draps de Villeneuvette partent vers la Turquie, puis, par caravane, vers la Perse, l'Arménie… En 1681, l'usine compte déjà 700 ouvriers. En 1725, elle est rachetée. Son nouveau propriétaire ouvre de nouveaux marchés grâce à ses frères dont l'un est négociant à Marseille, l'autre directeur de la Compagnie des Indes. Parmi les 800 ouvriers de l'époque, 300 vivent sur place. Il faut donc construire des logements et agrandir les ateliers. L'organisation du travail est particulière : les tisserands gardent le métier à tisser dans leur maison, au rez-de-chaussée et utilisent les équipements communs. Après la Révolution, la manufacture change de mains et arrive dans la famille Maistre. On abandonne peu à peu le drap fin pour un drap plus épais, utilisé dans la confection des uniformes des soldats, des lycéens et des habits religieux. Le XXᵉ s., avec le vieillissement des installations et la concurrence du nord et de l'est de la France, marque le déclin progressif de Villeneuvette, jusqu'à sa fermeture en 1954. Aujourd'hui, les beaux bâtiments sont partiellement occupés par des artisans. La visite, passionnante, permet d'imaginer la vie de cette curieuse communauté.

- L'entrée de la manufacture se fait par un **grand portail** surmonté de l'inscription « Honneur au travail » qui a remplacé l'ancien panneau « Manufacture Royale ».

- À gauche, derrière la petite **église**, se trouvent la **maison du curé**, les **écuries** et une **grange**. À côté, un bâtiment abritait un **magasin** au rez-de-chaussée, un **logement de maître** au premier étage et celui des commis au second.

- Sur la petite place, à droite, les **maisons des ouvriers** sont alignées, suivies d'un autre bâtiment comportant des **entrepôts** et un logement de maître à l'étage. Le grand espace vide, à gauche, servait aux étendoirs.

- Après le **pigeonnier**, à gauche, se trouvent les différents **ateliers** (fonte, forge, foulerie). Juste derrière étaient logés les « foulonniers ». On y trouvait le **four à pain**.

- En continuant dans la Grand'Rue, les **ateliers de filature** sont à droite, ceux des **teinturiers** à gauche. En passant le portail, on monte un escalier qui mène au **vivier**. Tournez ensuite à droite pour arriver aux jardins et à un très beau **buffet d'eau** du XVIIᵉ s.

■ Mourèze

À l'ouest de Villeneuvette, ce village est blotti contre une falaise. De jolies ruelles grimpent vers l'église romane.

- Face à la fontaine, notez le superbe **fragment de table d'autel** du Moyen Âge figurant des oiseaux (sans doute wisigothique), encastré dans le mur. Perché sur l'éperon rocheux, le château est en ruine.

- Le village est cerné par un incroyable **chaos de roches**. Les habitants avaient ingénieusement utilisé ces fortifications naturelles pour y installer un oppidum constitué de cabanes en rondins et en argile.

■ Le cirque de Mourèze

C'est un vaste **ensemble dolomitique de 300 ha**, formés de milliers de rochers aux allures étranges, torturées par l'érosion, jaillissant de la garrigue. Certaines pierres

Un curieux code du travail

Casimir Maistre était un patron très chrétien qui avait élaboré un code de conduite pour son entreprise. Obligation de se coucher et se lever tôt, pour une meilleure santé et un esprit éveillé, et fermeture du portail à la tombée de la nuit. École chrétienne pour les enfants jusqu'à 12 ans, après quoi ils devaient travailler. En contrepartie, un logement et un petit jardin étaient offerts à chaque famille, un service de médecin et de pompiers assuré pour les ouvriers, et le travail garanti pour tous les résidents.

ont des formes fantastiques évocatrices de personnages ou de monstres : les Demoiselles, les Fées, le Grand Manitou, le Meunier, la Tête de mort, la Sirène… Plusieurs sentiers de randonnée sont bien balisés pour découvrir cette merveille naturelle.

■ Malavieille

Reprenez la D 81 vers l'ouest et Salasc, puis tournez sur la D 148 vers Octon. À 3,5 km, prenez à gauche vers Malavieille.

▲ *Le village de Mourèze possède un magnifique fragment de table d'autel du haut Moyen Âge en marbre sculpté.*

Peu après le hameau, vers Mérifons, guettez le sentier balisé en jaune, à droite avant le pont. Il vous conduira à une charmante petite chapelle rustique, **Saint-Fulcran**, perdue dans un vallon, avec sa nef minuscule et ses traces de fresques. Le cadre est enchanteur. Après la chapelle, vous vous élèverez au-dessus des **gorges du Lignous** et découvrirez les étonnantes terres rouges caractéristiques des environs avant d'arriver en vue du **château de Malavieille**, en ruine.

- De l'autre côté du château, atteint en suivant la ligne de crête, suivez les balises jaunes qui descendent vers une petite route au niveau de la **dalle paléontologique de la Lieude**, entourée d'un grillage, qui porte l'**empreinte fossilisée** de gros reptiles datant d'avant les dinosaures. Suivez ensuite la petite route vers l'est pour retrouver votre point de départ.

Reprenez la D 148 vers Octon.

■ Octon

Au cœur du **pays des ruffes**, ces étranges terres rouges, ce village traditionnel possède une jolie église romane, avec un baptistère gothique dans le jardin.

- Octon est un **village des Arts et Métiers du Livre** et propose de découvrir tous les métiers de l'édition artisanale au moyen d'ateliers passionnants (gravure, dorure, reliure, calligraphie…).

Quittez Octon vers Lodève, par la D 148, pour faire le tour du lac du Salagou. Un circuit de randonnée (balises jaunes) permet de rejoindre Notre-Dame-de-Roubignac en 3 h aller-retour.

■ Le lac du Salagou

Ce lac artificiel de 750 ha est constitué grâce à un barrage impressionnant de près d'1 km de long. Il fut mis en eau en 1970. Il sert à contrôler les crues de l'Hérault, à irriguer les terres et à recharger les canadairs en lutte contre les incendies. Ses contours sinueux épousent le flanc des collines et composent l'un des spectacles les plus dépaysants de la région. Poissons et oiseaux des étangs contrastent avec la faune méditerranéenne des versants qui l'en-

tourent (couleuvres, mantes religieuses, scorpions…).
- Les vallonnements spectaculaires sont constitués de **ruffes**. Ici et là surgissent des coulées basaltiques noires produites par des volcans en éruption, il y a 1 à 2 millions d'années. (Méfiez-vous des chutes sur la terre rouge : elle laisse des taches très résistantes).
- La route domine les eaux bleues qui tranchent sur le rouge vif des collines. Contournez le lac par la petite

◄ Le petit village de Celles, abandonné depuis la mise en eau du barrage de Salagou, dresse ses ruines nostalgiques sur le rivage.

route qui mène à la **base de loisirs des Vailhés** et empruntez le chemin qui s'élève au-dessus des bâtiments. Non goudronné mais parfaitement carrossable, il longe la plus jolie rive du lac, dominant les étranges vallons colorés et l'adorable **chapelle Notre-Dame-des-Clans**.

Passé le Mas-Audran, prenez la D 140 vers Clermont-l'Hérault. À Clermont-l'Hérault, prenez la D 156, au sud du lac et continuez jusqu'à Liausson.

■ Le mont Liausson
Une belle randonnée part du village de Liausson, vers le point culminant à 535 m (3 h, balises jaunes). De là, vous aurez un **panorama** unique du cirque de Mourèze au sud, avec ses roches blanches sur fond de garrigue et du Salagou au nord, dans son écrin rouge.

Retournez à Octon. Tournez à l'opposé du lac, sur la D 148. La route serpente entre les collines. Prenez à droite sur la D 157 jusqu'à un sentier qui part à droite vers la chapelle Notre-Dame-de-Roubignac.

■ Le Puech
Ce village aux pierres et aux tuiles roses et rouges est planté au cœur d'une succession de petites collines appelées des *puechs* (petits monts).
- Il est le point de départ d'une belle randonnée vers le **plateau du Cayroux**, au sud, signalée par un panneau et balisée en jaune.
- Sur les hauteurs basaltiques qui rappellent la steppe, vous passez un beau **dolmen** et des **capitelles**; la vue est extraordinaire.

Les vins des coteaux du Languedoc

Depuis 1985, l'appellation coteaux du languedoc est classée en AOC. Elle correspond à une très vaste région couvrant 50 000 ha à cheval sur trois départements – l'Aude, l'Hérault et le Gard – de Narbonne à l'ouest, à la Camargue à l'est, en s'adossant, au nord, aux contreforts de la Montagne noire et des Cévennes. Les vins sont rouges, blancs et rosés.

■ L'histoire

La région possède les plus anciens vignobles de France, remontant à l'époque des Grecs, cinq siècles avant J.-C. Du temps des Romains, on l'exportait dans des amphores vers tout le bassin méditerranéen. Les moines contribuèrent activement à la pérennité du vignoble. Plus tard, la construction du canal du Midi permit de gagner de nouveaux marchés dans le nord de la France.

■ L'aire d'appellation

Elle s'étend sur un total de 168 communes, classées AOC coteaux du languedoc, incluant les communes classées Faugères, Saint-Chinian et Clairette du Languedoc, trois appellations qui bénéficient de leur décret spécifique.

- L'ensemble des surfaces déclarées en AOC recouvre 11 600 ha, en comptant Faugères et Saint-Chinian. Les vins des coteaux du Languedoc sont tellement variés que la seule appellation coteaux du languedoc paraît trop vaste. Pour répondre à une demande plus précise de la part des consommateurs, on met actuellement en place deux autres niveaux de classification.

- Les zones climatiques sont déterminées en fonction des vents, de la pluviométrie, de la température et de l'ensoleillement (La Clape, Terrasses de Béziers, Pézenas, Grès de Montpellier, Picpoul de Pinet, Terrasses du Larzac, Terres de Sommières, Pic Saint-Loup).

- Un autre niveau de classification concerne les terroirs (Quatourze, Cabrières, Saint-Saturnin, Montpeyroux, Saint-Georges d'Orques, La Méjanelle, Saint-Christol, Saint-Drézéry, Vérargues). La production concerne le rouge à 88 %.

▲ *Une couleur pourpre, des arômes de fruits mûrs et de garrigue, une belle charpente caractérisent la production viticole de Montpeyroux.*

■ Les cépages

Pour le rouge et le rosé, les cépages principaux sont le grenache (vins riches en alcool, bouquets somptueux, tendance à rancioter en vieillissant), le syrah (vins tanniques, colorés, bouquet un peu animal avec fond de fruit rouge), le mourvèdre (vins très alcoolisés, colorés, charpentés, bouquet sauvage, vieillissant très bien). On y ajoute le carignan (vins durs et colorés) et le cinsault (vin souple et fin, arômes floraux). Pour les blancs, grenache, clairette (vins capiteux aromatiques), bourboulenc, piquepoul, roussanne, marsanne.

■ Quelques vins

- **Clairette du languedoc** : c'est un vin blanc à la robe jaune soutenu, qui peut être sec, demi-sec ou moelleux. En vieillissant, il acquiert un goût de rancio apprécié par certains. Il s'accorde bien avec la bourride sétoise ou le poisson à l'américaine. On le trouve dans huit communes de la moyenne vallée de l'Hérault. En 1998, la production atteignait 1 700 hl.
- **Picpoul de Pinet** : ce vignoble situé au-dessus de l'étang de Thau fournit un vin blanc fruité anisé qui se marie avec poissons et coquillages. Le cépage est du piquepoul à 100 %.
- **La Clape** : le massif de la Clape, caractérisé par un sol d'argile et de cailloutis, produit 6 000 hl de rouges (senteurs d'épices et de garrigue), rosés (arômes de fruits rouges) ou blanc (malvoisie ou bourboulenc).
- **Quatourze** : entre Narbonne et l'étang de Bages, un climat très sec où l'on favorise le mourvèdre. 6 000 hl de rosés, rouges et blancs.
- **Cabrières** : 7 000 hl sortent de ce vignoble planté en sol schisteux, proche du cirque de Mourèze, donnant une clairette, des rosés appréciés, comme le vin vermeil Estabel, que l'on délectait Louis XIV, et des rouges qui se boivent avec le gibier.
- **Montpeyroux** : les évêques de Montpellier avaient une résidence dans ce terroir, en bordure du Larzac. Le défrichage de la garrigue, tout près de Saint-Guilhem, a permis l'implantation des vignes sur les hauteurs caillouteuses. Un bon vin rouge, charpenté, avec des arômes de fruits mûrs et de garrigue. 14 000 hl de production annuelle.
- **Saint-Saturnin** : un autre vignoble, bien abrité sur les contreforts du Larzac. Un terroir aux sols peu acides. Délicieux « vins d'une nuit » et rouges charpentés aux arômes de garrigue, d'épices et de fruits cuits.
- **Saint-Georges d'Orques** : le vignoble y produit 20 000 hl de rouges et de rosés. Des vins élégants à la belle robe, avec un nez d'épices et de fleurs.
- **La Méjanelle, Saint-Christol et Saint-Drézéry** : un sol de galets et une influence marine, aux portes de Montpellier, produisent des vins de caractère marqués par des arômes épicés et grillés. Rouges ou rosés.

▲ *Le vignoble de Montpeyroux s'étend du causse du Larzac au pied du pic Baudile. Les évêques de Montpellier avaient leur résidence d'été dans la région dès le XIVe s. et produisaient déjà des vins réputés.*

▲ *La garrigue omniprésente apporte à la vigne ses parfums de thym et de romarin, de genêt et de ciste, que l'on retrouve dans les vins. Le rouge est parfait, le rosé, bien fruité, est plus agréable que son homologue provençal plus cher. Ici, Jonquières.*

Lodève

CARTE P. 307
Office du tourisme : 7, place de la République. ☎ 04 67 88 86 44.

Avec la ville de Lodève, on atteint la charnière entre le Languedoc des vignes et le Larzac des moutons. Deux économies fondamentalement différentes, des paysages opposés, une transition nette dans le climat et dans l'architecture. L'approche de la ville par le sud se fait depuis la hauteur et donne une idée de la petite cité qu'elle était au Moyen Âge, massée autour de sa cathédrale et enserrée dans le confluent de la Lergue et de la Soulondre.

Des Gaulois aux mines d'uranium

Capitale d'une tribu gauloise, Luteva est occupée par les Romains et christianisée très tôt par saint Flour, au IVᵉ s. Elle devient le siège d'un puissant évêché qui présidera à la destinée de la ville durant douze siècles. Passée sous l'influence des Wisigoths, dont la capitale est Tolède, elle accueille de nombreux réfugiés espagnols après le reflux des Arabes vers l'Espagne. Les évêques, très puissants, sont de toutes les luttes contre l'hérésie, ce qui vaudra à la ville d'être saccagée par les protestants en 1573. Le cardinal de Fleury fera la richesse de la ville en accordant à ses manufactures de drap le monopole de la fourniture des armées royales (l'industrie lainière existe dès le XIIIᵉ s.). Après la Révolution, ce sont les drapiers qui gouvernent la ville. Mais les manufactures ne cessent de décliner, confrontées à une rude concurrence. La dernière ferme ses portes en 1960. Depuis 1975, les importants gisements d'uranium des environs et leur exploitation ont redonné une activité industrielle à Lodève.

■ La cathédrale Saint-Fulcran

De style gothique méridional, elle fut commencée en 1280 par l'abside puis continuée au siècle suivant par la nef, les bas-côtés et les chapelles latérales. Les fortifications de la façade ouest datent de 1360. Les protestants détruisirent la nef en 1573 (elle fut complètement restaurée).

- **L'extérieur** est renforcé jusqu'à mi-hauteur par la ceinture des chapelles latérales et de leurs contreforts. L'entrée principale se fait au nord sous une voûte aux **culots sculptés**. Au-dessus de la porte, le tympan d'origine a été remplacé par un **bas-relief** du XIXᵉ s. figurant le Christ et les saints lodévois (Flour, Fulcran, Amans, Genès et Georges).

- À l'intérieur, la **nef** est curieusement courte. La grande rose du fond est ornée d'une verrière du XIXᵉ s. **Le chœur**, par comparaison, est très vaste. La **chaire à prêcher** figura à l'Exposition universelle de 1867 et le grand **lustre en cristal** était un cadeau de la reine Victoria à Napoléon III. Le **maître-autel** contient sur le côté droit un petit morceau du corps de saint Fulcran. Les boiseries sont du XVIIIᵉ s.

- Sous le chœur, **la crypte** est l'ancienne cathédrale pré-romane, influencée par l'art wisigothique de l'Espagne du xᵉ s. Elle abritait les reliques de saint Georges et de saint Fulcran. D'importants personnages étaient également inhumés dans des alvéoles de la paroi.

■ Le musée de Lodève

Square Georges-Auric.

Ouvert de 9 h 30 à 12 h et de 14 h à 18 h. Fermé le lundi.
☎ **04 67 88 86 10.**

Il est installé dans la maison natale du cardinal Fleury, un bel hôtel particulier du xviiᵉ s. Il conserve des œuvres d'artistes lodévois, dont Paul Dardé, présente l'histoire du textile, la géologie et surtout la longue histoire de la région, avant même l'époque des dinosaures. On peut ainsi voir des empreintes d'espèces inconnues très anciennes et celles de dinosaures du Jurassique décou-vertes tout près de Lodève.
- Remarquez aussi la belle collection de **stèles discoïdales** (dans l'Antiquité, le disque était un symbole solaire, chez les chrétiens, il représente le Christ ressuscité).

■ L'ancien quartier des marchands

Entre les Halles et l'église Saint-Pierre.

En bas de la **rue du Mazel** (en occitan, le quartier des bouchers), une plaque marque l'endroit où, en 1573, le corps de saint Fulcran, momifié depuis 1006, fut dépecé par les protestants. En haut de la rue, repérez des écus-sons « SF » marquant les emplacements où, selon la légende, le corps, tiré par une corde, se serait mis debout miraculeusement.
- La rue et le quartier conservent des fragments de **mai-sons anciennes**. Le samedi matin, un marché très vivant se tient autour des Halles.
- La colline de Montbrun ne porte plus que les ruines du château, mais sur les pentes s'étale un quartier de ruelles étagées, traditionnellement ouvrier, où vivaient les employés des manufactures.
- L'annexe de **la manufacture des Gobelins** se visite sur rendez-vous.

Le mardi, le mercredi et le jeudi de 14 h à 17 h. ☎ **04 67 96 40 40.**

▲ *En quittant la cathédrale, allez dans le parc en face pour voir l'étonnant monument aux morts sculpté par Paul Dardé, un artiste local autodidacte qui connut un grand succès entre les deux guerres. Ce monument représente de façon très réaliste un groupe de quatre veuves.*

◄◄ *La tour-clocher de la cathédrale Saint-Fulcran, haute de 57 m, est doublée d'un escalier en spirale qui court à l'extérieur d'une mince colonne de pierre. Le premier étage servit de prison. Les deux suivants sont percés de fenêtres ; celle du deuxième étage porte des personnages sculptés.*

Les contreforts du Larzac

Au pays des baumes

Tantôt le socle du causse éclate de blancheur, bordant une route taillée dans le roc ; tantôt il se creuse de petits cirques verdoyants. C'est la région des sources et des grottes, ou « baumes ».

■ Le prieuré de Saint-Michel-de-Grandmont

À 8 km à l'est de Lodève.

L'ordre de Grandmont, l'un des plus austères du Moyen Âge, fut fondé dans le Limousin à la fin du XIᵉ s. Ce prieuré, qui date du XIIᵉ s., est dédié à saint Michel.

- **L'église** est constituée d'un vaisseau unique sans fenêtre, avec une voûte en berceau. La porte des moines conduit au cloître. Au-dessus, le petit **clocher** tout en pierre est rare.
- Autour du cloître sont conservées les différentes pièces du couvent, réfectoire, **salle capitulaire**, dortoir à l'étage…

▲ *Le prieuré de Saint-Michel-de-Grandmont connut son apogée aux XIIᵉ et XIIIᵉ s. Ce beau monastère, conservé dans son état premier, fut vendu aux enchères en 1791.*

■ Le massif de l'Escandorgue

Il y a deux façons de découvrir ce massif qui délimitait, à l'ouest, l'ancien évêché : en voiture ou à pied. Par la route (circuit de 50 km), prenez la D 902 vers le nord-ouest.

À gauche, **les Plans** est un village composé de deux hameaux escarpés, le « haut » et le « bas », avec une jolie église contenant une dalle funéraire du Vᵉ ou VIᵉ s.
- À Ceilhes, bifurquez sur la D 138 vers le sud-est pour passer le **col de l'Homme Mort** et continuer jusqu'à la D 35. Prenez à gauche pour retrouver Lodève.
- Pour découvrir le massif à pied, préférez le prendre plus au sud. De Lodève, prenez la route de Lunas (D 35) et tournez à gauche vers Campestre et Villecun. Arrêtez-vous au **col de la Défriche** : le GR 7 part sur la droite (balises rouge et blanc) et suit la ligne de crête. En chemin, belles vues sur le Salagou, le village perché d'**Olmet** et Lodève.
- Vous atteignez ensuite **le plateau** et un paysage typique des causses : larges ondulations herbues, vent et solitude absolue. Vous arrivez finalement à la minuscule **chapelle Saint-Amans**, typique de l'architecture caussenarde avec son porche en large arcade et son toit de lauzes. Elle fait l'objet d'un pèlerinage pour garantir les récoltes.

■ Les contreforts du Larzac

Au nord de Lodève, on atteint la limite sud du Larzac, un pays de roche calcaire, de grottes et de cirques.
- À 4,5 km, à gauche vers **Labeil**, se trouvent un premier **cirque** et la **grotte de Labeil**, où un parcours suit la rivière souterraine, le long de belles draperies et concrétions colorées. Cette grotte servait jadis de cave à roquefort.

- Une très belle randonnée part de **Soubès** par le **sentier botanique**, dans un sous-bois, puis monte en lacets sur le **plateau du Larzac** pour rejoindre les ruines de la **chapelle Saint-Vincent**, construite en basalte. Au retour, au **Mas de Rouquet**, suivez le GR 7, dit à cet endroit « **sentier des mines** » (balises rouge et blanc).

- Sortez de Soubès vers l'est par la D 25. À Saint-Étienne-de-Gourgas, tournez à gauche vers le hameau de **Gourgas**, point de départ de la randonnée vers le **cirque du Bout-du-Monde**. Cet amphithéâtre adossé au rempart du Larzac est spectaculaire. Des sentiers permettent d'en faire le tour. Le sommet est un point de départ pour les amateurs de vol libre. Attention au vertige, certains passages sont impressionnants. Départ du hameau en suivant les balises bleu et jaune (3 h 30).

- Au sud de Saint-Étienne-de-Gourgas, le hameau d'**Aubaigues** mérite un détour pour sa belle **chapelle romane** du XIIᵉ s., abritée par les murs de l'ancien château fort.

- Reprenez la D 25 vers **Saint-Pierre-de-la-Fage** et sa **chapelle caussenarde** typique, avec son petit clocher et ses contreforts arrondis.

- Filez enfin sur **La Vaquerie**, porte de la steppe du Larzac. Prenez le GR 7 (balises rouge et blanc) vers le sud-ouest pour vous rendre à la **bergerie de Tedenat**, posée toute seule dans la prairie déserte.

▲ *Sur le domaine du prieuré de Saint-Michel-de-Grandmont se trouve le dolmen de Coste Rouge avec son ouverture en porte de four.*

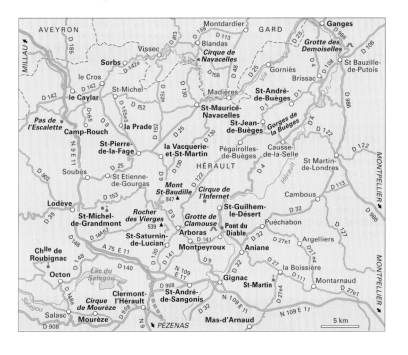

Le Larzac

Un ciel trop large, des vagues herbues, déchirées par d'étranges écueils blancs, des chaos de pierres telles des ruines, des moutons partout, pas d'eau, pas d'arbres. Devant ce paysage d'un autre monde, de steppe ou de désert, on a le coup de foudre instantané, irrémédiable, ou l'on a envie de fuir, mais on n'est jamais indifférent. Le causse du Larzac couvre 1 000 km à cheval sur l'Hérault et l'Aveyron. Il est sillonné de sentiers sauvages pour amoureux de grands espaces et de solitude.

▲ Ici et là émergent sur le plateau des roches dolomitiques, dites ruiniformes, laissées par l'érosion.

Balades

Un bel exemple de chaos dolomitique se situe au Camp-Rouch (au sud du Caylar par la D 155). À partir de la ferme, un sentier bien balisé permet de découvrir les quilles, pylônes, étranges ruines, grottes où se cachaient jadis les bandits de grands chemins.

Au Caylar, la montée au Roc Castel, qui domine le village, permet de comprendre son organisation et redescend par un joli sentier botanique.

Le GR 71b mène du Caylar à la Couvertoirade au travers d'un résumé du Larzac, étendues plates, drailles à moutons, murets de pierres. Retour par Le Cros (GRP Tour du Larzac).

■ Les paysages

Les causses sont des plateaux calcaires isolés par de profondes failles ou gorges (de *caous*, chaux en occitan). D'une altitude moyenne de 700 m, le causse du Larzac est une immense dalle nue, plantée de cheveux d'ange (l'herbe typique du causse), de genévriers et de buis. Cette masse calcaire est le résultat de l'accumulation des restes d'organismes vivants au fond de ce qui était une mer primitive, il y a 150 millions d'années. En se retirant, cette mer a laissé une couche de plusieurs centaines de mètres. Par la suite, l'ensemble du causse s'est soulevé pour atteindre son altitude actuelle. Le climat y est très rude : chaud et sec en été, glacial et venteux en hiver. L'absence d'eau visible est l'une des caractéristiques les plus surprenantes dans ce paysage sculpté par elle. En réalité, elle y est très abondante (il pleut près de 1 000 mm par an) mais le calcaire la laisse s'infiltrer dans la moindre faille ou aven (gouffre) pour rejoindre le réseau des rivières souterraines qui ont creusé des milliers de galeries et de grottes. Ces rivières ressurgissent à la surface sur les flancs du plateau, parfois à des dizaines de kilomètres. À la surface, on ne voit guère que les lavognes, ces petites dépressions creusées ou aménagées par l'homme pour abreuver les troupeaux. La terre est rare et les cultures colonisent les sotchs ou dolines, de petites dépressions circulaires où l'érosion amasse une terre rouge argileuse propre à la culture des céréales.

■ Les hommes

Voie de passage obligée entre la plaine et les grands causses, le Larzac est habité depuis le néolithique, comme le prouvent les nombreux dolmens. Le Moyen Âge est très marqué par la présence des templiers qui avaient reçu la région en récompense pour leurs services. Ces moines-soldats ont profondément influencé le Larzac, en organisant les cultures et en rentabilisant les exploitations. Ils fondent de véritables cités fortifiées, pour se défendre des nombreuses agressions et héberger les pèlerins en route vers Compostelle. Depuis toujours, le plateau est voué à l'élevage des moutons et des chèvres. Avec l'essor du roquefort, l'élevage ovin est prédominant. Malgré un exode rural important au cours du XXᵉ s., une nouvelle population, les « néos », la réinvestit depuis les années 1970, cohabitant avec les Caussenards de souche.

▲ *La Couvertoirade : son église-forteresse, ses maisons typiques et ses nombreuses stèles discoïdales…*

■ Gardarem lo Larzac

En 1970, l'armée décide d'étendre la superficie du camp militaire de 3 000 à 17 000 ha. On exproprie 103 paysans et 15 000 brebis et c'est la levée de boucliers. « Montée » à Paris avec tracteurs et moutons, mise à feu des dossiers d'enquête, occupation des fermes acquises par l'armée, constructions en zone interdite, rassemblements colorés : les 103 Caussenards qui ne doutent de rien réussissent à mobiliser 100 000 personnes sur le causse durant l'été 1973, sous la devise de « gardarem lo Larzac », *nous garderons le Larzac* en occitan. La lutte dure 10 ans. En 1980, la cour de Cassation annule les expropriations. En 1985, l'État accepte de louer aux paysans les terres qu'ils possèdent encore.

▲ *Brebis sur le plateau du Larzac près du Caylar.*

■ Les villages et les maisons

En parcourant le causse et les villages, on est frappé par les contradictions de l'architecture, comme si l'on n'avait pas pu faire un choix entre le style méditerranéen et celui du Nord (pierre grise, toits de lauzes et tours carrées). La nécessité de se défendre contre les bandes de routiers errant sur les routes a donné naissance à de superbes fermes fortifiées qui ressemblent à des citadelles en miniature. Les villages eux-mêmes se retirent derrière des remparts et des tours de guet. Ne manquez pas Le Caylar, La Couvertoirade (baptisée « la Carcassonne des causses »), Sainte-Eulalie-de-Cernon (ancienne capitale templière, tapie au fond d'un cirque), Les Rives (village fortifié).

▲ *Les contreforts du Larzac au-dessus de Lodève.*

Comprendre • Le Larzac

Templiers et hospitaliers

Durant les croisades, au XIIᵉ s., des moines-chevaliers décident de fonder un ordre pour assurer la sécurité du royaume franc de Terre sainte. Ils prennent le nom de templiers et portent un habit blanc frappé d'une croix rouge. Ils deviennent vite les banquiers des pèlerins et des croisés, amassant une fortune considérable. À la chute du royaume de Terre sainte, ils se replient en France dans les commanderies qu'ils ont créées et obtiennent de gérer le trésor royal. Leur pouvoir et leur richesse grandissants font peur au roi de France, Philippe le Bel, qui veut s'approprier leurs biens. Il dissout l'ordre qu'il accuse d'hérésie, garde l'argent et attribue les biens immobiliers à un autre ordre militaire fondé en Palestine, les hospitaliers de Saint-Jean-de-Jérusalem, aussi connus comme chevaliers de Malte, qui portent un habit rouge marqué d'une croix blanche.

Du Caylar à Ganges par les gorges

CARTE P. 307

Office du tourisme :
place de l'Ormeau, à Ganges.
☎ 04 67 73 00 56.

La nature calcaire des plateaux, entaillés par les rivières, a occasionné la formation d'un réseau de profondes gorges, parfois occupées par des cours d'eau, parfois asséchées et composant des cirques spectaculaires. Quittez le Caylar vers l'est. Passez les villages du Cros et de Sorbs. Le Camp-d'Alton marque le confluent de la Vis et de la Virenque, deux rivières qui ont taillé de véritables canyons dans le causse.

▲ *Pour apprécier le cirque de Navacelles, ce phénomène hydro-géologique unique en Europe, il est indispensable de le découvrir depuis le rebord du plateau, soit du causse de Blandas soit de celui du Larzac.*

■ Le canyon de la Virenque

À sec la plupart du temps, car sa rivière coule sous terre, il est envahi par un torrent très violent lors des fortes pluies. La prudence s'impose donc pour explorer son lit. Le cadre est superbe.

■ Le cirque de Vissec

Le joli village de Vissec (50 habitants) est construit sur le promontoire dessiné par un ancien méandre de la Vis asséchée (d'où son nom).

- La Vis prend sa source dans le massif de l'Aigoual et disparaît en sous-sol après Alzon. C'est elle qui a creusé l'entaille gigantesque qui sépare le causse du Larzac du causse de Blandas. En coupant son propre cours, elle a créé les cirques étonnants de Vissec et de Navacelles.

- Autour de Vissec, la rivière a creusé un vaste cirque aux impressionnantes parois calcaires. Un sentier marqué « La Foux-Navacelles » permet de s'élever le long des gorges et de rejoindre les méandres à sec.

- La vallée devient un étroit défilé encombré de gros blocs rocheux, entre des parois verticales. Au bout d'1 h 30 de marche, vous entendez le grondement d'un torrent annonçant l'approche de la résurgence de la rivière.

■ La résurgence de la Foux

C'est à la Foux (on dit Fousse) que la Vis réapparaît après son trajet souterrain, à une dizaine de mètres au-dessus du lit de la rivière. Son débit moyen de 2 m^3 par seconde peut atteindre 30 m^3 par gros orage.

- Au XVIIe s., on construisit un moulin sur la fissure pour exploiter la force motrice de ce flux. Les ruines ajoutent au pittoresque de l'endroit. À partir de la Foux, la rivière occupe son lit et s'engouffre dans les nombreuses boucles, d'où son nom.

■ Le cirque de Navacelles

On peut l'atteindre à pied en partant de la Foux (3 h aller-retour, facile ; à faire par temps sec uniquement).

Le sentier surplombe la rivière de très haut, à travers genêts et sous-bois.
- En voiture, il vous faudra redescendre vers le sud par la D 113 puis la D 152 jusqu'à **Saint-Maurice-de-Navacelles**. Prenez ensuite la D 130 jusqu'à **la Baume-Auriol** où un belvédère permet d'embrasser du regard cette merveille géologique. D'une profondeur de 300 m, il fut creusé par un méandre de la rivière qui coupa la boucle par la suite, isolant un promontoire rocheux au fond de l'entonnoir. Au pied de cette pyramide, s'est construit le petit village de **Navacelles**, ancien haut lieu de l'élevage des vers à soie.

■ Les gorges de la Vis

Au sud de Navacelles, le GR 7 suit les gorges de la Vis et ses nombreuses boucles jusqu'au village de Saint-Maurice (les automobilistes retrouveront la rivière après ce bourg, en direction de Ganges).
- Les parois sont percées de grottes correspondant à des résurgences de rivières souterraines. Certaines ont été habitées durant le néolithique. Le défilé s'achève à **Madières**, un beau village étagé sur les escarpements de la rivière.
- Pour un **point de vue** depuis la route, arrêtez-vous entre Saint-Maurice et Madières ou après ce dernier village, en direction du Vigan.
- Au village de **Gorniès**, sur la route de Ganges, un **sentier** monte en lacets sur la falaise pour un **superbe panorama**, comme vu du ciel, sur la Vis au fond, le causse de Blandas et le pic d'Anjeau au nord, le roc Blanc, dans le massif de la Séranne, au sud.

■ Ganges

Cette petite ville paisible, avec ses places ombragées de platanes, connut la gloire dès le règne de Louis XIV pour ses bas de soie. La matière première était fournie par les nombreux producteurs des Cévennes. Une main-d'œuvre très qualifiée a fait de la ville la capitale du bas : elle en produisait plus de 80 000 paires par an au XVIIIe s.

■ La grotte des Demoiselles

À 9 km au sud de Ganges.

Ouvert d'avril à octobre de 9 h à 18 h 15 ; en hiver de 9 h à 12 h et de 14 h à 18 h. ☎ 04 67 73 70 02. Attention, il y fait frais.

Cette grotte est l'une des plus spectaculaires que vous pourrez voir. Sa salle centrale a de telles dimensions (120 m de long, 80 m de large, 50 m de haut) qu'on l'appelle « la cathédrale ». Tout est tapissé de concrétions gigantesques : le buffet d'orgue et ses ruissellements de stalactites, la Vierge à l'Enfant, une stalagmite à la silhouette évocatrice, les bancs de méduses savamment éclairés...

▲ *Le village de Madières, situé à la fois sur le Gard et sur l'Hérault, étage ses maisons des XVIe et XVIIe s. sur la rive droite de la Vis dans un bel agencement de volumes et de toitures.*

▲ *La grotte des Demoiselles fut découverte à la fin du XVIIIe s. et explorée en 1889 par Martel. Ancien aven bouché à 90 m de profondeur, elle était alors difficile d'accès. Un funiculaire et des couloirs cimentés en facilitent aujourd'hui la visite. Ici, la Vierge à l'Enfant.*

Montpellier, la garrigue et le pic Saint-Loup

Grand espace commercial du bassin méditerranéen, Montpellier est aussi depuis le Moyen Âge sa capitale intellectuelle. Ville jeune, vivante et colorée, elle offre l'attrait conjugué de son littoral ponctué de plages et de ports, et de la garrigue qui lui sert d'écrin, territoire encore sauvage où la rocaille et les chênes verts s'écartent pour abriter quelques vignobles. Son riche passé marchand et viticole lui a valu une architecture et un patrimoine d'exception. Elle a souvent servi de creuset aux idées nouvelles en matière d'art, de sciences ou d'architecture. Aujourd'hui parmi les villes les plus dynamiques du pays, elle est surtout une ville universitaire et technologique.

◀ *Montpellier, l'escalier de l'hôtel Jacques-Cœur.*

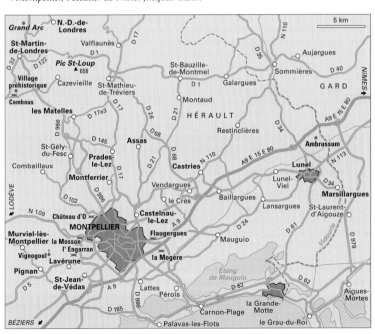

Montpellier

PLAN P. 316
Office du tourisme de la région de Montpellier : 30, allée Jean-de-Lattre-de-Tassigny.
PLAN C2.
☎ **04 67 60 60 60.**

C'est inhabituel dans cette région colonisée très tôt : Montpellier est une ville récente, contrairement à ses voisines qui existaient même avant l'arrivée des Romains. Malgré sa fondation tardive au Xᵉ s., elle a connu un essor très rapide. En moins d'un siècle, le grand domaine rural concédé à un certain Guilhem, premier seigneur de Montpellier, est devenu une petite cité avec son église et ses remparts. Ces débuts fulgurants sont à l'image de ce que sera la ville par la suite : dynamique et entreprenante, profitant à plein des apports extérieurs et de la douceur de son climat.

▲ *Au nord de Montpellier, le village préhistorique de Cambous témoigne d'une civilisation vieille de plus de 4 000 ans dont il reste des cabanes de forme ovoïde groupées par dizaines en forme de hameaux ; y vivaient hommes et bêtes en toute promiscuité.*

Une histoire de famille

La ville doit certainement son développement rapide à sa situation privilégiée, naturellement protégée par les collines de la garrigue et reliée à ses voisines, Nîmes, Béziers et Narbonne, par la via Domitia. Son fleuve côtier, le Lez, lui offre un accès facile à la mer et aux étangs et permet la création d'un port. En outre, elle se trouve sur le chemin de Compostelle fréquenté par les très nombreux pèlerins du Moyen Âge et sur la route du sel, l'une des grandes richesses du Midi. Le décor est donc idéal pour fonder une ville prospère. La famille Guilhem qui règne sur la ville mène une politique ambitieuse. Très vite, ces petits seigneurs deviennent de véritables potentats, s'appuyant sur la puissance des évêques de Maguelone. La ville est alors partagée en deux villages : Montpellier proprement dit, fief des Guilhem, sur la butte, et Montpellieret, au pied de la colline et autour de l'église Saint-Denis, qui reste la propriété des évêques. Le château initial se trouvait aux environs de l'actuelle préfecture et, en regardant le plan, on distingue encore le tracé circulaire des rues du village des Guilhem. Celui des évêques est situé plus au sud, sur la route de Compostelle, l'actuelle Grand-Rue-Jean-Moulin.

Montpellier pour 120 000 écus d'or

Au XIIᵉ s., Montpellier et une partie de Montpellieret sont englobés dans une même enceinte. À cette époque, la petite cité attire déjà de nombreux marchands étrangers, surtout des Italiens. Une véritable industrie commence à se développer. La domination des Guilhem tire pourtant à sa fin. Marie est la fille unique de Guilhem VIII. En épousant Pierre II d'Aragon, en 1204, elle lui cède ses droits sur la ville qui y gagne des privilèges importants. Lorsque le fils de Pierre et Marie, Jacques Iᵉʳ d'Aragon, partage son héritage entre ses deux fils et fonde le royaume de Majorque, il y joint Montpellier. Le nouveau royaume est rapidement convoité par ses voisins et au terme de longs conflits, le roi d'Aragon reprend la Catalogne ; Montpellier est vendue en 1349 au roi de France, qui la paye 120 000 écus d'or.

La richesse économique

C'est sous la domination des rois de Majorque que l'essor de la ville est le plus significatif. Comme le centre du pouvoir est éloigné, la ville obtient de nombreuses libertés politiques et fiscales. La population oscille entre 35 000 et 40 000 habitants au XIIIe s., ce qui la rend comparable à Rouen, alors deuxième ville du royaume de France. L'enseignement de la médecine et du droit qui sont établis depuis le siècle précédent conduit à la fondation de l'université et ajoutent le rayonnement intellectuel à la bonne santé économique. C'est à cette époque qu'une nouvelle enceinte est construite quadruplant la surface de la cité, sur un périmètre d'environ 2,6 km, comptant 8 portes et 25 tours. L'ensemble a la forme d'un écusson et correspond au tracé des boulevards qui encerclent aujourd'hui le centre ville. L'aménagement de la ville elle-même est amélioré : un centre administratif, commercial et religieux est fixé dans le secteur de l'actuelle place Jean-Jaurès. Une maison consulaire est construite, les marchés sont réglementés, les ordres mendiants inaugurent des monastères. Près de la place du Peyrou, s'ouvrent les écoles de droit et de grammaire.

La prospérité médiévale

Le port de Lattes est le débouché naturel de Montpellier sur la Méditerranée, qui favorise le commerce maritime. Le cabotage est très courant au Moyen Âge et les marchands montpelliérains font du commerce avec Aigues-Mortes, Marseille, Majorque et Gênes. Les produits de la région transitent ainsi vers tout le bassin méditerranéen mais aussi, par voie terrestre et fluviale, vers le nord de la France et de l'Europe. Les transactions se font dans les grandes foires médiévales, surtout celles de Brie et de Champagne. L'installation de la cour des papes à Avignon, très grosse consommatrice de biens de toutes natures, enrichit encore les négociants et les artisans. Montpellier est organisée par métiers, comme c'est toujours le cas au Moyen Âge. Chaque rue héberge les artisans d'une spécialité : rue de l'Argenterie pour les orfèvres, celle de l'Aiguillerie pour les merciers, la rue de l'Huile où se trouvaient les moulins pour les olives, rue de l'Herberie pour les herboristes, rue des Candeliers pour les fabricants de chandelles, rue

▼ *La fontaine des Licornes.*

Montpellier mode d'emploi

Montpellier est si riche en beaux hôtels particuliers qu'il vous faudra souvent revenir sur vos pas pour en voir le maximum. N'espérez pas la visiter en voiture : tout le centre historique est piéton. Stationnez dans l'un des parkings souterrains ou à la périphérie. Bien que beaucoup d'églises aient été rasées au XVIe s., le centre a conservé son plan médiéval. Le plus beau patrimoine de la ville réside dans ses hôtels particuliers, souvent discrets à l'extérieur, mais dont il faut visiter les cours et les escaliers. Ne manquez pas de demander les visites guidées à l'office du tourisme pour y avoir accès. Quelques maisons restent ouvertes, mais elles sont rares.

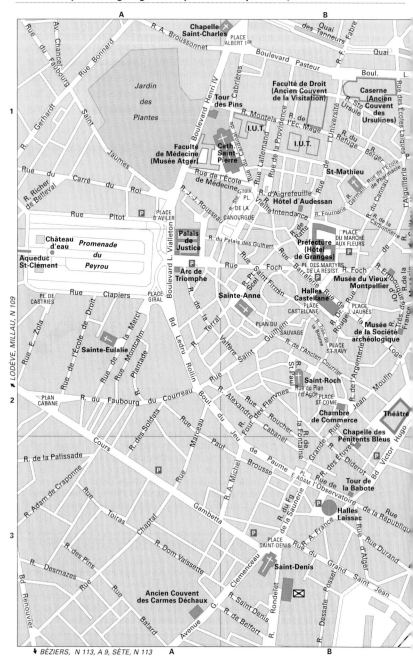

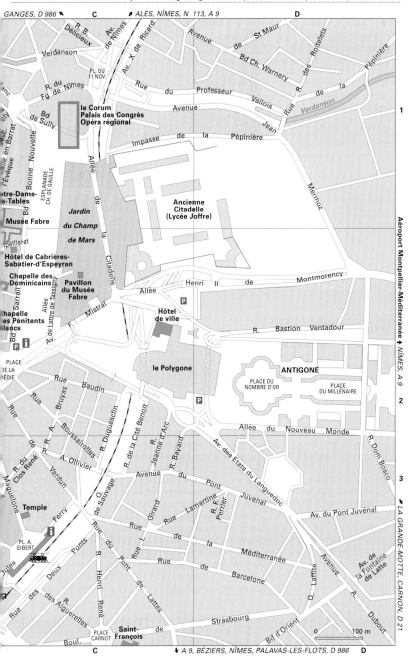

GANGES, D 986 ↖   C   ⤴ ALÈS, NÎMES, N 113, A 9   D

le Corum
Palais des Congrès
Opéra régional

Ancienne
Citadelle
(Lycée Joffre)

Jardin
du Champ
de Mars

Musée Fabre

Hôtel de Cabrières-
Sabatier-d'Espeyran

Chapelle des
Dominicains

Pavillon
du Musée
Fabre

Chapelle
des Pénitents
blancs

Hôtel
de ville

le Polygone

ANTIGONE

PLACE DU
NOMBRE D'OR

PLACE
DU MILLÉNAIRE

Temple

PL. A.
GIBERT

Saint-
François

PLACE
CARNOT

Aéroport Montpellier-Méditerranée ↑ NÎMES, A 9

⤴ LA GRANDE-MOTTE, CARNON, D 21

0   100 m

C   ↓ A 9, BÉZIERS, NÎMES, PALAVAS-LES-FLOTS, D 986   D

► *L'aqueduc Saint-Clément : conçu par l'ingénieur hydraulicien Henri Pitot, cet ouvrage d'une longueur totale de 17,5 km s'inspire, pour sa partie aérienne, du célèbre pont du Gard.*

Barralerie pour les tonneliers, rue Draperie-Rouge pour les teinturiers… La ville est une succession de petites places, presque à chaque coin de rue, où les marchands disposent leurs étals et où l'on négocie les produits locaux, drap rouge teint à la cochenille, drogues et parfums vendus par les apothicaires, orfèvrerie, épices venues d'Orient chez les poivriers et tables des changeurs, qui outre le change des espèces s'occupent du transport maritime, des prêts et des opérations commerciales. La ville est une véritable fourmilière…

Le rayonnement intellectuel

Une double influence a présidé à l'ouverture des écoles de Montpellier : celle de Salerne pour la médecine et celle de Bologne pour le droit. L'école de médecine est fondée en 1220, l'école de droit naît en 1250 et compte, en 1292, 15 professeurs de droit civil et canonique. Les deux enseignements ont très vite un statut européen et attirent de nombreux étudiants et érudits de tous les pays. Ils sont réunis à l'école des arts en 1289 par le pape pour constituer l'université à laquelle s'ajoutent ensuite les autres collèges déjà existants et la théologie. Ce tissu culturel très dense permettra aux nouvelles idées de faire leur chemin, mouvement humaniste, réforme protestante. La communauté juive, importante et cultivée, contribue au rayonnement de la ville. Après le rattachement à la France, cet essor culturel se double d'un développement administratif qui en fait la capitale du Languedoc : l'évêché est transféré de Maguelone à Montpellier qui accueille aussi les institutions financières et juridiques. Les malheurs commenceront avec la guerre de Cent Ans et les épidémies de peste qui ravagent le Midi, réduisant la population de la ville des deux tiers.

La crise religieuse

Les idées de la Réforme se développent d'abord dans les milieux universitaires, mais gagnent très vite les artisans.

Les barons de Caravètes

Au XIIIe s., les consuls de la ville (l'équivalent du conseil municipal) décidèrent d'acheter une petite baronnie perdue dans la garrigue du côté de Murles, au beau milieu des chênes verts. Le temps passa et plus personne n'y pensa. Et puis un beau jour on s'avisa que la ville possédait toujours le domaine. À qui attribuer le titre de baron ? Selon la charte signée en 1204, chaque habitant était coseigneur de sa ville. L'usage s'établit donc de donner le titre de baron de Caravètes au fils aîné des vieilles familles de Montpellier qui peuvent tracer leur ascendance jusqu'à 1204.

En 1560, un cinquième de la population a basculé vers les nouvelles doctrines. Même le pouvoir communal est passé entre les mains des protestants qui en profitent pour saccager une soixantaine d'églises catholiques. En 1562, les troupes catholiques assiègent la ville et les protestants détruisent de nombreux établissements religieux ou hospitaliers des faubourgs. Un autre siège, en 1567, entraîne la destruction partielle de la cathédrale. Montmorency, le gouverneur catholique de la province, parvient à négocier une certaine parité religieuse dans le gouvernement de la ville, mais l'équilibre ne dure pas et le pouvoir est repris par les protestants. Pourtant la communauté catholique reste importante. Après la proclamation de l'Édit de Nantes, Montpellier est l'une des places de sûreté concédées aux protestants, en échange de la restitution des lieux de culte catholique. La brève période de coexistence pacifique s'achève en 1621, quand Montpellier se joint à l'insurrection des églises protestantes réunies à La Rochelle. La vague de violence qui déferle sur la ville est sans précédent : toutes les églises sont rasées et, sachant le siège inévitable, on édifie à la hâte une enceinte qui double les remparts médiévaux. Le siège attendu débute le 31 août 1622, mené par Louis XIII lui-même, qui entre dans la ville le 20 octobre. Une citadelle sera construite à la place de l'église Saint-Denis, à partir de 1624, pour mater toute éventuelle rébellion. Après 60 ans de guerre, la ville a perdu ses faubourgs et son patrimoine religieux. Tout est à reconstruire.

Retour à la normale

Dès la paix établie, l'église catholique entame le vaste chantier des restaurations.
La Contre-Réforme ramène à Montpellier les communautés qui en avaient été chassées et encourage de nouvelles fondations. Un véritable travail de missionnaires commence, qui vise à reconvertir les « égarés ». L'administration royale est renforcée et les notables de la ville prennent une importance considérable car ils sont les représentants du roi et de l'ordre établi. Les pouvoirs de l'intendant sont accrus et tout le fonctionnement est centralisé vers Paris. Toute l'évolution de la cité va être

▲ *Le lion d'Injalbert.*

Les débuts de l'industrie chimique

Chaptal est né dans le Gévaudan, mais il fait ses études de médecine à Montpellier et y est nommé professeur de chimie en 1781. Comme beaucoup de chimistes de son époque, il s'intéresse aux débouchés offerts par l'industrie du textile, notamment la teinturerie. L'alun, par exemple, est un sel connu depuis l'Antiquité pour son utilité pour fixer les colorants sur les textiles. L'alun naturel est malheureusement une denrée rare et chère. L'usine chimique que Chaptal ouvre à Montpellier produit de l'alun artificiel, de l'acide sulfurique et met au point des procédés chimiques de teinture qui révolutionnent le métier.

▲ *La coupole de l'amphithéâtre Saint-Côme.*

▼ *L'hôpital Arnaud de Villeneuve.*

La folle envolée des années 1960

Avec les accords d'Évian, en 1962, Montpellier bénéficia de l'arrivée massive des rapatriés d'Algérie. 13 000 personnes débarquent pratiquement du jour au lendemain. La plupart sont intégrés dans la fonction publique, le commerce, les services. Une cité satellite est construite à leur intention en 1964 sur le site de la Paillade. Entre 1962 et 1968, la population s'accroît de 42 000 personnes, du jamais vu ! Car, à l'arrivée des rapatriés s'est conjugué un dynamisme économique nouveau, avec la création d'une usine IBM et de laboratoires pharmaceutiques. Cette vitalité démographique ne s'est pas démentie depuis et aujourd'hui, le Grand Montpellier dépasse les 300 000 habitants.

conditionnée par cette volonté de rentrer dans le rang et de se conformer. De superbes demeures sont construites sur le modèle de ce qui se fait à Paris. La ville qui s'agrandit et s'aménage le fait sur le même modèle : arc de triomphe, larges boulevards, promenades… On renoue avec le profit économique : industrie textile (indiennes, cotonnades, couvertures de laine), travail du cuir, production du verdet (vert-de-gris utilisé dans la peinture), industrie chimique avec le célèbre Chaptal originaire de la région. La viticulture prend son ampleur. Au XVIIIe s., les faubourgs s'étendent à nouveau et la ville reçoit de nouveaux équipements : théâtre, aqueduc Saint-Clément, fontaines, amphithéâtre anatomique… La Révolution ne change pas grand-chose à la vie administrative de la cité. Elle affecte en revanche les industries, mais le commerce reste prospère. Les aménagements continuent, avec un élargissement des rues, la disparition progressive des remparts, l'arrivée du chemin de fer, qui préparent les grands chantiers du Second Empire. Là encore, l'influence parisienne est évidente avec de grands travaux qui font référence aux célèbres Baltard, Haussmann et Viollet-le-Duc.

Une ville tertiaire

Bien que possédant encore une activité industrielle, Montpellier est au XIXe s. une ville tertiaire : plus de 75 % de sa population active travaillent dans les services administratifs ou hospitaliers, le commerce, la banque, les professions intellectuelles. Ce profil est d'ailleurs resté le même, malgré quelques variations dans les chiffres. Actuellement la population étudiante est la plus importante (65 000). Sur le plan de l'urbanisme, la ville a renoué avec les grands chantiers à partir de 1979, lorsqu'on en initiant Antigone, on a affiché la volonté de repenser l'organisation urbaine. Aujourd'hui, après Antigone, ce quartier néo-antique, le Corum, un Opéra Bastille du Midi, c'est le tour de Port-Marianne, presque une nouvelle ville, qui a l'ambition de renouer avec la mer en emmenant Montpellier vers son littoral…

▷De la place de la Comédie au Peyrou

Le centre de la ville

La place de la Comédie est le centre vivant de la ville. Elle opère aussi la jonction entre la vieille ville et le nouveau quartier d'Antigone vers l'est.

◀ *La place de la Comédie est le centre actuel de la ville. Elle fait le lien entre le centre administratif et commercial du Polygone et le nouveau quartier d'Antigone. Son aménagement récent en a fait un large espace piétonnier, bordé de cafés, de magasins et de restaurants.*

■ L'Esplanade

PLAN BC-2

C'est la promenade favorite des Montpelliérains, avec ses platanes, ses bassins et ses terrasses de cafés. La **place de la Comédie** elle-même est un vaste espace piétonnier toujours très animé par les artistes de rue et les cafés.

- De son passé de carrefour de la circulation, elle a gardé la **fontaine des Trois-Grâces**, au centre de ce que l'on appelle ici l'Œuf, une sorte de rond-point autour duquel circulaient les voitures. Le rond-point a disparu, mais il a gardé son nom et sa fontaine et reste matérialisé au sol par une ligne de marbre rouge. La place est une des créations du XVIIIe s. À l'époque, la partie carrossable de la nouvelle Esplanade venait buter par un espace très étroit sur une ancienne porte fortifiée, la porte de Lattes.

■ Le théâtre

PLAN B2

On décida d'agrandir l'espace, d'y ménager une vraie place et d'y construire le théâtre qui manquait à la ville. Mais il brûla à deux reprises en 1785 et en 1881.

- L'édifice qui domine la place actuellement fut achevé en 1888. On reconnaît clairement l'empreinte parisienne : l'architecte est celui qui inspecta les travaux de l'Opéra de Paris.

- À l'intérieur, le foyer, le grand escalier et le plafond circulaire de la salle sont ornés de **peintures allégoriques**. À la fin du XIXe s., la place de la Comédie était le rendez-

▶ *De la place de la Comédie au Corum, profitez d'une promenade ombragée. Le Corum est un bâtiment de béton et de granit rose qui abrite un opéra-palais des congrès.*

Deux architectes pour une ville

Deux noms reviennent sans cesse dès que l'on parle d'architecture à Montpellier. Daviler est un architecte parisien né en 1653, formé à Rome puis dans l'atelier de Mansart. Il arrive à Montpellier sur les conseils de l'intendant de la province et finit par être nommé architecte de la province du Languedoc, travaillant à Béziers, Narbonne, Nîmes, Carcassonne et Toulouse. À Montpellier, il réalise l'arc de triomphe, les casernes et l'église Saint-Denis, ainsi que des commandes privées. Il apporte un renouvellement complet de l'architecture de la ville. Le nom de Giral est celui d'une famille d'architectes locaux, Antoine, Jean et Jean-Antoine. Le premier a travaillé à l'ancien collège des Jésuites, le second a produit les folies de La Mosson et La Mogère, le troisième est l'architecte de l'amphithéâtre Saint-Côme et de la place royale du Peyrou.

vous à la mode, pour les loisirs mais aussi pour les affaires. Les mardis étaient consacrés, dans les cafés, au négoce du vin.

■ La rue de la Loge

PLAN B2

On la nommait, au Moyen Âge, la rue Daurade (ou Dorée) à cause des joailliers qui y tenaient boutique. C'était alors la principale rue de la ville menant de la porte de Lattes au centre.
- Elle fut élargie au XIXe s., mais garde quelques beaux hôtels, comme le 11 bis, **hôtel du Pont de Goût** (XVIIe s.), qui a conservé sa cour et son escalier à noyaux et plafond peint de la déesse Flore et des quatre éléments tenus par des Amours.
- Au 19 bis, au fond d'un bar-tabac, se trouve le **puits Saint-Roch**, visible le 16 août, jour du pèlerinage, lorsque les pèlerins font la queue pour en recevoir un peu d'eau avant de se joindre à la messe et à la procession. Donnant dans la rue de la Loge, la rue Jacques-Cœur rejoint le circuit des musées.
- On arrive par la rue de la Loge à la **place Jean-Jaurès**. Ce parvis dallé de marbre rouge était le centre de la ville au Moyen Âge. À l'époque, les routes de Nîmes et d'Italie, de la mer et de l'Espagne débouchaient devant.

■ L'église Notre-Dame-des-Tables

L'église était le centre religieux de la ville : c'est là que Pierre d'Aragon en épousant l'héritière des Guilhem, en 1204, signa la charte avec les habitants et c'est là que toutes les personnalités de passage étaient accueillies. Plusieurs fois reconstruite, l'église fut définitivement démolie en 1794 et laissa la place à une halle, rasée à son tour.
- Aujourd'hui, il ne reste de Notre-Dame-des-Tables que **la crypte**, qui accueille une galerie d'**exposition consacrée à l'histoire urbaine**.

- À l'intérieur du sanctuaire, l'un des Guilhem avait rapporté de croisade la statue vénérée d'une Vierge noire.

- Un marché très animé se tient encore tous les matins sur la place, mais ce sont ses cafés qui en font l'un des lieux de rencontres préférés des étudiants.

■ L'ancienne loge des Poivriers

À l'angle de la place Jean-Jaurès et de la rue de l'Aiguillerie. PLAN B2

S'élevait jadis ici la Petite Loge où les poivriers négociaient les épices venues d'Orient. Ce quartier connaît donc une longue tradition marchande. Au Moyen Âge, on y trouvait aussi les bouchers, les poissonniers, les herboristes.

- **La Halle Castellane** a donc trouvé sa place naturelle, même si elle ne date que du XIXe s. Construite en 1869, elle amène pour la première fois à Montpellier l'architecture métallique inspirée des Halles de Baltard à Paris.

■ Rue de la Barralerie

En suivant la rue de la Loge. PLAN B2

Vous arrivez ici dans l'ancien fief des tonneliers.

- Le n° 1 abritait, jusqu'au XVIe s., la toute première synagogue de la ville, lieu de culte de l'importante communauté juive. Aujourd'hui, il en reste **le Mikvé**, le plus ancien bain rituel juif d'Europe (fin XIIe s.). Il s'agit de deux salles souterraines où l'eau pure d'une source est recueillie dans un bassin (pour la visite, s'adresser à l'office du tourisme).

- En face se trouve la place des Martyrs-de-la-Résistance, puis, en contournant les bâtiments de la préfecture, la **place Chabaneau**.

- Construite entre 1867 et 1870, la préfecture respecte le style classique de **l'hôtel de Ganges**, dont elle a conservé la façade. C'est l'archevêque de Narbonne qui avait fait réaliser cette demeure, en 1686, pour son amie Jeanne de Gévaudan, comtesse de Ganges. À l'époque, ce type d'architecture, avec ses énormes pilastres, était à la mode à Paris, mais tout à fait nouveau à Montpellier. L'hôtel de Ganges est devenu ensuite le siège de l'Intendance puis la préfecture sous l'Empire. La jolie **fontaine** du XVIIIe s. représente la ville de Montpellier et ses deux sources, le Lez et le Mosson, sous les traits d'une jeune femme et de deux génies.

- Revenez à l'angle de la place des Martyrs et empruntez l'**avenue Foch** vers l'ouest, une large percée aménagée sous le Second Empire dans l'esprit d'Haussmann à Paris. Le projet initial, très ambitieux visait à réunir les deux promenades de la ville, le Peyrou et l'Esplanade. Il n'a jamais abouti.

Le remède contre la peste

Né au XIVe s. dans une famille de riches marchands, saint Roch se fait moine et part en pèlerinage à Rome. En Italie, il passe dans des villes ravagées par la peste et s'arrête pour soigner les malades, opérant même des guérisons. Atteint à son tour, il se retire dans la solitude, mais un ange vient soigner ses plaies et un chien lui apporte à manger. Guéri, le saint homme retourne à Montpellier où on le prend pour un espion. Mis au cachot, il meurt. Ses reliques sont ensuite expédiées à Venise et un culte se répand peu à peu dans tout le Midi et le reste de l'Europe. À chaque grande épidémie, ce saint guérisseur des plaies et des maladies connaît un regain de popularité. Il est toujours représenté avec un chien à ses pieds et une plaie symbolisant le bubon de la peste.

La faïence de Montpellier

O mniprésente dans les musées de la région, la faïence de Montpellier est née des besoins de la médecine et de la pharmacie, liés au développement de la Faculté de médecine et à la création d'hôpitaux. Elle commence à se développer à la fin du XVIe s. pour atteindre son apogée au XVIIIe s. Les botanistes et les chimistes montpelliérains font une grande consommation des célèbres pots à pharmacie portant un « escripteau » où était inscrit le nom des drogues.

■ Un apport étranger

L'art de la céramique apparaît très tôt dans l'histoire, dès le néolithique, puis se développe durant l'Antiquité et le Moyen Âge. Il s'agit de poteries vernissées, décorées ou non. La faïence se caractérise par son émail opaque, à base d'étain et de plomb, cuit au four. Avant les potiers musulmans qui en diffusent l'emploi au VIIIe s., ce sont les Perses achéménides qui découvrent le procédé. Ils importent la technique en Espagne où le principal atelier, à Majorque, donne l'appellation de majolique. Le savoir-faire s'exporte ensuite en Italie. Le plus important centre d'innovation de la faïence y est Faenza, à laquelle on doit d'ailleurs le mot faïence. Au XVIe s., les premiers centres faïenciers français dans le Midi sont dus à l'arrivée d'artisans italiens. Inspirés par l'art de Della Robbia, ils orientent leur production vers la fabrication de vases destinés aux apothicaireries.

Une fois passée l'influence de Faenza, les faïenciers français empruntent d'autres thèmes. De leur tour de France, ils rapportent des motifs, des techniques, des couleurs particulières.

C'est ainsi que la faïence de Montpellier, bien que d'abord très spécialisée dans la pharmacie, s'inspire vite de ce que l'on fait dans les centres les plus prestigieux de Nevers, Marseille, Moustiers et même Delft. Les masques de dauphins et les feuilles d'acanthe entourant le nom du produit laissent la place à des décors plus riches, incluant des personnages, saints, apôtres ou thèmes bibliques.

■ Une industrie florissante

Le XVIIᵉ s. voit se développer nombre d'établissements hospitaliers dans la ville. Montpellier est devenue l'un des premiers centres médicaux d'Europe ; les ateliers des faïenciers sont vite débordés. Avec le XVIIᵉ s., les ateliers Favier, Ollivier et Boissier font évoluer le style vers un décor plus spontané, de fruits groupés, de grenades enveloppées, laissant une plus grande part à l'émail blanc. Durant la seconde moitié du XVIIᵉ s., le décor affirme sa sobriété, avec les fils de Pierre Favier, les Crouzat et Collondre. C'est alors réellement l'apogée de la faïence de Montpellier. On ne se contente plus de produire des pots à pharmacie, mais on crée de nouvelles formes et on lance la fabrication de carreaux décoratifs mélangeant l'influence de Delft et le style de Nevers. Delft puise son style de faïences peintes, souvent en bleu et en blanc, sur des motifs des porcelaines chinoises. Au XVIIIᵉ s., la polychromie, déjà maîtrisée à Nevers et à Delft depuis la création des ateliers, se diffuse dans tous les grands centres de fabrication en France. Jacques Ollivier ouvre son atelier en 1700 qui devient manufacture royale en 1725. Il inaugure une ère quasi industrielle, avec 300 ouvriers sur 4 ha d'ateliers. Il fait venir des faïenciers et des décorateurs de toute la France, du Midi (Marseille et Moustiers) et surtout de Nevers. 30 décorateurs nivernais travaillent pour lui. On constate leur influence sur les faïences produites à cette époque.

La relève est assurée à Montpellier par l'arrivée d'un Marseillais, André Philip, qui apporte l'émail jaune et les motifs de roses bleues, noires ou jaunes entourées de semis de fleurs rustiques. Mais déjà le déclin s'annonce avec le refus des faïenciers montpelliérains d'adopter la technique du « petit feu » et la concurrence des porcelaines.

Comprendre • La faïence de Montpellier

Le savoir-faire

La matière première est l'argile, utilisé sous une forme plastique pour calibrer ou presser les pièces, ou sous une forme liquide (ou barbotine), pour la réalisation de formes complexes, auquel cas elle est coulée dans un moule en deux parties.
- Une fois démoulées et séchées, les pièces subissent une première cuisson qui donne le biscuit. On trempe alors le biscuit dans l'émail liquide. La pièce est ensuite décorée, sur émail cru, ce qui rend toute retouche du dessin impossible. C'est le stade le plus délicat, car le doigté du décorateur conditionne la beauté de la pièce terminée. Une fois émaillée et décorée, la pièce subit une seconde cuisson, à 980 °C qui vitrifie l'émail et les couleurs ensemble. C'est ce que l'on appelle de l'émail « grand feu ».
- La technique du « petit feu » consiste à cuire le biscuit émaillé avant la décoration. L'émail devient alors blanc brillant ou coloré selon sa composition. Le décor est appliqué sur émail cuit, ce qui donne beaucoup plus de souplesse au travail du décorateur et enrichit la palette des couleurs et des décors. Une troisième cuisson à 980 °C vient vitrifier le décor.

▷ La promenade du Peyrou | *PLAN A1-2*

À la gloire de Louis XIV

C'est l'un des exemples les plus impressionnants de l'aménagement de la ville. Cette ancienne butte, située en dehors de l'enceinte de la vieille ville, est le lieu de promenade des habitants depuis fort longtemps déjà quand le conseil municipal de l'époque décide de l'aplanir et de l'aménager.

▲ *La promenade du Peyrou s'ouvre par un arc de triomphe qui remplace une ancienne porte.*

▲ *Entièrement conçu à la gloire de Louis XIV, l'arc de triomphe est orné de médaillons sculptés célébrant les grands moments de son règne. Côté ville, on peut voir, à gauche, l'hérésie vaincue, une allégorie faisant allusion à la révocation de l'Édit de Nantes et, à droite, l'union des deux mers, allégorie de la création du canal du Midi. Côté campagne, à gauche, Louis XIV en Hercule chassant un aigle (l'Empire) et terrassant un lion (l'Angleterre), et, à droite, la prise de Mons et de Namur.*

■ Le palais de justice

Il occupe l'ancien emplacement du château des Guilhem, devenu sous la domination des Aragon la résidence de leurs représentants. Lorsque Montpellier fut racheté par le roi de France, le château devint le siège de la justice royale, puis celui de la cour des Comptes et des Finances. L'actuel palais remplaça l'ancien édifice en 1853. On décida d'emblée de l'orienter le dos à la ville, face à la promenade du Peyrou.

- L'architecture du palais de justice ressemble à toutes celles des autres villes françaises d'inspiration parisienne, avec son grand escalier et sa **colonnade** donnant l'idée de « temple de la justice ». Le fronton porte une sculpture de la justice protégeant l'innocence et dévoilant le crime.

- La **décoration intérieure** mérite d'être vue, surtout le plafond de la première chambre de la cour d'appel, figurant le Languedoc se plaçant sous la protection de la justice, peint en 1771 pour l'ancien palais, par **Joseph-Marie Vien**. Dans la troisième chambre de la cour d'appel, c'est une peinture de **Jean Troy**, un portrait de Louis XIV en Apollon entouré de la Justice et de la Religion. La salle d'audience de la cour d'assises est décorée d'allégories diverses, œuvres d'un certain Ernest Michel.

■ Le Peyrou

L'aménagement de la butte commence avec la construction de **l'arc de triomphe**, réalisée en 1691 sur les plans d'un architecte parisien et surveillé par un autre Parisien, **Daviler**, tous deux formés à l'école de Mansart. Au moment de sa construction, l'arc de triomphe n'était pas isolé comme aujourd'hui mais relié de chaque côté aux remparts médiévaux et fermé par une grille. Côté ville, il était précédé d'une petite place. Côté campagne, il était relié à la future place royale par un **pont** enjambant les fossés de la ville.

- L'inscription en latin, gravée en 1715, se traduit ainsi : « la paix a été apportée sur terre et sur mer par Louis le Grand, dont le règne dura 72 ans, après avoir séparé, contenu et s'être attaché les peuples alliés dans une guerre de 40 ans ».

■ La promenade

Elle est composée de deux terrasses. **La terrasse supérieure** sert d'immense piédestal à la fameuse **statue équestre de Louis XIV**, qui n'arriva à sa place qu'en

1718, plus de 20 ans après sa réalisation et de nombreuses péripéties. D'abord, il fallut convaincre tout le monde de ne pas l'enfermer à l'étroit dans la vieille ville. Une fois que l'idée fut acceptée de créer cette immense place juste pour elle, il fallut l'acheminer depuis Paris où elle avait été fabriquée. Un tel transport se faisait alors par bateau, de Paris au Havre, puis à Bordeaux et par le canal du Midi jusqu'aux étangs et à Montpellier (dans les secousses du transport, Louis XIV tomba même dans la Garonne!). Détruite à la Révolution, elle fut remplacée par la statue actuelle de 1838. De grands escaliers descendent aux **terrasses inférieures** et au château d'eau.

- Avec l'accroissement de la population, les puits deviennent insuffisants. Un vaste projet voit le jour, consistant à conduire l'eau de la source du Lez (à 17 km au nord de la ville) vers un **château d'eau** construit au bout de la promenade du Peyrou. Un concours d'architectes est lancé et c'est Jean-Antoine Giral qui l'emporte (avec Daviler, il est le second architecte majeur de la ville). Il conçoit la **place des eaux** qui fait suite à la place royale et se termine avec le château d'eau, posé sur un promontoire et se mirant dans l'eau d'un **grand bassin**.

- De la terrasse, le **panorama** englobe la ville et les environs, de la mer aux Cévennes, avec au premier plan **l'aqueduc Saint-Clément**, aussi appelé les Arceaux. Sa partie aérienne, longue de 880 m et haute de 22 m, compte 236 arches réparties sur deux niveaux. Elle s'inspire du pont du Gard.

Revenez à l'arc de triomphe.

- Sur la droite, la place Giral débouche sur la **rue de la Merci** où se trouve la **villa Haguenot**, l'une des folies montpelliéraines, ces petits châteaux champêtres du XVIIIe s.

◀ *La statue équestre de Louis XIV sur la promenade du Peyrou a remplacé en 1838 l'ancienne effigie du souverain, détruite à la Révolution.*

▲ *L'aqueduc arrive sur l'arrière du château d'eau par une terrasse. Le réservoir est entouré de deux escaliers en fer à cheval qui délimitent une petite colline artificielle. Au sommet, pour habiller le réservoir, Giral a conçu une sorte de petit temple à colonnes, comme dédié à la source. Initialement, il était coiffé d'une coupole qui a disparu à la Révolution.*

▲◀ *Mascaron du XVIIIe s. surplombant un des arcs du château d'eau.*

Un projet novateur

La première phase de construction, en 1689, consiste simplement à régulariser la butte et à en faire un belvédère sur toute la région. La promenade est alors reliée à la ville par l'ancienne porte du Peyrou, que l'on décide de remplacer par une entrée plus triomphale, imitant, une fois de plus, ce qui se fait à Paris et ouvrant sur une place royale à la gloire de Louis XIV. On prévoit d'y placer la statue équestre du roi. Ce projet était à l'époque très novateur : l'effigie du roi était auparavant toujours placée en pleine ville, à l'écart de l'éventuel vandalisme huguenot, et les promenades aménagées étaient rarement situées en pleins champs. Plus encore : il était d'emblée interdit de construire autour de la promenade des édifices plus hauts que les terrasses basses, une mesure d'urbanisme qui préfigurait avant la lettre la protection des sites naturels…

▷ La vieille ville

PLAN B1-2

Un ancien village

Empruntez la rue du Petit-Scel (nom d'une ancienne cour de justice installée là). Les rues avoisinantes regorgent d'hôtels particuliers, dont les porches sont pratiquement toujours fermés. Gagnez la rue Saint-Firmin, qui correspond au village primitif. Notez le tracé circulaire des rues autour de cet axe, typique des anciens villages défensifs.

▲ *L'hôtel de Montcalm s'ordonne autour d'une cour centrale. C'est un remarquable exemple d'adaptation aux contraintes du parcellaire de la vieille ville.*

La rue du Bras-de-Fer est un passage voûté, comme il y en avait beaucoup dans la ville médiévale. Celui-ci est le dernier : il faisait partie de l'édifice qui avait précédé l'hôtel des Trésoriers.

▲ *L'hôtel des Trésoriers de la Bourse abrita de 1710 à la Révolution la trésorerie de la Bourse du Languedoc chargée de la gestion des finances provinciales.*

■ Les hôtels particuliers

L'hôtel Pas-de-Beaulieu (n° 10) est l'un des plus beaux du quartier, grâce à son escalier du XVIIe s. ouvert sur la cour par trois arcs, dont un palier franchit d'une seule portée un vide de 6 m.

- Rue Saint-Guilhem, hôtels élégants aux nos 20, 31, 35 et 43 ; l'hôtel de Castrie (n° 31), construit entre 1630 et 1645, est le plus impressionnant, très harmonieux, témoin d'une superbe maîtrise du travail de la pierre.

- La rue de l'Ancien-Courrier doit son nom à l'ancien « bureau des lettres », situé jadis au n° 13. Au n° 17, l'hôtel Saint-Félix possède l'un des premiers escaliers à quatre noyaux de la ville (première moitié du XVIIe s.) : c'est un beau mélange de galeries sur cour de l'époque médiévale et d'escaliers innovants.

- Rue des Trésoriers-de-la-Bourse, l'hôtel de Ginestous (n° 15) date de 1671 ; il est aussi agencé autour d'une cour centrale. La décoration de la cage d'escalier représente Marie de Montpellier et Pierre d'Aragon (1912).

- L'hôtel des Trésoriers de la Bourse (n° 4) est la plus vaste maison de la vieille ville, construite en plusieurs campagnes entre 1631 et 1731. Elle abritait les trésoriers, chargés de percevoir les impôts de la province. On y admire la très jolie cour, l'escalier de l'architecte Giral, avec ses élégantes baies ouvertes sur la cour, de belles sculptures au-dessus de la porte du corps central et une seconde cour-jardin.

L'hôtel se visite du lundi au vendredi, ☎ **Office du tourisme.**

- L'hôtel de Montcalm (XVIIe s.), rue de la Friperie, est l'un des plus plaisants, avec sa belle cour et son curieux escalier à vis dont le noyau est évidé. C'est l'un des Montcalm de cette famille qui commandera victorieusement les troupes françaises contre les Anglais, au Canada, avant d'être vaincu dans la plaine de Québec.

■ L'église Saint-Roch

Un édifice néo-gothique du XIXe s., inspiré des grandes cathédrales du Nord. La construction que l'on voulait grandiose fut financée par une loterie mais ne fut jamais achevée. La statue en marbre du saint, qui devait orner la façade, est restée au presbytère.

■ Les demeures d'Aragon

La rue Draperie-Rouge débouche sur la rue de la Vieille et la rue Saint-Ravy.

Deux demeures sont désignées par les noms de « palais des rois de Majorque » (n° 3) et « palais des rois d'Aragon » (maison voisine donnant rue de l'Argenterie). Toutes deux ont bien appartenu à la famille régnante au XIIIᵉ s., mais celle-ci n'y a jamais résidé, préférant l'ancien château qui se trouvait à la place de l'actuel palais de justice.
- **Le palais des rois d'Aragon** est le n° 10 de la rue de l'Argenterie (la légende, sans doute inexacte, prétend que Jacques d'Aragon y aurait tué son page, coupable d'avoir fait une tache sur son pourpoint).

■ L'amphithéâtre anatomique Saint-Côme

32, Grande Rue-Jean-Moulin.

Pour visiter, s'adresser à l'office du tourisme.

Cet édifice impressionnant, occupé par la chambre de commerce, fut construit entre 1752 et 1757 grâce à un important legs du fondateur de l'Académie de chirurgie. C'est l'architecte montpelliérain Jean-Antoine Giral qui obtint le chantier. L'édifice comporte deux parties : le bâtiment sur la rue qui comportait la salle de réunion des chirurgiens et l'amphithéâtre où l'on se livrait aux dissections.

■ La tour de la Barbote

Rejoignez le boulevard Victor-Hugo par l'arrière du théâtre de la Comédie et descendez vers le sud. PLAN B3

C'est la dernière tour, avec celle des Pins, des vingt-cinq qui ponctuaient l'enceinte médiévale. Au XVIIIᵉ s., on lui a ajouté un observatoire astronomique que l'on a cerné d'une balustrade. Elle sera encore rehaussée en 1788, puis abritera le télégraphe.
- Plus au sud, par la rue Anatole-France, **l'église Saint-Denis** a été réalisée dans un style très dépouillé par l'architecte Daviler. Après avoir abrité de 1832 à 1855 le télégraphe de Chappe puis d'autres activités, le monument est actuellement affecté à la société astronomique de l'Hérault, renouant ainsi avec sa vocation savante.

▲ *La rue de l'Ancien-Courrier est une des voies piétonnes de la ville. Outre l'hôtel Saint-Félix, elle compte de belles façades d'hôtels particuliers : Calvet, Lecourt…*

▲ *La tour de la Barbote.*

Métier : teinturier

Au Moyen Âge, il existe deux catégories de teinturiers qui correspondent à deux castes. Les teinturiers de grand teint sont les plus prestigieux, n'utilisant que des tissus de qualité et des couleurs vives, résistant au lavage et à la lumière (cochenille, indigo…). Ils sont eux-mêmes répartis en différentes catégories selon la couleur qu'ils produisent : il y a les teinturiers du rouge qui fournissent aussi du jaune et ceux du bleu qui produisent également le vert et le noir. Leur clientèle est la plus riche car les teintures sont chères et les procédés plus délicats. Les teinturiers de petit teint se chargent des étoffes moins fines et utilisent des colorants végétaux de mauvaise qualité, à base de plantes courantes, comme les lichens qui donnent du mauve, les mûres pour le bleu, le châtaignier qui donne le marron, les genêts pour le jaune. Comme mordant (fixateur), plutôt que l'alun coûteux, ils utilisent l'urine ou le vinaigre, ce qui aboutit à des teintes plus sourdes. Les corporations définissent de manière très précise à quelles couleurs, matières et procédés a droit chaque catégorie.

PLAN A1

La Faculté de médecine

▲ *L'entrée sud de la Faculté de médecine présente quelques vestiges des mâchicoulis et un bel alignement de fenêtres substituées, aux XVIIe et XVIIIe s., aux baies médiévales dont on aperçoit les traces.*

L'étude de la médecine à Montpellier s'appuie sur la très ancienne science des botanistes depuis Hippocrate. De nombreux maîtres anciens écrivent des manuels recommandant l'usage de telle ou telle plante. Botanique et médecine sont liées tout au long de l'histoire de la médecine. L'abondance de marchands d'épices, d'herbes et de drogues diverses attirent très tôt à Montpellier les lecteurs des anciens manuels. Les premières écoles de médecine sont déjà réputées au XIIe s.

■ Une longue histoire

Dès 1220, une université ou communauté de maîtres et d'étudiants est fondée, consacrée officiellement par le pape en 1289 (les licences qui y sont délivrées ont alors valeur universelle). Avec le déclin des écoles de Salerne et Paris, la nouvelle faculté prend son envol et attire les plus prestigieux maîtres et étudiants dont une bonne moitié sont des étrangers. En 1364, le pape fonde le monastère-collège de Saint-Benoît, sous la règle bénédictine. L'idée est de soutenir la jeune université en accueillant des moines enseignants et des étudiants. Toutes les écoles sont installées aux environs : médecine, droit et grammaire. Les plus grands savants viennent y étudier ou y enseigner : Nostradamus, Rondelet, Rabelais, Lapeyronie… En 1593, Henri IV fait créer le premier jardin des Plantes d'Europe dédié à la chaire de botanique, qui est à l'époque à la base de presque tous les remèdes.

■ Rabelais, le médecin

Connu comme un humaniste et l'écrivain du truculent *Gargantua*, Rabelais est avant tout un moine. Ordonné à 26 ans, il s'essaye d'abord à soigner les âmes mais se frustre vite de voir souffrir les corps. Décidé à devenir médecin, il étudie longuement dans son couvent, apprenant le grec pour lire dans le texte les anciens livres de médecine. En septembre 1530, à 40 ans, il s'inscrit à l'université de Montpellier. Pour assurer sa subsistance, il s'engage comme précepteur du seigneur de Maureilhan chez qui il loge. Devenu bachelier en décembre de la même année, il fait la lecture publique d'Hippocrate, tous les mercredis. À la fin de l'année universitaire, il part exercer à Narbonne et à Castres (ce qui serait l'équivalent d'un stage). Il obtient la licence en février 1532, année de la publication de *Pantagruel*. Il a dès lors le plein droit d'enseigner et choisit un hôpital de Lyon (où il publie, deux ans après, son *Gargantua*). Il revient à Montpellier en 1537 pour y obtenir le doctorat. Il est alors reçu solennellement dans l'église Saint-Firmin, vêtu des insignes du docteur en médecine : bonnet carré, ceinture dorée, anneau-symbole du mariage avec la médecine et le livre d'Hippocrate. Après avoir un moment enseigné à l'université, il quitte définitivement Montpellier pour reprendre sa vie d'errance. Rabelais fut considéré en son temps comme l'un des meilleurs médecins du royaume, appelé au chevet des plus grands.

■ La Faculté de médecine

À l'extérieur, la façade, refaite par l'architecte Giral, ne conserve pratiquement rien de l'époque médiévale. De chaque côté de la porte, les statues représentent Lapeyronie, fondateur de l'Académie de chirurgie et médecin de Louis XV, et Barthez, médecin de Louis XVI et Napoléon Ier. La porte d'entrée est timbrée du sceau de 1260 de l'université de médecine.

▲ *L'escalier, construit en 1739, surplombe la porte d'accès à la salle des Actes.*

- À l'intérieur, on pénètre dans le vestibule orné des bustes de médecins célèbres. Le bel escalier, décoré de fragments lapidaires rapportés de Nîmes, conduit à la bibliothèque médicale la plus riche de province (plus de 300 000 volumes, 221 000 thèses…) et au musée Atger.
- À gauche du vestibule s'ouvre une enfilade de quatre pièces : le vestiaire des professeurs avec sa galerie de portraits, la salle d'assemblée qui garde un portrait de Lapeyronie par Rigaud, la salle des délibérations qui était jadis la chambre à coucher de l'évêque et le cabinet du doyen.
- Dans la cour, l'amphithéâtre anatomique fut construit grâce à la générosité de Chaptal, le chimiste, alors ministre du roi. La cour elle-même porte les traces de l'époque médiévale (quelques fenêtres et l'arrachement du cloître).
- En suivant les panneaux vous atteindrez, au premier étage, le musée d'anatomie, une salle élégante et claire, où sont conservés des moulages, des préparations et des instruments anciens.

■ Le musée Atger

2, rue de l'École-de-Médecine.

Ouvert de 13 h 30 à 17 h 45 le lundi, le mercredi et le vendredi.
☎ **04 67 66 27 77.**

Entre 1813 et 1833, Xavier Atger donne à la Faculté de médecine où il comptait, parmi les professeurs, de nombreux amis, une admirable collection de 700 dessins. L'essentiel de cet ensemble est consacré aux artistes du midi de la France ayant pour trait commun d'avoir séjourné un temps à Rome : Sébastien Bourdon, Nicolas Mignard, Pierre Puget…

▲ *La salle des Actes est décorée de bustes de médecins (dont l'un, prétendu antique, d'Hippocrate de Cos), de portraits de professeurs des XIXe et XXe s. et de peintures murales représentant saint François de Salle et saint Charles Borromée, vestiges d'une décoration du XVIIe s., quand cette salle était la bibliothèque des évêques.*

▷ Le quartier des musées *PLAN C1-2*

Du musée Fabre à la place du Nombre d'Or

En partant de la place de la Comédie, prenez l'Esplanade Charles-de-Gaulle qui opère la jonction, à l'autre extrémité, avec le Corum qui fait office d'opéra et de palais des congrès. Sur la droite, au-delà du jardin du Champ-de-Mars, vous apercevez l'ancienne citadelle construite en 1622 pour prévenir toute rébellion des protestants et devenue par la suite le lycée Joffre.

▶ *En 1825, François-Xavier Fabre, peintre et grand collectionneur, fait don à sa ville de 224 tableaux, dessins, gravures et bronzes ainsi que de milliers d'ouvrages. Le musée Fabre est installé dans un ancien collège de jésuites des XVᵉ et XVIᵉ s.*

■ Le musée Fabre

39, boulevard Bonne-Nouvelle. Le musée donne sur l'Esplanade.

Ouvert du mardi au vendredi de 9 h à 17 h 30, le samedi et le dimanche de 9 h 30 à 17 h. Fermé le lundi. ☎ 04 67 14 83 00.

C'est l'un des plus beaux musées de province. Au départ installé dans l'hôtel de Massilian, il s'est étendu à l'ancien collège des Jésuites, l'un des principaux ensembles du XVIIᵉ s.

- Les bâtiments, agrandis et modifiés au fil des années, sont organisés autour de deux cours, celle des recteurs et celle des classes. La chapelle, devenue ensuite **l'église Notre-Dame-des-Tables**, ferme le côté nord de la cour des classes. La visite du musée permet de mieux percevoir l'austère sobriété de l'édifice (bonne vue d'ensemble depuis la rue du Collège).

- Le musée Fabre est le résultat des donations successives de plusieurs mécènes régionaux : le peintre Fabre, Valedeau et le collectionneur Bruyas, un riche financier protestant qui avait collectionné les toiles de tous les maîtres de son temps (Delacroix, Courbet, Ingres, Millet, Corot, Cabanel, Géricault...). Ces collections exceptionnelles sont réparties sur six niveaux et se sont étendues depuis peu aux locaux de l'ancienne bibliothèque municipale déménagée à Antigone.

- **La peinture française** des XVIIᵉ et XVIIIᵉ s. est représentée par Poussin, Bourdon, Coypel, Rigaud, Raoux,

◀ *Gustave Courbet,* Rencontre *ou* Bonjour Monsieur Courbet. *Montpellier, musée Fabre.*

Greuze, Vernet, Coustou, Fabre, David. La collection Alfred Bruyas résume toute l'aventure artistique du XIXᵉ s., avec Ingres, Delacroix, Géricault, Courbet. D'autres acquisitions sont venues compléter les œuvres rassemblées par Bruyas, notamment des tableaux de Frédéric Bazille, de Corot, Cabanel, Manet, Berthe Morisot…

- **La peinture italienne** rassemble quelques primitifs, comme une belle *Vierge à l'Enfant* proche du style de Botticelli ou un *Saint-Christophe*. Belles toiles des XVIᵉ et XVIIᵉ s. issues de la donation Fabre.

- **Les écoles du Nord** sont remarquablement bien représentées, avec près de 200 œuvres flamandes, hollandaises et allemandes (Brueghel, Van Ruysdael, Rubens…), tout comme **la peinture espagnole**, avec Zubarán, Ribera, et **l'école anglaise** avec des Richard-Parkes, Bonnington et Reynolds.

◀ *Après son acquisition par la ville en 1885, le Champs-de-Mars, actuelle esplanade Charles-de-Gaulle, est transformé en jardin public.*

▲ *L'hôtel de Varennes.*

■ L'hôtel de Varennes : le musée du Vieux Montpellier

Rue de l'Embouque-d'Or. PLAN B2

Musée du Vieux Montpellier : du mardi au samedi de 9 h 30 à 12 h et de 13 h 30 à 17 h.
Musée du Fougau : le mercredi et le jeudi de 15 h à 18 h 30.
☎ 04 67 66 02 94.

La façade témoigne de l'architecture du XVIIIe s., tandis que derrière se cache un ensemble médiéval de passages et salles gothiques voûtées où sont conservés quelques vestiges de la ville ancienne (chapiteaux et colonnes de l'ancienne Notre-Dame-des-Tables, fenêtres gothiques, pierres tombales, copie du gisant de Jacques d'Aragon…).
- L'escalier suspendu mène au **musée du Vieux Montpellier** qui évoque le passé de la ville et de ses habitants, au moyen de documents, de meubles et d'objets anciens.
- Au-dessus, **le musée du Fougau** est consacré à la vie quotidienne et aux artisanats d'autrefois.

■ L'hôtel des Trésoriers de France : le musée archéologique

Rue des Trésoriers-de-France. PLAN B2

L'un des plus beaux hôtels de la ville. Jacques Cœur y aurait vécu lorsqu'il était à Montpellier. Largement remaniée au fil des siècles, la demeure possède un remarquable escalier à colonnes et à pilastres.
- L'hôtel abrite **le musée de la Société archéologique de Montpellier**. Il regroupe des collections couvrant l'histoire locale depuis la préhistoire. S'y ajoutent des antiquités grecques, étrusques et égyptiennes ainsi qu'une collection d'objets wisigothiques.

Ouvert de 15 h à 18 h, 17 h hors saison du lundi au samedi.
Fermé les jours fériés. ☎ 04 67 52 93 03.

Le nouveau quartier Antigone

PLAN D2

▶ *Néo-classique, « monumentalisé » par des colonnes et des pilastres, le style du quartier Antigone est net et rigoureux, à l'image de la place du Nombre d'Or.*

Le pari fou de déplacer le centre ville a été lancé à l'architecte catalan Ricardo Bofill qui s'est inspiré, pour cet ensemble de logements sociaux et de bureaux, de l'Antiquité gréco-romaine. Il a choisi un béton agréablement doré qui reproduit la patine des pierres de la ville ; le résultat est étonnant d'élégance et d'harmonie, même si les détracteurs sont nombreux…
- Tout au bout, au bord du Lez, se dresse **l'Hôtel de région**.

▷ Autour de la cathédrale

PLAN AB-1

Sur le chemin de la cathédrale…

Dans la rue de l'École-de-Pharmacie, allez jusqu'à **l'église Saint-Mathieu**, dont l'intérieur recèle quelques tableaux et retables intéressants. Au bout de la rue Fournarié, prenez la rue de la Vieille-Intendance où vous notez **l'hôtel d'Audessan** (n° 9) qui accueillit le philosophe Auguste Comte et l'écrivain Paul Valéry.

■ La cathédrale Saint-Pierre

Ouverte de 9 h à 12 h et de 14 h 30 à 19 h, sauf le dimanche après-midi.

Construite au XIVe s., elle a subi d'importants dommages durant les guerres de Religion. À l'origine chapelle du monastère Saint-Benoît, elle devint cathédrale en 1536, lors du transfert de l'évêché de Maguelone à Montpellier. Elle reste la seule église catholique de la ville datant d'avant les affrontements religieux. Au premier abord, on est surpris par son originalité et son porche monumental appuyé sur deux énormes piles à toit pointu, datant de la première église. Il abrite le portail, refait en 1630 dans une copie de gothique flamboyant.

- À l'intérieur, seule la nef gothique, austère et imposante, date du XIVe s. Le reste fut reconstruit aux XVIIIe et XIXe s. Dans la quatrième chapelle latérale sur la droite, notez le tombeau du cardinal de Cabrières : le bas-relief rappelle l'ouverture de la cathédrale, en 1907, aux viticulteurs en colère ; il y avait alors près de 500 000 manifestants dans la ville.

■ Le jardin des Plantes

163, rue Broussonnet.

Ouvert en juillet et août du mardi au samedi de 8 h 30 à 12 h et de 14 h à 18 h ; fermé le samedi en août. D'avril à septembre, ouvert du mardi au samedi de 10 h à 19 h ; le reste de l'année de 10 h à 17 h. ☎ 04 67 63 43 22.

Fondé en 1593, sur une demande d'Henri IV, il était destiné à l'étude des plantes médicinales. Le plus ancien d'Europe, il stimula la création de jardins semblables dans de nombreuses villes.

- La promenade permet de découvrir les serres tropicales, l'orangerie, l'enclos des plantes médicinales et toxiques, l'insectarium, l'enclos des plantes régionales, un jardin anglais, l'école forestière…

- Une allée conduit à la plate-forme du Midi et à son bassin. La plate-forme de l'Est lui fait suite : c'est là que se trouvent certains des plus vieux arbres du parc dont un chêne vert de 1600 et un micocoulier du XVIIe s.

▲ *La façade principale de la cathédrale Saint-Pierre. Cette forteresse noire du* XIVe *s. est remarquable pour son porche monumental.*

▲ *Le chœur de la cathédrale Saint-Pierre.*

◀ *Plus de 3 000 espèces plantées, des serres tropicales et des arbres majestueux font de ce jardin des Plantes un lieu passionnant autant que reposant.*

Les peintres de Montpellier

Du XVIIe au XIXe s., accompagnant le renouveau architectural de la ville, un renouveau artistique prend place et plusieurs peintres originaires de Montpellier se font connaître d'un large public.

■ Bourdon et l'Académie royale

Sébastien Bourdon naît dans une famille protestante de Montpellier en 1616. Très doué pour la peinture, il part pour Rome à 18 ans, puis pour Paris, où il brille dans tous les genres, surtout les pastiches. En 1648, il est l'un des douze membres fondateurs de l'Académie royale de peinture. Il est appelé à la cour de Suède, auprès de la reine Christine, un personnage décrit comme « étrange et neurasthénique », dont il peint un remarquable portrait. De retour en France, il devient en 1655 recteur de l'Académie, peintre célèbre et respecté. Montpellier le voit réapparaître entre 1657 et 1658. Le lieutenant-général du Languedoc aimerait bien le retenir et Bourdon lui-même rêve de fonder une académie de peinture dans sa ville natale mais il se heurte aux jalousies des peintres locaux. Déçu, l'artiste regagne Paris et s'y fixe définitivement. Mais, durant son séjour dans la ville, il réalise un très beau tableau pour la cathédrale Saint-Pierre : la *Chute de Simon le magicien*, où il peint son autoportrait parmi les infidèles. Son œuvre révèle une grande puissance créative, associée à l'influence bien maîtrisée des écoles italienne, flamande et française. Elle se distingue par la douceur des modelés, les tons pastel et les fonds lumineux. Mais là où son véritable talent se révèle le mieux, c'est dans les portraits, saisissants de réalisme et d'expression. À ce titre, les toiles que possède le musée Fabre sont révélatrices (*L'homme aux rubans noirs* ou *Adolf Johan de Pflaz*). Le Louvre conserve un autoportrait, étonnamment vivant. Sa notoriété et la qualité de sa peinture influenceront durablement les artistes du Languedoc. Plusieurs de ses toiles sont accrochées au musée Fabre et au musée Atger.

■ Ranc, le père et le fils

Antoine Ranc est resté fidèle à Montpellier tout au long de sa carrière. L'abondance de grands chantiers religieux après les guerres de Religion lui ont fourni des commandes pour les églises (chapelle des Pénitents-Blancs, église Saint-Mathieu), mais c'est surtout dans l'art du portrait qu'il est le meilleur. Il participe, avec les peintres Pezet et Verdier, à la formation de Hyacinthe Rigaud, venu étudier à Montpellier. Jean Ranc, son fils contribue aussi à la confirmation de l'art du portrait à Montpellier. Il entre à l'Académie et, grâce au parrainage de Rigaud qui est très bien introduit auprès des puissants, il obtient la charge de premier peintre du roi d'Espagne Philippe V et devient le portraitiste officiel de la cour. Il est d'ailleurs très bien représenté au musée du Prado à Madrid. Sa découverte de la peinture de Vélasquez et de Rubens influence profondément son œuvre, comme on peut le constater en admirant son lumineux *Vertumne et Pomone*, au musée Fabre, beaucoup plus éclatant et magistral que les portraits que l'on peut voir dans le même musée.

▲ *Jean Ranc (1674-1735), Vertumne et Pomone, Montpellier, musée Fabre.*

■ Troy, la peinture décorative

Cet élève d'Antoine Ranc père, est originaire de Toulouse mais il s'établit à Montpellier après être venu y étudier. Il peint des portraits influencés par le style de Bourdon et des tableaux religieux (*Guérison du paralytique* dans la cathédrale Saint-Pierre, et la *Remise des clés à saint Pierre*, ébauché par lui et sans doute terminé par Ranc). C'est la peinture décorative qui le mettra à la mode dans les années 1660. On lui confie la réalisation de nombreux tableaux et plafonds peints dans les édifices publics et les demeures privées de la ville (*Louis XV en Apollon entouré de la Justice et de la Religion*, au palais de justice).

■ Jean Raoux, la légèreté et la grâce

Lui aussi élève d'Antoine Ranc, puis de l'Académie royale, il obtient le premier prix de Rome en 1704. Il se révèle comme l'un des peintres les plus raffinés du début du XVIIIe s. Il voyage beaucoup, à Florence et à Venise, mais aussi en Angleterre où il rencontre Watteau. En Italie, il rencontre Philippe de Vendôme, grand prieur de France qui le fait venir auprès de lui à Paris. Son style est imprégné de grâce, de légèreté, d'accords délicats, tout à fait dans le ton de son époque (la Régence puis le règne de Louis XV). Il délaisse les sujets historiques ou mythologiques qu'il trouve anecdotiques et s'attache aux scènes de genre, avec une prédilection pour le thème de la musique et la femme. Ses fêtes galantes, ses dames peintes en prêtresses ou en naïades sont pleines de fantaisie. Il réalise aussi des portraits

Comprendre • Les peintres de Montpellier

brillants, d'une grande subtilité. Il est représenté au musée Fabre.

■ Vien ou le néo-classicisme

Joseph-Marie Vien commence sa carrière artistique comme décorateur sur faïence, puis il s'essaye au portrait auprès des magistrats et des consuls de la ville. Il part étudier à Paris, puis séjourne cinq ans à Rome, avant de s'établir dans la capitale. C'est l'époque de l'engouement pour l'Antiquité et de la recherche de la perfection esthétique. En 1775, il devient directeur de l'Académie de France à Rome. Professeur de Jacques Louis David, il bénéficie de la notoriété de son élève et en tire une solide réputation de « restaurateur du bon goût ». Il laisse une œuvre abondante et rigoureuse, à l'écart du maniérisme à la mode. Dans son style néo-classique, on reconnaît l'influence de Poussin. Plusieurs de ses tableaux sont exposés au musée Fabre, représentant des scènes religieuses, comme *Saint Jean-Baptiste dans le désert* ou *Saint Grégoire le Grand*…

■ Fabre et les portraits familiers

Fils d'un peintre sur faïence, il est d'abord l'élève de Coustou, puis de Vien et de David. Il rejoint l'Académie de France à Rome et obtient le premier prix en 1787. Il décide de s'installer à Naples. Il y fait surtout la rencontre la plus importante de sa vie : celle de la comtesse d'Albany et de son amant, le poète Vittorio Alfieri. Tous trois deviennent les meilleurs amis du monde. À la mort d'Alfieri, Fabre hérite de son importante bibliothèque et accède à la comtesse, qui lui lègue tous ses biens en 1824. Après la mort de sa compagne, plus rien ne retient Fabre en Italie et il rentre à Montpellier où il crée le musée qui porte son nom et dirige l'École des Beaux-Arts. Dans l'héritage de la comtesse et du poète, outre la bibliothèque, on compte plus de 300 tableaux et objets d'art. C'est le musée qui conserve la plus belle partie de la peinture de Fabre, une œuvre très académique marquée par Poussin. Pour toucher du doigt la véritable personnalité de l'artiste, il faut chercher dans les portraits de ses proches et de ses amis, ceux d'Alfieri et de la comtesse d'Albany, de ses parents, de la famille de Lucien Bonaparte et un émouvant autoportrait de 1835.

■ Cabanel, un portraitiste à la mode

Alexandre Cabanel est un autre pensionnaire de l'Académie de Rome. C'est d'ailleurs en Italie qu'il a peint ses meilleures toiles. De retour à Montpellier, il exécute de nombreux portraits des membres de sa famille ou des notables de la ville. Il s'installe ensuite à Paris et devient très vite un peintre à la mode, surtout après le portrait de Mme Paton. L'un des peintres favoris de l'Empire, ses œuvres sont très académiques, dénotant une technique parfaitement maîtrisée, une grande vir-

◀ *Statue de Jean Raoux (1677-1734) sur le bâtiment du musée Fabre.*

tuosité et une volonté d'idéaliser les sujets, comme on le constate en admirant, au musée Fabre, sa *Vénus victorieuse* ou la célèbre *Phèdre*. De son séjour romain, on peut voir *La Chiaruccia* ou *L'Albeydé*, représentant la plus belle période de sa peinture.

■ Bazille ou le culte de la lumière

L'un des pionniers de l'impressionnisme, Frédéric Bazille pratique la peinture en plein air et s'attache à rendre tous les effets subtils de la lumière, dans une palette de tons clairs. Il se veut un chantre de la nature, à l'opposé de Cabanel, qui pourtant l'encourage. De tous les peintres de Montpellier, il est celui qui annonce le mieux les révolutions à venir. Il ne vivra malheureusement pas assez longtemps pour aller au bout de son talent puisque, engagé dans la guerre de 1870, il est tué à 29 ans. Il laisse quelques tableaux d'une grande fraîcheur, rendant à merveille la lumière languedocienne. Le musée Fabre possède notamment la superbe *Vue de village*, ou une *Négresse aux pivoines* ou encore *Les remparts d'Aigues-Mortes*…

Le circuit des châteaux

CARTE P. 313

L'incroyable essor que connaît Montpellier au XVIIIe s. enrichit considérablement la bourgeoisie. Les investisseurs commencent aussi à miser sur les propriétés foncières et à acheter de grands domaines aux portes de la ville, espérant arrondir encore leur fortune au moyen du vignoble. Ils construisent de splendides demeures, suivant le même souci d'élégance que dans les hôtels particuliers du centre ville. En raison de l'accroissement de l'agglomération, certaines sont désormais situées en pleine ville. La plupart de ces folies sont privées et ne se visitent pas. L'office du tourisme organise cependant des circuits guidés permettant d'en découvrir quelques-unes.

▲ *Le château d'O ouvre son parc au public le samedi et le dimanche. Le tracé des jardins date de 1762 ainsi que le vaste bassin dominé par une tribune de pierre.*

■ La villa Haguenot

Tout près du Peyrou, dans la rue de la Merci.

Ne se visite pas.

Cette belle demeure était située à l'extérieur de la ville à l'époque de sa construction. Elle fut dessinée par l'architecte Giral pour un doyen de l'université de médecine, entre 1752 et 1757. On la distingue bien depuis la terrasse sud du Peyrou car, construite avant les nouveaux plans d'urbanisme, elle est plus haute que les bâtiments qui l'entourent. Son propriétaire, féru d'astronomie, observait le ciel depuis la terrasse du toit. L'ensemble dégage un grand charme, avec son allure champêtre, coincée en pleine ville. Jeux de marches dans le jardin, orangerie, terrasse en bosquet, jardins suspendus : on devine la douceur de vivre à l'écart des bruits de la ville. L'intérieur est largement décoré de « gypseries », figurant des scènes campagnardes, musicales ou galantes.

■ Le château de la Piscine

Sur l'avenue de Lodève, au sud de la ville.

Visite des jardins seulement, sur rendez-vous : ☎ 04 67 75 73 56.

Cet édifice mérite que l'on passe devant pour son architecture sobre et la belle composition du jardin. Il est aujourd'hui complètement entouré de construction mais sa façade à deux étages, sur une cour d'honneur donne une idée de ce que devait être le cadre quand il se trouvait en pleine campagne.

- Côté cour, le décor se compose de trophées de chasse et de dogues de pierre. Côté jardin, la façade sud donne sur une terrasse et une immense pelouse.

- Des allées latérales ouvertes par des vases et des statues des saisons encadrent un bassin central. Élisa Bonaparte, grande duchesse de Toscane, l'avait choisi pour s'exiler en quittant Florence, après la chute de Napoléon. À l'intérieur, les habituelles « gypseries » illustrent les Fables de La Fontaine.

■ Le château d'Alco

Au-dessus de l'avenue des Moulins, en direction de Ganges.

La visite des jardins est libre.

◀ ▼ *Le château d'Alco, belle demeure languedocienne entourée de jardins à la française, appartient désormais au Conseil général de l'Hérault.*

Bâti vers 1730-1740 pour un trésorier des États, il représente le type même des grandes maisons classiques que les notables faisaient construire à la périphérie de la ville. C'est aujourd'hui la propriété du Conseil général de l'Hérault qui a érigé le nouvel Hôtel du département sur le terrain, en préservant le côté jardin organisé en **terrasses** dominant toute la ville : le panorama s'ouvre de la mer aux Cévennes, et même aux Pyrénées quand il fait très beau.

■ Le château d'O

La visite des jardins est libre.

Également propriété du Conseil général, il est situé sur la même avenue et se remarque aux deux lions de pierre qui gardent le portail. Construit vers 1740-1750, il fut racheté en 1762 par l'intendant du Languedoc. C'est lui qui commanda l'aménagement des magnifiques jardins et fit creuser le vaste bassin dominé par une tribune de pierre. À l'époque, il y faisait donner des spectacles nautiques. Le château doit son nom aux deux sources qui se trouvent dans le parc. Le parc est ponctué de statues qui proviennent du château de La Mosson. Au XIXe s., l'ensemble appartenait aux évêques de Montpellier.

Prenez ensuite la route de Celleneuve, vers le sud, puis la direction de Juvignac, vers l'ouest, pour arriver à La Mosson.

■ Le château de L'Engarran

À l'entrée de Juvignac, prenez la D 5 en direction de Lavérune sur environ 3 km ; suivez le panneau indiquant le château de L'Engarran.

Visite des jardins sur rendez-vous : ☎ 04 67 47 00 02. Vente de vin tous les après-midi.

Cette folie très classique appartenait à un conseiller à la Cour des comptes. La grille provient de La Mosson et ouvre sur une allée menant à une cour d'honneur, devant un avant-corps aux angles arrondis, surmonté d'un fronton et flanqué de deux ailes. Le salon est décoré de « gypseries ». Le jardin a pratiquement gardé son aspect d'origine avec son bassin, son buffet d'eau et ses sculptures.

■ Le château de La Mosson

▶ *La façade côté jardin du château de La Mosson.*

Comparé aux autres châteaux qui sont d'aimables demeures de campagne, celui-ci est sans doute la plus belle des folies montpelliéraines. Elle n'est malheureusement plus que l'ombre de son passé, dépouillée de la presque totalité de ses trésors. Ce qu'il en reste est cependant splendide et l'objet de patientes restaurations. Le château fut construit en 1723 par un banquier dénommé Bonnier, trésoriers des États, fils d'un riche marchand de laine. Pour asseoir son prestige, il a racheté la baronnie et le vieux château de La Mosson, dont il entreprend la reconstruction. On s'accorde à penser que l'architecte en est Giral, qui a tant travaillé aux belles maisons de la ville.

- La décoration est confiée à Adam, un sculpteur de Nancy, et à Jean Raoux, le peintre montpelliérain. L'intérieur abrite des collections d'objets d'art et des cabinets de curiosités. À la mort prématurée du fils Bonnier, sa veuve vend tout à une association. Tout est dépecé, vendu pièce par pièce et dispersé. La ville de Montpellier en fait l'acquisition en 1982 et entame une très lente restauration. De la splendeur passée, on peut tout de même voir les communs, le corps central du bâtiment et le buffet d'eau.

- Il ne reste plus que le **corps central**, mais à l'origine, deux ailes revenaient de part et d'autre de la cour d'honneur. La façade se compose d'un portique à colonnes supportant le balcon de l'étage, surmonté d'un fronton. Côté jardin, la façade est convexe pour accommoder le salon ovale. Les belles fenêtres sont séparées par des pilastres et surmontées d'un fronton sculpté. La qualité des sculptures qui demeurent au fronton du salon et aux fenêtres donne une idée de l'élégance que devait avoir l'édifice quand il était entier.

- À l'intérieur, le corps central est axé sur un **grand vestibule** d'où partaient deux cages d'escalier symétriques, et le **salon ovale à l'italienne**. La galerie située à mi-hauteur servait aux musiciens. Des colonnes ioniques et corinthiennes rythment l'architecture de la pièce. Admirez les sculptures évoquant la musique et la danse et les médaillons à thème mythologique.

■ Le château de Lavérune

À la différence des folies du XVIIIe s., ce château est beaucoup plus ancien. Le premier édifice date du XIIIe s. Il sert de quartier général aux troupes catholiques durant les guerres de Religion puis change plusieurs fois de mains avant d'appartenir aux évêques de Montpellier.

- La belle **porte fortifiée** du côté est, malgré son décor abondant, est bien un ouvrage militaire, comme le prouvent ses mâchicoulis et ses postes de tir : elle date du XVIe s. Le tout début du XVIIIe s. voit la construction de la **chapelle**, par Daviler, l'architecte du Peyrou, et le dessin à la française du jardin. Le **jardin à l'anglaise** date, lui, de la seconde moitié du XVIIIe s.

- La belle **façade côté parc** et le **salon de musique**, inspiré de celui de La Mosson, sont exécutés à partir de 1754. Les « gypseries » évoquent aussi le château voisin.

- Dans le parc, le **musée Hofer-Bury** présente des expositions d'art contemporain.

■ Le château de Flaugergues

À l'est de Montpellier, prenez la route de Mauguio.

Ouvert tous les jours en juillet et août sauf le lundi, de 14 h 30 à 18 h 30.

Étienne de Flaugergues, financier et contrôleur du parlement de Toulouse, fait l'acquisition du domaine en 1696. La plus ancienne des folies de Montpellier est aussi très différente des autres. D'abord, elle est encore marquée par le style du XVIIe s. et puis elle a un « je ne sais quoi » d'Italie : avec sa façade ocrée doucement patinée, ses rangées de cyprès, ses statues et ses balustrades, on la dirait venue de Toscane.

▼ *La folie de Flaugergues fut édifiée en 1690 dans un style italianisant. Dans les jardins se côtoient bambous, cèdres bleus, pins parasols, chênes blancs et arbousiers.*

- La maison passe ensuite aux propriétaires de La Mogère, le château voisin, qui font construire l'orangerie et remodèlent le **jardin**, toujours admirablement entretenu. Les buis du jardin à la française, au pied de la terrasse, sont un ajout des occupants actuels. - L'intérieur superbement meublé et décoré présente une curiosité exceptionnelle : **l'escalier** avec des voûtes à clés pendantes sur trois niveaux. Parmi le mobilier, admirez les **tapisseries flamandes** des XVIIe et XVIIIe s. et les meubles de la même époque. La propriété est aussi une exploitation viticole dont on peut déguster les vins.

■ Le château de Grammont

Au lieu-dit de Montauberou, une communauté de Grandmontains s'installe au XIIe s., attirée par le comte de Toulouse, qui règne aussi sur Mauguio. Après avoir

plusieurs fois changé de mains, le château est racheté au XIXe s. par un professeur de la Faculté de médecine. À sa mort, son épouse le lègue à la Faculté pour en faire un établissement de soins. Racheté par la ville en 1979, le domaine accueille toutes sortes d'activités et d'associations.
- Les bâtiments, bien que très transformés, ont conservé le plan type des monastères grandmontains : un petit **cloître** central carré entouré par la chapelle et les pièces communes des moines. Les salles de la partie est datent de l'époque romane. L'aile donnant sur le parc, de style néo-classique, est du XIXe s. et possède un double escalier extérieur menant à un porche à colonnade.
- **La chapelle** date aussi du XIXe s. : son style néogothique chargé est très éloigné de la sobriété de l'ordre monastique. Notez les **vitraux** représentant

▲ *Le parc, splendide, du château de Grammont, attirait jadis les botanistes de l'université ; c'est devenu un centre horticole.*

les patrons de la chapelle : les visages ont été remplacés par des portraits photographiques sur verre des donateurs, de leurs amis et des exécuteurs testamentaires. **La table d'autel**, en revanche, est romane et provient du prieuré voisin de Saint-Pierre-de-Montauberou.

■ Le château de La Mogère

Reprenez la route de Mauguio, passez sous l'autoroute pour rejoindre La Mogère.

Visite de 14 h 30 à 18 h 30 de la Pentecôte à fin septembre.

On attribue à l'architecte Giral la paternité de cet édifice construit entre 1715 et 1716. Resté depuis lors dans la même famille, le château a traversé sans encombre la Révolution et ses propriétaires ont continué d'amasser meubles rares et objets d'art.
- À l'intérieur, les pièces sur jardin sont décorées de « gypseries » illustrant les quatre saisons. Le mobilier du XVIIIe s., les superbes tableaux (Brueghel, Rigaud, David…) et les souvenirs des familles montpelliéraines donnent une idée du style de vie des notables de l'époque.

- Le parc à l'anglaise du XIXe s. a laissé la place à un **jardin** à la française qui reprend les plans initiaux du domaine. Le **buffet d'eau** baroque, entièrement décoré de coquillages, en est la pièce maîtresse.

■ Le château de Castries

Sortez de Montpellier par le nord-est et la route de Sommières (N 113 puis N 110).

Visite de 10 h à 12 h et de 14 h à 18 h. Fermé le lundi et en janvier.

Il ne s'agit plus du tout ici d'une folie du XVIIIe s. mais d'un très ancien domaine. Le premier château fut bâti au XIe s. Les édifices successifs resteront dans la famille de Castries jusqu'à la Révolution et le château sera racheté au XIXe s. par le second duc de Castries qui lui redonnera sa splendeur passée. À la mort du dernier propriétaire, René de Castrie, en 1985, le château est légué à l'Académie française avec obligation pour les Académiciens (le dernier duc en était un) d'y tenir une séance annuelle.

- Des bâtiments qui existent aujourd'hui, la partie la plus ancienne remonte au XVIe s., mais elle fut très endommagée par les troupes du duc de Rohan durant les guerres de Religion. Après le rachat de 1828, le duc de Castrie fait rajouter le toit « à la Mansart ».
- Les bâtiments sont organisés en U autour d'une cour d'honneur. Le corps principal est précédé d'un portique abritant un buste de Louis XIV. À l'intérieur : cuisine à l'ancienne, salle à manger, salle des États et bibliothèque où est résumée l'histoire de la famille.
- Dans les **jardins**, belle pièce d'eau, parterres de buis taillés à la française et grotte abritant une statue de l'Amour.

▲ *Un aqueduc de 7 km de long alimente les jardins du château de Castries, dessinés par Le Nôtre. Chaque été s'y tiennent en plein air les Nuits de Castries, un festival de musique, de théâtre et de danse.*

■ Le château d'Assas

À 12 km au nord de Montpellier.

Ouvert du 1ᵉʳ mai au 2 novembre de 14 h 30 à 18 h le dimanche et les jours fériés; hors saison sur rendez-vous. ☎ 04 67 59 62 45.

La seigneurie d'Assas existe depuis le XIIe s. Le domaine est arrivé entre les mains de Jean Mouton, un financier montpelliérain, en 1720. Le château actuel fut construit vers 1760 par son fils, Jacques Mouton, conseiller à la Cour des comptes, à la place du château primitif. La façade côté jardin est un curieux mélange : avec ses deux ailes surélevées, elle ressemble presque à un château médiéval; colonnes, frontons et balustrades la relèguent cependant dans le domaine classique. L'ensemble est toutefois très attachant. Les salons accueillent des concerts. Un superbe clavecin du XVIIIe s. y est conservé, ainsi que des boiseries que l'on pense venues du château de La Mosson.

Le pic Saint-Loup et la garrigue de Montpellier

CARTE P. 313

Au nord de Montpellier, le pic Saint-Loup est cette échine blanche qui surgit du vert de la garrigue, dominant la plaine de ses 658 m. Dans un paysage sauvage, ponctué de mas et de bergeries, les beaux villages succèdent aux sites naturels.

▲ *Le pic Saint-Loup. Une légende raconte qu'au Moyen Âge, trois amis, Guiral, Loup et Clair, amoureux d'une même femme, furent par elle mis à l'épreuve. Au retour de la guerre censée faire preuve de leur vaillance, ils ne la retrouvèrent plus. Fous de douleur, ils se firent ermites chacun sur un mont qui prit leur nom : Aigoual, Saint-Loup et Saint-Clair.*

▲ *Des hauteurs du pic Saint-Loup, superbe panorama sur la falaise de l'Hortus.*

■ Les Matelles

Sortez de Montpellier par le nord-ouest et la D 986. Une dizaine de km après la sortie de l'agglomération, prenez à droite vers Les Matelles (D 102).

Le **village fortifié** a conservé ses ruelles pavées, ses escaliers, ses petites places plantées de platanes. C'est une ancienne place forte protestante, pleine de charme, typique des villages de la garrigue.

- Le **Musée préhistorique** évoque la vie des hommes du néolithique, notamment les premiers rites funéraires.

Ouvert le vendredi et le dimanche de 15 h à 17 h.

■ Le pic Saint-Loup

Un sentier fléché part du village et monte à une chapelle. Comptez 2 h 30 à 3 h selon votre rythme (la fin est un peu plus rude que le départ). Prévoyez de quoi boire : le versant sud est très chaud.

Cet énorme pli calcaire se termine vers le nord par une **falaise abrupte** qui lui donne son profil caractéristique.

- Au nord-est, **la montagne de l'Hortus** rejoignait le pic Saint-Loup par une voûte qui s'est effondrée. Le **panorama** du sommet est impressionnant : au nord la falaise à pic, territoire des amateurs d'escalade, l'Hortus et la barre des Cévennes, à l'ouest la dépression de Saint-Martin-de-Londres, au sud la plaine et la mer, à l'est la silhouette au loin du château de Montferrand. Notez également la constitution **fossile** du calcaire et les inclusions parfois de taille importante.

De Cazevieille, allez vers l'est à Saint-Mathieu-de-Tréviers, autre point de départ de randonnées. Prenez la D 1 qui passe entre le pic Saint-Loup et l'Hortus.

- Un sentier part vers le **château de Montferrand** (2 h aller-retour), bâti au XIIᵉ s. et propriété du comte de Toulouse. Il contrôlait la route entre Montpellier et les Cévennes. Durant la croisade cathare, il dut l'abandonner à l'Église et le château passa aux évêques de Maguelone.

- Le **château de Viviourès**, du XIIᵉ s., avait le même rôle de sentinelle et échut lui aussi aux évêques de Maguelone.

Pour y accéder, tournez à droite vers le Camp, depuis la D 1, après l'Hortus : le sentier part sur la droite à environ 300 m du carrefour. Compter 1 h aller-retour.

■ Saint-Martin-de-Londres

Au cœur d'une dépression marécageuse, le village est composé de deux enceintes juxtaposées. À la place de l'ancien cimetière, belles maisons des XVIᵉ et XVIIᵉ s.

- L'ancienne maison des moines a conservé sa **galerie à arcades** qui entourait la place, un peu comme un cloître.
- **L'église**, qui dépendait de Saint-Guilhem-le-Désert, est un très bel exemple d'architecture romane primitive (fin XIᵉ, début XIIᵉ s.). Son plan est en trèfle et les **décorations lombardes** (bandes de petites arcades et décors en dents d'engrenage) sont typiques de l'art de cette époque. Le ravissant petit clocheton date du XVIIIᵉ s. Le **saint Martin à cheval**, au-dessus de la porte, est de la fin de la période gothique. L'intérieur, bien que très décoré au XIXᵉ s., garde son unité romane. Notez la belle voûte et la **coupole**, haute de 15 m, dont les pierres sont astucieusement taillées pour former la voûte.

Reprenez la D 986 jusqu'au pont sur le Lamalou. Un sentier (le GR 60) sur la gauche mène au ravin des Arcs.

■ Le ravin des Arcs

1 h 30 aller-retour, sentier caillouteux.

Cette belle balade longe le petit **canyon du Lamalou**, taillé dans la roche calcaire par la rivière. En période de sécheresse, il est ponctué seulement de trous d'eau, les « gours », creusés dans les cuvettes de calcaire.

- **Le Grand Arc** est une arche naturelle que la rivière n'a pas encore érodée et sous laquelle elle se faufile. Par fortes pluies, les crues sont rapides et brutales.

Retournez sur la D 986 et tournez vers Notre-Dame-de-Londres.

■ Notre-Dame-de-Londres

Ce joli village est typiquement languedocien, avec ses maisons à rez-de-chaussée voûté pour les bêtes et l'outillage, premier étage pour l'habitation et grenier pour entreposer les récoltes. L'escalier extérieur en pierre dessert une terrasse couverte. **L'église** est romane.

La route des verriers

Les forêts qui entouraient jadis Ferrières-les-Verreries et ses environs servaient à alimenter les forges et les fours des verriers très nombreux dans la région. Le village, perché sur une crête, vivait de l'industrie du fer et du verre. À Coulobrines, un four de verrier a été reconstitué à l'ancienne, en plein air, comme au temps de la Renaissance.

▲ *Saint-Martin-de-Londres est au cœur d'un bassin marécageux, dominé par le pic Saint-Loup.*

Le village préhistorique de Cambous

Découvert en 1967, ce village est le vestige d'une civilisation de cultivateurs et de bergers d'environ 2 000 ans avant notre ère, à l'âge du cuivre. Les ruines montrent l'existence d'un village organisé en quatre hameaux de chacun 8 à 10 maisons. Les habitants vivaient de la culture du blé et de l'orge, qu'ils savaient moudre à l'aide d'une meule de granit. Ils élevaient des chèvres et des moutons, mais aussi quelques porcs et des bœufs. Au début de cette civilisation, les hommes utilisaient encore des abris temporaires pendant les campagnes de chasse, grottes ou huttes de branchages. Par la suite, l'habitat groupé et organisé s'est répandu dans toute la garrigue. Ils utilisaient des outils de silex finement travaillés puis peu à peu maîtrisèrent la métallurgie du cuivre. Ils fabriquaient des poteries à décor simple. Les maisons découvertes à Cambous sont rectangulaires, aux extrémités arrondies. Le sol est en terre battue, les murs en pierre calcaire locale. De gros poteaux plantés en terre soutiennent une poutre ; la toiture est en chaume ou en dalles minces (lauzes) provenant des environs de Saint-Martin-de-Londres.

La garrigue

Paysage typique du Languedoc méditerranéen, la garrigue est une appellation souvent confondue avec d'autres. Ainsi, le maquis désigne une zone de végétation dégradée sur un terrain siliceux, alors que la lande s'applique au même phénomène mais sous un climat océanique. La steppe concerne quant à elle un milieu aride, froid ou chaud. La garrigue correspond elle aussi à un état dégradé de la végétation, mais elle est définie par son sous-sol, son histoire et sa végétation.

▲ *Romarin en fleur. Le bouquet garni est à l'état sauvage dans la garrigue ! Thym, romarin, sarriette…*

▶ *Le chêne pubescent constitue les taillis sur sols pauvres, calcaires et secs. Son écorce est recherchée par les tanneurs et la truffe vit en symbiose avec ses racines.*

Dans son stade de dégradation ultime, aux abords des villes, la garrigue n'est plus qu'une pelouse d'herbacées brûlées par le soleil : des asphodèles notamment, qui colonisent très vite le terrain après les incendies.

■ Les sites

La garrigue s'étend sur une large bande dominant la plaine littorale autour de Montpellier et Nîmes et montant par paliers jusqu'aux contreforts du Massif central et jusqu'à Valence, au nord. Elle est facile à découvrir de part et d'autre de la route de Montpellier à Ganges ou au nord de Nîmes en remontant vers l'Ardèche. Elle concerne des altitudes encore modestes mais comportent des points plus élevés comme le pic Saint-Loup (658 m) ou la montagne de l'Hortus au-dessus de Montpellier. Cependant l'altitude moyenne varie entre 100 et 400 m.

■ L'histoire

La région concernée a été occupée très tôt dans l'histoire. Déjà environ 100 000 ans avant notre ère, une population de chasseurs vivait dans les grottes des falaises calcaires.

- La garrigue ne fut colonisée par des paysans sédentaires que 3 000 ans avant notre ère. Les hommes commencèrent alors à construire des villages et à conquérir l'espace pour y implanter l'agriculture. La traditionnelle association d'activités méditerranéennes s'installe ensuite : élevage de moutons et de chèvres, céréales, puis vigne et olivier.

- À mesure que l'homme étend son emprise sur le territoire, il procède au défrichement. On sait qu'une épaisse forêt aux essences variées couvrait jadis la région. Pour aménager les terres et pour se chauffer, les habitants ont déboisé de plus en plus. L'essor des forges et des fours de verriers a demandé une énorme consommation de bois, de même que le chauffage ou les feux des bergers qui dégageaient des pâturages. Les espèces sont devenues de moins en moins nombreuses et la forêt s'est dégradée totalement jusqu'à ne laisser que de maigres bosquets et des étendues de végétation basse. C'est pourquoi on désigne la garrigue par le terme de stade régressif, car elle correspond à un état dégradé de la forêt primitive

■ Le sous-sol

Principalement composé de calcaire, le sous-sol de la garrigue conditionne ses paysages.

- Le calcaire est perméable à l'eau, qui ne reste donc pas en surface mais s'enfonce sous terre pour rejaillir en résurgences par la moindre faille, dès qu'elle rencontre une couche imperméable. C'est le cas à la source du Lez, qui est une de ces résurgences.

- Les niveaux successifs du relief sont coupés de failles, animés de plis géants, percés de crêtes ou de pics. Plus haut, les anciennes collines érodées forment des plateaux, que l'eau a façonnés en gorges et en avens, longés de falaises percées de grottes. Sur ces plateaux cailouteux, les quelques dépressions se sont comblées de terre issue de la décomposition du calcaire et forment des cuvettes exploitées par l'homme pour l'agriculture. Ailleurs l'érosion et les pluies violents ont emporté la terre laissant apparaître la roche nue entre les maigres plantes de la garrigue.

■ Le chêne kermès : l'arbre-symbole

La forêt originelle de chênes verts et de pins d'Alep a pratiquement disparu. Elle est remplacée par une végétation plus basse et plus clairsemée. S'il reste quelques chênes verts, l'arbre-symbole de la garrigue est le chêne kermès, un petit arbre remarquablement adapté aux conditions climatiques. Ses feuilles épaisses et recouvertes d'un enduit imperméable résistent bien au feu, ses épines éloignent chèvres et moutons, ses racines très importantes lui assurent une régénération rapide en cas d'incendie. Mais la garrigue est surtout le territoire des arbustes : ciste blanc à petites feuilles duveteuses résistant bien à la sécheresse, ciste de Montpellier à feuilles vertes, fines, enroulées sur les bords et collantes, buis que l'on trouve surtout au-dessus de 200 m, cade à petites feuilles piquantes et à fruits rouges.

Plus bas encore que les arbustes, on trouve les plantes odorantes typiques de la garrigue et correspondant à un état encore plus dégradé : le romarin qui préfère les sols anciennement cultivés et les marnes, le thym et la lavande qui sont souvent mélangés et poussent en touffes basses et denses. Thym et lavande coexistent souvent avec le genêt scorpion, à fleurs jaunes et parfumées et à épines redoutables.

Le feu

Autrefois, le feu était le fait des hommes gagnant la survivance sur une nature sauvage et hostile. Aujourd'hui, il est devenu synonyme d'incendie criminel ou, dans le meilleur des cas, de négligence. Outre les dangers qu'il fait courir aux villages et aux habitants, le feu accélère la dégradation de ce qui reste de forêt. Le problème est aggravé par la présence du pin qui, comme le ciste, colonise rapidement les espaces déboisés tout en étant extrêmement inflammable. Le feu ravage par la même occasion le sous-bois, riche de jeunes pousses de chênes verts et compromet encore plus la régénération future de la forêt. On estime qu'à chaque hectare qui brûle, ce sont 300 oiseaux, 400 mammifères et 5 millions d'insectes qui partent en fumée…

Comprendre • La garrigue

Lunel et ses environs

CARTE P. 313
Office du tourisme :
cours Gabriel-Péri.
☎ 04 67 87 83 97.

L a légende raconte que la petite ville fut fondée par des juifs resca-
pés de la prise de Jéricho. Aujourd'hui, Lunel est connue pour son
délicieux muscat, son vin et ses courses camarguaises.

▶ *Le passage voûté des*
Caladons (grandes dalles)
à Lunel date de 1240.
Il s'agit de l'ancienne
commanderie des templiers
qui fut englobée ensuite
dans l'enceinte de la ville.

La colline d'Ambrussum porte les vestiges d'un important oppidum que les Romains ont ensuite utilisé
comme étape sur la via Domitia. Le déplacement de la
ville vers les étangs, sans doute autour d'un péage sur le
Vidourle, date du IVᵉ s. Une légende persistante attribue
la fondation de Lunel à une colonie juive ayant fui la cité
de Jéricho dévastée par les Romains. Au Moyen Âge, la
communauté juive est particulièrement active et dynamique et son rayonnement culturel très important. Les
rabbins de Lunel contribuèrent, par leurs traductions des
ouvrages philosophiques et scientifiques hébraïques, à
l'élaboration de la Kabbale d'Espagne, l'un des grands
courants de la mystique juive. Mais en 1306, en expul-
sant les juifs du royaume, Philippe le Bel mit fin à ce
rayonnement. Pendant les guerres de Religion, la ville,
tenue par les protestants, dut capituler devant les armées
royales et ses remparts furent démantelés.

■ La ville : un charme médiéval

Le centre ville a gardé, avec ses étroites ruelles, son
charme médiéval. Ce qui reste de l'ancienne école juive
du XIIIᵉ s. se trouve dans **l'hôtel de Bernis**, rue
Alphonse-Ménard.
- **L'église Notre-Dame-du-Lac**, construite au XVIIᵉ s., possède un clocher du XIVᵉ s., construit sur une ancienne
tour de guet.
- La **bibliothèque**, hébergée dans l'ancien hôtel de ville
du XVIIIᵉ s., conserve un fonds très rare : plus de 5 000

Vins et muscat

Huit communes autour de
Lunel produisent des AOC
coteaux du languedoc,
avec mention du terroir de
Vérargues. Ce sont
d'agréables vins rouges ou
rosés, à boire jeunes de pré-
férence, les rosés sur char-
cuterie ou hors-d'œuvre, les
rouges sur des viandes
grillées et des fromages. Le
muscat de Lunel ne
concerne que trois com-
munes : Lunel-Vieil,
Vérargues et Saturargues.
C'est un vin doux naturel.

volumes dont le célèbre psautier de Lunel (Xe s.) qui faisait partie de la bibliothèque de l'abbaye de Gellone, une édition rarissime des *Oiseaux* de Buffon en dix volumes, ou un *Décaméron* de Boccace, édité à Londres et ayant appartenu au duc de Choiseul

Visites sur rendez-vous, s'adresser à l'office du tourisme.

▲ *Manade de taureaux. L'été, Lunel devient un des centres de la tradition tauromachique de la course libre.*

■ Marsillargues

À 4 km au sud-est de Lunel.

Ce joli village se vante de posséder deux châteaux.
- **Le château de Marsillargues** fut attribué à Guillaume de Nogaret en remerciement pour les services rendus à Philippe le Bel. Du premier édifice construit en 1305, il ne reste que le sous-sol et peut-être la tour carrée. Le reste du bâtiment date de la Renaissance. La belle façade nord porte des bas-reliefs, des masques et des guirlandes. Notez le porc-épic, emblème de Louis XII, le croissant de la favorite Diane de Poitiers et la salamandre, emblème de François Ier. À l'intérieur, la salle à manger a été restaurée comme avant la Révolution, avec ses lambris et son plafond suspendu. Notez la fontaine et son surprenant décor de coquilles, son plafond décoré de masques et son dauphin. On peut également voir une salle de billard et ses « gypseries », la chambre de parade et son plafond à caissons et un petit musée d'Arts et Traditions populaires, installé dans les salles basses du château.
- Après le pont de Marsillargues, visitez **le château de Teillan**, dans un parc romantique semé de stèles funéraires. L'édifice était à l'origine un castrum romain. Vendu ensuite à l'abbaye de Psalmody, il lui servait de base de ravitaillement grâce à un souterrain de 6 km. Le parc possède la plus grande noria du Languedoc et l'un des plus vastes pigeonniers d'Europe (1 500 nids), construit en 1605 pour approvisionner Aigues-Mortes en pigeons voyageurs.

■ L'oppidum d'Ambrussum

À 4 km au nord de Lunel.

Pour les groupes, visite guidée proposée par l'office du tourisme.

Commencez par **les vestiges du pont romain** qui permettait à la via Domitia de franchir le Vidourle. En escaladant la colline, vous apercevez les vestiges de l'ancienne voie romaine et son pavage presque intact que vous pouvez suivre sur 200 m et qui entre dans la ville par le sud.
- L'oppidum lui-même est la ville haute située sur la colline : un grand édifice public, le quadrillage des rues avec les maisons serrées les unes contre les autres et l'enceinte en forme de triangle muni de tours.
- Au pied de la colline, la ville basse se composait de fermes et d'entrepôts en briques d'argile crue, équipée d'un système de protection contre les crues du Vidourle.

▲ *L'oppidum d'Ambrussum : le pont qui enjambait le Vidourle et sur lequel passait la voie domitienne ne compte plus qu'une arche solitaire sur les onze d'origine.*

Les sources Perrier

À 12 km en direction de Nîmes, à Vergèze, se trouvent les sources Perrier. On peut visiter l'usine d'embouteillage de la très célèbre eau pétillante.

Nîmes et sa région

◀ *Nîmes, le jaquemart de l'hôtel de ville.*

Entre plaine et garrigue, entre Provence et Languedoc, Nîmes est l'une des villes les plus prestigieuses du Midi. Son incroyable patrimoine antique et la splendeur de son arrière-pays se conjuguent pour en faire un site à part. Qui ne connaît pas les arènes, la Maison Carrée, le pont du Gard ? La région nîmoise, c'est aussi Saint-Gilles, pèlerinage majeur au Moyen Âge, la Petite Camargue et ses troupeaux de taureaux, Uzès et sa merveilleuse tour romane et, partout, la garrigue odorante et sonore…

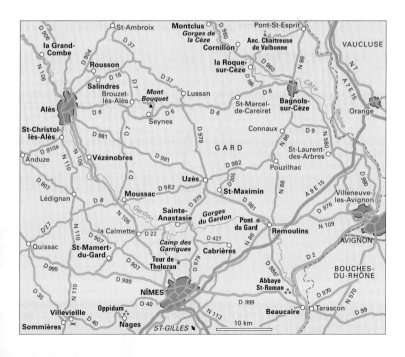

Visiter • Nîmes et sa région

Nîmes

Office du tourisme : 6, rue Auguste.
PLAN B2. ☎ 04 66 58 38 00.

Voilà une ville qui ne sait pas si elle est déjà de Provence ou encore du Languedoc. Séduisant mariage de places ombragées où l'on boit le pastis aux terrasses, de boutiques élégantes, de joueurs de pétanque, de boulevards plantés de platanes. Ambiance chaude des jours de corridas, quand la feria met le feu à la ville. Rappel de la violence antique dans les arènes, élégance discrète des grandes maisons protestantes, splendeur classique des jardins de la Fontaine ou sobriété futuriste du Carré d'art, une ville toute de paradoxes…

Des Celtes aux Romains

Les premiers à avoir laissé une trace à Nîmes sont les Volques, au VIe s. avant notre ère, une tribu celte qui occupe les pentes du mont Cavalier au-dessus de la fontaine. Ils ont édifié un sanctuaire près de la source et créé aux alentours une véritable ville, avec des maisons de pierres liées à l'argile, des rues et une enceinte gardée par une tour. En grandissant, la ville s'étend même vers la plaine. Elle possède une immense nécropole. La ville est située sur la route d'Héraclès, une voie empruntée par les Grecs pour le commerce avec l'Espagne. Quand les Romains colonisent la Gaule et fondent la Narbonnaise, ils aménagent cette ancienne voie grecque pour en faire la via Domitia, une route moderne jalonnée de bornes et de relais pour les courriers. Les oppidums gaulois qui sont placés le long de la route sont occupés en priorité. Pour peupler Nîmes, on fait venir de Rome des vétérans des armées et des colons. Soumise au droit latin, la ville s'appelle alors Nemausus, du nom du dieu de la Source vénéré au temple.

La vitrine de l'Empire

Elle devient peu à peu une vitrine de l'Empire, surtout sous l'empereur Auguste, dont elle a gagné les faveurs. On construit un sanctuaire sur le site de l'ancien temple celte et une enceinte parmi les plus belles de toute la Gaule : 7 km de long et une quarantaine de tours. La Maison Carrée, dédiée aux fils adoptifs d'Auguste, est située sur le forum où était aussi la curie. Cet attachement de l'empereur se manifeste dans la richesse des aménagements, un théâtre, un système d'adduction d'eau, des thermes, un gymnase… Les empereurs successifs continuent de soutenir l'embellissement de Nemausus en ajoutant amphithéâtre, basilique en l'honneur de la femme de l'empereur Trajan, améliorations de la via Domitia et d'autres monuments aujourd'hui oubliés. La ville rayonne grâce à ses orateurs, ses politiciens, ses acteurs. La vie que l'on y mène est brillante et raffinée. Les premières mentions du christianisme datent du IVe s. et précèdent de peu le déclin définitif de l'Empire romain.

Le Moyen Âge

Avec la fin de l'occupation romaine, la ville est livrée aux envahisseurs successifs. La plupart ne font que passer, à l'exception des Wisigoths qui se stabilisent et s'intègrent à la population locale. Mais la civilisation urbaine héritée des Romains se désagrège. L'aqueduc qui alimente la ville en eau ne fonctionne plus. La ville se replie sur elle-même et se rétracte, n'occupant plus qu'une fraction de ce qu'elle était à la grande époque. Les habitants se massent autour des arènes, sans doute pour pouvoir s'y barricader en cas de danger. La ville change de configuration et renonce en partie au tracé géométrique des rues, pour adopter une organisation concentrique autour des arènes, qui sont l'ancrage de sécurité. On commet l'erreur de s'éloigner de la fontaine qui est pourtant le seul point d'eau qui reste. Durant tout le Moyen Âge, la situation reste incertaine. Nîmes est une ville frontière de la Septimanie des Wisigoths, dont la lointaine capitale est Tolède. Les Arabes s'en emparent. Quand ils sont chassés par les Francs, la ville tombe dans l'escarcelle du comte de Toulouse qui est, lui aussi, bien loin. Les vicomtes de Nîmes en profitent pour asseoir leur pouvoir (au XIᵉ s., leur dynastie règne sur Narbonne, Béziers, Carcassonne et Albi). Durant la croisade contre les cathares, les Nîmois se tiennent habilement à l'écart du conflit, soucieux de protéger leurs privilèges commerciaux. À la fin de la croisade, ils passent sous le contrôle du roi de France. Nîmes est alors une ville riche où sont installés de nombreux négociants et banquiers italiens. La peste, l'accroissement du brigandage et les combats anglo-français durant la guerre de Cent Ans entraînent pourtant une récession et une chute de la population à la fin du Moyen Âge.

Les années de la Réforme

Le collège royal des arts est fondé au début du XVIᵉ s., sous l'égide de François Iᵉʳ et de sa sœur Marguerite de Navarre, lettrée et humaniste à l'esprit ouvert. Très vite, les plus grands érudits s'y précipitent. Les salles résonnent des discours en latin et en grec. Les idées nouvelles circulent, parmi elles les doctrines religieuses réformatrices venues d'Allemagne et de Suisse. Elles rencontrent un terrain favorable chez une bourgeoisie riche et cultivée, dont le pouvoir des évêques bride l'essor. Libéralisme dans les affaires et rigueur protestante font un mariage efficace. La ville bascule du côté des Réformés en quelques années. En 1561, les prédicateurs réunissent sans problème des assemblées de 8 000 personnes. Ce fait explique que la ville ne conserve guère d'édifice religieux d'importance des époques précédentes. Tout ou presque a

▲ *Fontaine de Martial Raisse, place d'Assas.*
PLAN B2.

été détruit. Même la cathédrale n'a sauvé qu'une infime portion, heureusement splendide, de son passé. À la proclamation de l'Édit de Nantes, Nîmes est l'une des places de sûreté concédées aux protestants.

Nîmes : mode d'emploi

Pour se faire une meilleure idée de l'évolution de la ville à travers les siècles, l'idéal est de démarrer la visite à partir de l'office du tourisme (parkings à proximité) et de remonter vers le jardin de la Fontaine par les quais de la Fontaine, plantés de grands arbres et bordés par les hôtels particuliers des grandes familles protestantes.

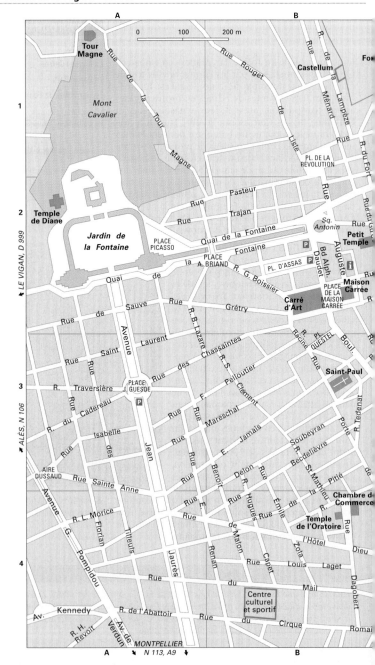

Une bourgeoisie discrète

La Réforme a bien des conséquences. Sinistres, d'abord, avec les inévitables massacres des catholiques par les protestants lors de la Michelade en 1567, ou sa violente contrepartie, les dragonnades, quand le pouvoir catholique reprend pied dans la ville après la révocation de l'Édit de Nantes. Économiques, ensuite, grâce au sens des affaires des bourgeois protestants et au réseau très dense qu'ils ont tissé dans toute l'Europe protestante. Sociales enfin, car elle entraîne un grand nombre de paradoxes : nécessité de vivre parfois une double vie (catholique en surface, protestant dans la clandestinité), obligation après les troubles de partager les pouvoirs de façon très diplomatique (certaines administrations se font un devoir d'observer des quotas), mise en avant de la vie intellectuelle et de la culture. Nîmes produit beaucoup de savants et la bourgeoisie s'intéresse de près à tous les progrès de la connaissance. Par exemple, l'encyclopédie de Diderot et d'Alembert s'y vend à 4 000 exemplaires, 1 000 de plus qu'à Montpellier. Enfin, le profil de la ville elle-même en est affecté. Le protestantisme produit une bourgeoisie discrète, peu encline à l'ostentation et le centre ville ne possède pas les demeures splendides, que l'on voit à Montpellier ou à Pézenas. Ici, les riches investissent dans de grands domaines fonciers à l'extérieur de la ville, ou dans leurs

Les armes du crocodile

Parmi les monnaies frappées à Nîmes du temps de sa splendeur romaine, l'une d'entre elles a inspiré les armes de la ville. Pour célébrer sa victoire contre Antoine et Cléopâtre, Auguste avait fait exécuter une pièce le représentant avec son gendre Agrippa, et, au verso, un crocodile attaché à un palmier, symbole de l'Égypte soumise. En 1536, les Nîmois reçurent l'autorisation d'utiliser cet emblème pour les armes de la ville. Le crocodile est donc devenu la mascotte nîmoise. Même les footballeurs sont surnommés les crocodiles. La mairie porte sur le balcon le symbole en fer forgé et l'escalier d'honneur est gardé par quatre monstres empaillés…

Une épopée nîmoise

Pour fuir les persécutions, beaucoup de protestants se sont exilés à travers toute l'Europe. Une importante colonie d'une vingtaine de familles s'est fixée à Gênes, alors l'un des ports les plus actifs de la Méditerranée. La famille André est un exemple de ces bourgeois d'affaires entreprenants. Après avoir fondé une maison de commerce en cuirs, tabac, draps, soieries, la famille crée sa propre compagnie maritime pour assurer le transport vers les différents comptoirs. Puis ils fondent une banque, spécialisée dans le change maritime. Sentant la crise économique menacer le midi de la France, les voilà partis à Londres. Après la Révolution, le climat plus favorable les ramène à Paris où ils créent une nouvelle banque, qui deviendra par le jeu des alliances la banque Neuflize.

---

affaires à l'étranger. Les maisons, elles, restent étonnamment sobres. Politiquement, l'importance de la population protestante et sa frustration devant les brimades que l'on continue de lui imposer expliquent la bascule républicaine de la ville à la Révolution, de même que l'on comprend aussi qu'elle ait soutenu les Girondins décentralisateurs et soutiens actifs de la bourgeoisie d'affaires.

De la soie à la vigne

Après la fin des troubles religieux, la fortune de la ville dépend de son industrie textile et des banquiers d'affaires protestants qui tissent leur réseau à travers toute l'Europe. Avec le déclin du textile et l'incapacité des industriels à s'adapter aux nouvelles donnes, les investisseurs se retirent de l'industrie pour miser sur le vignoble qui est devenu la valeur montante du Midi. Après la crise du phylloxera, seuls les grands capitalistes réussissent à s'en sortir, en investissant dans de nouveaux plants et dans la mise en culture de parcelles récupérées sur les marais ou dans les autres formes d'agriculture. La grande bourgeoisie nîmoise qui avait su miser sur les domaines fonciers s'en sort donc brillamment.

L'essor démographique

La population nîmoise, au sortir du Moyen Âge et des guerres de Religion, est réduite à sa plus simple expression : les registres paroissiaux font état de 1 400 habitants en 1661. Un siècle plus tard, en 1765, la population est passée à 36 000, qui deviennent 50 000 en 1788, 80 000 en 1900, pour approcher les 138 000 au recensement de 1999. Ce formidable essor est lié, dans un premier temps, à la bonne santé de l'industrie textile, puis à l'immigration massive de la population rurale qui quitte les Cévennes et à l'arrivée précoce du chemin de fer dans la ville. Nîmes se trouve sur la ligne ferroviaire qui relie les bassins miniers d'Alès à Beaucaire et au Rhône, dès 1839. En 1852, elle est raccordée à Sète, et par là à Bordeaux. L'arrivée du nouveau TGV, en 2001, renoue avec cette grande époque.

L'aventure fédéraliste

L'espace d'un mois, entre juin et juillet 1793, après la chute des Girondins, Nîmes participe à la guerre fédéraliste. L'idée est de fonder une république fédérale englobant le midi de la France, de Lyon à Bordeaux en passant par Marseille, Toulon et Nîmes. On décide de créer une armée qui doit se rassembler à Pont-Saint-Esprit et marcher sur Paris. Pour Nîmes, ce n'est qu'un feu de paille qui dure un mois. À Lyon, on ira jusqu'à décréter un gouvernement fédéral sécessionniste, qui sera renversé très vite. Début 1794, l'aventure se termine et c'est l'instauration de la Terreur.

▷ Les jardins de la Fontaine   *PLAN A2*

Les sources de l'histoire nîmoise.

Situés au pied du mont Cavalier où le premier oppidum fut fondé, les jardins sont conçus autour de la fontaine de Nîmes, source sacrée qui présida à la fondation de la ville. Cette source, appelée l'Agau, est en fait une résurgence issue de la garrigue. C'est elle qui attire les premiers occupants de la colline et l'on sait qu'ils la vénéraient bien avant l'arrivée des Romains. Quand les Romains investissent l'oppidum, ils reprennent le site sacré, intègrent les cultes des précédents occupants et bâtissent plusieurs temples ou oratoires à leurs divinités, Nemausus, Vénus, Jupiter, les Nymphes. Mais surtout, ils y rendent un culte à l'empereur. Un vaste ensemble d'édifices occupe alors la colline. Au Moyen Âge, des religieuses bénédictines occupent le temple de Diane, mais le reste est oublié et la source se contente de couler et d'alimenter la ville en eau. Au XVIIIᵉ s., le problème est tout autre. Avec l'essor du textile, la population s'est accrue considérablement. Le cours d'eau, toujours un peu irrégulier, est utilisé par ses riverains pour arroser les jardins, faire tourner des moulins… Les grands industriels, eux, souhaitent en contrôler le débit : ils en ont besoin pour faire marcher leurs fabriques. L'Agau alimente les lavoirs et les bassins de teinture.

La redécouverte

En 1738, on décide donc d'exproprier tous les petits propriétaires et de procéder au réaménagement. Dès que l'on se met à creuser, on découvre une foule de vestiges enfouis, tout un système de canalisations d'eau et un immense sanctuaire. On exhume un long portique, plusieurs temples et une foule de fragments divers, tous remontant à la période gallo-romaine. À l'époque, les civilisations antiques sont à la mode et toute l'Europe se passionne pour le chantier. Il ne peut plus être question de procéder à des aménagements inconsidérés, ni de démolir ce patrimoine. Le roi lui-même (Louis XV) garde un œil sur cette fabuleuse découverte. Jacques-Philippe Mareschal, ingénieur du roi, propose un plan conjuguant reconstruction de certaines parties et création d'un vaste parc. C'est la première fois en France qu'un jardin d'une telle taille et d'une telle ambition n'est pas destiné à un château mais à une ville.

■ Un jardin pour la ville

Le plan d'ensemble respecte l'axe du site antique. Le bassin de la source communique, de part et d'autre d'un **grand parterre**, avec des **bassins latéraux et des canaux** qui servent à stocker l'eau en période de crue pour la redistribuer par temps de sécheresse. Ces retenues alimentent à leur tour le canal de la ville qui alimente à son tour les lavoirs, bacs de teinturiers et abreuvoirs.

- Pour avoir une vue d'ensemble du plan, regardez vers le sud en vous tenant sur **la grande terrasse**. Directement devant vous se trouve **le bassin de la source**, qui a conservé la forme asymétrique et excentrée qui était la sienne à l'époque romaine. Il est encadré de deux **escaliers en demi-cercle** descendant vers l'eau. La petite plate-forme carrée à droite de la source est sans doute le site de **l'ancien petit sanctuaire de Nemausus**.

- Puis le canal passe sous un **pont à deux arches** (on sait que l'antique en comptait trois) avant d'atteindre le second bassin dit **le nymphée**. Le nymphée est bordé de portiques et occupé par une plate-forme centrale (aussi appelée **le stylobate**). À chaque angle, la plate-forme porte de grandes **urnes** et des **enfants joufflus** assis sur des balles de tissu en référence à la richesse de Nîmes. Au milieu, à la place de l'autel romain, se trouve une autre sculpture allégorique (par Raché), supposée représenter la **Nymphe de la Source**. La terrasse qui entoure l'ensemble est ornée de quatre **statues de marbre** représentant des divinités. Elles proviennent du château de La Mosson, à Montpellier.

- Au sud du nymphée, les eaux s'écoulent dans le **grand bassin carré de réception** qui reprend le tracé romain (à l'époque, le bassin était couvert par une voûte monumentale). Le cours d'eau se divise ensuite en **deux branches** qui encadrent le **grand parterre** et rejoignent le canal qui part dans la ville vers les lavoirs des teinturiers. Le parterre est traversé dans son axe par une allée décorée d'autres **statues** venues du château de La Mosson.

- À l'ouest du nymphée, le **temple de Diane**, actuellement en ruine, était peut-être une bibliothèque ou une salle réservée aux célébrations du culte de l'empereur.

- Derrière la grande terrasse, l'aménagement de la colline en un **pittoresque bosquet** ne date que de 1819. Sillonné d'allées tortueuses, planté de cèdres, de pins de Jérusalem, de chênes verts et d'essences méditerranéennes, c'est une belle promenade, surtout en fin de journée quand la lumière est la plus belle.

À l'est de la grande terrasse, sous l'arrondi de la pelouse, se trouvait le théâtre antique. Des spectacles et des jeux d'inspiration grecque y prenaient place, en l'honneur de l'Empereur.

En entrant dans les jardins, on remarque, sur les grilles de fer forgé (XVIII⁰ s.), le crocodile enchaîné au palmier qui est l'emblème de la ville.

◀ À l'origine, une succession de terrasses devait dominer le système des bassins, et s'étager à flanc de colline. Ce plan n'a pas été réalisé et la grande terrasse est simplement adossée à un beau jardin à l'anglaise qui escalade la butte. Les Nîmois, qui financaient l'opération, trouvant que le tout commençait à coûter trop cher, refusèrent la dépense supplémentaire.

▷ La tour Magne

Turris magna : la grande tour

PLAN A1
Au sommet du mont Cavalier.
Ouvert en été de 9 h à 19 h, en hiver de 9 h à 17 h.

C'était la plus haute tour de l'enceinte romaine. Elle mesure 37,50 m, mais il en manque toute la partie supérieure, comme le prouvent les demi-colonnes conservées sur son sommet. Ses proportions imposantes ont fait penser qu'elle voulait peut-être imiter le phare d'Alexandrie.

▶ *La tour Magne :
à l'extérieur, on peut voir les trous dans la maçonnerie où s'encastraient les supports des échafaudages.*

■ Un poste de guet

De forme octogonale, elle enveloppe, en l'utilisant comme une sorte de coffrage, la tour qui la précédait, celle de l'oppidum gaulois. Du temps des Volques, cette dernière marquait certainement la puissance de la tribu et servait de poste de guet. Elle conserva ce rôle sous les Romains qui l'intégrèrent au système défensif, la reliant aux courtines de la muraille.

- Elle est plus large à la base et on l'atteint par une longue **rampe d'accès** coudée, du côté sud, et un **escalier intérieur**. Un second escalier, moderne, permet d'accéder au sommet d'où l'on a une très belle **vue sur la ville** et la garrigue jusqu'aux Cévennes. On imagine quel point de guet stratégique elle représentait.

- L'intérieur de la tour est creux, mais seulement depuis le XVIIᵉ s., quand un jardinier nîmois, qui prêtait foi aux prophéties de Nostradamus, crut pouvoir y trouver un trésor. À l'époque, le vide de la tour était encore occupé par l'édifice gaulois que le chercheur de trésor entreprit de démolir.

- On s'est ainsi aperçu que la tour préromaine suivait un plan ovoïde et avait une forme de tronc de cône. Elle était moins haute que la tour Magne et était couronnée d'une plate-forme de guet. Le tout faisait également partie d'une enceinte à laquelle s'adossaient les habitations des Gaulois (on retrouve un aménagement similaire à l'oppidum de Nages, dans les environs de Nîmes). On peut voir les **traces de la courtine gauloise**, prise dans le mur de la tour romaine, à droite et en face de l'entrée.

Les yeux du poète

Apollinaire vécut à Nîmes des amours passionnées avec son amie Lou. Le couple était descendu à l'hôtel du Midi, place de la Couronne. La ville et ses monuments sont évoqués dans quelques vers superbes :
« *La tour Magne tournait sur sa colline laurée
Et dansait lentement, lentement s'ombrait
Tandis que les amants descendaient la colline
La tour dansait lentement comme une sarrazine…* »

▷ La cathédrale Notre-Dame-et-Saint-Castor

PLAN C2

Construction, démolition…

De l'édifice roman consacré en 1096, il ne reste pas grand-chose, car la cathédrale fut au centre des violents événements opposant catholiques et protestants et elle fut presque entièrement détruite en 1597. On ne préserva que le côté gauche de la façade et la partie inférieure du clocher. À peine est-elle rebâtie, qu'on la démolit de nouveau. Reconstruite à deux reprises, elle est encore saccagée à la Révolution. Les derniers travaux de restauration datent de la fin du XIXe s.

■ La frise : un chef-d'œuvre de l'art roman provençal

Le portail du XIXe s. remplace l'ancien qu'un évêque avait fait casser pour faire entrer son dais dans le sanctuaire.
- On remarquera les survivances du style lombard (juxtaposition de petites arcades) qui devait caractériser l'église du XIe s., avec en plus la disposition en deux niveaux superposés, certainement inspirée par les monuments antiques.
- Mais surtout, il reste de l'époque romane une **splendide frise** qui court le long de la façade en une succession de scènes bibliques. On voit ainsi Adam et Ève (la tentation, la faute, la réprimande, l'expulsion du paradis), le sacrifice de Caïn et le meurtre

◀ *Seule la partie gauche de la frise est d'origine, la partie droite ayant été reconstituée dans le même esprit en 1646, mais avec moins de talent.*

d'Abel. Il se dégage une immense force de ces personnages serrés dans leur cadre ; les visages sont admirables. La partie droite reprend la suite de l'histoire : l'arche de Noé, son ivresse, la tour de Babel, la destruction de Sodome, Abraham et Melchisédech, le sacrifice d'Abraham, Joseph devant le pharaon, Moïse tuant l'Égyptien, le buisson ardent, Moïse faisant jaillir l'eau du rocher, l'ânesse de Balaam, Moïse recevant les tables de la Loi.

■ Chapelles, tableaux et sarcophages

À gauche en entrant, un couloir mène à une ancienne chapelle située sous le clocher : on l'appelle **chapelle des Martyrs** car, pendant les travaux du XIXe s., on y a découvert les restes des notables catholiques tués durant la Michelade.
- Du côté droit de la nef, la troisième chapelle abrite un panneau de **sarcophage paléochrétien** du IVe s., intégré dans l'autel et le tombeau du cardinal de Bernis (originaire de la région et protégé de la Pompadour, il fut secrétaire d'État aux affaires étrangères de Louis XV).
- Dans l'axe, derrière le chœur néo-roman, la **chapelle du Rosaire** (XVIIe s.) est un bel exemple d'art baroque.

La Michelade

On a appelé Michelade le massacre des catholiques, le 30 septembre 1597, parce qu'il avait eu lieu le lendemain de la foire de la Saint-Michel. Ce jour-là, des protestants décidèrent de mettre à sac les églises et la cathédrale. Ils capturèrent des notables catholiques et des prêtres hostiles à la Réforme, les massacrèrent et les jetèrent dans un puits, parfois avant même qu'ils soient morts.

▷ Les fortifications romaines et le Castellum

De Rome à Nîmes

En raison de leur longueur impressionnante, les murailles de la ville ont laissé des vestiges épars le long de la ceinture de boulevards, autour du centre ville. Il faut se rappeler que Nîmes se trouvait sur la via Domitia et que naturellement, l'entrée principale de la ville se trouvait du côté où l'on arrivait en venant de Rome.

■ La porte d'Auguste

PLAN D2

La via Domitia se prolongeait à l'intérieur de l'enceinte par la rue Nationale (alors *decumanus maximus*) qui était l'artère principale de la ville. L'emplacement des tours est matérialisé sur le trottoir par des dalles de pierre. Les dalles de la voie proprement dite sont remarquablement conservées.

▲ *La porte d'Auguste. C'était celle que l'on passait en arrivant de Beaucaire. Encadrée de deux tours, elle comptait quatre portes, deux pour les piétons, deux pour les chars et chariots.*

- Sur les montants des portes, on voit encore l'emplacement des gonds et les rainures dans lesquelles glissaient les herses de protection (elles étaient manœuvrées depuis un étage qui a disparu).
- Du côté extérieur, les grandes portes sont décorées de pilastres corinthiens, les petites sont surmontées de niches qui devaient abriter des statues. Au-dessus de chaque grande porte, un taureau est sculpté. L'ensemble est chapeauté d'une inscription encore bien lisible : « IMP CAESAR DIVI F AUGUSTUS COS XI TRIB POTEST VIII PORTAS MUROS COL DAT » (César, empereur, fils du divin, consul pour la onzième fois, tribun pour la huitième fois, donne à la colonie ses portes et ses murs), qui permet de le dater des années 15-16 avant J.-C.
- Du côté ville, les portes ouvrent sur une sorte de sas de sécurité bordé de galeries couvertes. Au fil des siècles, la porte fut intégrée à des édifices fortifiés successifs et devint même un couvent au XVIIᵉ s.

■ La statue d'Auguste

Elle fut offerte à la ville par l'Italie dans les années 1930 : il s'agit de la copie d'une statue antique conservée au Vatican.

- D'autres vestiges de l'enceinte romaine subsistent à travers la ville et permettent de tracer son pourtour, mais la plupart sont imbriquées dans les constructions ou appartiennent à des propriétaires privés. La plus facile à voir est **la porte de France**, non loin de la chambre de commerce, au sud du centre ville. Avec une seule arche, un étage à pilastres et une tour, elle est beaucoup moins impressionnante que celle d'Auguste.

■ Les arènes

PLAN C3

> **Ouvertes en été de 9 h à 18 h 30. Le reste de l'année de 9 h à 12 h et de 14 h à 17 h 30. Fermées le 1ᵉʳ mai, à Noël, le jour de l'An et les jours de spectacle.**

Elles datent de la seconde moitié du Iᵉʳ s. Après avoir servi de cadre aux jeux romains, elles accueillent aujourd'hui les corridas données pendant la feria.

- L'importance de la corrida dans la culture de la ville se traduit, en autres, par la statue en bronze de **Nimeño** (sur la place des Arènes), un célèbre torero nîmois dont la virtuosité est respectée, même des Espagnols.

- La plus célèbre fête locale est la **feria** qui a lieu à la Pentecôte. Devant son succès croissant, on en a créé deux autres, la feria de Primavera, en février, et la feria des Vendanges, en septembre. Durant ces réjouissances populaires, on danse la sévillane, on boit, on chante, on fait la fête. Lâchers de taureaux dans les rues, corridas et joutes nautiques sur les canaux font vivre une tradition méditerranéenne fortement teintée d'influence espagnole. La feria de la Pentecôte dure une semaine entière, compte sept corridas et rassemble chaque année près d'un million de visiteurs.

▼ *L'atmosphère de la ville pendant la feria est indicible, explosive et chaleureuse.*

■ Le Castellum

PLAN B1

Non loin des jardins de la Fontaine, se trouve le Castellum, vestige de l'ambitieux système de distribution d'eau de la ville. Il s'agit du bassin de répartition des eaux qui arrivaient à Nîmes par l'aqueduc. De forme circulaire et d'un diamètre de 5,50 m, il est entouré d'une épaisse banquette de pierre. Du temps des Romains, il était protégé par une petite construction cylindrique ne comportant pratiquement pas d'ouvertures, et la porte était précédée d'une sorte de vestibule, le tout pour prévenir toute pollution de l'eau. L'eau arrivait par un canal d'alimentation dont on réglait le débit au moyen d'une vanne.

- Tout autour du bassin, dans ses parois, 10 ouvertures rondes d'un diamètre de 40 cm étaient jointes à de gros tuyaux en plomb qui conduisaient l'eau dans les différents quartiers de la ville.

- Au fond du bassin, trois bondes évacuaient le trop-plein par un conduit vers le système d'égout. Toutes ces canalisations étaient protégées des débris par des jeux de grilles.

Sacré taureau

Les taureaux de la porte d'Auguste ne sont pas les seules représentations de l'animal dans la ville. Si c'est le taureau des corridas et des spectaculaires lâchers d'animaux dans les rues, lors de la feria, qui viennent à l'esprit, la fascination pour l'animal est bien plus ancienne. Dans toutes les civilisations antiques méditerranéennes, il est un symbole sacré de force, de vitalité, de fécondité et de virilité. Il est associé au culte perse du dieu solaire Mithra, répandu autour du bassin méditerranéen par les Romains. Sa version plus domestique, le bœuf, est liée pour sa part au culte agraire, tout en gardant néanmoins cette notion de force vitale et de fécondité.

Comprendre • Les arènes

Les arènes

D ans toutes les grandes villes de l'Empire romain, les arènes ou amphithéâtre étaient le lieu des grands spectacles. C'était aussi un symbole de la notoriété d'une ville, car il attirait une foule très nombreuse. L'amphithéâtre de Nîmes est, avec celui d'Arles et le Colisée de Rome, l'un des mieux conservés du monde antique. C'est le plus spacieux et le plus fréquenté de France.

▶ *Le monument est composé surtout de pierre de Roquemaillère et de Barutel. Ce dernier matériau s'effrite sous l'effet des intempéries, ce qui le rend impropre à la sculpture ; cela explique en partie la rareté de la décoration.*

■ La fête est finie

On a longtemps cru que l'amphithéâtre avait été offert à la ville par Auguste, comme la plupart des grands monuments, à cause des taureaux qui le décorent et font penser à ceux qui ornent la porte d'Auguste. En fait, il fut construit beaucoup plus tard. Du temps d'Auguste, les architectes n'avaient pas acquis tous les perfectionnements techniques que l'on observe à l'amphithéâtre. On s'accorde maintenant pour le dater de la fin du Iᵉʳ s. ou du début du IIᵉ s., comme le Colisée de Rome. Après la chute de l'Empire romain, on cesse de donner des spectacles dans les arènes. Les invasions qui se succèdent menacent la sécurité des habitants. Ce vaste édifice circulaire offre un périmètre facile à défendre. Les habitants se retranchent à l'intérieur et le barricadent à la hâte, en utilisant les pierres des monuments environnants ou des nécropoles de la ville. L'amphithéâtre devient une forteresse. On démolit les gradins inférieurs et on surélève la partie centrale pour faire plus de place. Sur l'espace ainsi dégagé, on construit un véritable village avec un puits, des maisons, des rues, deux églises et même un château avec des tours qui existeront jusqu'au XVIIIᵉ s.

■ Le spectacle recommence

À l'époque des Francs, les arènes perdent alors leur importance militaire et sont abandonnées à leurs habitants. Avec les siècles, elles deviennent de plus en plus insalubres, l'alimentation en eau est défaillante et des épidémies font rage. Il faut même parfois boucler le périmètre pour éviter la contagion. Les arènes restent occupées jusqu'en 1812. À la fin du XVIIIe s., on décide de l'évacuation et de la restauration du site. Il y a alors 230 habitations et près de 2 000 personnes. Lorsque l'on démolit les maisons, les déblais s'élèvent sur plus du tiers de la hauteur. On fait des découvertes sur la structure d'origine, comme celle du sous-sol. On se lance dans une reconstruction enthousiaste et intempestive. Certaines parties manquent et les restaurateurs puisent dans les arènes d'Arles. Mérimée, inspecteur général des monuments historiques, s'en désole et demande une réhabilitation plus mesurée. Déjà, les arènes ont retrouvé leur vocation première : dès 1813, le préfet du Gard autorise la première course de taureaux, qui a lieu le 23 mai. Les Nîmois ébahis découvrent le spectacle du monument déblayé. La première corrida espagnole a lieu en 1863.

■ Les jeux du cirque

Pour comprendre l'importance des arènes et expliquer la complexité de leur construction, il faut mesurer la place des jeux du cirque dans la vie des Romains. Aux plus belles heures de leur empire, la société est organisée en différentes classes sociales. En raison du nombre très important d'esclaves venus de tout l'Empire, la plèbe (la classe populaire) n'a pas beaucoup de travail et a même droit à des distributions gratuites de nourriture. Les pauvres des campagnes affluent dans les villes pour profiter de cette disposition. Les jeux du cirque sont vivement encouragés pour distraire une population oisive et éviter les troubles. Ils se déroulent donc tous les jours dans les amphithéâtres et amènent un public considérable de toutes catégories sociales. Toute la conception des arènes est orientée vers la ségrégation soigneuse de ces catégories et il faut imaginer la foule bigarrée qui les envahit chaque jour. Riches notables ou militaires, belles excentriques accompagnées d'esclaves occupent les loges des niveaux inférieurs, confortablement aménagées et décorées. Plus on monte, plus l'espace est compté : c'est en haut que se bousculent les gens ordinaires, excités par la promiscuité et l'intensité du spectacle. Car les spectacles sont variés : mimes et pantomimes, combats de gladiateurs et de fauves, courses de chars ou de chevaux, chasse à courre après un animal. Pour chauffer l'ambiance, les spectacles les plus inoffensifs ont lieu le matin. Les combats occupent l'après-midi. Les gladiateurs sont de jeunes

Comprendre • Les arènes

Passion corrida

Nîmes est l'une des deux grandes villes françaises de la tauromachie. Depuis quelques années, elle possède une école taurine, dont l'ambition est de former les successeurs du fameux Nimeño. Il existe deux types de sports liés au taureau : la course camarguaise et la corrida. Durant la course camarguaise, un taureau de Camargue, léger et rapide, est lâché dans l'arène avec une cocarde rouge entre les cornes. Un groupe d'hommes vêtus de blanc, les « razeteurs », entrent avec lui et doivent lui retirer la cocarde. Il n'y a pas de mise à mort de l'animal. La corrida, importée d'Espagne au début du XIXᵉ s., met en présence un taureau espagnol, lourd et agressif, et les picadors, qui exacerbent la violence du taureau, la canalisent jusqu'à ne plus laisser en tête-à-tête que l'animal et le torero. En utilisant la cape rouge, la muleta, l'homme fatigue la bête et resserre de plus en plus le combat. Avec des piques et des banderilles, le torero affaiblit et soumet progressivement le taureau, en le blessant sur des muscles stratégiques. Il achève le combat par l'estocade, ou mise à mort, en plongeant son épée dans les artères vitales. La fascination du public pour ce jeu sanglant n'est pas sans évoquer la violence des jeux du cirque tant aimés des Romains, dans ces mêmes arènes, il y a 2 000 ans.

hommes très entraînés qui ont chacun leur spécialité et combattent nus ou cuirassés. Le rétiaire doit capturer son adversaire avec un filet, en s'aidant d'un trident et d'un poignard. On joue cruellement sur les contraires, car la foule prend plaisir à la violence. La mort des participants n'est pas rare.

■ Ce que l'on peut voir aujourd'hui

À l'époque de la construction, les arènes sont édifiées à l'intérieur de la ville à seulement 8 m de l'enceinte (on peut en voir une portion sur la place des arènes). Elles suivent un plan ovale, 133 m par 101 m. La piste centrale (69 m par 38 m) est encerclée par 34 rangs de gradins comptant 20 000 places. Sous les gradins, cinq galeries desservent les différents niveaux par 126 escaliers.

- La façade, haute de 21 m, comporte **deux niveaux superposés** de chacun **60 arcades**. Le long du bord supérieur, vous remarquez de petites consoles carrées percées d'un trou : elles servaient à arrimer des mâts soutenant un immense **vélum** qui protégeait les spectateurs du soleil. Un petit escalier logé dans le mur extérieur, du côté nord, permettait de manœuvrer le vélum sans passer par les gradins. Certaines arcades encore bouchées, du côté est, rappellent le temps où les arènes servaient de village fermé.

- Au deuxième niveau, les arcades étaient garnies de parapets de pierre dont certains subsistent. L'un d'entre eux, en face de la rue de l'Aspic et du palais de Justice, porte un **bas-relief figurant un combat de gladiateurs**. Dans la même zone, notez, sur les assises supérieures de deux pilastres, une louve romaine allaitant Romulus et Remus, et une représentation phallique.

- À l'étage supérieur des travées suivantes, on peut distinguer les **traces du château des arènes**, du XIIᵉ s. : fenêtres jumelées ornées de chapiteaux. Du côté nord,

◄ L'amphithéâtre de Nîmes ne compte pas parmi les plus vastes, mais il est remarquablement bien conservé.

au niveau de la travée 60, remarquez **un fronton soutenu par deux taureaux** : c'était sans doute l'entrée principale. Au XIXe s., lorsqu'il inspecta le monument, Mérimée s'étonna du nombre de **représentations phalliques** que l'on jugeait alors inconvenantes : à l'époque romaine, elles étaient un symbole courant de la force et de la virilité.

- En pénétrant à l'intérieur des arènes, on remarque d'emblée le **système des galeries** et surtout les **voûtes** qui les couvrent, l'une des techniques architecturales mises au point par les Romains. Dans l'Antiquité, on accédait à **la piste** par des galeries à chaque extrémité des axes principaux. Sous la piste, on a découvert deux **galeries en sous-sol** qui se coupent en croix. On pense qu'elles servaient de **coulisses** et que des trappes actionnées par des contrepoids permettaient aux fauves ou aux gladiateurs d'entrer dans l'arène.

- Les **accès aux gradins** sont aménagés de façon très précise, au moyen de tout un réseau compliqué d'escaliers qui permettait de répartir les spectateurs par catégories dès leur entrée. Depuis la galerie périphérique du rez-de-chaussée, on rejoignait, par 28 escaliers, un couloir périphérique intermédiaire. De là, tout un **jeu de galeries rayonnantes** et d'escaliers permettait d'accéder à tous les niveaux et surtout, de les évacuer très vite. Des inscriptions découvertes sur les gradins montrent que certaines parties étaient réservées à certaines catégories de spectateurs. Par exemple, dans les premiers rangs, 40 places étaient attribuées aux bateliers du Rhône et de la Saône, 25 à ceux de l'Ardèche et de l'Ouvèze. Des rainures dans la pierre des gradins, tous les 40 cm, délimitaient la place de chaque spectateur.

- Des urinoirs étaient prévus, reliés par des canalisations à un **système d'égouts** concentriques menant à un collecteur central qui conduisait les immondices à l'extérieur, vers le mur d'enceinte.

Comprendre • Les arènes

▷ La Maison Carrée

PLAN B2

Ouvert l'été de 9 h à 12 h et de 14 h 30 à 19 h. Hors saison de 9 h à 12 h 30 et de 14 h à 18 h.
☎ **04 66 36 26 76.**

Au cœur de la ville

C'est l'un des temples les mieux conservés du monde romain, inspiré du temple d'Apollon de Rome. Ses proportions admirables masquent sa relative petite taille. Bien qu'elle soit mise en valeur par l'esplanade libérée tout autour, on a du mal à imaginer ce qu'il devait en être lors de sa construction vers l'an 5. Elle faisait alors partie du forum, un ensemble beaucoup plus vaste que l'actuelle place, au cœur de la ville, au carrefour des deux voies principales.

Sur le forum

La Maison Carrée occupait la partie méridionale du forum, sur une cour surélevée. Un portique l'entourait, formant une galerie soutenue par des colonnes et abritant des échoppes et des écoles. Il y avait un autre temple vers le nord et, du côté du Carré d'art, ce qui devait être la curie, le centre administratif et politique de la ville. C'est sur le forum que l'on débattait de toutes les grandes questions politiques, philosophiques et religieuses. La Maison Carrée était vouée au culte de l'empereur et dédiée aux « princes de la jeunesse », les fils adoptifs d'Auguste. Par la suite, elle a connu des destinées insolites, mais qui ont contribué à la conserver. Au XIe s., on y menait les affaires publiques, sous les comtes de Toulouse elle servait de mairie. Au XVIe s., un particulier l'acquiert et l'aménage en appartements et écuries. Au siècle suivant la voilà église, comme le temple de Diane, plus haut sur la colline. Après la Révolution, elle sert de salle de réunion, on y range les archives de la ville puis on y installe un musée. Aujourd'hui, elle accueille des expositions.

■ Des colonnes sur un podium

À l'extérieur, le bâtiment repose sur un podium. La façade frontale est composée d'un portique de 6 colonnes soutenant une corniche et un fronton. Les façades latérales comptent 11 colonnes, dont huit sont semi-circulaires et reliées à la maçonnerie. Elles ne servent pas ici de support mais simplement de décoration. Lorsqu'une partie des colonnes qui entourent le temple est ainsi solidaire du mur, on parle de temple pseudo-périptère.
- On appelle *pronaos* le porche qui précède le lieu liturgique, la *cella*. Cette disposition est directement copiée par les Romains sur les temples grecs. Les colonnes cannelées sont couronnées de chapiteaux corinthiens qui se

reconnaissent à leur superposition de feuilles d'acanthe. L'architecte a eu recours à des maîtres d'œuvre régionaux : certaines maladresses dans l'exécution des décors confirment cette hypothèse ; mais leur originalité prouve le savoir-faire des artisans de la Narbonnaise. Le plafond du pronaos est une restauration du XIXᵉ s. L'intérieur ne conserve aucune trace du décor antique.

■ Le Carré d'art

De l'autre côté de la place. PLAN B2

Ouvert de 11 h à 18 h. Fermé le lundi. ☎ **04 66 76 35 80.**

Le projet, inauguré en 1993, a soulevé de très nombreuses critiques de la part des Nîmois qui le trouvaient cher et prétentieux. L'ensemble, réalisé par l'architecte britannique Norman Foster, répond pourtant assez bien à l'édifice antique et ses surfaces vitrées reflètent la Maison Carrée.

- L'intérieur abrite une **médiathèque**, une librairie-boutique et le **musée d'Art contemporain**, sur deux niveaux, l'un réservé aux collections permanentes, l'autre aux expositions temporaires. Parmi le fonds permanent : Arman, César, Viallat, Polke, Richter…

■ L'église Saint-Paul

PLAN B3

Avant de pénétrer dans le vieux Nîmes, visitez cette église du XIXᵉ s. à l'architecture ambitieuse, construite entre 1838 et 1849. En raison de son histoire religieuse troublée, la ville ne conserve guère d'églises anciennes. La plupart sont des constructions récentes. Saint-Paul tranche sur ce qui se faisait à cette époque en n'adoptant pas le style pseudo antique ou néo-gothique à la mode. Le

◀ ▲ *Le contraste est total entre le raffinement antique des pierres blondes de la Maison Carrée et la rigueur du verre et de l'acier utilisés pour le Carré d'art.*

projet choisi, de **style romano-byzantin**, s'inspire des modèles médiévaux de la Provence et de la vallée du Rhône. On retrouve par exemple sur les façades les **arcatures lombardes** des églises romanes de la région.

- Les **tympans** s'inspirent directement de l'église Saint-Trophime d'Arles : au centre le Christ et les quatre évangélistes ; à droite saint Paul, saint Castor et saint Baudile ; à gauche la Vierge et les archanges.

- À l'intérieur, on note le même souci de décor élaboré, composé de **sculptures** du même artiste que les tympans (Paul Colin) et de **peintures** d'Hippolyte Flandrin. Le décor de la nef centrale est réservé au Christ, celui du bas-côté gauche à la Vierge, celui du bas-côté droit à saint Paul. L'architecte a veillé à l'harmonie de l'ensemble jusqu'aux éléments de mobilier et aux mosaïques.

▷ La vieille ville

PLAN C2-3

Ruelles et hôtels

La place du Marché est un bon endroit pour partir à la découverte de la vieille ville. C'est l'une des nombreuses petites places de Nîmes, très conviviale ; sa fontaine au crocodile reprend les armes de la ville avec beaucoup de charme.

■ La rue de l'Aspic

Au n° 14, notez, dans la cour intérieure, le superbe escalier à balustrade ; la façade modeste illustre bien la discrétion des grandes demeures nîmoises.
- À l'extrémité sud de la rue, à gauche, vous rejoignez **l'hôtel de ville**, construit entre 1700 et 1703 : dans l'escalier d'honneur se trouvent quatre **crocodiles empaillés** (le plus vieux date de 1597, le plus jeune de 1703). On retrouve le motif du crocodile aux ferronneries du balcon.

■ La rue Dorée

Elle longe l'hôtel de ville par le nord. Elle compte de beaux **hôtels particuliers** (n°s 3, 4, 5, 7, 9…). N'hésitez pas à jeter un coup d'œil dans les cours intérieures. Le n° 16, dit **hôtel de l'Académie**, possède une superbe porte avec un fronton portant la devise de l'Académie (*Nequid nimis*, « rien de trop ») et une belle cour intérieure Renaissance à galerie, sculptures et puits.

■ Le collège des Jésuites

Au bout de la rue Dorée. PLAN D2

▲ *Détail de la façade d'un hôtel, rue de l'Aspic.*

Il a pris la suite de l'ancien collège des Arts, berceau de la Réforme protestante à Nîmes. Au moment de la Paix d'Alès, les protestants ont été obligés de faire une place aux jésuites au sein du collège. Artisans de la Contre-Réforme en France, les jésuites cherchaient à prendre la direction du collège. En 1666, ils arrivent à leurs fins. La qualité de leur enseignement attire un tel nombre de personnes que l'on décide, en 1673, de reconstruire les bâtiments.
- Le collège lui-même est organisé autour d'une belle **cour intérieure**.
- **L'église** est l'un des plus beaux monuments de la ville. Elle respecte entièrement le style mis à l'honneur par la Contre-Réforme, inspiré des modèles antiques : superposition de niveaux répétitifs, utilisation des frontons, niches et colonnes, avec en plus une profusion de lanternons. À l'intérieur, la nef unique est fidèle aux modèles utilisés généralement par les jésuites et particulièrement élégante avec ses jeux de voûtes, ses corniches, ses arcades, ses balustrades et ses ferronneries. Elle accueille désormais des expositions.

■ Le musée Archéologique et d'Histoire naturelle

13, boulevard de l'Amiral-Courbet. PLAN D2

Ouvert tous les jours sauf le lundi de 11 h à 18 h.
☎ **04 66 76 74 80.**

Il centralise les résultats des fouilles de la région. Il possède des collections d'une grande qualité, concernant toutes les époques de l'histoire.

- Parmi elles, la **collection de statues-menhirs**, les plus anciennes sculptures du midi de la France, et les belles séries d'**objets du quotidien** (bijoux, chenets, petits autels domestiques, vaisselle, outils, urnes funéraires…) sont à voir absolument.

- Une place importante est accordée à la période romaine au moyen d'une collection d'un millier d'**inscriptions latines**, de sculptures, de sarcophages, de mosaïques… La collection de **monnaies** (dont celle au crocodile) donne une foule d'informations sur des monuments disparus.

- Dans le musée d'Histoire naturelle, on admirera de nombreux **animaux naturalisés**, dont l'inévitable taureau.

■ Les vieilles rues

PLAN C2

Au n° 10 de la Grand Rue, **l'hôtel Rivet** fut construit au XVIIIe s. pour un armateur marchand de soieries. Occupé par l'École des Beaux-Arts, il possède une belle cour intérieure et une superbe rampe de fer forgé.

- À l'angle de la **rue du Chapitre**, belle maison du XVIIe s. et sa cage d'escalier surmontée d'une tour. Observez aussi le n° 17 (façade et cour) et le n° 14, **l'hôtel de Régis** : belle façade, porte décorée et cour intérieure avec son puits et son dallage en galets de rivière. La plupart des maisons de cette rue appartenaient aux chanoines de la cathédrale qui les louaient aux négociants.

- Donnant dans la **rue des Marchands** (belles demeures aux nos 15 et 17), le **passage des Marchands** est une succession de voûtes, de boutiques et d'escaliers qui mène **rue Sainte-Eugénie**.

- **L'église Sainte-Eugénie** cache, derrière sa façade banale du XIXe s., une belle nef romane voûtée. Des pierres tombales de maîtres de corporations sont encastrées dans le dallage. Notez l'immense retable néogothique.

- Au bout de la rue des Marchands, vous débouchez sur **la place aux Herbes**, le centre de la vieille ville. C'était jadis un endroit très vivant, encombré par les étals des marchands : sur le mur de la cathédrale, on voit d'ailleurs les trous où étaient appuyés les auvents.

L'industrie textile à Nîmes

drap de laine et lingerie de soie

C'est le textile qui a fait la richesse de la ville dès le XVIIe s. L'ensemble du Languedoc se consacre alors à cette industrie et produit draps de laine et soieries de qualité. L'originalité de Nîmes est d'avoir su se démarquer de ses rivales en occupant des marchés délaissés.

■ Une vocation ancienne

Comme partout ailleurs dans le Languedoc, Nîmes utilise la richesse de l'arrière-pays en laine pour produire le drap qui se vend si bien. Mais ce secteur connaît une grave crise au XVIIe s. et les Nîmois se reconvertissent dans la soie dès la seconde moitié du siècle. À cette époque, les Cévennes produisent déjà le fil de soie. La production va même connaître un essor spectaculaire au début du XVIIIe s. D'un autre côté, Lyon est la capitale incontestée des soieries haut de gamme. Nîmes se spécialise donc dans les articles de moindre qualité, tissus dits de « petite tire » aux couleurs vives, réservés à l'exportation vers l'Espagne pour ses colonies d'Amérique du Sud. Il s'agit de taffetas, satins, velours, rubans…

La ville se spécialise également dans la fabrication des bas de soie dits « à la péruvienne », brodés de motifs, de qualité médiocre mais très bon marché. Au XVIIIe s., on en vend deux millions chaque année. Environ les deux tiers de la production partent vers les colonies espagnoles et le Brésil, le reste est exporté vers l'Europe de l'Est.

■ Les « articles de Nîmes »

Mais la production des industriels nîmois est diversifiée. Sous le nom d'« articles de Nîmes », on fabrique des tissus de composition diverse, mélangeant laine, coton et soie. Pour la chaîne des étoffes, on utilise les déchets de soie (bourrette, fleuret, filoselle…). Pour la trame, on prend de la laine (cela donne alors le burat) ou du coton. On fabrique aussi de la serge, un tissage présentant de fines côtes obliques, en soie ou en laine, mais aussi en fibres mélangées ou en coton.

L'éducation du ver à soie

Source de revenus appréciable, « l'éducation » du ver à soie était pratiquée par de nombreuses familles paysannes de Navacelles et Madières, dans les gorges de la Vis, qui transformaient en magnanerie la pièce de la maison la plus facile à chauffer. Le ver à soie en effet naît vers le mois de mai après que l'on a fait « mûrir » la graine en la faisant passer graduellement de sa température normale, 10° à 15 °C, jusqu'à 20° à 23 °C. Ainsi maintenue, cette température permettait, après l'éclosion, que les mues des vers se fassent normalement jusqu'à la « montée », c'est-à-dire au bout de 35 jours. Parvenus à ce terme, les vers à soie montent effectivement dans les rameaux de bruyère disposés sur des claies spéciales pour y filer leurs cocons. Au mois de mai, toute la famille travaillait donc aux « magnans », ces vers voraces qu'il fallait alimenter sans cesse de feuilles de mûrier fraîchement cueillies ; on filait le cocon sur place à la maison et l'on allait ensuite vendre la soie en « paquets » à Ganges. Chaque magnanier récoltait entre 150 et 200 kg de cocons.

La nature variée des fibres entraîne une irrégularité dans la teinture et donne un effet chiné. Dès le XVIIᵉ s., les industriels nîmois importent du coton égyptien pour fabriquer une serge particulièrement solide, que l'on teint en bleu. Elle sert à faire des vêtements de travail, des jupes pour les paysannes, des vestes pour les bergers. Les pays étrangers sont très demandeurs de ces toiles.

Vers la fin du XVIIIᵉ s., l'Espagne ferme ses marchés de la soie pour soutenir sa propre industrie. Il faut donc trouver de nouveaux débouchés. Avec la mode des tissus imprimés importés des Indes, les fabricants ont l'idée de produire eux-mêmes ces cotonnades légères et colorées, imprimées à la planche de motifs d'inspiration exotique. On les appelle des « indiennes ». Tous ces produits envahissent l'Amérique du Nord au début du XIXᵉ s. Lorsque, en 1848, un certain Levi-Strauss met au point le célèbre pantalon à rivets qui habillera les pionniers, il l'exécute en toile de Nîmes bleue, appelée denim… Elle arrive sur des bateaux venus du port de Gênes que l'on prononce « djinn » à San Francisco.

■ Un circuit efficace

Le négociant est la clé de toute l'industrie textile nîmoise. C'est lui qui achète la matière première dans les régions de sériciculture et la fournit aux artisans et petits fabricants. Une grande partie de la production est réalisée par des ateliers familiaux et concerne près des deux tiers des habitants de la ville. Après les guerres de Religion, les protestants sont disséminés dans toute l'Europe (Suisse, Allemagne, Hollande, Angleterre, Irlande…) et aux Amériques, constituant un cercle d'affaires planétaire.

■ La dure vie des ouvrières

La plupart des ouvrières du textile sont étrangères à la ville de Nîmes. Ayant quitté leur campagne cévenole ou gardoise pour trouver du travail en ville, elles connaissent des conditions de travail épouvantables. En hiver, on commence à cinq heures du matin et l'on s'arrête à minuit. En été, on démarre encore plus tôt, à quatre heures du matin. Les ateliers sont mal aérés et humides. L'odeur est insupportable, surtout celle de la laine encore imprégnée de graisse. Les cardeuses sont les plus à plaindre : elles travaillent presque tout le temps les bras en l'air. L'atmosphère est surchargée de poussière et de fibres en suspension. Les maladies respiratoires sont courantes ; s'y ajoute la tuberculose. Presque toutes les ouvrières toussent en permanence et la durée de vie est très courte. Les médecins de l'époque identifient déjà ces symptômes comme ceux d'une véritable maladie professionnelle.

> ## La concurrence anglaise
>
> *Déjà importante au Moyen Âge, l'industrie textile connut son apogée aux XVIIᵉ et XVIIIᵉ s. : en 1708, pas moins de 240 métiers fonctionnaient dans les villages de la Montagne noire. Étaient tissés des draps de qualité qui étaient ensuite vendus à Smyrne, à Constantinople, au Caire et à Alep. Afin de faciliter la surveillance et la réglementation de la production, ces draps étaient en général fabriqués dans des manufactures royales subventionnées mais contrôlées par des inspecteurs. Celles de Montolieu et de Cuxac-Cabardès employaient des centaines d'ouvriers et chacune utilisait plusieurs dizaines de métiers à tisser. Cette activité si prospère connut à partir des années 1770 un ralentissement sensible qui se traduisit par la fermeture de la manufacture de Cuxac. Il faut chercher la cause de ce déclin dans la concurrence anglaise qui prit aux Languedociens une part grandissante du marché levantin.*

Comprendre • L'industrie textile à Nîmes

▷ Le musée du Vieux-Nîmes | *PLAN C2*

Situé non loin de la cathédrale, le palais des évêques ne fut reconstruit qu'à la fin du XVIIᵉ s. Il abrite le plus passionnant des musées de la ville qui présente au moyen de divers documents, gravures et tableaux, tous les aspects de la vie des habitants durant les siècles passés.

La légende de saint Baudile

Dans le quartier nord de la ville, une grotte de rocaille rappelle un culte populaire chez les catholiques nîmois : celui de saint Baudile, légionnaire romain fraîchement converti, débarquant à Nîmes. Horrifié par la profusion de temples païens, Baudile tente d'interrompre la première cérémonie qu'il surprend. Mal lui en prend, car on lui coupe aussitôt le cou. Mais, alors qu'elle rebondit trois fois, sa tête fait jaillir trois sources qui attirent durant tout le Moyen Âge un important pèlerinage. Il n'en reste que la petite grotte, quelques ex-voto dérisoires et un autel…

■ Le musée

ouvert tous les jours sauf le lundi de 11 h à 18 h.
☎ **04 66 76 73 70.**

À travers les différentes salles, le musée du Vieux-Nîmes expose des meubles, des **céramiques,** des **textiles** et surtout une superbe série de meubles anciens, notamment des **armoires de mariage** traditionnelles du Languedoc, richement sculptées de scènes bibliques. On traverse ainsi différentes pièces qui ont gardé leur caractère d'époque et réunissent mobilier, **objets usuels,** ustensiles et décoration assortis : chambres, garde-robe, salon, salle à manger… Le tout constitue une remarquable incursion dans le milieu de la riche bourgeoisie nîmoise aux XVIIᵉ et XVIIIᵉ s.

■ Autour de la cathédrale

Tout près de la place aux Herbes, au n° 1 de la **rue de la Madeleine,** la **Maison Romane** possède la plus belle façade de la ville, avec de nombreuses sculptures représentant des feuillages et des têtes humaines et animales.
- À côté de la cathédrale, la **rue Saint-Castor** est celle du **presbytère** (n° 9) dont la façade est particulièrement élégante (XVIIᵉ s.).
- Toutes les rues des environs sont semées de détails d'architecture intéressants à découvrir lorsque l'on lève les yeux : porches, frontons, gargouilles, cours intérieures…

Reboul et Bigot, poètes nîmois

Ces frères ennemis participèrent à ce que l'on a appelé la « renaissance d'oc », moment d'affirmation et de valorisation de l'identité occitane. Reboul et Bigot étaient tous deux d'origine ouvrière et solidement enracinés dans la réalité languedocienne, ce qui leur attirait une audience de masse. Le boulanger Jean Reboul (1796-1864) est l'auteur de poésies en français. Lié à Frédéric Mistral, il écrivit aussi des poèmes en langue d'oc. Député en 1848, il se fit le chantre de la religion et de la droite royaliste. À l'inverse, Antoine Bigot (1825-1897), fils d'un cultivateur, commis chez un marchand de châles puis cabaretier, était protestant et républicain. Il est l'auteur de fables, pour la plupart inspirées de La Fontaine et de Florian, et dont l'action est située à Nîmes. Un interprète de talent, Martin, assura le succès populaire de ces fables écrites en patois nîmois.

▷ Le quartier des Halles, le musée des Beaux-Arts et l'oppidum de Nages

PLAN C2

■ L'îlot Littré

Derrière les halles, le quartier de l'**îlot Littré** était autrefois celui des teinturiers, autour de la **rue du Mûrier**. Très agréablement réhabilité en une succession de frais patios, il abrite de nombreux restaurants.

- Au bout de la rue du Mûrier, redescendez vers la rue de l'Horloge et la **place de l'Horloge**, où se trouvent le **beffroi** d'un ancien hôtel de ville et, au n° 1, la maison natale de Jean Nicot.

- Après la place de l'horloge, descendez la rue Fresque en remarquant au passage au n° 6 l'**hôtel Mazel** (façade, cour et escalier) ainsi que, dans la rue de Bernis (à gauche), l'**hôtel de Bernis**, dont la cour imite l'architecture des arènes, et les fenêtres celle du temple de Diane.

> Comme dans toutes les villes du Midi, les halles méritent un détour pour leurs parfums – olives, herbes, fromages, fruits – pour la couleur des étals et l'exubérance des marchands.

■ Le musée des Beaux-Arts

Rue Cité-Foulc. PLAN C4

Ouvert de 11 h à 18 h tous les jours sauf le lundi. ☎ 04 66 67 38 21.

Situé un peu à l'écart du centre ville, il réunit de belles collections agencées autour de la salle centrale et d'une superbe **mosaïque antique** de 52 m (motifs très riches autour de la légende des Noces d'Admète).

- Les différentes salles présentent de belles toiles des écoles italienne, nordique et française. Pour exemple, citons le *Mariage mystique de sainte Catherine* (d'un artiste vénitien du XVe s.) ou *Suzanne et les vieillards* de Bassano. Le musée conserve aussi de nombreuses **verreries** et des **sculptures** du XIXe s. (Rodin, Bourdelle…).

■ L'oppidum de Nages

À 12,5 km au sud-ouest de la ville.

La visite de cette ancienne place forte donne une foule de renseignements sur la vie avant les Romains. Sa découverte fait l'objet d'une **belle promenade** à partir du village de Nages.

- Il s'agit d'une ancienne ville gauloise entourée d'une **enceinte** pratiquement rectangulaire ponctuée de **tours**. L'oppidum, comme celui de Nîmes, était situé sur la via Domitia.

- On distingue la trace d'enceintes successives et d'une urbanisation déjà très organisée le long de **rues** ou adossée aux remparts.

- La **grande tour** centrale date d'environ 250 avant J.-C. et le **temple**, constitué de deux salles rectangulaires, de 70-30 avant J.-C. L'enceinte la plus extérieure est la plus récente (IIe s. avant J.-C.) et marque un progrès dans la conception de la ville : les rues sont plus larges, les maisons plus spacieuses que dans le quartier central ancien.

L'herbe à Nicot

Cet ambassadeur de France à Lisbonne ramena un jour à Catherine de Médicis les graines d'une plante américaine qu'il tenait d'un marchand hollandais. On devait en faire sécher l'herbe pour la mâcher ou la renifler. C'était le tabac, aussi surnommé « herbe à Nicot ».

La garrigue de Nîmes et les gorges du Gardon

Au-dessus de Nîmes et jusqu'aux gorges du Gardon, s'étend le monde particulier de la garrigue. Paysage rocailleux de faible altitude, il échappe presque totalement à l'homme. Même si la garrigue se construit peu à peu, c'est un milieu austère, de calcaire et de végétation avare, résistant à la sécheresse. Le chêne vert est omniprésent et les habitations rares en dehors des villages, à l'exception des capitelles. Le Gardon ou Gard est une rivière issue des Cévennes, dont le régime fantasque varie de la sécheresse presque totale à des crues spectaculaires. Il n'y a pas de route pour suivre ses gorges, aussi l'abord en est-il épisodique.

Les gardonnades

On appelle ainsi les crues du Gardon, qui peuvent être catastrophiques. Les statistiques ne font état que d'une dizaine de crues vraiment graves par siècle, mais la mémoire populaire garde le souvenir des flots ravageurs, quand la rivière passe en très peu de temps de 0 à 2 500 m³/s. Le pont de Dions conserve les marques de la crue de 1958. Lors des pires gardonnades, il peut être recouvert par plus de 3 m d'eau.

■ Les villages de la garrigue

Quittez Nîmes par la route d'Alès (N 106).

Vous passez d'anciennes carrières, sur la gauche, en contrebas : c'est là que se réunissaient les protestants durant la période de clandestinité. Au sortir de la ville, vous commencez à voir des murets de pierre sèche et des capitelles.

- À 6 km de la ville, **les carrières de Barutel** sont très spectaculaires. Les Romains y extrayaient la pierre calcaire qui servait à construire leurs monuments, notamment les arènes de Nîmes. On y voit nettement les traces d'extraction, de scie ou de pics, et de petits fûts de colonnes.

- Poursuivez vers **La Calmette**, un paisible village entre plaine et garrigue. Un petit circuit vers l'ouest permet de découvrir les villages de la garrigue, entourés de cultures maraîchères et de vignes.

- Prenez la D 22 vers **Gajan**, au sud-ouest, un village médiéval situé sur une ancienne voie romaine, avec château, ancienne porte et église romane.

- Continuez vers **Saint-Mamert-du-Gard**, puis **Parignargues**, où l'église romane abrite, pour Noël, une crèche provençale à santons animés.

- Revenez à Saint-Mamert et suivez la D 1, traversez la grande route et allez jusqu'à **Montignargues**, un hameau perché qui possède une jolie église des XIIe et XIIIe s.

- Plus loin, **Saint-Geniès-de-Malgoires** fut le théâtre de féroces disputes durant les guerres de Religion.

- Gagnez ensuite **La Rouvière** et son château aux tours décapitées pour retrouver La Calmette.

■ Dions

À l'entrée du village, le joli château date du début du XIXe s. Il est entouré d'une forêt de chênes blancs et de buis rares, plusieurs fois centenaires.

- Au sud du village, un sentier conduit et permet de descendre (signalé « sentiers d'Émilie ») au **gouffre des Espélugues** (Espeluca). C'est un vaste entonnoir de 300 m de diamètre, causé par un effondrement du sous-sol. Au fond, vous pouvez voir une grande **grotte**. La végétation y est particulièrement luxuriante. Faites cependant attention en empruntant le sentier qui mène au fond : certains passages sont très raides et peuvent être glissants.

- Suivez ensuite les panneaux de signalisation du « sentier d'Émilie » pour atteindre **le ravin de Fougeras**, creusé dans une terre ocre parmi les plantes de la garrigue.

- En continuant vers l'est, vous traversez **le Gardon** par un petit pont. Jusqu'en 1885, le passage était assuré par un bac. Vous arrivez peu après au village de Russan.

■ Les gorges du Gardon

À **Russan**, avant de faire la balade des gorges, visitez **l'église** (XVIIIe-XIXe s.) : « gypseries » et tableau de Sigalon.

À la fin du printemps et en été, les gorges du Gardon peuvent être parcourues à pied en empruntant son lit à sec jusqu'à Dions. Méfiez-vous des orages et averses subites.

- Prenez ensuite dans le village un sentier bien balisé vers l'est et **le Castellas**. C'est un promontoire sur la rive du Gardon, d'où l'on domine les gorges. Le paysage est splendide : hautes parois de calcaire blanc pur ou bleuté que vient habiller la garrigue. Par temps clair, vous apercevez le mont Ventoux à l'est, les Cévennes au nord-ouest, et les garrigues au sud et à l'ouest. Le Castellas était habité dès la préhistoire et fut le site d'un oppidum gaulois.

- Reprenez votre voiture et allez à **Saint-Nicolas-de-Campagnac** où le passage sur le pont offre une très belle perspective du Gardon, puis gagnez **Sanilhac**. Du village, empruntez le sentier qui traverse les vergers en direction du Gardon. Il vous mène juste à l'aplomb des gorges, en passant au cœur de la garrigue. Les falaises sont percées de multiples grottes.

- En suivant la rive, le sentier mène à la célèbre **grotte de Baume** (fermée au public) où l'on a retrouvé des fresques préhistoriques parmi les plus anciennes d'Europe, représentant des mains, des ours, des chevaux, des éléphants, des rhinocéros, des félins… L'une des entrées de la grotte est occupée par le petit **ermitage de Saint-Vérédème**. Vous pouvez vous engager sur un sentier taillé à même la paroi.

▼ Collias est le point de départ des randonnées dans les gorges du Gardon, à pied le long du GR 6, ou en kayak.

■ Collias

Un autre sentier (rive sud du Gardon, en aval du pont routier) vous conduira à travers un vallon très encaissé jusqu'à une ravissante chapelle romane blottie contre une falaise, **Notre-Dame-de-Laval**. Il s'agit d'un ancien ermitage où l'on vénérait les divinités de la source. Le site est enchanteur.

CARTE P. 353

Le pont du Gard

L'alimentation de la ville en eau était un souci majeur pour les Romains, lorsqu'ils développèrent Nîmes. L'eau revêtait une importance capitale dans leur mode de vie, non seulement pour les besoins de la vie quotidienne et de l'hygiène, mais aussi pour les thermes ou établissements de bains publics, les fontaines et les nombreux jardins. Au début, on se contenta de la source de la Fontaine, mais on finit par décider de construire un aqueduc. Le pont du Gard n'est qu'une infime partie, certes la plus spectaculaire, de cet aqueduc antique.

▶ *Pour faire face aux crues du Gardon, les fondations du pont sont ancrées dans la roche et les piliers inférieurs sont imposants.*

■ L'aqueduc de Nîmes : de l'eau pour la ville

On a longtemps pensé que les premiers travaux de l'aqueduc remontaient à l'époque d'Auguste. On évoqua ensuite un patronage de l'empereur Antonin, d'origine nîmoise. En fait, le plus gros de la construction date du milieu du Ier s. et dura de 10 à 15 ans, sous les règnes de Claude et de Néron. Pour trouver une source et une dénivellation assez importantes pour alimenter la ville, il a fallu aller jusqu'à Uzès aux sources d'Eure. La totalité de l'aqueduc s'étend donc sur 50 km. Le Castellum de Nîmes en est l'aboutissement dans la ville et l'un des trois bassins du parcours. Un autre est situé près d'Uzès, et permettait d'évacuer le trop-plein vers l'Alzon. Le second est en amont du pont du Gard et pouvait évacuer l'eau vers le Gardon. L'ensemble du parcours accidenté (garrigues et gorges du Gardon) et la faible dénivellation (12,27 m) soulignent la prouesse technique. À l'époque romaine, l'aqueduc acheminait de 35 000 à 40 000 m³ par jour, soit 400 l/s. L'aqueduc fut utilisé jusqu'au VIᵉ s., mais l'importance des dépôts découverts dans le canal indique qu'il était alors très mal entretenu et que son débit devait être divisé par quatre.

Le canal qui transporte l'eau est de section rectangulaire, mesurant 1,30 m de large, en moyenne. Il est construit en maçonnerie soigneusement ajustée et voûtée. L'intérieur est recouvert d'un enduit rougeâtre très résistant, un béton fait avec des tuiles écrasées recouvert d'une peinture imperméable à base de jus de figue. Selon les endroits, il est enfoui dans une tranchée ou aménagé à flanc de coteau. Il peut passer sur des arches (Vers), dans un tunnel (Sernhac) ou encore traverser de vastes espaces au moyen d'un pont-aqueduc (la Sartanette, entre Remoulins et le pont du Gard, Bornègre, sur la D3 vers Argiliers). L'ensemble de l'aqueduc compte, outre le canal, plusieurs centaines de mètres de tunnels, une vingtaine de ponts et trois bassins. Le plus beau des ouvrages d'art est sans conteste le pont du Gard.

▲ *Les nombreuses inscriptions sur les piles du pont sont celles des compagnons tailleurs de pierre pour qui le lieu était une étape obligatoire de leur tour de France.*

■ Le pont le plus impressionnant du monde romain

Avec sa triple rangée d'arches, ses 275 m de long et ses 48 m de haut, le pont du Gard est le plus impressionnant du monde romain. Des évaluations font état de 21 000 m³ de pierres pour un poids de 50 400 tonnes. Malgré sa taille gigantesque et sa complexité, il aurait fallu moins de 5 ans pour le construire. À la nécessité d'acheminer l'eau s'ajoutait la difficulté de concevoir un pont solide pour traverser une rivière aux crues redoutables. C'est ainsi que toutes les fondations sont ancrées dans la roche et que les arches inférieures sont très larges pour accommoder le flux du Gardon. On note aussi que le pont est légèrement convexe vers l'amont, ce qui lui permet de mieux résister à la poussée des eaux. Le matériau utilisé est un calcaire extrait des carrières locales. Toute la partie inférieure est assemblée à sec. Certains gros blocs pèsent 6 tonnes et portent encore la trace des pics d'extraction. Le chantier était minutieusement organisé et les blocs portent encore des marques d'assemblage pour guider les exécutants. Le premier étage est formé de 6 arches (21,80 m de haut) dont la plus grande a 24,50 m d'ouverture. Le pont routier accolé à cet étage n'a été achevé qu'en 1747. Durant le Moyen Âge, on avait pratiqué de profondes échancrures dans les piles du second étage pour ménager un passage. Le second étage compte 11 arches de 19,50 m de haut. Le dernier, celui qui porte le canal, possède 47 arches (dont 12 détruites) beaucoup plus petites, d'une hauteur de 7,40 m. La portion qui révèle le canal montre bien la maçonnerie des parois, l'enduit imperméable et les importants dépôts calcaires qui en obstruent plus de la moitié.

Un vaste chantier, achevé pour l'an 2000, a permis le réaménagement des abords du pont, avec centre d'interprétation et sentier de découverte.

Le lièvre du pont du Gard

La troisième arche du deuxième étage, vers l'aval, porte un relief phallique, connu sous le nom de lièvre du pont du Gard. C'est un symbole de fécondité et de force très populaire chez les Romains, mais Frédéric Mistral rapporte une légende le concernant. Le diable aurait aidé à la construction du pont en échange de la première âme qui le traverserait. Ce fut un lièvre, que le Diable, dépité, fracassa sur les piles du pont où il se pétrifia…

Comprendre • Le pont du Gard

Sommières

CARTE P. 353

Construite en étages sur le flanc d'une colline dominant le Vidourle, cette petite ville est un concentré du Midi, une étape pleine de charme : belles ruelles pavées, hôtels particuliers, arcades fraîches, cafés où l'on joue à la belote devant un pastis…

Un pont stratégique

Les Gaulois avaient installé un oppidum sur la colline, mais l'importance de la ville date de la construction du pont par les Romains, au Ier s., à un carrefour stratégique entre la via Domitia et la route reliant Nîmes à Lodève. Les Romains exploitaient les carrières locales et certaines pierres des arènes de Nîmes viennent des environs. Au Moyen Âge, le seigneur d'Anduze, dont Sommières est l'un des fiefs, fait construire le château sur la colline pour garder les abords du pont. Il existe même un atelier de fabrication de monnaies au début du XIe s. La ville revient au roi après la croisade contre les cathares. Pendant les guerres de Religion, c'est une place de sûreté protestante. Son essor économique repose dès le Moyen Âge sur le commerce, lors de ses foires très fréquentées, sur la fabrication du drap et sur le travail du cuir. Les artisans installent leurs ateliers le long de la rivière, tanneries, mégisseries… L'élevage, important dans la région, fournit peaux et laine. La rivière apporte l'eau et l'énergie. Les chênes verts produisent leur écorce, riche en tanin, indispensable pour traiter le cuir. Tout cela explique la richesse des habitants et la concentration de la ville en belles maisons.

■ Le pont romain

C'est le point de départ naturel de la visite puis qu'il est la raison d'être de Sommières. Son état de conservation est étonnant, sachant qu'il a traversé près de vingt siècles (il a été construit entre 19 et 31) et que la rivière est particulièrement fantasque.

■ Les quais

Le long du Vidourle, c'est l'un des endroits les plus agréables de la ville. C'est là que se retrouvent les joueurs de pétanque, que l'on taquine le poisson ou que l'on s'arrête à la terrasse des cafés.

- **L'esplanade** longe la rivière à l'ombre des platanes et mène aux arènes, particulièrement animées les jours de **courses camarguaises** (en général le dimanche après-midi en été).

▲ *Le pont romain sur le Vidourle. Lors des vidourlades, comme on appelle ses crues, la rivière peut grossir d'un seul coup avec une violence inouïe : on a enregistré des montées de niveau à la cadence de 6 cm par minute. Les maisons sont alors inondées jusqu'au premier étage.*

■ La tour de l'Horloge

Au bout du pont, sur la sixième pile. C'était la seule porte de la ville du côté de la rivière, et une partie de l'enceinte médiévale. On y voit les armes de la ville qui évoquent la seconde tour qui existait à l'autre extrémité du pont jusqu'au XVIIIe s. La cloche du beffroi date de 1613. Notez les gargouilles en forme de canons.

■ L'hôtel de ville

Il fut construit au XVIIIe s. On y retrouve les mêmes gargouilles que sur la tour. C'est à la même époque que l'on aménagea le quai.

- À côté de l'entrée principale, un passage permet de descendre sur la **place des Docteurs-Dax**, ou marché bas : très curieuse, elle est bordée d'arcades pittoresques construites sous le quai, qui soutiennent les maisons. Lors des crues, les eaux y atteignent plus de 3 m. Un **marché** très animé s'y tient le samedi.
- La **place Jean-Jaurès** est le marché haut ou place au blé car on y négociait jadis les céréales. Elle est aussi bordée d'arcades.

■ La rue de la Taillade
Comme son nom l'indique, elle est taillée dans la colline ; elle est jalonnée de beaux hôtels particuliers. À première vue, les maisons vous sembleront bien modestes, étroites et serrées les unes contre les autres : en raison du manque d'espace et de la popularité du quartier, le terrain était très cher. Prenez le temps d'observer les détails, les escaliers, les vestibules, les rampes superbes, les façades latérales.
- Entre les n°s 38 et 40, la **ruelle Bombe-Cul** est un passage voûté très ancien. Ne manquez pas **la montée des Régordanes**, qui mène à **la tour du château** en grimpant à flanc de colline. Le château initial date du VIII° s. et fut reconstruit au Moyen Âge. Il possédait deux tours, mais la seconde fut détruite par les catholiques en 1573, alors qu'ils cherchaient à déloger les protestants qui l'occupaient. La tour comporte deux salles superposées. La **terrasse** offre une très jolie vue sur la ville en contrebas, le pic Saint-Loup et les Cévennes. On aperçoit également le château de Villevieille vers le nord.

Visite de la tour du château entre 16 h et 19 h.

■ Le château de Villevieille
Il occupe une colline à 1,5 km au nord de Sommières.

Ouvert l'après-midi d'avril à octobre ; le reste de l'année, ouvert le dimanche et les jours fériés à partir de 14 h, ou sur rendez-vous. ☎ 04 66 80 01 62.

Construit au XI° s., le château a été restauré à la Renaissance et préservé à la Révolution car le propriétaire était ami de Voltaire et Mirabeau.
- L'intérieur est bien conservé, notamment l'escalier monumental, la salle à manger, le grand salon, la chambre où coucha Saint Louis et les chapelles.

■ La chapelle Saint-Julien-de-Salinelles
À 4 km au nord de Sommières.

C'est une ravissante église romane constituée par la juxtaposition de deux édifices : côté nord, une chapelle du XI° s., de style lombard, côté sud une chapelle du XII° s.
- Le village de **Salinelles** est celui qui produisait jusqu'en 1981 la célèbre **terre de Sommières** utilisée pour absorber les corps gras et détacher les tissus.

▲ *C'est lors d'un séjour au château de Villevieille que Saint Louis décida de créer Aigues-Mortes. C'est ici encore que Louis XIII organisa le siège de Sommières en 1622, lorsque la ville était aux mains des protestants.*

Alès

CARTE P. 353
Office du tourisme : place Gabriel-Péri.
☎ 04 66 52 32 15.

Ici, ce n'est ni le drap, ni la soie qui ont permis à la ville de survivre mais le charbon et le fer qui ont fait d'Alès l'un des premiers centres sidérurgiques du pays. La ville a d'ailleurs gardé peu de traces de son passé d'avant l'industrialisation. En revanche elle témoigne de façon passionnante de l'histoire des mines, grâce à un patrimoine industriel bien mis en valeur.

Les mines

On a retrouvé des traces d'exploitation du fer et de l'argent dès l'époque gallo-romaine. Les techniques restent pourtant longtemps artisanales et familiales : on se contente de gratter les affleurements ou bien on creuse de courtes galeries. Les choses changent en 1771, lorsque le roi confie à un certain Tubœuf le monopole de l'exploitation. Il introduit des techniques nouvelles et efficaces. L'industrie se développe rapidement, des dizaines de puits sont creusés (au rythme de deux par an à la grande époque) et la production fait un bond spectaculaire (de 20 000 t en 1815 à 2 000 000 t en 1890). Tandis que les patrons de mines construisent de splendides demeures, la condition des ouvriers demeure déplorable. Pour s'en faire une idée, il suffit de lire *Sans famille* d'Hector Malot, qui s'inspira d'un fait divers survenu dans l'une des mines des environs, ou *Germinal*, de Zola, qui décrit des conditions similaires. Les compagnies prennent en main la vie des ouvriers, contrôlant logement et écoles, assiduité à la messe (sinon on n'est pas embauché) et bulletin de vote. On ne s'étonne donc pas que jusqu'en 1936, Alès soit resté un bastion catholique de droite au cœur d'un pays cévenol protestant et socialiste !

▶ *La cathédrale Saint-Jean n'a gardé de l'époque romane que sa façade ouest. Le clocher-porche est gothique (1430-1438) et le reste date du XVIIIᵉ s.*

■ La cathédrale Saint-Jean

À l'intérieur, les reconstructeurs ont associé le néo-gothique, en harmonie avec le style d'avant la Réforme, et des colonnades tout à fait dans l'esprit de la Contre-Réforme. Le mobilier est remarquable : superbe buffet d'orgue, stalles, chaire, baptistère, tableaux dont une *Assomption de la Vierge* de Mignard.

■ Le musée du Colombier

Au nord de la ville.

> **Ouvert de 14 h à 18 h, jusqu'à 19 h en juillet et août ; le dimanche de 10 h à 12 h et de 14 h à 18 h. Fermé le mardi.**
> ☎ **04 66 86 30 40.**

Dans un joli château de la fin du XVIIᵉ s., des œuvres du XVIᵉ s. à nos jours, avec des toiles de Breughel de Velours, Van Loo, un beau *Tryptique de la Trinité* de Bellegambe et une collection d'archéologie régionale.

■ Le musée minéralogique de l'École des Mines

6, avenue de Clavières.

> **Ouvert du 15 juin au 15 septembre du lundi au vendredi de 14 h à 18 h. Le reste de l'année, visite uniquement sur rendez-vous.** ☎ **04 66 78 51 69.**

Pour les amateurs de géologie. Très importante collection de minéraux et de fossiles du monde entier.

■ Le quartier de Rochebelle

De l'autre côté du Gardon.

C'est l'ancien faubourg des mineurs. C'est là que Tubœuf occupait le château (XVIIIᵉ s.) qui devint par la suite le siège de la Compagnie des mines de Rochebelle. Il abrite aujourd'hui le **musée Pierre-André Benoît**, un espace rare et magique, réalisé par un imprimeur poète et artiste qui a réuni des livres précieux mais aussi des œuvres contemporaines de qualité. Alechinsky, Picabia, Braque, Miró, Picasso, Camille Claudel sont autant de surprises agréables, mises en valeur dans un cadre lumineux.

52, montée des Lauriers.

> **Ouvert tous les jours en saison de 14 h à 19 h ; hors saison du mardi au samedi de 14 h à 18 h et le dimanche de 10 h à 12 h et de 14 h à 18 h. Fermé le lundi et en février.**
> ☎ **04 66 86 98 69.**

■ La mine-témoin d'Alès

À 3 km à l'ouest de la ville. Chemin de la Cité-Sainte-Marie.

> **Ouvert du 1ᵉʳ avril au 30 novembre de 9 h à 12 h 30 et de 14 h à 17 h 30 ; en juin de 9 h à 18 h 30 ; et en juillet et août de 10 h à 19 h 30. Dernier départ 1 h 30 avant la fermeture.**
> ☎ **04 66 30 45 15.**

Un fascinant musée d'archéologie industrielle, où l'on visite une véritable mine. Plus de 600 m de galeries souterraines ont été conservés. Toutes les techniques d'extraction ont été reconstituées : le creusement des galeries, le soutènement, l'extraction et le transport du minerai… Vraiment fascinant.

▲ *Le fort Vauban, construit sur une butte durant le règne de Louis XIV, servait à la sécurité de la ville en territoire huguenot, confirmait le prestige du roi et tenait lieu de prison. Aujourd'hui abandonné, il ne se visite pas, mais on peut accéder aux terrasses. À ses pieds, le jardin du Bosquet, aménagé au XVIIIᵉ s., abrite une statue de Pasteur qui y a travaillé durant plusieurs années alors qu'il étudiait l'épidémie qui ravageait les mûriers.*

Les garrigues du Gard

CARTE P. 353

ès la sortie d'Alès, vous retrouvez les garrigues. Si vous arrivez des Cévennes, la transition est brutale entre les hautes vallées encaissées et les toits de schiste et la sécheresse des pierres calcaires et les toits de tuiles roses.

■ Vézenobres

À 8 km au sud-est d'Alès.

Ce village était construit sur une hauteur pour surveiller les abords de la voie Régordane, vers l'Auvergne. Dominé par les ruines de son **château fort**, il offre un beau panorama sur la garrigue et les Cévennes (table d'orientation). Il a conservé de belles **maisons romanes**, construites entre le XIIᵉ et le XIVᵉ s. - Avant de se consacrer à la production de la soie, le village était spécialisé dans la figue, que l'on faisait sécher sur les **terrasses**. Une foire spécialisée s'y tenait jusqu'à la Seconde Guerre mondiale.

▲ *Vézenobres.*

- La **maison d'Adam et Ève** date de la Renaissance. **L'hôtel de ville** est impressionnant avec ses mâchicoulis et sa cheminée, dite sarrasine.
- Le village garde la mémoire des camisards : l'un de leurs chefs, Jean Cavalier, y avait passé une partie de son enfance et y tint des réunions.
- C'est sur la commune de Vézenobres que les deux Gardons, celui d'Alès et celui d'Anduze, se rejoignent. Tout près du confluent, le pont, submersible en période de crue, offre une belle vue sur le village. L'eau atteint parfois le sommet de la voûte sous le chemin de fer.

■ Mousac

Par la N 106 puis la D 18 vers le sud-est.

Village typique de la garrigue avec son église romane fortifiée transformée en temple et son **château de Castelnau-Valence** (XIᵉ s.) théâtre d'affrontements entre troupes royales et camisards.
- Remontez au nord vers **Saint-Maurice-de-Cazevieille** qui garde une belle porte fortifiée et une chapelle romane. Prenez ensuite la D 7 vers le nord, jusqu'au village de Boisson, en passant par le hameau de **La Bégude** et le débouché du pittoresque **défilé de l'Argensol**.

■ Autour du mont Bouquet

Le village de **Boisson** est joliment serré autour de son château et de son église.

- Le **château d'Allègre**, en ruine, est perché au bout d'une longue barre de falaises.

- Non loin de là, **la chapelle Saint-Saturnin** était un pèlerinage très suivi pour les maladies infantiles.

- Prenez la D 37 en direction de Lussan et tournez à droite vers **Bouquet**, pittoresque village au milieu des falaises. **Suzon** est un autre hameau plein de charme. Le **gouffre des Aiguillères**, en fait les gorges étroites du Séguisson, est creusé d'énormes cuves, coupées de barrages naturels dans un paysage superbe (promenade d'1 h environ).

- Suivez ensuite les panneaux vers le **Guidon du Bouquet**, point culminant (629 m) d'une crête de calcaire, coiffé au sommet d'une chapelle à la Mère admirable. Ce massif s'étire sur plus de 10 km, formant un arc de falaises impressionnant dominant la D 6. Le **panorama** au sommet est unique : mer verte des garrigues, barrière des Cévennes, mont Ventoux et les Alpes au fond.

Rejoignez la D 6 vers Bagnols-sur-Cèze et tournez à gauche vers Lussan.

■ **Lussan et les Concluses**
Ce beau village perché, l'un des plus beaux du Languedoc, est ceinturé de **remparts** et jalonné de **maisons anciennes**.

- À ses pieds, **le château de Fan** est le berceau de la famille d'André Gide. Du village, vous pouvez visiter les **Concluses**, les gorges très sauvages de l'Aiguillon CD143 vers l'est puis D 643). Depuis le hameau de Beth, un sentier rejoint, en 4 km, le **menhir de la Pierre Plantée**, haut de 5,60 m, le plus haut du Midi.

Regagnez Lussan et suivez la route d'Uzès, jusqu'au croisement avec la D 125, où vous tournez à gauche vers Saint-Quentin-la-Poterie.

■ **Saint-Quentin-la-Poterie**
Il a été durant des siècles un centre de poterie très important. Les papes d'Avignon s'y approvisionnaient en carrelage. Les fouilles locales ont révélé l'ancienneté de cette profession dans le village et chaque année, à la mi-juillet, une importante **foire des potiers** réunit de nombreux artisans.

- La **maison de la Terre** abrite un petit musée, propose des ateliers et accueille chercheurs et expositions.

Rue de la Fontaine.

☎ **04 66 22 74 38.**

■ **Saint-Victor-des-Oules**
À quelques km à l'est.

C'était un autre centre potier très ancien où l'on se spécialisait dans les jarres (oules). On exploite à proximité un gisement d'argiles réfractaires et de quartzites. Faites la promenade vers le **sommet du Montaigu**, pour la vue.

Le toupin est une poterie locale utilitaire jaune en terre vernissée.

▲ *La Mère admirable du Guidon du Bouquet.*

Uzès

Office du tourisme : chapelle des Capucins, place Albert-Ier. *PLAN B1*.
☎ 04 66 22 68 88.

Au cœur de la garrigue, Uzès, avec son patrimoine unique, se vante d'être le premier duché de France. Déjà, en l'approchant, on pressent, à la silhouette des hautes tours médiévales, que ce village n'est pas comme les autres.…

Spécialité : les bas de soie

Uzès prend son envol quand elle devient évêché en 419. En 1565, le vicomté d'Uzès est érigé en duché et le duc d'Uzès devient pair de France en 1572. À l'époque, le duc, qui est resté fidèle au pouvoir royal, est un excellent contrepoids politique dans le Midi protestant. Car la Réforme affecte Uzès de plein fouet : pratiquement toute la ville devient protestante. Uzès, qui doit sa fortune à une riche bourgeoisie du textile et du négoce, connaît les persécutions, les conversions forcées, les brimades. Après la révocation de l'Édit de Nantes, la plupart des hommes d'affaires quittent la ville. Au XVIIIe s., les filatures fonctionnent encore et la ville se spécialise dans la production de bas de soie. Mais elle est toujours déchirée par ses divisions, entre catholiques et protestants, entre royalistes et républicains. Son déclin, amorcé au XIXe s., se confirme au siècle suivant.

▲ *La tour Fenestrelle, remarquablement conservée, date du XIIe s. Ses gracieuses fenêtres lui donnent un air lombard. Avec la cathédrale et le palais des évêques, elle forme un ensemble magnifique.*

Uzès est un rendez-vous musical et gastronomique. Ses foires sont particulièrement pittoresques, à l'ail le 24 juin, aux truffes de décembre à mars (le Gard produit 15 % de la production nationale).

■ La terrasse et la promenade des Marronniers

PLAN B1

L'ensemble forme un belvédère d'où l'on voit toute la ville. En contrebas, les rives de l'Alzon et la garrigue. Le pavillon Racine rappelle que le dramaturge vint y terminer ses études et devenir prêtre, mais la beauté des jeunes femmes le convainquit de préférer la littérature…

La cathédrale Saint-Théodorit

PLAN B1

Construite au XVIIe s., elle surprend par sa façade du XIXe s. rajoutée parce que la précédente était jugée trop pauvre. L'intérieur a beaucoup souffert de la Révolution et le mobilier a été dispersé. La clarté a été réduite par des vitraux de couleur et des peintures de la voûte ne subsistent que quelques traces. Un seul trésor demeure : l'orgue splendide, installé en 1670 ; le buffet a conservé ses volets peints d'origine qui en font l'un des plus beaux de France.

■ L'hôtel du baron de Castille

Sur la petite place face à la cathédrale. PLAN B1

Il attire l'attention avec sa façade un peu prétentieuse et ses multiples colonnes. Ce pittoresque personnage était un grand voyageur qui avait ramené de ses périples en Égypte, en Grèce et en Italie un goût si prononcé pour les colonnades qu'on le surnommait « le baron Colonne ». Sa première femme, qui avait fréquenté la cour à Versailles, mourut de chagrin après la Révolution. Sa seconde épouse, de 38 ans plus jeune que lui, était une princesse de Rohan, ce qui explique le monogramme CR gravé sur le balcon. Remarquez l'élégante passerelle qui joint l'hôtel à un jardin privé.

■ Le Duché

Ouvert du 15 juin au 15 septembre de 10 h à 18 h 30. Le reste de l'année de 10 h à 12 h et de 14 h à 18 h.

Le Duché est le nom d'un ensemble de monuments qui appartient encore à la famille de Crussol d'Uzès. Il réunit **la tour Bermonde**, un donjon rectangulaire du XIe s., la **tour de la Vigie** et la **tour octogonale**, le **logis** et la **chapelle gothique**.

- La façade du logis date de la Renaissance et fut construite en 1570, après que le vicomté fut devenu duché. Elle présente une superposition des trois ordres classiques, dorique, ionique et corinthien. C'est à l'époque une innovation architecturale, ce qui explique quelques petites maladresses.

- Prenez ensuite le temps de flâner dans les vieilles rues, de pousser les portes des hôtels, d'admirer les sculptures, les cours, les escaliers si particuliers d'Uzès, comme celui, très beau, de **l'hôtel Dampmartin**, sur la place du même nom, ou le n° 12 de la rue de la République. Certaines de ces maisons sont ornées de peintures murales.

▼ *Le Duché : pour monter à la tour Bermonde, il vous faudra gravir les 148 marches d'un escalier à vis, mais vous serez récompensé par une très jolie vue de la vieille ville.*

▼ *La place aux Herbes est le centre vivant de la vieille ville, le lieu des fêtes populaires et des événements marquants de la vie d'Uzès.*

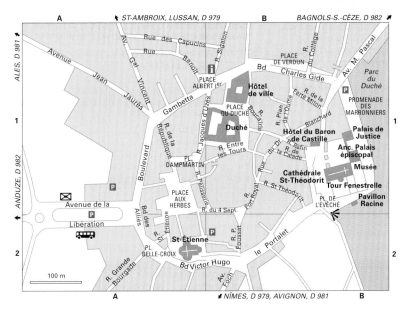

La vallée de la Cèze

CARTE P. 353

Trait d'union entre les Cévennes et le Rhône, comme l'Ardèche et le Gardon, la Cèze traverse un paysage de garrigue et de falaises calcaires avant d'irriguer une plaine fertile, plantée de vignes et de cerisiers. De beaux villages la ponctuent, aux allures déjà provençales, attirés par le formidable couloir d'échanges qu'est le Rhône.

▲ *La Cèze a taillé son lit à travers une barrière de rochers calcaires, qu'elle n'a pas réussi à niveler. Aux cascades du Sautadet, l'eau s'écoule dans un spectaculaire dédale de marmites et de crevasses. En aval, une plage et une baignade ont été aménagées.*

■ Bagnols-sur-Cèze

Ville thermale sous les Romains, elle fut un important marché agricole au Moyen Âge. Son destin n'a pourtant basculé que très tardivement, dans les années 1950, quand le centre atomique de Marcoule a été construit, multipliant très rapidement la population par quatre. - Elle a gardé cependant un charme de petite ville du Midi, avec sa **place Mallet,** ancienne place du marché, bordée d'arcades. Quelques beaux hôtels particuliers des XVIIᵉ-XVIIIᵉ s. témoignent de la richesse passée de la ville. - Ne manquez pas la visite du **musée Albert-André**, et ses étonnantes collections de peintures modernes et contemporaines, réunies grâce à l'amitié de son premier conservateur avec les plus grands peintres et sculpteurs du temps. Renoir, Bonnard, Monet, Marquet, Van Dongen, Matisse, Valadon, Denis, Manguin, Signac, Gauguin, Maillol, Camille Claudel…

19, place Mallet.

Ouvert de 10 h à 12 h et de 14 h à 18 h ; en juillet et août, le matin jusqu'à 12 h 30 et l'après-midi jusqu'à 18 h 30. Fermé en février, le lundi et les jours fériés hors saison. ☎ **04 66 50 50 56.**

- **Le centre atomique de Marcoule** est ouvert à la visite.

À 8 km de la ville. ☎ **04 66 89 54 61.**

Quittez ensuite Bagnols-sur-Cèze vers le nord-ouest et la vallée de la Cèze par la D 980. Vous passez le village viticole de Saint-Gervais. On y produit un vin d'appellation côtes du rhône village. Tournez à droite à 5 km vers La Roque-sur-Cèze.

■ La Roque-sur-Cèze

Ce village piétonnier, perché en amphithéâtre au-dessus de la Cèze, est couronné par un château. Les maisons se serrent autour de ruelles pavées aux noms pittoresques (comme la ruelle Rampe-Cul) et forment un escalier de tuiles pâlies par le soleil. - En tournant après le lavoir, vous aurez une belle vue de la vallée. Pour un panorama encore plus intéressant, repassez le pont et suivez la rive vers l'aval sur 1 km.

■ La chartreuse de Valbonne

Par la D 980. ☎ **04 66 90 41 00.**

Les bâtiments datent du XIIIᵉ s., mais furent endommagés durant les guerres de Religion et abandonnés après la

Révolution. Restaurés par l'ordre des chartreux au XIXᵉ s., le monastère est devenu un centre de soins et s'est récemment reconverti pour accueillir des hôtes. Le vignoble, réhabilité par les moines, produit un vin bien charpenté très harmonieux.

- La première surprise de la visite vient des **toits** recouverts d'un dessin de chevrons multicolores et de l'allure géométrique de l'ensemble, bien contenu dans son périmètre carré. On pénètre dans la cour d'honneur par une porte fortifiée.

- **L'église** (XVIIᵉ-XVIIIᵉ s.) possède une façade typique du style de la Contre-Réforme. À l'intérieur, les murs et l'autel sont recouverts de marbre. **La voûte** est un chef-d'œuvre, avec ses pierres parfaitement ajustées et ses dessins de rosaces, étoiles et pétales. Notez aussi les stalles en marqueterie, réalisées par un chartreux au XIXᵉ s. Le petit cloître, bien que restauré au XIXᵉ s., a gardé son agencement du XIIIᵉ s.

- Regagnez la D 980 et prenez à droite vers **Cornillon**, un adorable village fortifié, perché sur un éperon rocheux, avec d'étroites ruelles pentues et de hautes maisons.

Prenez la route de Goudargues, de l'autre côté de la D 980.

▲ *Fondée en 1204, la chartreuse de Valbonne se présente comme un joli village aux toits de tuiles vernissées multicolores qui évoquent la Bourgogne.*

■ Goudargues

On a surnommé ce village « la Venise gardoise » pour la source canalisée qui le traverse. Même si c'est très exagéré, Goudargues est une halte plaisante, une oasis verdoyante au cœur de la garrigue. Le village fut fondé autour d'une abbaye du IXᵉ s. qui dépendait de celle d'Aniane.

Prenez la D 371 vers les gorges de la Cèze.

■ Montclus et les gorges de la Cèze

En retrouvant la D 980, vous longez les gorges de la Cèze, jusqu'au village de Bernas. Continuez ensuite vers Montclus.

- **Les hautes maisons médiévales** en pierre patinée se fondent dans le paysage et viennent baigner dans la rivière et les galets. Bien que ruiné, **le donjon du château** garde une fière allure.

◄ *Si vous voyez des individus penchés sur de grands plats au milieu de la rivière, sachez que ce sont des chercheurs d'or maniant la batée : Montclus est un site répertorié par les chercheurs de pépites…*

CARTE P. 353

La Petite Camargue

Comprise entre le Petit Rhône et Le Grau-du-Roi, correspondant à la plaine d'Aigues-Mortes, la Petite Camargue s'étend sur plus de 20 000 ha de basses terres soumises aux caprices du fleuve, aux fluctuations des courants et des alluvions. Elle semble un milieu incertain et mouvant, territoire des chevaux sauvages, des taureaux et des oiseaux. L'homme y a pourtant laissé une marque profonde, beaucoup plus que dans la Camargue voisine.

▶ *La rançon de l'essor agricole est la fragilisation du milieu naturel. La submersion abusive des terres a fait remonter les nappes phréatiques et réduit les prairies salées, nécessaires aux manades. Les troupeaux, symboles de la Camargue, ont dû se replier vers les hautes terres de garrigue, même si les traditions demeurent, surtout dans des villages comme le Caylar ou Vauvert où les arènes sont si proches des manades.*

■ **Le territoire partagé de la terre et de l'eau**

La Petite Camargue s'est formée grâce à l'action conjuguée des alluvions des fleuves et des cordons littoraux. Il en résulte un milieu varié et sauvage où tout tourne autour de l'eau. Les cordons de dunes sont de longs bourrelets, anciens cordons littoraux, accumulation de sable et de galets, consolidés par des pins. Ils isolent et séparent les étangs et les marais. Bien asséchées, les terres des cordons littoraux se prêtent à la culture de la vigne et des asperges. Plusieurs cordons ponctuent ainsi la Petite Camargue et portent des villages. Le plateau de Montcalm est le plus important, semé de longs mas clairs à l'ombre de pins parasols. Son château abrite des caves pour le vignoble. Plus au sud, les cordons du Bourguidou ou du Repaus constituent des barrières séparant les étangs de la mer. Ils portent aussi quelques vignobles.

■ **La sansouïre : entre étangs et marais**

Les étangs servent de réservoirs d'eau douce. On y pratique la chasse et la pêche. Malheureusement, ils subissent parfois les conséquences de la mise en valeur de l'agriculture et également la pollution. Au sud d'Aigues-Mortes, ils sont aménagés en salines. La sansouïre est une zone intermédiaire entre les étangs et le marais. Son sol argileux et salin se craquelle sous la sécheresse. Les plantes qui y poussent sont adaptées au milieu salé : salicorne, crucianelles, saladelles composent une sorte de prairie salée, changeant d'aspect selon le degré de salinité. En se rapprochant de l'eau, la sansouïre laisse la place aux vasières où pullulent les invertébrés qui attirent flamants roses et canards. Les marais s'étendent à la périphérie des étangs. Ils collectent les eaux de pluie, qu'ils retiennent à cause des alluvions qui en bloquent la vidange. Selon les fluctuations de la nappe, ils peuvent subir des remontées salines, mais leurs eaux restent généralement douces. Ils sont envahis par les roseaux à panache roux, typiques de la Camargue, par les phragmites et par le scirpe ou jonc des vanniers. L'ensemble de ce système naturel est fixé et protégé par des digues. En effet, si certaines terres s'élèvent à 5 m au-dessus du niveau de la mer, d'autres se trouvent à 1,2 m en dessous.

■ Vignes, salines et manades

Le milieu naturel, souvent imaginé comme le paradis des seuls chevaux, taureaux ou flamants roses, a été profondément remanié par l'homme. Dès les Romains, les basses terres fertilisées par les alluvions fluviales ont constitué des zones exploitables. Plus tard, les moines des abbayes les ont asséchées et mises en valeur. Les marais réputés insalubres ont été drainés par un réseau de canaux, tandis qu'un système permettait d'apporter l'eau douce. En hiver, on inondait les terres avec l'eau du Petit Rhône. Avant l'été, on les drainait par le même réseau de canaux. Les terres drainées sont plantées et l'on y construit les mas, les marais servent de roselières, tandis que les sansouïres accueillent les moutons, les chevaux et les taureaux. Après la crise du phylloxera, les terres sableuses et facilement submersibles se prêtent aux nouvelles plantations de vignes. C'est un moyen pour les grands propriétaires de rentabiliser leur investissement. Après bien des tâtonnements, les cordons de dunes produisent des vins des Sables très appréciés (la Compagnie des Salins du Midi exploite aussi des vignes).

La culture du riz, lancée en 1864, profita dans les années 1950 de l'occupation de l'Indochine pour récupérer des marchés. Très concurrencée aujourd'hui, la riziculture se maintient en misant sur les notions de qualité et de terroir. Elle demande une gestion très précise de l'eau, du drainage et de la salinité des sols. Enfin, quelque 10 000 ha sont voués à l'exploitation industrielle du sel, sillonnés par 350 km de routes et de chemins. L'eau de mer est stockée dans des étangs peu profonds et conduite à travers un système de quelque 800 canaux et 85 bassins jusqu'à ce que le sel cristallise au fil de l'été sur une dizaine de centimètres d'épaisseur. À la fin de l'été, on récolte ainsi 400 000 t de sel.

▲ *Milan royal.*

▲ *Fleurs de tamaris.*

Comprendre • La Petite Camargue

Beaucaire

CARTE P. 353
Office du tourisme : 24, cours
Gambetta. ☎ 04 66 59 68 51.

Face à Tarascon, Beaucaire marque le carrefour entre le Rhône et la via Domitia. Elle a le charme des villes méridionales, un patrimoine riche et bien conservé, des quais vivants et colorés qui donnent envie de faire escale.

La ville fait la foire

La situation du village au bord de la voie domitienne et près du fleuve a poussé les Romains à le développer et à construire un puissant castrum et de belles maisons. Au cours du Moyen Âge, la ville passe sous le contrôle des puissants comtes de Toulouse et résiste à Simon de Montfort durant la croisade cathare. Après son rattachement à la France, elle devient une ville frontière face à la Provence. En 1464, Louis XI lui accorde le privilège de tenir une foire annuelle d'une semaine, à la Sainte-Madeleine, patronne de la ville, le 22 juillet. La foire de Beaucaire devient très vite l'une des plus importantes d'Europe, rassemblant des marchands venus de très loin. On y vend de tout, mais surtout de la laine, des draps, des cuirs, des épices et même du bétail. Durant cette semaine-là, la population passe de 8 000 à 100 000 personnes. Les marchands se regroupent par spécialités, transformant la ville en un gigantesque marché à ciel ouvert, avec son cortège de saltimbanques, de filles faciles et de petits gangsters. Les habitants en tirent de substantielles richesses, louant le moindre local ou faisant eux-mêmes du négoce. Le déclin de la foire, après la Révolution et l'Empire, marque aussi celui de la ville qui ne doit plus sa richesse qu'aux productions agricoles et au vignoble (appellation costières du gard). Ses arènes sont un grand centre de course camarguaise et les lâchers de taureaux dans les rues sont parmi les spectacles les plus pittoresques.

▶ *De Pâques à la Toussaint, le château est le décor d'un spectacle en costume, les Aigles de Beaucaire, qui évoque, grâce à de nombreux rapaces, la fauconnerie médiévale. Tous les après-midi sauf le mercredi, tous les jours en juillet et août. Démonstrations de 14 h à 17 h de mars à juin, de 15 h à 18 h en juillet et août, de 14 h 30 à 16 h 30 de septembre à novembre. Un lâcher par heure environ.*
☎ 04 66 59 26 72.

■ Le château

Visite libre des jardins dans l'enceinte du château, en été de 10 h à 12 h et de 14 h 15 à 18 h 45 ; hors saison de 10 h 15 à 12 h et de 14 h à 17 h 15. Fermés le mardi et les jours fériés.

Il offre sa plus belle perspective depuis le champ de foire. Son imposante enceinte est dressée sur une colline qui domine le Rhône. Construit au XIᵉ s., il a vu passer des épisodes tragiques, notamment durant la croisade, quand il fut pris par les troupes du roi et assiégé par les habitants. Même Simon de Montfort, venu au secours des soldats français, ne réussit pas à vaincre les Beaucairois. Très endommagé, il fut en grande partie reconstruit au XIIIᵉ s. à la demande de Saint Louis qui voulait une citadelle puissante. Malgré son démantèlement en 1632 (Montmorency en révolte contre Richelieu s'y était réfugié), il conserve de très beaux vestiges. Du haut des 25 m et 100 marches de la tour triangulaire, on jouit d'une **vue** agréable sur la ville.

- Le **musée Auguste-Jacquet** présente l'archéologie, les traditions et l'histoire locales.

Dans les jardins du château.

> **Ouvert de 10 h à 12 h et de 14 h à 17 h 15, jusqu'à 18 h 45 d'avril à octobre. Fermé le mardi et les jours fériés. ☎ 04 66 59 47 61.**

■ La vieille ville

La **place de la République** est bordée d'arcades et plantée d'énormes platanes. Tout autour, les rues ont conservé de riches hôtels particuliers : rues de la République, des Bijoutiers, Ledru-Rollin…

■ L'église Notre-Dame-des-Pommiers

Elle date du XVIIIᵉ s. et remplace un édifice roman antérieur. On la doit à Jean-Baptiste Franque, un architecte d'Avignon, et à Guillaume Rollin, un ingénieur du roi, qui conçut la belle **façade curviligne**.

- Son principal intérêt est cependant la **frise romane** récupérée sur l'édifice d'origine et replacée à 15 m de hauteur sur la façade latérale (prendre la rue Charlier sur la droite). Sur 13 m de long et 0,90 m de haut, elle dévide une succession de **douze scènes** qui évoquent les compositions de Saint-Gilles.

■ L'abbaye troglodytique de Saint-Roman

En reprenant la D 999 vers le nord-ouest.

> **Ouvert d'octobre à mars de 14 h à 17 h le week-end, les jours fériés et pendant les vacances scolaires de la Toussaint, de Noël et de février. En avril, mai et septembre tous les jours de 10 h à 18 h ; en juillet et août, tous les jours de 10 h à 18 h 30. ☎ 04 66 59 52 26.**

Unique en Europe, elle a été entièrement creusée dans la roche au Vᵉ s. Le cadre est enchanteur : des pentes tapissées de chênes verts et de genêts (fleuris et odorants en mai) et un paisible sentier montant à une nécropole rupestre au sommet du rocher de l'Aiguille (vue magnifique sur la vallée du Rhône). Le monastère lui-même se compose de cellules, de pièces communes et d'une chapelle.

Il est possible de voir des bornes milliaires conservées en l'état le long de la via Domitia (par la D 999, au nord-ouest, puis à gauche après la voie ferrée, puis chemin de l'Enclos d'Argent). Les quatre qui sont sur le site marquent l'emplacement du 13ᵉ mille sur les 15 qui séparaient Nîmes de Beaucaire.

▲ *L'hôtel de ville de Beaucaire est un splendide édifice du XVIIᵉ s., avec une cour d'honneur, un escalier et une loggia.*

Saint-Gilles
l'abbatiale

CARTE P. 353
Maison du tourisme : 1, place
Frédéric-Mistral. ☎ 04 66 87 33 75.
**L'abbatiale est fermée au
public le mercredi.**

Il est difficile d'imaginer, en arrivant dans ce village endormi et
méconnu, que Saint-Gilles eut au Moyen Âge un rayonnement
exceptionnel. Au cœur du delta du Rhône, au bord de la Camargue,
elle n'est plus aujourd'hui qu'un paisible terroir agricole, au milieu
des vignes, des vergers et des rizières.

Un rayonnement intense

Au VIIᵉ s., le monastère bénédictin du village est fort modeste, dédié à saint Pierre et
saint Paul. Durant la seconde moitié du IXᵉ s., il est placé sous le patronage de saint
Gilles, un ermite grec voyageur des VIIᵉ et VIIIᵉ s., que la légende présente toujours
accompagné d'une biche qui lui donne son lait. Un culte se développe rapidement sur
place autour d'un tombeau, sans que l'on sache vraiment s'il contient les reliques du
célèbre saint ou simplement le corps d'un ermite local très vénéré. La tradition rapporte
le récit de miracles et désigne même saint Gilles comme le véritable fondateur du
monastère. La vénération populaire est, en tout cas, réelle et prend une ampleur inattendue, attirant un nombre croissant de pèlerins. Le monastère est placé sous la tutelle
de Cluny. Saint-Gilles est devenu une étape majeure sur la route de Compostelle, et un
pèlerinage à part entière, en quatrième position en Europe, après Rome, Jérusalem et
Compostelle. La foule qui fréquente le monastère stimule le commerce et attire marchands et banquiers. La ville est aussi un port très pratique pour embarquer pour
l'Orient et les croisades (le petit Rhône est en terre française, alors que la Provence
appartient au Saint Empire romain germanique). La ville bénéficie de la double protection du pape et des puissants comtes de Toulouse auxquels la région appartient.

La manne des pèlerins

Attirés par le flot des pèlerins et des croisés auxquels ils servent de banquiers, les
ordres militaires, templiers et hospitaliers, s'implantent en ville au XIIᵉ s. Ils se partagent avec les abbés les droits de péage des ports. Le Temple possède beaucoup de
terres en Camargue. Les templiers et les hospitaliers s'occupent aussi du transport des
croisés et des pèlerins vers la Terre sainte. Quand on sait que les départs se comptaient en dizaines de milliers, on mesure l'intensité de l'activité ; en partant pour les
croisades, les seigneurs confient en outre leurs biens aux commandeurs. Septembre
est le mois de la Saint-Gilles qui amène les pèlerins, venus du nord par la voie Régordane ou de Provence par Arles. En outre, c'est aussi le mois de la foire, qui attire marchands et acheteurs de toute l'Europe. On imagine le fourmillement cosmopolite qui
agite la cité dans ces moments-là. Les liaisons fréquentes avec le Moyen-Orient et les
avantages fiscaux concédés à la ville encouragent les importations d'épices d'Extrême-
Orient, d'encens d'Arabie, d'indigo de Bagdad… En échange, on vend les draps du
Languedoc. Des étrangers se sont implantés dans la ville, commerçants de Gênes et
de Pise, banquiers et marchands juifs (la communauté juive est très importante et
possède une école rabbinique prospère).

Une abbatiale splendide

Devant cette affluence (le 1ᵉʳ septembre, jour du saint, il vient jusqu'à 50 000 pèlerins),
on envisage de construire une abbatiale de taille suffisante. Pour vénérer correctement
le saint, il faut aménager l'accès au tombeau. Les dons des pèlerins sont si nombreux
que l'on peut envisager un édifice splendide. Hélas, les tiraillements, qui opposent les

◄ *À première vue, on est surpris par le paradoxe d'une façade exceptionnelle et d'une église qui semble tronquée. De fait, presque tout l'édifice d'origine a disparu et seule l'ampleur des trois portails peut faire deviner sa splendeur évanouie.*

moines au comte de Toulouse et les moines à leur abbaye-mère de Cluny, ralentissent les travaux qui vont s'étendre sur près d'un siècle. La construction prend également une importance particulière en raison du contexte religieux qui se détériore dans tout le Midi. Des hérétiques contestent l'enseignement de l'Église. Pierre de Bruys est un prédicateur qui nie les sacrements et l'utilité des édifices religieux, qui brise les croix et appelle à ne pas évoquer la mort du Christ. Il est brûlé vif à Saint-Gilles en 1136, mais les graines sont semées; à l'autre bout du Languedoc, l'hérésie cathare couve déjà. La nouvelle abbatiale est donc un moyen de réaffirmer le pouvoir et la présence de l'église catholique et de proclamer la doctrine de Rome, par le biais de sa décoration, qui tient lieu d'enseignement pour les foules analphabètes. Curieusement, la croisade contre les cathares commence aux portes de Saint-Gilles : c'est là que l'un des fidèles du comte de Toulouse (excommunié pour avoir protégé les hérétiques) tue le légat du pape, Pierre de Castelnau. Saint-Gilles entre alors dans la tourmente de la croisade, son seigneur, le comte de Toulouse, est déconsidéré. À la fin des troubles, Saint Louis a fait créer Aigues-Mortes qui remplace Saint-Gilles comme port royal en Méditerranée.

▲ *Une longue bande de scènes de la Passion du Christ se déroule de gauche à droite sur toute la largeur, au niveau des linteaux des portes.*

■ La façade

L'édifice était au départ constitué de deux églises superposées. L'**église basse** correspondait à la crypte et contenait le tombeau du saint. L'**église haute** suivait le plan classique des églises de pèlerinage avec trois vaisseaux et un déambulatoire autour du chœur pour faciliter la circulation des pèlerins. L'église haute actuelle n'occupe que le volume de la nef de jadis, le reste ayant été détruit par les protestants qui préservèrent heureusement la façade.

▶ *Les tympans racontent les trois mystères de l'Église : l'Adoration des mages, le Christ en majesté (ici) et la Crucifixion.*

▲▶ *Aux scènes bibliques s'ajoute un riche décor, situé à la base des colonnes, composé de frises géométriques de style antique et d'un bestiaire plus ou moins fantastique – lions, singes, chameaux – symboles, peut-être, du péché et de l'hérésie que l'Église voulait éradiquer.*

- Elle est constituée de **trois portails** séparés par des **colonnes** ; elle est entièrement décorée. On remarque la parenté évidente avec les arcs de triomphe construits par les Romains, notamment à Orange. Les vestiges romains étaient très nombreux dans toute cette partie du Languedoc et de la Provence et les artistes ont sûrement beaucoup regardé les sculptures antiques. On sait qu'ils se sont aussi inspirés des décors des théâtres et des sarcophages.

■ **Les sculptures...**

Les thèmes choisis indiquent le souci d'affirmation de la doctrine catholique. Le seul chantier de cette façade occupa plusieurs sculpteurs durant une vingtaine d'années. En prêtant attention, on reconnaît leurs différents styles.

- Regardez **la bande des linteaux** en commençant par la gauche. À gauche de la porte, les préparatifs à l'entrée dans Jérusalem, puis, sur le linteau, l'entrée dans Jérusalem, Jésus sur un âne, suivi par les apôtres et accueilli par les habitants. En suivant, au-dessus des colonnes, Judas reçoit le prix de la trahison, Jésus chasse les marchands du temple, ressuscite Lazare, annonce le reniement de Pierre, lave les pieds des apôtres. Au linteau du portail central, représentation de la Cène, au retour sur le côté, baiser de Judas et arrestation de Jésus. Au-dessus de la colonnade de droite, Jésus devant Pilate, la flagellation, le portement de croix. À gauche du portail droit, Jésus et Marie-Madeleine, Jésus à Béthanie. Au linteau droit, les saintes femmes achetant des parfums, puis au tombeau. Enfin l'apparition du Christ aux apôtres.

■ **... Et les sculpteurs**

Le premier des sculpteurs et le seul à avoir signé ses œuvres est un certain **Brunus**, très influencé par le style antique : on lui doit cinq des statues (Matthieu, Barthélemy, Paul, Jean et Jacques le Majeur).

- Le second artiste exécuta la représentation de Michel et du Dragon et la plus grande partie de la frise. C'est à lui que l'on doit la puissance évocatrice et le naturel du mouvement des scènes de la Passion. On remarquera les savants drapés de la tunique de saint Michel, son mouvement et l'expression du visage.

- Un troisième artiste, venu d'Aquitaine et plus imprégné du style roman, a exécuté Thomas, Jacques le Mineur et Pierre, ainsi que les bas-reliefs qui encadrent

▲ *Les grandes statues les plus identifiables sont celles de la partie gauche et du portail central. Elles représentent, de gauche à droite : l'archange Michel tuant le dragon, Matthieu, Barthélemy, Thomas, Jacques le Mineur, Jean, Pierre, Jacques le Majeur et Paul ; les autres ne sont pas identifiées.*

la porte centrale, sous les statues, figurant Abel et Caïn et le meurtre d'Abel.

- Un quatrième sculpteur se remarque à son modelé délicat, aux drapés doux et fluides : il a réalisé l'Adoration des mages sur le tympan gauche, dont on admire le drapé et le mouvement, et une bonne partie des scènes de la frise (notez le réalisme de la prophétie du reniement de Pierre, par exemple).

- Le dernier artiste se démarque par un style plus raide, observé sur la Crucifixion du tympan droit, la Résurrection et des scènes du portail droit ainsi que deux statues d'apôtres non identifiés.

■ La crypte romane

Elle date de la fin du XIe s. et du début du XIIe s. Contrairement à ce qui se fait d'habitude, elle est située sous la nef et non sous le chœur, peut être parce qu'on ne voulait pas déplacer le tombeau ou bien en raison de la pente du terrain. On note ici aussi l'influence romaine, aux voûtes surbaissées ; les différentes solutions adoptées montrent les tâtonnements du chantier. Le **décor sculpté**, très soigné évoque celui de la façade. Notez une **clé de voûte** représentant un Christ bénissant qui rappelle les médaillons antiques.

■ Le chœur roman

Totalement détruit, il n'offre que la trace de ce que devait être l'édifice médiéval et surtout de sa taille imposante. Le seul mur encore debout porte des **sculptures** apparentées à celles de la façade. Le déambulatoire abrite des **sarcophages** romains et un sarcophage mérovingien.

■ La vis de Saint-Gilles

Miraculeusement préservée, elle est tout ce qui reste de la **tour d'escalier**. C'est un exemple presque unique que les compagnons tailleurs de pierre devaient inclure dans leur tour de France (les graffitis sont la trace de leur visite). L'escalier est tournant et formé uniquement de marches dites « gironnées » (le dessus de la marche a des côtés convergents) qui reposent sur une voûte hélicoïdale. La finesse de la taille et l'ajustement parfait des pierres en font une rare merveille.

▲ *Une ruelle de la vieille ville.*

■ La vieille ville

Avant de quitter Saint-Gilles, faites un détour par les vieilles rues aux nombreuses maisons anciennes.

- Ne manquez pas la **Maison romane** (très restaurée par Viollet-le-Duc) où naquit le pape Clément IV. Elle héberge le **musée lapidaire** qui conserve des pierres sauvées lors de la destruction de l'abbatiale ou provenant d'autres églises.

Ouvert de mars à septembre de 9 h à 12 h et de 14 h à 18 h. Fermé le dimanche.

Les Cévennes

◀ *Paysage d'Aubrac.*

Cet ensemble montagneux accidenté constitue la bordure méridionale du Massif central, sillonnée de profondes vallées. Les Cévennes se répartissent en trois types de paysages. Les hautes terres rassemblent les sommets granitiques (Aigoual ou mont Lozère) et les grands plateaux de type caussenard ; les hautes vallées schisteuses, sillonnées de torrents ; les basses vallées où le climat est moins sévère et où les sols signent le retour au paysage méditerranéen. La culture du châtaignier, qui fit la richesse des Cévennes, a laissé d'épaisses forêts.

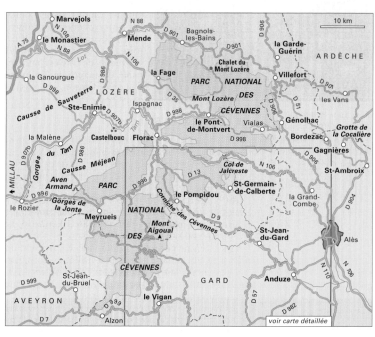

Visiter • Les Cévennes

Le Vigan et le causse de Blandas

CARTE P. 401
Office du tourisme : place du Marché. ☎ 04 67 81 01 72.

Cette ville agréable occupe un petit bassin au pied du massif de l'Aigoual. Bien exposée au midi, elle respire une certaine douceur de vivre méridionale, entre bancs ombragés et fontaines publiques. Aujourd'hui, la ville ne file plus la soie comme dans son prestigieux passé et faute de bas royaux, on y fabrique encore collants et chaussettes.

■ Le Musée cévenol au Vigan

1, rue des Calquières.

Ouvert tous les jours sauf le mardi du 1er avril au 31 octobre de 10 h à 12 h et de 14 h à 18 h. Ouvert uniquement le mercredi de novembre à mars. ☎ 04 67 81 06 86.

Hébergé dans une ancienne filature de soie du XVIIIe s., c'est un passage obligé avant de partir à la découverte

des Cévennes. Sur trois niveaux, les activités traditionnelles et les coutumes de la région sont évoquées de façon très vivante. Les vieux métiers, comme celui de sabotier, vannier, verrier, tonnelier, sont expliqués, avec présentation des anciens outils. L'histoire de la sériciculture et des vêtements de soie est passionnante, de même que l'évocation d'André Chamson, qui passa sa jeunesse au Vigan.

▲ *Le pont roman qui enjambe l'Arre au Vigan date du XIIe s. Dans la ville, beaux hôtels particuliers des XVIIe et XVIIIe s.*

■ Le causse de Blandas

Sortez du Vigan vers le sud-ouest par la D 999.

Vous longez **la vallée de l'Arre** en direction d'Alzon. Le contraste est curieux entre, au sud, le causse de Blandas, calcaire et désolé, et au nord, un versant schisteux et verdoyant.

- Au village de **Bez**, qui possède de jolies ruelles médiévales, des tours et des poternes, ne manquez surtout pas l'ascension jusqu'au petit hameau d'**Esparon**. Le hameau est perché sur un socle rocheux qui couronne le pic, comme posé au bord du vide. En arrivant, on découvre une minuscule place, de vieilles maisons blotties les unes contre les autres le long de venelles et d'escaliers et, au sommet, une minuscule chapelle. Au loin, **panorama splendide** sur les Cévennes.

- Redescendez vers Bez et allez à **Alzon**. L'église romane est du XIIe s. Juste derrière, se trouve la chapelle des Pénitents-Blancs. Le village compte quelques belles maisons anciennes et un pont du XIIe s.

- À la sortie du village, tournez à droite sur la D 231 vers **Villaret**. Sur la route, un chemin de pèlerinage vers le **Saint-Guiral** (1 366 m) est marqué par une petite croix discoïdale. Plus loin, dans le hameau de Villaret, prenez le sentier qui débute par quelques marches et traverse entre les maisons, puis s'élève vers la **forêt domaniale de l'Aigoual**. Suivez alors les balises jaunes jusqu'au **ruisseau de Cazebonne** que vous traversez pour redescendre de l'autre côté, le long de plusieurs cascades.

Retournez ensuite à Alzon, revenez vers Le Vigan et tournez rapidement à droite sur la D 158 vers Blandas.

- Le contraste est total, après les étroites vallées verdoyantes de la rive nord de l'Arre. Ici, vous retrouvez les causses et leur horizon large et rocailleux. En chemin, arrêtez-vous au hameau de **La Rigalderie** avec ses maisons caussenardes typiques et sa lavogne pour abreuver les moutons. Un peu plus loin, sur la droite, remarquez le **cromlech de la Rigalderie**, un cercle de menhirs de 100 m de diamètre.

- **Montdardier** est un ancien village fortifié dont il reste quelques remparts, un château reconstruit sur des plans de Viollet-le-Duc et deux belles **fenêtres romanes** réemployées dans la rue principale. L'église possède un curieux **tympan paléochrétien**. La porte du cimetière porte une ancienne croix de Malte et à l'intérieur, une tombe est ornée d'une stèle discoïdale portant une croix de fonte.

Regagnez Le Vigan et prenez la route de Ganges jusqu'à Pont-l'Hérault.

■ La haute vallée de l'Hérault

À **Pont-l'Hérault**, tournez à gauche pour remonter la haute vallée de l'Hérault en direction de Valleraugue. Le long de la vallée, les filatures et les magnaneries se succèdent.

- **Saint-André-de-Majencoules** possède de belles maisons cévenoles avec leurs magnaneries. Plus loin, **Le Mazel** garde les bâtiments de son imposante filature, construite au bord de l'Hérault dont elle utilisait l'eau. Dans le village, bifurquez à gauche sur la D 323 qui s'enfonce dans le **vallat de Reynus**, un vallon cévenol très typique, avec ses cultures en terrasses, ses nombreux mûriers, ses magnaneries et son habitat si particulier, épousant la pente, comme au très beau hameau de **Taleyrac**.

- **Au col de Peyrefiche**, marqué par un menhir, l'enclos sert à trier les moutons lors de la transhumance.

▲ *Plantée devant la Caisse d'épargne du Vignan, la statue de Coluche apporte une pointe d'humour au centre ville.*

Anduze et la vallée des Camisards

CARTE P. 411
Office du tourisme : place du Plan-de-Brie. ☎ 04 66 61 98 17.

Construite en amphithéâtre au pied de la montagne Saint-Julien, Anduze est l'une des portes des Cévennes, marquant la frontière entre la plaine du Languedoc et le pays des profondes vallées. C'est aussi l'un des plus importants bastions du protestantisme.

La Genève des Cévennes

La sériciculture est apparue dans la région très tôt, au XIIIe s. On négocie en ville la soie et la laine de toute la région. Les foires importantes et le passage de nombreux colporteurs permettent aux idées de la Réforme d'arriver à Anduze depuis la Suisse et la vallée du Rhône. Dès 1570, la presque totalité des 6 000 habitants sont devenus protestants. La ville devient le quartier général des forces réformées et le duc de Rohan y établit sa base en 1622. On l'appelle alors la Genève des Cévennes. Elle n'a jamais été assiégée mais après la Paix d'Alès, en 1629, les forteresses protestantes sont démantelées et on abat ses remparts. À la fin des troubles, la ville renoue avec la prospérité, grâce à son industrie textile (filatures de soie, bonneterie, chapellerie) et à ses céramiques.

■ **Anduze**

Une petite ville agréable qui a gardé son caractère médiéval, ses **ruelles tortueuses** et pittoresques, ses fontaines.

- Des remparts détruits lors des guerres de Religion, il reste la **tour de l'horloge**, construite en 1320, peut-être épargnée parce qu'elle portait déjà une horloge à l'époque.

- **Le temple protestant,** avec son imposante façade, date de 1823.

- Sur la place Couverte, la **halle au grain** est en place depuis le XVe s.

- **Le musée de la Musique**, sur la route d'Alès, rassemble plus de 1 000 instruments de musique du monde entier. Il y en a de tous les genres, de toutes les époques.

Faubourg du Pont.

► *La curieuse fontaine-pagode d'Anduze surprend dans ce cadre, avec son profil oriental et ses tuiles vernissées de toutes les couleurs. Elle fut exécutée en 1649 par les céramistes de la ville que les marchés de la soie avaient sans doute fait rêver d'Orient…*

Ouvert le dimanche, les jours fériés et pendant les vacances scolaires de 14 h à 18 h ; tous les jours en juillet et août de 10 h à 13 h et de 15 h à 19 h. ☎ 04 66 61 86 60.

■ Le train à vapeur des Cévennes

1 h 40 en tout pour 13 km. Du 20 mars à octobre.

Une façon originale de quitter Anduze. Le train vous emmènera à Saint-Jean-du-Gard dans ses wagons colorés à travers tunnels et viaducs en faisant escale à la Bambouseraie.

■ La Bambouseraie de Prafrance

À 2 km au nord d'Anduze, route de Générargues.

Ouvert tous les jours de mars à mi-novembre à partir de 9 h 30.
☎ **04 66 61 70 47.**

Un fantastique **jardin exotique** créé en 1860 par un grainetier cévenol. Parti en Extrême-Orient pour étudier les variétés de mûriers propres à l'élevage des vers à soie, il en a ramené de nombreuses espèces exotiques, en particulier des bambous. Sur plus de 15 ha, la bambouseraie réunit une centaine de variétés différentes dont les **bambous géants** les plus grands d'Europe. On y trouve aussi des séquoias, ginkgos-bilobas, cryptomérias, tulipiers, magnolias et camélias.

▲ *La Bambouseraie de Prafrance : les bambous géants les plus grands d'Europe.*

- Un **jardin aquatique** accueille carpes et tortues, au milieu des lotus, nénuphars et papyrus.

Retournez à Anduze et partez vers le sud-ouest, en direction de Saint-Hippolyte-du-Fort (D 133). À 5,5 km, tournez à droite sur le chemin des anciennes mines.

- Un sentier balisé mène aux **dolmens de la Grande Pallière**, une vaste nécropole d'une quinzaine de dolmens.

▼ *La grotte de Trabuc se trouve près du Mas-Soubeyran. Elle a été occupée au néolithique. Sa visite est surtout intéressante pour ses concrétions uniques au monde, ses 2 300 m de galeries, son mystérieux lac vert et sa salle des 100 000 soldats, multitude de concrétions minuscules rangées comme une armée.*

■ Le Mas-Soubeyran

Ce village cévenol typique garde la mémoire des guerres de Religion. Chaque année, des milliers de protestants viennent s'y réunir.

- Dans la maison natale de l'un des chefs camisards a été ouvert le **musée du Désert**, entièrement consacré à l'histoire du protestantisme dans les Cévennes. De nombreux documents, des objets profanes et religieux, des reconstitutions évoquent l'histoire de la Réforme. Collections de Bibles, exemples de cachettes ingénieuses pour échapper aux troupes ennemies contribuent à faire revivre cette époque troublée. Particulièrement émouvante, la salle du mémorial où sont évoquées les femmes emprisonnées à la tour de Constance d'Aigues-Mortes pour avoir refusé de renoncer à leur foi.

Ouvert tous les jours du 1ᵉʳ mars au 30 novembre de 9 h 30 à 12 h et de 14 h 30 à 18 h ; de 9 h 30 à 19 h du 1ᵉʳ juillet au 1ᵉʳ dimanche de septembre. ☎ **04 66 85 02 72.**

■ Saint-Hippolyte-du-Fort

À une vingtaine de kilomètres au sud-ouest d'Anduze.

Ce gros village où l'on sent déjà le Midi est pourtant profondément marqué par son passé cévenol. Saint-

Hippolyte-du-Fort est un bastion protestant doublé d'un important centre de production de soie.

- **L'écomusée de la soie** retrace l'histoire de cette tradition prestigieuse des Cévennes, au moyen d'outils anciens, de vidéos, de démonstrations de filature et de tissage. Une magnanerie est ouverte à la visite pour bien expliquer l'élevage du vers à soie. Un point est fait sur le renouveau de cet artisanat et une boutique propose les soies tissées localement.

> Ouvert tous les jours du 1ᵉʳ avril au 30 novembre de 10 h à 12 h 30 et de 14 h à 18 h 30 ; en juillet et août de 10 h à 19 h. Sur réservation pour les groupes pendant les vacances de Noël et de février. ☎ 04 66 77 66 47.

■ Sauve

À 9 km au sud-est de Saint-Hippolyte.

Avant de remonter vers le nord, faites un petit détour par ce village très pittoresque. Accrochées à la falaise, de belles maisons anciennes s'étirent le long de la Vidourle. On trouve là une espèce de crevette très rare, aveugle et incolore, survivante de la préhistoire.

- En haut de la falaise, montez voir la curieuse mer de rochers qui se dressent dans la garrigue autour des ruines d'un château fort.

■ Lassalle et le val de Salindrinque

Lassalle est un exemple typique d'urbanisme des Cévennes : le **village-rue**. Sa rue unique est très longue (1,7 km) et s'étire le long de la rivière. Notez le plan semi-circulaire du temple. La région souffrit particulièrement des guerres de Religion. Le mont Liron, tout proche, accueillit les premières prédications protestantes.

- **Le val de Salindrinque**, qu'emprunte la rivière du même nom, s'étire vers l'est, dans un paysage boisé. Avec ses prairies très vertes et ses châtaigniers, on l'a surnommé « la petite Suisse française ». Elle compte de très nombreux châteaux, qui sont d'ailleurs plutôt de grands manoirs fortifiés.

- Passez Saint-Bonnet-de-Salindrinque et son château, puis les hameaux de **Vabres**, **Lale**, sur la D 258, suivis des **Arnauds**, du **Moina**, beaux exemples d'architecture rurale caussenarde.

■ Thoiras

Par la D 57.

L'ancienne église de ce village sert de temple. Le château a conservé son allure de maison forte du xvᵉ s., avec ses quatre tours et son donjon. En retrouvant la D 907, notez le bâtiment de la filature et son architecture classique.

La soie

L'une des plus prestigieuses richesses des Cévennes, son industrie de la soie, a bien failli disparaître complètement. En 1965, la dernière filature fermait ses portes, suivie de peu par le dernier élevage de vers à soie. C'était sans compter l'entêtement et la passion de quelques Cévenols. À Monoblet, petit village près de Saint-Hippolyte, un instituteur pratique l'élevage avec ses élèves, à partir de 1972. En 1975, on défriche une grande parcelle et l'on plante 4 000 mûriers japonais. En 1977, une association voit le jour et le nombre d'éleveurs se multiplie. La filature de Gréfeuille, à Monoblet, est conçue pour maîtriser toute le chaîne de la soie, du cocon au tissu. Les grands couturiers sont immédiatement acheteurs de ce produit unique, tout comme les Japonais. Avec la création de l'écomusée à Saint-Hippolyte, c'est une vitrine supplémentaire visant le grand public qui est offerte à la nouvelle soie cévenole.

▷ Saint-Jean-du-Gard et ses environs

CARTE P. 411
Office du tourisme :
place Rabaut-Saint-Étienne.
☎ **04 66 85 32 11.**

La capitale des Cévennes

Moins de 3 000 habitants en font tout de même la capitale des Cévennes et un fief protestant. C'est la ville natale du chef camisard Mazel, à l'origine de la marche armée qui déclencha la guerre des Camisards. La ville fut occupée et murée par l'intendant du Languedoc qui voulait ainsi empêcher les rebelles de venir la nuit pour se ravitailler. Au XIXᵉ s., la ville renaquit grâce à la sériciculture.

■ La tour de l'Horloge

De son passé, la ville garde cette tour qui était jadis le clocher de l'église catholique du XIIᵉ s. que les protestants détruisirent en 1560.

- On peut faire de très **belles randonnées** tout autour de Saint-Jean, sur près de 150 km de sentiers balisés.

Si vous le pouvez, visitez la ville un mardi matin, jour du marché particulièrement animé et riche en produits artisanaux.

■ Le musée des Vallées cévenoles

95, Grand-Rue.

Ouvert d'avril à octobre tous les jours de 10 h à 12 h 30 et de 14 h à 19 h, de 10 h à 19 h en juillet et août; de novembre à mars le mardi et le jeudi de 9 h à 12 h et de 14 h à 18 h et le dimanche après-midi. ☎ **04 66 85 10 48.**

Installé dans une ancienne auberge du XVIIᵉ s., le musée des Vallées cévenoles rassemble tout ce qui concerne les arts et traditions populaires des Cévennes, les coutumes et les gestes du quotidien. Les activités liées au châtaignier et à la soie sont bien sûr mises en avant. On découvre des outils insolites, comme une semelle à clous spéciaux pour décortiquer les châtaignes, un garde-manger en vannerie pour sécher les fromages…

▲ *Sole destinée à recevoir les châtaignes à cuire. Musée des Vallées cévenoles.*

Guérilla et prophéties

Les mystiques protestants ont joué un grand rôle dans la guerre des Camisards. Tout commence avec le rêve en français d'une jeune Occitane analphabète : elle annonce le retour du protestantisme. Les fidèles, las de la clandestinité et de la répression, se remettent à espérer. D'autres prophètes surgissent, dont les visions sont de plus en plus guerrières. Leurs injonctions, lors de transes mystiques, sont parfois lourdes de conséquences. C'est une vision qui aurait convaincu le chef camisard Mazel de tendre l'embuscade qui déclencha la guerre. Dans les combats qui suivirent, véritable guérilla reposant sur les embuscades, l'effet de surprise et la connaissance du terrain, beaucoup de décisions furent prises sous cette influence. L'incohérence qui en résultait, leur imprévisibilité ajoutaient encore au désarroi des troupes royales.

Les vallées cévenoles

CARTE P. 411

À partir de Saint-Jean-du-Gard, s'étend le pays des hautes vallées schisteuses, des « serres », crêtes aux pentes abruptes, et des « valats », profondes échancrures encaissées, sillonnées de torrents. Elles courent à peu près parallèlement du sud-est au nord-ouest, de part et d'autre de la corniche des Cévennes. C'était jadis le royaume du mûrier et du châtaignier.

L'or de la soie

Bien qu'existant dès le XIIIe s., la sériciculture prit son envol après les hivers très froids qui décimèrent oliviers et châtaigniers. On planta alors massivement des mûriers. Des intendants furent nommés par les manufactures pour sillonner les villages et surveiller la production éclatée dans toutes les fermes. Entre 1820 et 1835, on passa ainsi de 950 tonnes de cocons à 2 700 tonnes. Chaque maison avait sa magnanerie, pour l'élevage des vers à soie. Au début, les graines de vers à soie, ou œufs, étaient « couvés » par les femmes dans leur corsage ou sous leurs jupes. Le ver à soie se nourrit exclusivement de feuilles de mûrier et tisse son cocon avec un fil de bave qui peut mesurer 1 500 m de long. Après la récolte des cocons, les femmes tirent ce fil, qui est ensuite mouliné et livré aux manufactures.

■ Le tour du Liron

Un bel itinéraire qui emprunte des routes très sinueuses et contourne le mont Liron, un massif granitique planté de châtaigniers, un haut lieu du protestantisme clandestin.
- Le circuit part de **Lassalle** vers le sud-ouest, et **Colognac**. Le **mont Liron** (1 001 m) domine le paysage à droite. Dirigez-vous vers **Sumène**, beau village fortifié et bastion protestant, autrefois centre de tonnellerie et pays minier.
- Remontez ensuite vers Saint-Martial, le long du Rieutord. Au passage, à **Sanissac**, notez le **moulin de Poujol** à triple usage (châtaignes, blé, olives) : chaque étage abritait une meule spécifique.

■ Saint-Martial

Le village est particulièrement attachant, perché en rond sur un promontoire autour de son église romane (XIIe s.). Les croix peintes sur les portes des maisons attestent que les habitants, ici, sont catholiques.
- Vous remarquez autour du village l'agencement des cultures en terrasses et les petits champs aux rangées bien nettes : Saint-Martial s'est fait une spécialité de la raïolette, un gros oignon cévenol à la saveur très douce. Les mûriers font dès la fin de l'été des taches d'or sur les pentes.
- Guettez également les ruches, ces rangées de troncs de châtaigniers coupés, évidés et coiffés d'une lauze, qui produisent le délicieux miel des Cévennes.
- La route passe ensuite le **col de la Tribale** et le **col de l'Asclier**, d'où le panorama est impressionnant des deux côtés. C'est aussi un point de passage de la **transhumance** : le pont de pierre qui franchit la route est dit **pont moutonnier**. Deux GR s'y croisent, dont le GR 6-67 qui part à l'assaut du **mont Liron**.
- La D 152 descend ensuite rapidement vers la vallée Borgne et l'Estréchure. Juste avant ce village, bifurquez à droite sur la D 39 vers le **col du Mercou**, à 570 m d'altitude (son nom vient du dieu Mercure à qui il était voué).
- Sur la gauche, le GR 61 mène à travers la forêt au **mont Brion**.
- En redescendant côté Lassalle vous verrez une superbe **ferme typique et ses terrasses** en gradins circulaires, puis le village de **Soudorgues** et son donjon.

▷ La vallée Borgne

CARTE P. 411

De Saint-Jean-du-Gard, prenez la D 907 vers l'ouest en longeant le Gardon de Saint-Jean. La vallée se resserre en étroites gorges dites du Soucy.

■ Le pont du Soucy

Juste après le carrefour menant à Peyroles, une petite route à gauche mène au **pont de l'Arénas**. Traversez-le et suivez le sentier des muletiers à droite qui remonte toutes les gorges et atteint un adorable petit pont en pierre. Les amateurs de canyoning peuvent redescendre la rivière par une suite de toboggans et de cascades, ne présentant pas de difficulté majeure. Certaines parties se font à la nage.

▼ Située au sud de la corniche des Cévennes, la vallée Borgne est occupée par le Gardon de Saint-Jean. Elle se termine en cul-de-sac, contrairement à la plupart de ses voisines, ce qui explique sans doute son nom.

- Au pont du Soucy, un sentier à gauche rejoint le GR et le mont Brion avec retour par la vallée Obscure vers le pont de l'Arénas; comptez en tout 5 h.

- Reprenez la route vers **l'Estréchure** et le village-rue de **Saumane**. Tournez à gauche sur la D 20 vers **Les Plantiers** (en raison des plantations de châtaigniers) et sa jolie église romane en schiste. Suivez ensuite la rivière Borgne, le long de la D 193 qui passe de superbes hameaux, comme **Monteil** ou **Faveyrolle**, et monte au **col du Pas**. Suivez alors la D 10 jusqu'au **col de l'Espinas** et redescendez dans une petite vallée parsemée de mas et de terrasses jusqu'à **Saint-André-de-Valborgne**, beau village construit le long des quais du Gardon (jolie église romane, maisons anciennes, nombreux châteaux dans les environs).

De Saint-André, plusieurs options : retourner à Saint-Jean-du-Gard, continuer vers le fond de la vallée et la très belle route du **tunnel du Marquairès** menant au causse Méjean, ou monter vers Pompidou et la corniche des Cévennes.

■ La corniche des Cévennes

La corniche des Cévennes correspond au tracé de la D 9 qui reprend la très ancienne **route des crêtes** réunissant la plaine du Languedoc au Gévaudan. Du temps des Gaulois, c'était une simple draille, sentier emprunté par les transhumants. Au XVIIe s., la piste subit des travaux importants pour devenir une **route royale** destinée à faciliter la répression en cas de soulèvement protestant.

- La région est pratiquement déserte et ne compte que les villages du **Pompidou** et de **Saint-Roman-de-Tousque** avec son beffroi carré (dans le temple, la table de communion est un ancien pétrin).

- Vers l'est, le **col de l'Exil** offre un beau panorama de l'Aigoual. Il doit son nom aux convois de déportés huguenots qui y jetaient un dernier regard sur leur pays.

▲ Le col Saint-Pierre est équipé d'une table d'orientation qui vous permet d'identifier les différents sommets et vallées des Cévennes. L'écrivain voyageur Stevenson, auteur de L'Île au trésor y passa une nuit à la belle étoile lors de son Voyage avec un âne dans les Cévennes, *récit d'aventure à lire pour son regard plein d'humour sur la région.*

▷ La vallée Française

CARTE P. 411

Située au nord de la corniche des Cévennes, c'est peut-être la plus belle des vallées cévenoles, avec ses versants boisés et sa succession de hameaux de schiste.

▶ *L'église Notre-Dame-de-Valfrancesque.*

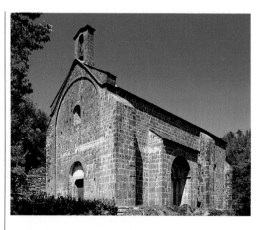

■ La magnanerie de La Roque

Ouvert l'été de 10 h 30 à 13 h et de 14 h 30 à 18 h ; hors saison de 14 h à 18 h le week-end et pendant les vacances scolaires.
☎ **04 66 49 53 01.**

Elle accueille une intéressante exposition sur l'élevage des vers à soie.

■ La tour du Canourgue

Un beau donjon carré qui faisait partie du système mis en place pour surveiller l'arrivée des Anglais au XIVe s.

■ Le sentier de la Roquette

Le sentier de la Roquette part du village de **Pont-Ravagers** et permet de découvrir l'habitat et les coutumes du pays cévenol. Dans le village lui-même, le **musée du Cévenol** présente la vie locale.

■ Les gorges de Trabassac

Si vous n'avez pas peur de vous mouiller ou si la chaleur vous donne envie de vous rafraîchir, prenez la route de Trabassac. Après les panneaux, vers la Roquette, arrêtez-vous au premier pont et descendez dans le ruisseau que vous pouvez remonter à pied et à la nage (à éviter absolument en période de pluie ; comptez 2 h).

■ Notre-Dame-de-Valfrancesque

L'église romane du XIe s., construite en schiste sombre, est un des joyaux de l'art roman cévenol. La tradition veut qu'elle soit un hommage à Roland, l'héroïque neveu de Charlemagne.

Le pélardon

Très courant sur les marchés locaux et dans les fermes, le pélardon est un fromage de chèvre typique des vallées cévenoles. Il est meilleur quand les chèvres se nourrissent de châtaignes et de glands, au printemps et en automne. Frais, son goût ressemble à celui du lait caillé. En vieillissant il se couvre d'une peau savoureuse qui se teinte de gris bleu et offre des arômes subtils. Grâce aux « néos » qui ont investi la région dans les années 1970, ce fromage renaît et se vante même de posséder son association de défense du pélardon…

▷ La vallée Longue

Quittez Saint-Jean vers le nord-est, par la D 50 puis la D 160 vers Les Aigladines, un hameau typique des basses vallées qui accueillit le premier synode des églises réformées des Cévennes en 1560.

■ Le Collet-de-Drèze

Remontez vers le nord et la Grand-Combe par la N 106. Un château taillé à même le roc et un temple qui est le plus vieux des Cévennes (1685).

■ Saint-Germain-de-Calberte

Son étonnant microclimat, ses chênes verts et ses pins maritimes… L'histoire de ce village est curieuse. Siège d'une riche école catholique, la communauté se convertit pourtant d'un bloc au protestantisme. L'abbé du Chayla décida alors de faire de la ville la « Rome des Cévennes » et d'y ouvrir un séminaire pour redresser les « impies ». Son assassinat par la bande du chef Mazel déclencha la guerre des Camisards. Il est enterré dans son église.
- Le **château Saint-Pierre** héberge des expositions.
- Pour rejoindre le mont Lozère ou le causse Méjean, prendre la route – superbe – de la Barre-des-Cévennes.
- Un peu plus loin, **Saint-Étienne-Vallée-Française** possède un château fossile, taillé dans le rocher : **le Castellas**.

Après Les Aigladines, la D 160 serpente jusqu'à l'abbaye de Cendras, aux portes d'Alès, dont il ne reste que l'église romane fortifiée. Notez, juste à côté de l'abbaye, le puits des moines, une fissure aménagée qui rejoint à 14 m de profondeur le réseau souterrain.

▲ *Les troupeaux sont amenés par les drailles, ces sentiers moutonniers, pour rejoindre les pâturages de l'Aigoual, du Lozère, de l'Aubrac, de la Margeride et du Gévaudan.*

Le Parc national des Cévennes

D'une superficie de 91 416 ha (80 % en Lozère, 20 % dans le Gard), le Parc recouvre une grande diversité géographique. Le causse Méjean est un plateau calcaire d'une altitude moyenne de 1 000 m, consacré à l'élevage des moutons. Le mont Lozère, massif granitique, culmine à 1 700 m. C'est un pays d'élevage bovin et de transhumance. Les hautes vallées schisteuses se composent de versants boisés, d'exploitations forestières et de pâturages attribués aux chèvres et aux moutons transhumants. Le massif du Bougès, schisteux et granitique, couvert de forêts sur son versant nord, pratique l'élevage ovin et caprin.

■ Les paysages : la roche, l'eau et l'arbre

Selon la région, ces trois éléments se conjuguent différemment. Sur le causse Méjean, plateau aride cerné de falaises et de gorges profondes, la pierre est omniprésente, l'arbre et l'eau sont rares. La prairie herbeuse s'étend jusqu'à l'horizon, l'eau est cachée sous terre, dans un labyrinthe de galeries, d'avens et de grottes. Au mont Lozère, les sommets arrondis et débonnaires, souvent enneigés, sont recouverts d'une pelouse drue, semée de genêts, de bruyères et de myrtilles, composant un spectacle sévère et désolé. Dans les hautes vallées, le schiste du sol est moins évident, sauf sur les crêtes

▲ *Paysage ouvert, lumineux et frais, jamais le mont Lozère n'est plus éclatant qu'aux chaudes heures du mois de juin, quand la floraison des genêts illumine ses pentes, baignées d'un parfum suave et troublant.*

aiguës et dans les déchirures de la terre. Les versants nord sont plantés de châtaigniers et les vallées sont patiemment sculptées par les hommes qui ont utilisé la moindre parcelle de terre en aménageant des terrasses en gradin à flanc de montagne. L'eau est abondante, dévale les serres et serpente en torrents au fond des vallées. Le massif du Bougès a bénéficié d'un vaste plan de reboisement au XIXᵉ s. Son versant nord est couvert d'une belle forêt de hêtres, chênes, sapins, mélèzes, épicéas…

■ Sentiers muletiers et drailles à moutons

Les Cévennes barrent toutes les routes du nord au sud. Jadis traversées par les sentiers muletiers et les drailles à moutons de la transhumance, on y aménagea très tôt de grands axes de communication vers la plaine du Languedoc, comme la voie Régordane qui reprend le tracé des anciennes voies romaines. La transhumance est une autre tradition encore bien vivante, qui anime les Cévennes chaque année. Depuis plus de 1 000 ans, au début du mois de juin, les bergers rassemblent les troupeaux dans les vallées et les emmènent le long des sentiers moutonniers pour rejoindre les hauts pâturages. En septembre, ils redescendent avant les premiers froids.

■ Les hommes : l'élevage, la forêt, le tourisme

Le Parc compte environ 600 habitants. Autrefois riches et actives grâce à la culture du châtaignier puis à la production de la soie, les Cévennes se sont peu à peu dépeuplées. L'idée du Parc national était de créer un espace habité, qui ne soit pas seulement un conservatoire de la nature et d'un patrimoine déserté. Le tourisme vert et la réhabilitation des artisanats traditionnels ont ramené la vie. L'ensemble des Cévennes a d'ailleurs profité de l'engouement des citadins pour le retour à la nature, dans les années 1970. C'est ainsi que les villages ont vu débarquer ceux que l'on appelle familièrement les « néos ». Leur intégration ne s'est pas faite sans mal. Les « zippies », comme on les surnommait, inspiraient la méfiance et l'ostracisme. Ceux qui se sont obstinés et sont restés ont fait souche et ils sont souvent les moteurs les plus actifs d'un renouveau équilibré.

■ Les maisons : calcaire, granit, schiste

L'habitat reflète les différences de paysages. Sur le causse, une multitude de tas de cailloux et des murets rappelle la nécessité d'épierrer constamment. Les nombreuses croix le long des routes marquent un territoire resté catholique. Sur ce plateau balayé par les vents, les maisons sont solides et massives, épousant le relief, construites en calcaire sur de lourdes voûtes, et couvertes de lauzes. Sur le mont Lozère, les maisons de granit répondent à la pierre du sous-sol. Les ouvertures sont petites. L'habitation s'adosse à la montagne qui lui sert de rempart et est orientée vers le sud. Dans les Cévennes protestantes, pays des vallées étroites, l'habitat, en schiste, est installé à mi-pente. Les bâtiments, imbriqués les uns dans les autres, délimitent des cours et des terrasses, utilisent la pente pour réaliser plusieurs niveaux correspondant aux différentes activités. À l'époque de la sériciculture, les magnaneries viennent rehausser les maisons et se remarquent à leurs très nombreuses cheminées et à leurs pièces très aérées. Les maisons cévenoles possèdent en général leur cimetière familial, marqué par de simples pierres fichées en terre et signalé par des cyprès.

▲ *Le mont Lozère donne naissance à quantité de ruisseaux aux eaux pures peuplées de truites.*

▲ *À la fin de l'été, les moutons sont tondus en altitude. Lors de la descente des pâturages, on accroche des pompons de laine colorée sur le dos des meneurs.*

▼ *Entouré d'un agréable parc ombragé parcouru par un sentier de découverte écologique, le château de Roquedols est le centre d'information du Parc national des Cévennes.*

Comprendre • Le Parc national des Cévennes

Le mont Lozère

CARTE P. 401

L e mont Lozère est un prolongement du massif granitique de la Margeride. Ses formes amples et rondes tranchent avec les crêtes acérées des hautes vallées. Sillonné par de nombreux ruisseaux à truites, il est bordé au nord par le Lot, à l'est par la Cèze et au sud par le Tarn, qui y prend sa source. Les pâturages y alternent avec les tourbières et les chaos de granit aux formes arrondies. Aux mois de mai et juin, la floraison des genêts remplit l'air d'un parfum très suave et colore les pentes de jaune.

> **bonne adresse**
> **à Florac**
>
> *La Source du pêcher*, 1, rue de Rémuret. ☎ 04 66 45 03 01. Un petit restaurant au pied des falaises du causse qui propose une cuisine inspirée de produits locaux. On trouve beaucoup d'innovations dans la carte du jeune chef...

▲ *Siège du Parc national des Cévennes, le château de Florac dispose d'un centre d'information sur le Parc.*

▲ *L'église Notre-Dame, fondée au XIVᵉ s., domine le village de Bédouès.*

■ Florac

Cette jolie ville a gardé ses ruelles aux façades hautes et étroites.

- **Le château**, impressionnant avec ses tours rondes à toit pointu, abrite la maison du Parc national des Cévennes.

Le château est ouvert tous les jours en juillet et août de 9 h à 19 h. Horaires variables le reste de l'année.

- Dans la ville, au cœur du parc Paul-Arnal, allez voir la **source du Pêcher**, une résurgence du causse Méjean.

Prenez la N 106 vers le nord et tournez à droite sur la D 998 qui suit la vallée du Tarn.

■ Bédouès

Ce curieux village se remarque de la route par son église fortifiée en schiste, dotée d'un étrange clocher.

- **Une collégiale** existait ici depuis le XIVᵉ s., fondée par un pape originaire du coin, mais elle fut détruite par les protestants. On dit que les moines furent jetés vivants dans la citerne… Elle fut reconstruite et un clocher fut rajouté au XIXᵉ s.

- Juste derrière, les maisons du vieux village mélangent les matériaux de façon inhabituelle (schiste, calcaire, galets de rivière…).

Suivez la route jusqu'à Cocurès, point de départ d'un beau circuit sur les plateaux. Prenez la petite route marquée « Les Bondons ».

■ Les Bondons et les plateaux du Lozère

La Cham des Bondons est un plateau immense jalonné de menhirs, petits pour les critères bretons mais très nombreux (environ 150), ce qui place le site au deuxième rang des monuments mégalithiques français.

- Suivez la D 35 vers les hameaux de **La Vayssière**, **La Brousse**, **Rûnes**, avec leur architecture traditionnelle de granit et les **chaos de roches**. Ceux de Rûnes sont particulièrement spectaculaires, placés en équilibre instable et en empilements impressionnants.

■ Pont-de-Montvert

Un bourg plein de charme dont les belles **maisons anciennes** s'alignent sur les rives du Tarn.

- **Le pont d'allure gothique** flanqué d'une tour à horloge servait jadis de péage. C'est tout près d'ici que l'abbé du Chayla fut assassiné par les protestants qui le jugeaient coupable de conversions forcées au catholicisme.
- Dans le village, visitez la **maison du mont Lozère** qui présente le milieu naturel, les arts populaires et les coutumes de la région.
- **L'écomusée du mont Lozère** est constitué de différents sites dans les environs : la **ferme de Troubat**, celle du **Mas-Camargues**, des sentiers de découverte…

La maison du mont Lozère est ouverte du 1er juin au 30 septembre de 10 h 30 à 12 h et de 14 h 30 à 18 h 30. Du 1er octobre au 31 mai le jeudi, le samedi, le dimanche et pendant les vacances scolaires. ☎ 04 66 45 80 73.

La ferme de Troubat est ouverte du 1er juin au 30 septembre du samedi au mercredi de 10 h 30 à 12 h 30 et de 14 h 30 à 18 h 30. Fermée le jeudi et le vendredi.

- Sur la route du Mas-Camargues, au nord-est de Pont-de-Mauvert, vous passerez les hameaux traditionnels de **Villeneuve**, **l'Hôpital** et **Bellecoste**.

■ Finiels

Chaque année, le premier dimanche d'août, on célèbre la fête de la myrtille sur les vastes prairies qui entourent le village. On rencontre encore quelques troupeaux transhumants.

- **Le col de Finiels** est le départ de plusieurs belles randonnées le long des GR. On peut notamment rejoindre le **sommet du Finiels** (1 699 m, point culminant du massif du mont Lozère) ou la **source du Tarn**.
- Suivez la route jusqu'au **Bleymard** et **Saint-Jean-du-Bleymard**, beaux villages traditionnels.

Prenez ensuite le D 901 vers l'est et Villefort.

■ Villefort

À droite de la route, avant d'arriver au **lac artificiel de Villefort**, le **château de Castanet** est ouvert à la visite en été : salles Renaissance et beau mobilier.

■ La Garde-Guérin

L'**église romane** (XIIe s.) est très belle et le village a un charme fou avec ses ruelles pavées à caniveau central et ses belles maisons.

- Au nord, belle perspective sur les **gorges du Chassezac**.

◄ *La Cham des Bondons est un plateau calcaire dominant le paysage au nord de Florac. Plus d'une centaine de menhirs taillés dans le granit sont éparpillés dans le paysage. La tradition populaire assimile le lieu à un dépôt laissé par les sabots de Gargantua quand, sautant du causse voisin, il les a secoués sur les premiers contreforts du mont Lozère…*

▲ *La ferme de Troubat avec ses granges, son étable et son moulin est un témoignage vivant des traditions locales.*

▲ *C'est à Pont-de-Montvert que se trouve la maison de la Lozère. Cet écomusée offre un type de présentation muséographique particulier, où la nature et le monde rural prennent directement le relais des expositions.*

Les hautes Cévennes

CARTE P. 411

Entre la montagne du Bougès et le mont Aigoual, la corniche des Cévennes gagne de l'altitude et atteint les hautes terres où se fomenta la révolte des Camisards. Des routes tortueuses et désertes dévoilent une grande variété de paysages.

■ Le Pompidou

Ce paisible village est construit à la limite des Cévennes schisteuses et du plateau calcaire, sur une longue crête. Sur le campanile du temple protestant, notez la **girouette en forme d'ange** annonciateur du Jugement dernier.
- À 1 km au nord, la jolie **chapelle Saint-Flour** (XIIIᵉ s.) accueille des concerts. Elle fut construite en l'honneur du pape Urbain V, natif de la région.

■ La can de l'Hospitalet

Le mot *can* ou *calm* désigne un plateau calcaire. La nature géologique de la can de l'Hospitalet, qui domine la corniche des Cévennes, est la même que celle des causses voisins (Méjean, Sauveterre, Larzac…) : une grande épaisseur de **calcaire** due au dépôt accumulé au fond des mers il y a des centaines de millions d'années.

▲ Les montjoies, ces grandes pierres taillées, étaient destinées à marquer le chemin pour se repérer dans les tempêtes de neige ou dans le brouillard. De même, les clochers de tempête, sur les fermes, servaient à guider les voyageurs par mauvais temps.

- On y trouve un grand nombre de **fossiles** et d'empreintes de coquillages. La can est couverte de roches dolomitiques. Elle est séparée du causse Méjean par la vallée du Tarnon.
- Elle est traversée par **la draille de Margeride** qui menait les troupeaux depuis les basses Cévennes à travers l'Aigoual vers Florac et les pâturages de la Margeride (GR 43 et GR 7-67). Le sentier coupe d'ailleurs la route à la **ferme de l'Hospitalet**. C'est l'endroit idéal pour partir à la découverte du plateau.
- Les beaux bâtiments rustiques, qui abritent un gîte d'étape, sont entourés par les **rochers de l'Hospitalet**. Ce site revêt une importance particulière pour les protestants qui s'y rassemblent chaque année, le dernier dimanche de juillet. C'est là que, dans la nuit du 24 septembre 1689, commença à s'organiser la résistance protestante après la révocation de l'Édit de Nantes. En souvenir, une plaque apposée sur un rocher près de la ferme est marquée du mot-symbole « résister » que les

prisonnières de la tour de Constance d'Aigues-Mortes gravaient dans leur cachot.

■ Saint-Laurent-de-Trèves

Ce joli village est accroché au bord du plateau, dominant la vaste vallée du Tarnon et le causse Méjean.

- Outre une jolie **chapelle romane**, Saint-Laurent conserve surtout **22 empreintes de dinosaures**, laissées il y a 190 millions d'années. Il s'agissait de théropodes, des carnivores bipèdes de 4 m de haut. À l'époque, les animaux ont laissé la trace de leurs pas dans le sol argileux. Lorsque les Alpes se sont soulevées, ces sédiments ont été dégagés et l'érosion a peu à peu révélé ces traces enfouies.

Revenez sur vos pas vers Barre-des-Cévennes

■ Barre-des-Cévennes

Le village-rue est typiquement cévenol. Les maisons s'alignent le long de la voie qu'empruntaient les voyageurs, pèlerins ou transhumants. Sur ces voies, les villages étaient prospères, alignant échoppes et auberges. Le rez-de-chaussée des maisons était voué à l'activité professionnelle tandis que la famille vivait au-dessus : cuisine et salle commune au premier, chambres au deuxième et pailler au grenier. Autrefois, le village était le siège de foires et de marchés animés.

- Au-dessus du village, l'église **Notre-Dame-de-l'Assomption** date du XIIe s. Les remaniements qu'elle a subis à l'époque gothique, à la Renaissance et au XIXe s. forment un ensemble plein de charme.

- C'est à Barre qu'eut lieu un incident lourd de conséquences dans la guerre des Camisards. Un jour de foire, les parents de prisonniers protestants implorèrent l'abbé du Chayla (chargé de leur conversion forcée) de les libérer. Son refus enflamma la foule et poussa les rebelles à se révolter.

Quittez Barre par la D 13 jusqu'au plan de Fontmort.

■ Le plan de Fontmort

Ce petit plateau que traverse la route a été l'objet d'un important reboisement au XIXe s. Plantée d'épicéas, de pins sylvestres, de hêtres et de bouleaux, cette forêt offre des balades rafraîchissantes par grand soleil. Elle est en partie interdite aux chasseurs.

Regagnez ensuite la N 106.

À gauche, vers Florac, **la vallée de la Mimente** longe le flanc sud de la montagne du Bougès, encaissée dans des schistes très déchiquetés.

- À droite, vers Alès, la route passe le **col de Jalcreste**, qui mène à la vallée Longue. Côté vallée de la Mimente, on est sur le versant atlantique, côté vallée Longue, sur le versant méditerranéen ; le Gardon d'Alès fait partie du système des affluents du Gard.

Les moines hospitaliers

Les Cévennes sont parsemées de croix de Malte gravées sur des bornes, des rochers, des maisons. Elles attestaient la présence des chevaliers de l'ordre de Malte ou moines hospitaliers dont les possessions s'étendaient sur tout le Gévaudan. Leurs commanderies offraient un hébergement et la sécurité aux voyageurs et aux pèlerins de passage. Hôpital avait alors le sens de lieu d'hospitalité plutôt que celui d'un centre de soins.

L'Aigoual

CARTE P. 411

C'est l'écrivain cévenol André Chamson qui a le mieux parlé de l'Aigoual. « Le ciel souffle de tous côtés sur cette coupole d'herbe rase (…). La terre est là, comme indifférente à cette fureur, tannée par les siècles, attachée à ses profondeurs par mille racines… » S'il y a une montagne sacrée pour les Cévenols, c'est l'Aigoual. De là-haut, la vue est stupéfiante sur les Alpes, le mont Ventoux, la Méditerranée…

▲ *Gros bourg de plus d'un millier d'âmes à l'habitat groupé, à 360 m d'altitude, Valleraugue abritait huit usines textiles au milieu du XIXe s.*

■ Par Le Vigan

En quittant Le Vigan, la route est superbe et traverse un paysage planté de châtaigniers et semé de hameaux.
- À **La Cravate**, beau point de vue sur la plaine du Languedoc et le pic Saint-Loup. Le **col du Minier** (1 264 m) marque l'accès aux plateaux et la lisière de la **forêt de l'Aigoual**. Un peu plus loin, une zone de pelouse donne une idée de ce qu'était le massif avant le reboisement.
- Passé **l'Espérou**, une petite station hivernale, vous atteignez le **col de la Serreyrède** (1 289 m) et une belle hêtraie d'altitude. Du col, un sentier permet d'aller aux **sources de l'Hérault** (20 mn). Gagnez ensuite le mont Aigoual.

■ Par Valleraugue

Si vous arrivez de Ganges, la montée se fait en passant par ce gros bourg très agréable, construit sur l'Hérault à 360 m d'altitude. Cette vallée était jadis très active grâce à la sériciculture. On y voit aussi de nombreux vergers de pommiers.
- La route monte ensuite directement au mont Aigoual ; les randonneurs emprunteront depuis Valleraugue **le sentier des Quatre-Mille-Marches** qui grimpe à flanc de montagne à travers landes et forêts (1 227 m de dénivelé, 5 h de montée).

▲ *Une station météorologique est installée sur le mont Aigoual. Une exposition explique les techniques de prévision.*

■ Par le col de Perjuret

En venant du nord et du causse Méjean, le **col de Perjuret** marque la limite entre les calcaires du causse et les schistes et granits de l'Aigoual. Du col, il est possible de rejoindre Meyrueis par la pittoresque **vallée de la Jonte**, au pied du causse.
- Pour accéder directement au mont Aigoual, prenez la D 18 vers **Cabrillac**, un joli hameau de montagne, étape sur **la draille de l'Aubrac**, la route de la transhumance qui mène du Vigan et de Valleraugue à travers le massif vers les causses et l'Aubrac (une bonne semaine de marche).

■ Par Meyrueis

Au pied des corniches des causses, **Meyrueis** est le point de rencontre de deux mondes : celui des Cévennes, de l'eau et des forêts, et celui du causse désertique des moutons. Son nom signifie « au milieu des ruisseaux ».
- La ville était jadis un rendez-vous commercial pour les négociants en laine et pour les vendeurs de bestiaux. On y fabriquait des feutres à larges bords, populaires dans tout le Languedoc et la Provence. Elle vit aujourd'hui du tourisme et de l'exploitation forestière. La ville conserve de plaisantes ruelles et de belles maisons anciennes. Un détail : après le parler rocailleux des montagnes cévenoles, vous entendrez ici l'accent du Midi.
- En prenant la route du mont Aigoual, vous rencontrerez **le Bonheur**, une rivière qui prend sa source au col de Serreyrède en terrain granitique puis rejoint Camprieu-Saint-Sauveur où elle s'enfonce à l'intérieur du plateau et devient souterraine.

■ Le mont Aigoual

À 1 565 m d'altitude, le climat peut être très rude : les vents y soufflent parfois à 250 km/h et il y tombe une moyenne de 2 000 mm d'eau par an. Brouillard, neige ou givre y composent des paysages sublimes. Par tempête ou gros orage, les ruisseaux gonflent considérablement et ravinent les pentes. Plusieurs sentiers de petite randonnée sont balisés pour découvrir cette nature magnifique.
La forêt, très épaisse jusqu'au XVIIIe s., a progressivement reculé en raison de la surexploitation forestière et du défrichement pour l'élevage. Le reboisement a commencé à la fin du XIXe s., grâce aux efforts de Georges Fabre, un garde général des Eaux et Forêts. Aujourd'hui, la forêt domaniale couvre près de 16 000 ha.

■ Les routes des gorges

Redescendez de l'Aigoual par l'Espérou, puis par la D 151 qui vous conduira à Dourbie le long d'un splendide parcours en corniche au-dessus des **gorges de la Dourbie**.
- Après le milieu humide et frais des plateaux, la végétation prend des allures méditerranéennes. Au **col de la Pierre-Plantée**, prenez la route de **Trèves** et la D 157 qui suit les **gorges du Trévézel**, qui atteignent jusqu'à 400 m de profondeur entre deux falaises.

▲ *Au sortir de son parcours fluvial souterrain, le Bonheur change de nom pour Bramabiau (brame comme un bœuf) en raison du bruit qu'il fait. L'abîme de Bramabiau est le nom de sa résurgence au flanc du plateau. Un sentier en balcon permet de suivre son cheminement souterrain dans la faille.*

L'auberge du bonheur

Au Moyen Âge, un seigneur au grand cœur fonda, sur les hauteurs de l'Espérou, un « hôpital », une maison d'accueil pour les pauvres et les voyageurs. Par mauvais temps, on y sonnait des cloches pour guider les égarés et les sauver des loups. Le chemin s'appelait alors « la draille du parc aux loups ». Par la suite les moines hospitaliers y fondèrent un monastère connu comme Bona Aura *(bon accueil), puis* Bonahuc *et enfin* Bonheur…

Les causses

CARTE P. 401

C e sont de vastes plateaux calcaires, semés de rochers aux formes les plus diverses. Principalement plantés de pelouse, cultivés dans les dépressions où la terre s'est accumulée, les causses sont le royaume du mouton, et le roquefort est leur symbole. Avec une altitude avoisinant les 1 000 m, le climat y est rigoureux et les hivers froids et ventés. L'eau n'est pas visible en surface, mais elle court dans les milliers de galeries souterraines pour ressortir sur les flancs des plateaux. Chaque causse est isolé par de profondes gorges, échancrures spectaculaires dans les falaises de calcaire.

▼ *Cantobre, sur le causse Noir.*

■ Le causse Noir

Délimité à l'est par les gorges du Trévézel, au sud par celles de la Dourbie, à l'ouest par les gorges du Tarn et au nord par celles de la Jonte, c'est le plus petit des trois causses.

- On l'aborde par le ravissant village de **Trèves** qui mêle les toits de tuiles du Midi et les lauzes. Des ruelles pittoresques autour d'une petite place à fontaine…

- Prenez ensuite la D 47, une très belle route vers le nord-ouest et **Lanuéjols**, un autre beau village niché au cœur du causse. Continuez toujours vers le nord jusqu'à la **grotte de Dargilan**, l'une des premières ouvertes au public il y a plus d'un siècle. Surnommée la « grotte rose », elle possède une cascade pétrifiée de 100 m de long et des concrétions aux formes évocatrices : la mosquée, le clocher, le chaos…

- Empruntez ensuite la D 584, puis la D 29 jusqu'à la **corniche du causse Noir**, un superbe point de vue sur **les gorges de la Jonte** et surtout le point de départ de magnifiques sentiers de randonnée (prendre le sentier des corniches depuis le parking).

- Revenez sur vos pas et tournez à droite pour rejoindre **Montpellier-le-Vieux**, l'un des plus beaux chaos rocheux des causses, qui ressemble à une ville en ruine ; un site exceptionnellement attachant parcouru de sentiers bien balisés (ne les quittez pas, il est facile de se perdre dans le dédale des rochers).

- Revenez sur vos pas et prenez la petite route à droite pour retrouver le **canyon de la Dourbie** puis le ravissant village de **Cantobre**, d'où vous rejoindrez Trèves.

■ Le causse Méjean

C'est le plus haut des causses, limité par les gorges du Tarn et de la Jonte, et l'une des régions les moins peuplées de France (1,4 habitant au km^2).

▲ *La Canourgue est une jolie ville sillonnée de canaux, ce qui surprend agréablement après les paysages désolés des plateaux.*

- De Meyrueis, on y accède par la D 986 qui le coupe en deux. Au sud-est, le **chaos rocheux de Nîmes-le-Vieux**, moins spectaculaire que celui du causse Noir, rappelle la nature dolomitique des roches. Un sentier balisé vous emmène au cœur d'un paysage superbe.

- À 11 km de Meyrueis, **l'aven Armand** est la principale curiosité souterraine du causse. Il s'agit d'un gouffre où l'on descend à la verticale dans une immense grotte de (60 m sur 100, et 35 m de haut). On y trouve une forêt de près de 400 stalactites dont certains mesurent entre 15 et 25 m.

> **Ouvert d'avril à octobre de 9 h à 12 h et de 13 h 30 à 18 h; en juillet et août de 9 h à 18 h. Attention, il y a souvent beaucoup de monde en saison et il fait très froid en bas.**

- À **Hures-la-Parade**, tournez à gauche vers **Saint-Pierre-des-Tripiers** pour voir un autre chaos rocheux, les **Arcs de Saint-Pierre** : blocs aux formes évocatrices et arches de pierre. À 1 km du village, un sentier balisé mène aux vestiges d'un village préhistorique (comptez 1 h 30).

- De l'autre côté du causse, à 3 km à l'ouest de Florac, **la ferme du Pradal** fait partie d'un itinéraire de découverte des trois milieux qui cohabitent dans la région : le causse désertique, la gorge et la montagne cévenole en face. Le sentier passe également près d'un ancien moulin à vent.

■ Le causse de Sauveterre

Plus boisé que les autres causses, il offre des paysages moins désolés; les terres cultivées y sont plus nombreuses.

- **L'église Saint-Martin** de **La Canourgue**, en grès rose et blanc, est un plaisant mélange de tous les styles qui ont marqué son histoire : roman, gothique et Renaissance. Le village conserve de jolies ruelles et maisons anciennes.

Suivez tout droit la D 998 pour traverser le causse. Peu avant Sainte-Enimie, tournez à gauche sur la D 986 qui remonte vers Mende.

- Le village de **Sauveterre** auquel le causse doit son nom possède de belles maisons traditionnelles.

- **La tour du Choizal**, plus au nord, est un superbe exemple de ferme fortifiée, aisément repérable grâce à sa jolie tour à toit de lauze et à mâchicoulis.

▲ *La ferme caussenarde d'Hyelzas fait partie de l'écomusée du causse. Elle présente en situation, dans un superbe exemple d'architecture caussenarde, les meubles, objets et outils du quotidien. Ouverte toute l'année de 10 h à 12 h et de 14 h à 18 h.*
☎ *04 66 45 65 25.*

▲ *Le sabot de Malepeyre est un gros rocher haut de 30 m qui doit sa forme originale à l'érosion causée par l'eau qui circulait autrefois à la surface du causse (sur la D 46).*

Des chevaux sauvages

On trouve sur le causse Méjean le dernier troupeau de chevaux sauvages descendant de la préhistoire. Ce sont ces chevaux Tahk ou de Przewalski qui étaient dessinés sur les murs des cavernes. Peu à peu, l'espèce disparut de nos contrées pour ne plus exister que dans le désert de Gobi où la race s'éteint dans les années 1960. Il n'en reste qu'un millier dans différents zoos. Sur le causse, on a réussi à élever cette espèce farouche (les mâles chassent les jeunes et les juments refusent les étalons imposés), dans l'espoir de pouvoir les réintroduire un jour dans le Gobi.

Les gorges du Tarn et de la Jonte

CARTE P. 401

Comptant parmi les plus beaux paysages de France, cet ensemble de gorges vertigineuses allie la splendeur des sites naturels au charme préservé des villages nichés dans les falaises. Les eaux vertes des rivières se prêtent à l'exploration en canoë qui offre des vues bien plus impressionnantes des hautes parois rocheuses.

▲ *Sainte-Énimie est un village superbe qui fut fondé sur le site de la fontaine de Burde. Ses vieilles ruelles, ses passages voûtés, ses escaliers et ses terrasses ont beaucoup de charme.*

■ La descente des gorges du Tarn

On peut les suivre par la route en corniche, construite sur la rive nord, ou par un sentier pédestre, sur la rive du causse Méjean.

La partie la plus spectaculaire débute après **Ispagnac**, un village très méridional avec une belle église romane.
- Les gorges commencent vraiment après le village, en direction de **Quézac**, auquel on accède par un beau pont gothique. Ce bourg était jadis le site d'un important pèlerinage à la Vierge. Sa collégiale avait été fondée par le pape cévenol Urbain V.
- La route passe ensuite au pied du **château de Roche-blave**, plaqué contre la falaise. Après Montbrun, vous surplombez, niché dans une boucle du Tarn, le **château de Charbonnières**. Le site porte le nom de **Castelbouc**.
- À l'entrée du village de **Prades**, le château faisait partie du système de défense du monastère de Sainte-Énimie.

■ Sainte-Énimie

L'**église romane** contient des statues des XIIᵉ et XVᵉ s. ainsi que des céramiques contemporaines racontant la légende d'Énimie.
- Dans le village, le **Vieux Logis** est un musée folklorique. En haut du village, il reste quelques vestiges de l'**ancien monastère**.
- Un sentier permet de rejoindre **la grotte** qui aurait servi d'ermitage à Énimie

■ Saint-Chély-du-Tarn

Ce pittoresque village est niché au pied des hautes falaises, de l'autre côté du Tarn. On y accède par un joli pont de pierre. Deux sources tombent en cascade de la paroi. L'une d'entre elles s'échappe d'une grotte à l'entrée de laquelle se trouve une chapelle. Ruelles bordées de belles maisons et petite église romane.
- En aval du village, la rivière dessine de larges boucles encaissées dans les falaises : les **cirques de Saint-Chély** et de **Pougnadoires**. Dans ce dernier, les maisons du village sont pratiquement encastrées dans la falaise.
- Plus loin, sur l'autre rive, le hameau de **Hauterive** n'est accessible qu'en barque ou à pied.

■ La Malène

C'est un ancien point de **passage de la transhumance** entre les causses Méjean et Sauveterre. La petite route en lacets qui monte sur le causse Méjean offre des panoramas superbes. Au XIXᵉ s., les **bateliers de la Malène** constituaient le seul moyen de transport dans cette région escarpée. Les chargements descendaient avec le courant puis remontaient, tirés par des chevaux. Il est possible de louer des canoës un peu partout le long des gorges.

■ Le cirque des Baumes

Cette large boucle du Tarn se déroule sur près de 5 km, hérissés de caps et d'aiguilles.
- Tout près des **Baumes-Hautes**, un sentier mène à l'**ermitage de Saint-Hilaire**, blotti contre la falaise. On venait y prier pour les maladies des yeux. Les pèlerins s'aspergeaient avec l'eau de la source qui coule au fond d'une grotte.
- Au sortir du cirque, on atteint le **Pas de Soucy**, un incroyable chaos de roche où le Tarn disparaît. Selon la légende, Énimie, cherchant à rattraper le Diable qui la tourmentait, pria le ciel de l'arrêter. Dieu fit donc tomber les cailloux pour lui barrer la route, mais le malin se réfugia en enfer (en fait on pense que ce chaos est la conséquence d'un violent tremblement de terre en 580). En descendant au bord de la rivière, on a un beau point de vue des roches encore en équilibre.
- Plus loin le **belvédère du Roc de la Sourde** (payant) permet également d'avoir un bel aperçu du chaos.
- Gagnez ensuite **Les Vignes**, d'où une route conduit au **Point Sublime**, pour un panorama d'ensemble du canyon du Tarn et du causse Méjean.

■ Les gorges de la Jonte

Elles sont moins célèbres et moins longues que celle du Tarn, mais tout aussi belles. Sur un peu plus de 20 km, la rivière se faufile au fond d'un canyon impressionnant. De nombreuses randonnées sont possibles à partir du causse Méjean ou du causse Noir. La route, qui suit toujours le bord de la gorge, est splendide. L'idéal serait de commencer par Meyrueis et de finir par Le Rozier, où les gorges sont les plus spectaculaires.

▲◀ *Le seigneur de Castelbouc était l'un des rares à ne pas être parti en croisade. Seul fidèle au poste pour satisfaire tous les appétits de ces dames, il aurait tant œuvré pour leur bonheur qu'il aurait péri dans les bras de l'une d'elles. Lorsque son âme s'envola, on vit planer sur le château l'ombre d'un énorme bouc…*

▲ *Les gorges de la Jonte.*

La légende d'Énimie

Énimie était une belle princesse mérovingienne, sœur du roi Dagobert, promise par son père à un riche mariage. Ayant fait vœu de chasteté, elle pria pour devenir repoussante et fut exaucée par la lèpre. Après des mois de souffrances terribles, la jeune fille vint se baigner dans la fontaine de Burde, près du Tarn, et guérit. Rentrée chez elle, elle rechuta. Revenue à la fontaine, seconde guérison miraculeuse. Elle comprit que Dieu voulait qu'elle reste là et finit par y fonder un couvent.

Mende

CARTE P. 401
Office du tourisme : 14, boulevard
Henri-Bourillon. ☎ 04 66 94 00 23.

M ende est une ancienne ville de marché, au carrefour des routes
vers l'Auvergne et le Languedoc. Au nord, la Margeride est un
haut plateau désert, où les hivers sont longs et rigoureux. Terre d'élevage aux riches pâturages où arrivent les transhumants en été, c'est la
dernière limite avant l'Auvergne.

Une cathédrale grâce au pape

L'histoire de ce chef-lieu de la Lozère (le moins peuplé des départements français,
74 000 habitants en tout…) commence avec la création d'un évêché au IVe s. Les
évêques s'approprient vite le pouvoir. Après quelques frictions, l'évêque devient aussi
comte du Gévaudan. Le fait que le pape Urbain V soit originaire de la région vaut à la
ville la construction d'une cathédrale, mais son essor est freiné par les guerres de Religion. La ville s'enrichit cependant grâce au textile. Aujourd'hui, malgré la disparition
de l'industrie lainière, la ville reste le centre administratif vivant d'une région très rurale.

▶ *La cathédrale Saint-
Privat s'ouvre par un portail
flamboyant du XIXe s. Les
deux clochers (84 et 65 m)
sont séparés par une rosace
du XVIIe s. Le petit clocher
servit de prison sous la
Révolution et l'empire.*

▲ *Le pont Notre-Dame,
du XIIe s., enjambe le Lot.*

■ La vieille ville

Elle est très plaisante avec ses rues pavées et ses maisons
massées autour de la cathédrale. Notez les nombreuses
Vierges dans les niches des façades.

■ La cathédrale Saint-Privat

Elle domine toute la ville de ses
deux flèches. Les travaux furent
commencés en 1369 par
Urbain V, mais elle subit des
améliorations durant les cinq
siècles qui suivirent.
- À l'intérieur, la crypte de saint
Privat, le fondateur de la ville, est
d'époque romane. Notez les tapisseries d'Aubusson retraçant la
vie de la Vierge, les stalles en
bois du chœur (XVIIe s.) et une superbe Vierge noire en bois d'olivier (XIIe s.) qui aurait été rappor-
tée d'Orient après les croisades.

■ La synagogue

C'est un bel édifice avec une jolie cour intérieure. Les
juifs étaient nombreux au Moyen Âge jusqu'à ce que
l'évêque les chasse de la ville et que le roi Philippe le Bel
récupère leurs biens.
- Rue Notre-Dame, la **fontaine** abrite une Vierge noire
et marquait la limite du quartier juif.

■ La chapelle des Pénitents

Elle abrite un **musée d'Art sacré**. Elle a utilisé comme
clocher **la tour des Pénitents** ou **tour d'Auriac**, seul vestige des anciens remparts qui comptaient au total 24
tours identiques.

▷ La Margeride

CARTE P. 401

La rançon de la gloire

Le valeureux Du Guesclin n'est pas mort au combat comme l'époque pouvait le laisser attendre mais plus prosaïquement en buvant l'eau trop froide d'une fontaine de Châteauneuf-de-Randon. Après sa mort, le corps du pauvre Breton fut dispersé à travers tout le pays : ses entrailles furent enterrées au Puy, ses chairs à Montferrand, ses os à la basilique Saint-Denis près du roi. Seul son cœur regagna sa bonne ville natale de Dinan où il fut enchâssé dans un reliquaire. Le prix de la vénération au Moyen Âge…

■ Châteauneuf-de-Randon

Un superbe village perché sur un escarpement dominant les environs. Son immense place sert de foirail lors des marchés aux bestiaux, signant la vocation de terre d'élevage de la Margeride. C'est ici que Du Guesclin trouva la mort durant la guerre de Cent Ans contre les Anglais, ce qui explique la présence de sa statue au milieu de la place.
- Prenez ensuite la D 985. La route traverse les paysages typiques de la Margeride : pas de relief accidenté, mais un large plateau où les forêts alternent avec la lande et les prairies.
- **Grandrieu** est un joli village avec une église romane ornée de fresques des XIVe et XVe s.
- Prenez ensuite la D 5 vers l'ouest et **La Baraque des Bouviers** (1 418 m), un col aménagé en station de ski de fond. Vous êtes dans la partie la plus élevée et la moins peuplée du massif.

■ Saint-Alban-sur-Limagnole

Par la D 58 puis la D 4.

Dominé par un **château** du XIXe s. transformé en hôpital psychiatrique. Le village possède surtout une ravissante **église romane** en grès rouge, à clocher-peigne typiquement auvergnat (et nombreux dans la région). À l'intérieur, remarquez les beaux chapiteaux historiés.

■ Les gorges de la Truyère

Par la D 4. On ne peut pas les visiter en voiture, seulement à pied ou à VTT.

Construit au bord de la Truyère, le village du **Malzieu-Ville** conserve des vestiges de ses anciennes fortifications. C'est surtout le point de départ, vers le nord-ouest de la très belle randonnée des gorges de la Truyère, qui sont superbes.
- Le village de **Saint-Pierre-le-Vieux** possède une vieille église curieusement isolée sur une falaise au-dessus de la Truyère.
- Également, au-dessus des gorges, le **château de la Garde**, au nord du village du même nom, servait de verrou stratégique entre le Gévaudan et l'Auvergne.

▲ *Les clochers-peignes sont nombreux dans la région. Ici, celui de l'église de Saint-Denis-de-la-Margeride, un petit village perdu dans la nature.*

Marvejols et l'Aubrac

CARTE P. 401
Office du tourisme :
dans la porte du Soubeyran.
☎ 04 66 32 02 14.

U ltime destination des troupeaux transhumants, immense désert de prairies ondulées, l'Aubrac est le plus méridional des massifs volcaniques d'Auvergne, encadré par les vallées de la Truyère et du Lot. Sa porte d'entrée naturelle est la petite cité fortifiée de Marvejols, bien abritée dans sa petite vallée, des vents de l'Aubrac et de la Margeride.

Mende à l'évêque, Marvejols au roi

Jusqu'au XIIIᵉ s., cette jolie cité appartient aux familles d'Aragon et de Toulouse. Elle revient à la France en 1258, lors du traité de Paris, pour être, avec toute la région, l'objet d'un conflit entre le roi de France et l'évêque de Mende. Un accord finit par attribuer Mende à l'évêque et Marvejols au roi. Une cour commune règle les litiges et les États du Gévaudan se tiennent alternativement dans les deux villes. La ville se développe comme sa voisine grâce à la laine. À la Réforme, elle bascule largement du côté protestant, ce qui lui vaut d'être ravagée par les troupes de Joyeuse, l'amiral catholique. Henri IV fait reconstruire les fortifications et la décrète place de sûreté protestante du Gévaudan lors de l'Édit de Nantes. À sa révocation, beaucoup abjurent, certains partent en exil, vers la Suisse, la Hollande ou l'Allemagne, et ceux qui restent sont emprisonnés (l'une des prisonnières de la tour de Constance venait de Marvejols) ou exécutés.

▲ *Le Monastier possédait jadis un monastère bénédictin où le futur pape Urbain V prit l'habit. L'église romane conserve quelques beaux chapiteaux sculptés. Ici, la chaire, en pierre.*

■ Les portes fortifiées

Elles sont trois, la **porte du Soubeyran** au nord, la **porte du Théron** à l'est et la **porte de Chanelles** au sud. Chacune est entourée de deux grosses tours rondes, surmontée de mâchicoulis et couverte d'un toit de lauzes.
- Près de la porte, la **statue d'Henri IV** rappelle son rôle dans l'histoire locale.

■ La ville

Rues anciennes, belles maisons, petites places à la statuaire originale : place du Girou, on a installé le **menhir du Poujoulet**, en hommage à un préhistorien local ; place des Cordeliers, c'est une statue moderne représentant la bête du Gévaudan.
- L'église, reconstruite au XVIIᵉ s., conserve la statue de **Notre-Dame-de-la-Carce** (de la prison).

■ L'Aubrac

Composé de granit et de coulées de basalte de plusieurs centaines de mètres d'épaisseur, ce vaste plateau culmine à 1 469 m, au signal de Mailhebiau. Parfois boisé, l'Aubrac est surtout un immense pâturage nu, couvert de tourbières et de fleurs au printemps. Au Moyen Âge, c'était le domaine des moines hospitaliers de la dômerie d'Aubrac et un important relais pour les pèlerins de Compostelle en route vers Conques et Rocamadour. Ce sont les moines qui ont déboisé l'Aubrac pour y développer la culture des céréales et l'élevage.

Quittez Marvejols vers le nord par la N 9.

- Le **parc des Loups du Gévaudan**, au village de **Sainte-Lucie**, présente avec passion cet animal tant redouté. Plusieurs espèces vivent en semi-liberté dans des enclos grillagés mais au cœur d'un paysage superbe. Des sentiers permettent de les apercevoir (surtout en automne et en hiver).

Retournez sur la N 9 vers le nord et tournez à gauche sur la D 73 vers la Baume.

- Le **château de la Baume** est surnommé « le Versailles du Gévaudan ». C'est certainement le plus beau château de Lozère, construit du XVIIe au XVIIIe s. Les trois corps de logis délimitant une cour, la belle terrasse et le mobilier intérieur en font une enclave de grandeur surprenante dans ce paysage sauvage.

> Ouvert en saison tous les jours sauf le mardi, de 10 h à 12 h et de 14 h à 18 h. Hors saison l'après-midi sur rendez-vous. Visite guidée de 40 mn. ☎ 04 66 32 51 59.

Prenez la direction de Nasbinals. Tournez à droite sur la D 900.

- Le village de **Marchastel** est un joli ensemble de vieilles maisons adossées à une butte rocheuse.
- **Nasbinals** est un gros village sympathique qui fait presque figure de capitale au milieu du désert des pâturages. Belle église romane au clocher octogonal. C'est l'endroit où goûter l'aligot, spécialité locale à base de pomme de terre, de lard et de tomme fraîche.
- Au sud-ouest du village **la Croix des Trois Évêques** marque les limites des trois évêchés qui se partageaient l'Aubrac : Mende, Rodez et Saint-Flour.
- Plus loin, le village d'**Aubrac** était le siège des hospitaliers. Les 120 moines pouvaient héberger jusqu'à 500 pèlerins à la fois.

De Nasbinals, reprenez la D 900 puis tournez à droite sur la D 52.

- On traverse d'immenses étendues vides, juste piquées de quelques burons, ces petites cabanes de pierre à demi enfouies qui servent d'abri aux transhumants. On atteint **les Salces**, au début d'un Aubrac plus raviné, creusé de très nombreux ruisseaux.

Les trucs de l'Aubrac

Le long de la route, vous verrez signalés des trucs. Ce sont des grosses collines qui émergent du paysage. Leur origine géologique incertaine et leur présence incongrue sur les plateaux leur ont valu cette amusante appellation. Autour de Marvejols, vous trouverez le truc du Midi, le truc de Grèzes, le truc de la Fare…

▲ *Si vous en avez l'occasion, venez à Marvejols le 1er ou le 3e lundi du mois pour le pittoresque marché aux ovins d'Aubrac, où l'on négocie les bêtes de toute la région.*

La bête du Gévaudan

Sans doute la légende qui a le plus fait couler d'encre, celle de ce monstre velu aux dents longues, qui, entre 1764 et 1767, a terrorisé le Gévaudan. 92 personnes succombèrent durant cette période aux incursions brutales et inattendues de la bête, qui s'attaquait surtout aux femmes et aux enfants. L'évêque y voyait une punition divine, Louis XV dépêcha ses plus fins chasseurs, des battues furent organisées. Finalement c'est un certain Jean Chastel qui tua le monstre avec des balles bénites. Ce n'était qu'un loup. La rumeur persista qu'il y avait un monstre aux portes, nourrissant la légende…

Sur les chemins...

Cévennes, causses, Aubrac et Margeride sont sillonnés de sentiers très fréquentés depuis des siècles. Beaucoup de ces voies médiévales sont devenues des routes, certaines, les plus belles, sont restées de splendides itinéraires de randonnée. D'une manière générale, deux grands sentiers traversent la région du nord au sud : le GR 6 des Alpes à l'océan Atlantique et le GR 7 des Vosges aux Pyrénées. Ils peuvent être suivis sur une partie du parcours ou conjugués à d'autres sentiers.

▶ *Lavogne (lac) sur le causse.*

■ Les sentiers de la transhumance

Ils suivent trois grands axes montant des vallées du Languedoc. Les régions d'Alès et Saint-Jean-du-Gard remontent à travers le mont Lozère vers le Bleymard et la Margeride. De Saint-Hippolyte-du-Gard, une autre draille monte vers Florac puis la Margeride. Un dernier axe part du Vigan ou de Valleraugue, traverse le massif de l'Aigoual et les causses jusqu'à l'Aubrac.

■ Les chemins des pèlerins

La route principale commence au Puy-en-Velay et descend vers les Pyrénées par Conques, dans l'Aveyron. Un second tracé mène à Saint-Gilles-du-Gard, autre grand centre de pèlerinage du Moyen Âge. Ces routes sont ponctuées de chapelles et de monastères où les pèlerins faisaient escale et vénéraient les reliques. La voie Régordane qui reliait l'Auvergne à la Provence fait partie de ces parcours sacrés.

▲ *Le mont Lozère.*

■ Le chemin de Stevenson

Pèlerin d'un nouveau genre, Robert Louis Stevenson a quitté le Puy-en-Velay, comme les pèlerins catholiques. Il était à la recherche du souvenir des guerres de Religion et du pays protestant. Son parcours traverse le Gévaudan, le mont Lozère, le cœur des Cévennes jusqu'à Saint-Jean-du-Gard. Un topoguide (GR 70) et un rallye ont été mis au point pour reprendre ce très bel itinéraire qui prit 12 jours à son auteur (220 km). Précisons qu'il était accompagné d'une ânesse, ce qui est toujours possible grâce à de nombreuses associations (renseignements : ☎ 04 66 45 86 31).

▲ *Vautour moine.*

■ Quelques circuits en boucle

Le tour de l'Aubrac se fait en une dizaine de jours avec possibilité de conjuguer différents itinéraires à partir du GR Tour de l'Aubrac et des GR 6, 60 et 65. Le GR 65 suit la route de Compostelle vers Conques. Tous les renseignements sont disponibles à l'office de tourisme de Saint-Chély-d'Apcher. Si vous n'en faites qu'une portion, choisissez celle entre Trémouloux (au nord-ouest du château de la Baume) et Saint-Laurent-de-Muret.

Le tour du mont Lozère est sans doute l'un des plus beaux sentiers de la région : 110 km sur le GR 68 (balises blanc et rouge). Compter une semaine. Partir de Villefort par le Bleymard. Le GR 72 offre une variante d'itinéraire qui passe par Mas-Camargues et Bellecoste.

Le tour du causse Méjean est un paradis pour les amoureux de paysages rocailleux. Il vous en coûtera 100 km à faire en 6 jours. C'est certainement l'un des plus originaux avec le spectacle des gorges du Tarn et de la Jonte. Certains passages sont cependant assez athlétiques. Des combinaisons avec le GR 60 et le GR 6 peuvent le raccourcir. Il est aussi possible de n'en prendre que des sections. Ces deux GR permettent également de parcourir des sections du causse de Sauveterre.

Le tour de l'Aigoual se fait en suivant le GR 66 sur une distance d'environ 80 km. 4 gîtes d'étape jalonnent le parcours, qui se fait en 4 à 5 jours. Le meilleur point de départ est l'Espérou. Vous passez ensuite le plateau du Lingas, au sud, puis le pic Saint-Guiral, Dourbies, le Trévézel, Meyrueis, le causse Méjean, Cabrillac, Aire-de-Côte, le sommet de l'Aigoual et retour à l'Espérou.

Le tour des Cévennes (GR 67) est un parcours de 130 km qui suit le chemin des transhumants sur la route des crêtes : c'est d'ailleurs une bonne idée de le faire en juin, en même temps qu'eux. Compter une semaine.

Le Larzac offre de très belles randonnées le long du GR 7 ou du GR 71. Un GR Tour du Larzac méridional permet de faire des associations en boucles avec ces sentiers pour obtenir des itinéraires réalisables en quelques jours (le Larzac est très étendu).

> ### *Randonnée : mode d'emploi*
>
> *Même balisés, les sentiers de randonnées ne sont pas des routes. Ne vous y engagez pas, surtout en montagne, sans de véritables chaussures de marche, de l'eau, un coupe-vent et un couvre-chef. Le balisage ne doit pas vous dispenser d'une carte, surtout si vous envisagez de grandes distances à l'écart des habitations. De nombreux topoguides existent : ils vous donneront, outre une cartographie précise, des repères le long du chemin. En période de chasse, renseignez-vous avant de partir et n'empruntez pas les itinéraires ouverts aux chasseurs. Certaines randonnées sont faisables en hiver avec des raquettes. Elles demandent néanmoins l'assistance d'un guide. Pensez à réserver à l'avance votre hébergement dans les gîtes d'étape, surtout en saison. Enfin, pour rester en bonne intelligence avec un milieu agricole qui vit de ses troupeaux, refermez toujours derrière vous les barrières et clôtures que vous aurez franchies.*

Comprendre • Sur les chemins…

En savoir plus

AOC ▼

L'appellation d'origine contrôlée est attribuée à un produit spécifique, lié à un terroir strictement déterminé et dont les conditions de production sont définies. Elle relève de l'Institut national des Appellations d'origine, lui-même sous la tutelle des ministères de l'Agriculture et des Finances. Les AOC concernent trois secteurs : les

produits viticoles (51 % de la production française est en AOC), les produits laitiers et les produits agro-alimentaires.

ARCHÈRE ▶

Ouverture étroite percée dans les remparts d'une enceinte, les murs d'une tour ou d'un fort, qui permettait aux archers de défendre la forteresse en étant abrités des flèches ennemies.

ATLANTE

Statue d'homme soutenant un balcon ou un entablement.

Le terme évoque le dieu Atlas portant l'univers sur ses épaules.

BASTION

Élément de défense placé en avant d'une fortification, en saillie de l'enceinte.

CALADE ▶

Rue pavée de galets. Si elle est en pente, ou en escalier, elle est dite « en pas d'âne ».

à abriter les bergers et les troupeaux.

CARIATIDE

Statue de femme soutenant un balcon (voir atlante).

CAPITELLE ▶

Construction de pierre sèche en forme de dôme destinée

DOLOMIE

Roche calcaire constituée de carbonate de calcium et de magnésium. Sous l'action de l'eau, elle se dissout en partie et se transforme en sable fin, laissant des blocs abrupts ruiniformes.

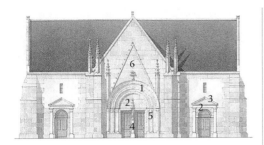

DRAILLE

Sentier de transhumance.

LES PRINCIPAUX ÉLÉMENTS D'ARCHITECTURE ▲

La voussure (1) est une voûte qui couvre l'embrasure d'une baie. Le tympan (2) est la partie pleine, souvent couverte de motifs sculptés, située sous la voussure ; c'est ainsi que l'on nomme aussi l'espace triangulaire d'un fronton (3). Le trumeau (4) est un élément de maçonnerie pleine situé entre deux baies ou deux portes. Le piédroit (5) est la partie verticale sur laquelle repose la voussure. Un gâble (6) est un élément triangulaire qui coiffe une baie ou un portail. Un pinacle est une petite pyramide ou un cône qui surmonte un contrefort.

EX-VOTO

Tableaux ou maquettes de navires offerts en remerciements à la Vierge ou à un saint par les marins sauvés d'un naufrage ou d'une tempête.

FOLIE

Au XVIIIᵉ s., période de richesse et de prospérité, nobles et bourgeois font édifier dans les environs des villes des folies (du latin *folium*, « feuille »), véritables petits châteaux installés au milieu de jardins arborés qui rivalisent de raffinements et de prouesses architecturales.

GARRIGUE ▶

Ce paysage de calcaire et de végétation sèche recouvre les collines pauvres en eau et soumises à des températures élevées en été. On distingue en fait trois types de garrigue : la forêt clairsemée de chênes et de pins ; une végétation buissonnante de chênes-kermès, romarins, lavande, thym et genévriers ; enfin des pelouses « en peau de léopard » où la végétation apparaît par plaques au milieu de terrains pierreux.

LAVOGNE

Mare aménagée où viennent s'abreuver les troupeaux.

LINTEAU

Partie supérieure de l'encadrement d'une ouverture : poutre de bois, de pierre ou de métal.

MÂCHICOULIS ▼

Encorbellement au sommet d'une tour ou d'une muraille fortifiée.

Des trous percés dans le sol

permettaient de verser du liquide bouillant sur les assaillants.

MAGNANERIE

Pièce où l'on élevait les « magnans », les vers à soie. On choisissait pour cela la pièce de la maison la plus facile à chauffer.

MENEAUX ▼

Traverses verticales en pierre qui partagent l'ouverture d'une baie ou d'une fenêtre.

depuis l'Antiquité à la construction des monuments et des habitations.

MICOCOULIER ▼

Arbre de la famille de l'orme, aux fibres souples et résistantes.

MOLASSE ▶

Roche calcaire sédimentaire formée au fond des océans par les débris de coquillages et d'animaux marins. Taillée en bloc, la molasse des carrières de Provence sert

NORIA

Machine à élever l'eau au moyen de godets fixés sur une roue ou une chaîne.

OCCITAN

Ensemble des langues régionales parlées dans le sud de la France rassemblant plusieurs dialectes locaux. Si la langue provençale a peu à peu disparu du quotidien, elle subsiste en tant que langue culturelle, enseignée à l'école ; elle est parlée dans des émissions de télévision, écrite dans la presse régionale. Le provençal perdure à travers toute une création artistique contemporaine, littéraire ou musicale.

OPPIDUM ▲

Ville fortifiée.

ORDRES DE L'ARCHITECTURE ▶

Dans l'architecture antique et classique, la structure et la décoration des colonnes et pilastres **(A)** se réfèrent à des modèles appelés « ordres ». Les quatre ordres principaux sont le dorique, l'ionique, le corinthien et le composite ; ils se différencient surtout au niveau du chapiteau **(B)**. L'ordre dorique **(1)** se caractérise par sa sobriété : le chapiteau ne présente aucune fioriture. L'ordre ionique (2) est plus gracieux, plus orné : le chapiteau présente des volutes horizontales. La principale ornementation de l'ordre corinthien (3) est la feuille d'acanthe, qui se mêle aux volutes ioniques dans l'ordre composite (4).

ORDRES RELIGIEUX

L'ordre **dominicain** fut fondé par saint Dominique en 1216 pour lutter contre les cathares. La conduite de l'Inquisition lui est confiée au XIIIe s. Cet ordre mendiant, qui s'appuie sur le prêche et l'austérité, joua un rôle missionnaire important et compta de nombreux docteurs et prédicateurs, dont saint Thomas d'Aquin et Savonarole. Au Moyen Âge, les **bénédictins** qui suivent la règle rédigée par saint Benoît en 529, forment un ordre riche et puissant. Au XIIe s. l'abbaye de Cîteaux est le lieu d'une importante

réforme qui donne naissance à l'ordre **cistercien** (du nom de l'abbaye). La réforme se poursuit ensuite à Clairvaux sous l'influence de saint Bernard.

PILASTRE ▼

Colonne plate en saillie sur un mur.

PLAN D'UNE ÉGLISE ▶

Le porche (1) est l'espace couvert placé devant l'édifice. La nef (2) est la partie cen-

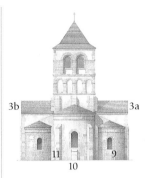

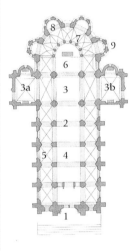

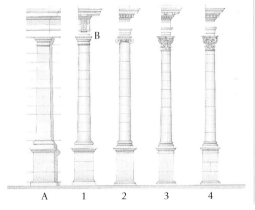

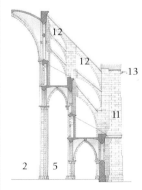

trale du bâtiment, de l'entrée à la croisée du transept (**3**). Le transept est le vaisseau transversal à la nef qui dessine les bras de la croix ; on appelle « bras nord » et « bras sud » les éléments du transept situés de part et d'autre de la croisée (**3a, 3b**). Une travée (**4**) est une portion de la nef comprise entre quatre piliers. Le bas-côté (ou collatéral ; **5**) est un vaisseau parallèle à la nef. Le chœur (**6**) est la partie de l'église réservée au clergé, où se déroule la liturgie. Le déambulatoire (**7**) est un vaisseau qui tourne autour du chœur et sur lequel s'ouvrent des chapelles rayonnantes (ou absidioles ; **8**). On appelle abside (**9**) l'ensemble constitué par le chœur, le déambulatoire et les chapelles rayonnantes ; à l'extérieur, cette partie s'appelle le chevet (**10**). Le contrefort (**11**) est un massif de maçonnerie appliqué contre un mur afin de le renforcer. Les voûtes exerçant une très forte poussée sur les murs, les architectes ont mis au point, pour la neutraliser, un système d'arcs-boutants (**12**). La gargouille (**13**) sert à l'écoulement des eaux de pluie.

POINTU ▶

Grande barque de pêcheur typique du littoral méditerranéen. Le pointu sert à la pose de filets ; il est mené à la rame ou au moteur.

RAÏOLETTE

Un gros oignon cévenol à la saveur très douce.

RETABLE ▼

Panneau vertical richement sculpté, orné ou peint, qui surmonte l'autel.

RUFFES

Roches issues du dépôt de sable et de limon accumulé il y a 270 millions d'années. La couleur rouge est due à l'oxyde de fer. Il ne faut pas confondre la ruffe, qui est un grès, avec la bauxite, rouge elle aussi, mais qui est plus jeune (100 millions d'années) et qui contient de l'alumine.

SERICICULTURE

Élevage du ver à soie.

VOÛTE D'OGIVES

L'ogive (**1**) est la nervure d'une voûte gothique ; la voûte d'ogives est constituée de deux ogives qui se recoupent à la clé de voûte (**2**). L'arc doubleau (**3**) sépare deux voûtes d'ogives. Le voûtain (**4**) est la partie pleine délimitée par les ogives et l'arc doubleau. Ce type de voûtes représente une innovation capitale des architectes du XIIᵉ siècle ; ogives et voûtains pouvant être montés séparément, l'ensemble du bâtiment gagnait alors en poids et en élasticité. ▲

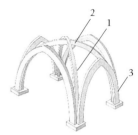

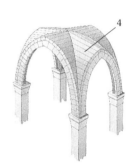